'한국근대문학과 중국' 자료총서 ⑪

비평 Ⅱ(1930~1931)

최창륵·조영추 엮음

역락

『'한국근대문학과 중국' 자료총서』 편찬위원회

위원장: 김병민

위　원: 이광일 최창륵 최　일 장영미 박설매 김　강

편찬자 소개

김병민 연변대학교 조선언어문학학과 교수. 문학박사.

이광일 연변대학교 조선언어문학학과 교수. 문학박사.

최창륵 남경대학교 한국어문학과 교수. 문학박사.

최　일 연변대학교 조선언어문학학과 교수. 문학박사.

장영미 연변대학교 조선어학과 교수. 문학박사.

박설매 연변대학교 조선언어문학학과 부교수. 문학박사.

김　강 연변대학교 조선언어문학학과 전임강사. 문학박사.

배　홍 연변대학교 조선언어문학학과 전임강사. 문학박사.

김은자 하얼빈이공대학교 조선어학과 전임강사. 문학박사.

조영추 연세대학교 국어국문학과 박사.

박미혜 성균관대학교 국어국문학과 박사과정 수료.

'한국근대문학과 중국' 자료총서 11

비평 II

1930~1931

최창륵·조영추 엮음

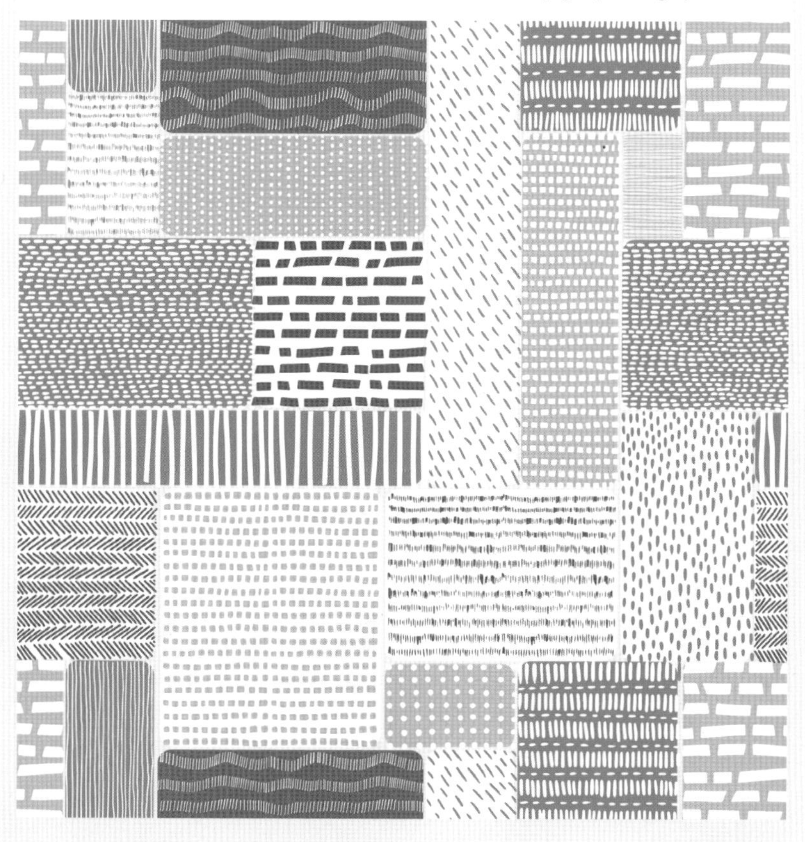

역락

한국근대문학과 중국체험서사

— 서문을 대신하여 —

김병민

1. 중국체험의 의미

한·중 문화 교류는 수천 년의 유구한 역사를 가지고 있다. 특히 한국은 한자, 유·불·도, 각종 문물제도를 중국으로부터 수용함으로써 한(漢)문화권에 편입된 뒤 한(漢)문화를 중심으로 한 동아시아문화권의 형성과 발전에 중요한 역할을 하게 되었다. 따라서 한국문학의 발전 역시 중국문학 및 문화와 불가분의 관계에 놓이게 되었다.

한국문학의 발전에 있어서 역대 한국인들의 중국체험은 한국 한(漢)문학 전통의 확립에 결정적인 역할을 했다. 한국문인들의 중국체험은 다양한 양상을 보이고 있는바 최치원 등을 비롯한 문인들의 유학(留學)체험, 혜초, 의상 등을 비롯한 불교 문인들의 구도(求道)체험, 정도전, 허균, 김만중, 홍대용, 박지원 등을 비롯한 문인들의 사행(使行)체험 등을 들 수가 있다. 이들은 중국을 체험하는 과정에 중국의 문인들과 다양한 교류를 진행하게 되었고 한중 문학의 쌍방향적 영향관계를 밀접히 했다. 실제로 한국문학에서 굴지의 작가로 불리는 최치원, 이제현, 허균, 김만중, 박지원 등의 문학은 중국 문학 및 문화와 깊은 연관성을 보여주고 있다. 한국문인들은 중국체험을 통해 자신들의 창작을 전개해갔고 또한 창작을 통해 그들의 문화의식 즉 세계인식과 시대인식을 구축해 가기도 했다. 최치원의 한시가 『전당시』에, 이제현의 사가 『강촌총서』에 수록되었으며 김만중의 경우 중국체험과 중국문화 수용을 통해 세계적 영향을 지닌 『구운몽』을, 박지원의 경우는 사행체험을 통해 세계 기행문학의 백미로 불리는 『열하일기』를 창작했다. 최치원, 이제현, 김만중, 박지원의 문학이 세계적인 명작이 되기에 손색이 없다고 할 때, 한국문학 발전에 있어서 중국체험은 큰 의미를 가진다고 할 수 있다.

중국체험은 한국 문인들에게 시간과 공간에 대한 새로운 인식을 심어주었고 자아와 타자에 대한 새로운 인식을 불러일으키기도 했다. 예를 들어 18세기 후반기 '북학파'의 맹주들인 박지원, 박제가 등이 중국체험을 통해 전통적인 문화의식에서 탈피하여 자본시장의 형성과 과학문명에 대한 인식을 얻고 중세의 몰락과 근대의 여명을 확인한 것은 시대를 앞서나간 문화적 초월이라고 할 수 있다. 그것은 말 그대로 국가 간의 경계, 문화 간의 경계, 민족 간의 경계를 넘어설 수 있었던 탈경계 체험의 산물이라고 하겠다.

20세기를 전후하여 한국은 근대 식민지체계에 편입되기 시작하여 1910년 '한일합방'으로 일제의 식민지로 전락되고 말았다. 망국을 전후한 시기부터 중국은 한국독립투사들의 항일투쟁의 정치적 공간과 근대적 이민의 생활공간이 되기도 했다. 따라서 한국근대문학은 중국의 문학 및 문화와 더욱 밀접한 연관을 맺게 되었고 보다 더 새롭고 다양한 발전 양상을 보여주게 된다.

따라서 한국근대문학과 중국과의 관련양상에 대한 연구는 비단 한·중 근대문학교류사 연구뿐만 아니라 한국문학사 연구에 있어서도 지극히 중요한 가치가 있다고 할 수 있다. 현재까지 이에 대한 한국 학계의 연구는 대체적으로 한국근대문학의 공간적 이동이라는 시각에서 접근하여 중국에서 벌어

졌던 한국문인들의 문학을 '이민문학' 혹은 재외 한국근대문학의 범주에 두고 고찰하였다. 반대로 중국 학계에서는 중국에 이주한 한국문인들의 문학을 '조선족문학' 혹은 그 전사(前史)로 범주화하고 연구를 해왔다. 이러한 연구는 한민족문학의 연구에서 극히 중요한 작업임이 분명하며 또한 현재까지 괄목할 만한 성과를 거두었다. 하지만 한국문학의 공간적 이동으로만 접근하게 되면 인적 교류, 이론과 사상의 유동 내지는 상상력의 탈경계 등 한·중 근대문학 교류의 보다 다양한 차원의 문제들을 간과하게 된다. 한 마디로 한·중 근대문학 교류는 문학의 공간적 이동의 시각보다는 탈경계 연구(Border—crossing studies)의 시각에서 접근하는 것이 더 효율적이라고 할 수 있다. 이른바 탈경계 연구는 민족, 국가, 언어, 문화, 이데올로기 및 윤리 등의 탈경계 그리고 그 과정에서 문화적 재건, 융합 및 가치창조를 밝히는 새로운 연구 시각이다.

근대 전환기 및 근대과정에서 이루어진 한국문학의 중국과의 교류는 고금의 인류문학사에서 보기 드문 문학적 현상이었으며 일종의 '증후성(Symptomatic)'을 가진 문학적 사건이라고 할 수 있는바 다음과 같은 특징을 띠고 있다. 우선, 교류의 지속시간이 길고 방대한 양의 텍스트를 형성하였다. 다음으로 그 교류는 일방적인 영향관계가 아닌 쌍방향적인 상호작용의 관계였다. 끝으로 그 교류는 '중심'과 '주변'의 관계가 아닌 '주변'과 '주변'의 관계였다. 그중 탈경계 서사(beyond boundaries narrative)로 특징지어지는 한국근대문학의 중국체험서사는 한국문인들의 중국을 매개로 한 전통, 근대 그리고 미래와의 대화였다. 바로 이러한 의미에서 한국근대문학과 중국과의 문학·문화적 대화는 지극히 생산적인 것이었으며 근대 동아시아의 정신적 가치를 보여주는 소중한 유산이라고 할 것이다.

한국문학의 근대화 과정에서 일본을 통한 서양문학사조, 유파, 관념, 형식 등의 수용이 큰 역할을 하였음은 분명하나 식민지 출신의 한국문인들에게 있어 식민 종주국 일본이 생산적 가치를 가진 이상적인 공간이 될 수는 없었다. 오히려 비슷한 운명에 처한 중국이 생산적인 정치·문화공간이자 생존·생활공간이 될 수 있었다. 중국에 대하여 느낄 수 있었던 시대적 동질감과 유대감은 일본이 갖추지 못한 요소들이었다. 따라서 한국인들은 중국을 독립투쟁의 전장, 근대문명의 '박물관', 평등한 대화와 교류의 장소로 인식하였던 것이다. 한국근대문학과 중국과의 교류는 한국문학의 근대화 과정을 이해하는 데 있어 중요한 가치가 있을 뿐만 아니라 나아가 오늘날 한국과 주변의 관계를 이해하는 데 있어서 상당한 현실적 가치가 있다고 해야 할 것이다. 이에 『'한국근대문학과 중국' 자료총서』는 한국문인들이 중국과의 교류 과정에서 생산한 중국서사와 한국문인들에 의한 중국문학 번역과 소개 등 텍스트를 그 대표성과 중요도에 따라 선별적으로 수록하였다.

2. 저항과 항일체험서사

항일서사는 한국의 독립투사들이 중국에서의 반일활동에 근거한 탈경계 서사로서 의열단(義烈團), 한국애국단(韓國愛國團), 독립군(獨立軍), 유격대(遊擊隊), 조선의용대/의용군(朝鮮義勇隊/義勇軍), 한국청년전지공작대(韓國青年戰地工作隊), 한국광복군(韓國光复軍), 중국국민군(中國國民軍), 팔로군(八路軍), 항일연군(抗日聯軍) 등 항일부대의 활동과 밀접히 연관되어 있으며 소설, 시, 수필 등 장르를 포함하고 있다.

소설로는 중국에서 전개된 한국의 반일독립운동을 소재로 한 신채호, 최서해, 강경애, 심훈, 장지락 등의 작품이 있다. 우선 아나키즘계열의 항일투쟁을 반영한 소설로는 신채호의 「용과 용의 대격전」, 장지락의 「기묘한 무기」 등이 대표적이다. 신채호의 소설 「용과 용의 대격전」은 환상적인 구조 속에서 일제 침략자를 상징하는 미리와 한국 민중을 상징하는 드래곤 사이의 격전을 그리면서 민중의 승리를 확인하고 있다. 「꿈하늘」(1916)에서 신채호가 국민국가 상상을 보여주었다면 「용과 용의 대격전」에서는 무산민중 주체의 민족국가 상상을 보여주었다고 할 수 있다. 장지락의 소설 「기묘한 무기」는 1922년 김익상 등 한국의 반일지사들이 상하이 황포공원에서 일제 육군대장 다나카를 저격한 사건을 다룬 단편소설로 1930년 북경에서 창작된 작품이다. 이 소설에는 사회주의, 아나키즘, 인도주의 등 다양한 사상들이 혼재되어 있다. '만주'지역에서 전개되고 있던 독립투쟁을 소재로 한 소설로 최서해의 「해돋이」와 강경애의 「모자」, 「축구전」 등이 있다. 「해돋이」는 생활에 시달리다 독립운동에 투신한 주인공 만수의 형상을 통하여 '만주' 지역 한국 이주민들의 일제와 그 주구들에 대한 분노와 항거를 보여주고 있다. 강경애의 「모자」는 간도지역에서 벌어진 항일유격투쟁을 배경으로 하면서 희생된 남편의 못 이룬 뜻을 어린 아들로 하여금 이어가게 하겠다는 한 어머니의 불굴의 의지를 보여주고 있고 「축구전」은 일제의 주구들이 조직한 축구경기에 참가하여 경기는 졌지만 민중들에게 반일정신이 살아있음을 보여준 진보적인 한국 이주민 중학생들을 그리고 있다.

반일투쟁 승리의 강력한 의지를 표출한 시작품으로는 신채호의 「매암의 노래」, 이육사의 「청포도」, 김창숙의 「넋이여 돌아오라」, 이두산의 「당신은 의용의 전사래요」, 문정진의 「4명의 열사를 추모하여」 등을 들 수 있다. 이두산의 시 「당신은 의용의 전사래요」는 중국에서 활약하고 있는 항일부대 '조선의용대'의 영용한 모습과 필승의 신념을 노래하면서 항전의 승리와 조국 귀환의 절절한 정감을 읊고 있다. 김창숙의 시 「넋이여 돌아오라」는 중국

하르빈에서 독립운동을 지도하다 일경에 체포되어 옥사한 독립투사 김동삼을 기린 시로 일제에 대한 불타는 적개심과 구국의 염원을 노래했다. “신계(神溪)는 목 메이고/ 한수(漢水)는 슬픈데/ 한 치의 묻을 땅이 없어/ 다비(荼毘)에 부치더니/ 아, 나라 찾을 그날/ 다가오리니/ 넋이여 돌아오라/ 주저치 말고”라고 하면서 전편에 걸쳐 혁명동지에 대한 뜨거운 애도 그리고 원수격멸의 의지를 그려내고 있다.

이밖에 항일투쟁의 제일선에서 싸운 군인들의 실기, 수필 등은 실제적인 체험을 기록했다는 의미에서 상당한 가치를 가진다. 예를 들면 ‘조선의용대’ 대원들이 창작한 「전선에서의 조선의용대」, 「중국 전장에서의 조선의용대」, 「화평촌통신」 등은 항일전장에서 조선인 대원들의 대적 무장선전, 중국 항일부대와의 협동작전, 민중교육 등 상황을 그려내고 있는바 한국 근대 독립투쟁의 역사와 한중관계를 조명함에 있어서도 중요한 가치를 가진다고 할 수 있다. 중국에서 전개된 한국인들의 독립투쟁을 반영한 작품 『청산리 혈전실기』, 「조선혁명일사」 등과 신채호의 수필 「단아잡감록」, 「조선의 지사」, 이두산의 연작수필 「억(憶)」(「산중 40일」, 「중국 항전에 참가하다」 등 11편) 등 작품들은 중국에서 한국 독립지사들의 투쟁과 생활 그리고 그들의 정신적 궤적을 반영하고 있다는 의미에서 높은 문학적 가치를 가진다고 할 수 있다.

3. 정착과 이민서사

한국근대문학의 탈경계 서사에서 가장 많은 비중을 점하는 작품은 한국 이주민들이 중국에서의 생존체험을 소재로 한 이민서사로 그 주제적 경향에 있어서도 다양성을 보이고 있다.

우선, 한국 이주민과 중국인들과의 갈등은 이민서사에서 가장 많이 보이는 소재이다. 토지의 주인인 중국인들은 '지주'의 신분으로 등장하여 민족·계급이라는 이중적인 갈등구조를 이룬다. 최서해의 소설 「홍염」, 강경애의 소설 『소금』 등이 대표적이다. 「홍염」의 중국인 지주 '은 서방', 『소금』의 중국인 '팡둥'은 토지의 주인이라는 절대적 우위를 이용하여 한국 이주민들을 억압하고 있고 극한적인 생존환경에 처한 한국인 이주민들의 자연발생적인 항거가 계급적 인식으로 나아가게 된다. 이런 의미에서 중국으로의 이주는 한국작가들로 하여금 계급적 대립에 의한 억압의 보편성을 확인할 수 있게 하였고 나아가 현실 인식에 대한 깊이와 정확도를 획득할 수 있게 하였다.

다음으로, 중국에서 새로운 삶의 터전을 건설하려는 정착의식을 그린 작품들이 많이 있다. 안수길의 「벼」, 「북향보」 등과 현경준의 「선구시대」, 이기영의 『대지의 아들』, 『처녀지』 등 소설이 대표적이다. 안수길의 「북향보(北鄕譜)」는 주인공 정학도를 비롯한 이주민들이 어려운 여건 속에서 '북향농장'을 운영하는 과정을 통해 '만주'에 뿌리를 내려야 한다는 정착의식 혹은 지역의식(locality)을 상징적으로 보여주고 있다.

하지만 '만주'의 실질적인 지배자가 일제였기 때문에 '만주'를 향한 정착의식은 '상상적인 탈식민'으로 흐르게 되고 자칫하면 '만주'에서의 일제의 식민주의 담론에 포섭되게 된다. 마약중독자들을 '만주국' 건설에 필요한 인재로 '갱생'시키는 과정을 그린 현경준의 「유맹」, '내부 식민주의'적인 시각에서 원시적인 초원에 사는 몽고인들을 '개량' 하는 주인공의 노력을 그린 한찬숙의 「초원」 등이 대표적이다. 이러한 정착의식은 일제에 대한 철저한 순응으로 타락하는 경우도 있어 박영준의 「밀림의 여인」과 같은 노골적인 친일문학작품을 낳기도 했다. 그럼에도 이러한 작품들은 '태평양전쟁' 이후 일제의 전시총동원체제 등 특수한 시대적 상황 속에서 한국문학의 현실대

응의 다양한 예시를 보여준다는 점에서는 상당한 가치가 있다.

중국 도시에서의 한국 이주민들의 삶을 그린 작품으로는 주요섭의 「봉천역식당」, 김광주의 「북평서 온 영감」, 「남경로의 창공」 등 소설이 있다. 주요섭의 「봉천역식당」은 화자가 봉천역 식당에서 우연하게 만난 한 한국 여인의 10년간의 변화를 그리고 있다. 처음 만났을 때 이 여인은 행복이 넘쳐흐르던 처녀였으나 점차 남성의 노리개로 전락하여, 나중에는 우울한 모습으로 목석처럼 변해버리고 만 비참한 운명을 그리고 있다. 김광주의 「북평서 온 영감」은 살 길을 찾아 '만주'와 북경 등지를 전전하다가 상하이에 온 한국 이주민의 정신적 소외를 보여준 작품으로서 식민주의와 봉건주의의 이중적 억압 하에 놓인 한국 이주민의 삶을 그리고 있다.

한국 시인들의 중국체험도 주목되는 바이다. 백석, 유치환, 이용악, 서정주 등은 중국체험을 통해 상상력의 확장, 이미지의 다양화 나아가 민족적, 시대적 인식의 전환을 이루게 되었다. 백석은 「조당(澡堂)에서」란 시에서 목욕탕의 벌거벗은 중국인들을 보면서 이방인인 '나'와 중국인들 사이의 역사와 문화, 언어와 몸짓, 그리고 표정 등의 차이를 느끼다가 인간은 결국 벌거벗은 우스운 몸에 지나지 않는다는 초월적 인식에 이르고 있다. 서정주는 취직을 위해 8~9개월 간 중국에 있었던 체험을 바탕으로 "저 만치의 쑥대밭 언덕에서는/ 역시나 때 절은 靑衣의 한 滿洲國 아줌마가/ 누구의 것인가 새 棺널 하나를 앞에 놓고/ <끅! 끅! 끄르륵……/ 끅! 끅! 끄르륵……>/ 꼭 그런 소리로 울고 있었다./ 우리 단군할아버님의 아내가 되신/ 그 잘 참으신 암곰님처럼/ 씬 쑥과 매운 마늘 많이 자신 소리 같었다."(「만주제국 국자가(局子街)의 1940년 가을」) 등 살아서 숨 쉬는 이국 이미지를 창조했다. 또 이용악은 중국 '만주'에서 목격한 망국노의 슬픈 모습을 "울 듯 울 듯 울지 않는 전라도 가시내야/ 두어 마디 너의 사투리로 때 아닌 봄을 불러줄게/ 손때 수집은 분홍

댕기 휘 휘 날리며/ 잠깐 너의 나라로 돌아가거라."(「전라도 가시내」)와 같은 주옥같은 시구에 담아내고 있다. 그런가 하면 유치환은 중국체험을 바탕으로 대체로 여성적인 한국 근대 시단에서 「생명의 서」, 「바위」와 같이 단연 돋보이는 역동적인 시를 써낼 수 있었다.

4. 타자와 중국서사

한국문인들의 중국체험은 중국과 중국인을 소재로 한 다양한 문학작품들의 출현을 가능토록 하였다. 이러한 작품은 중국에서의 전통문화체험을 통한 동양문화의 가치에 대한 재인식, 자본주의적 근대체험을 통한 서양적 가치에 대한 비판, 반식민지 반봉건 사회체험을 통한 현실사회의 부조리에 대한 비판, 항일투쟁체험을 통한 한·중 연대의식 등 다양한 주제를 표현하고 있다.

우선, 전통문화체험을 통한 동양적 가치의 재발견을 보여준 작품으로는 정래동의 수필집 『북경시대』, 한설야의 수필 「연경의 여름」 등과 주요섭의 소설 「진화」, 「죽마지우」 등을 들 수가 있다. 정래동과 한설야 등은 수필창작을 통하여 중국 전통문화의 거대한 힘에 대하여 예찬하였고 주요섭은 소설 「진화」에서 중국문화의 전통성을 인정하면서 동양의 정신적 가치를 발견하려고 했으며 소설 「죽마지우」에서는 북경을 자신의 정신적 고향으로 묘사하는 등 다원적인 문화정체성을 보이기도 했다.

다음으로, 반식민지 반봉건 사회체험을 통한 현실비판을 보여준 작품으로 심훈, 피천득, 박세형 등의 시편들과 최독견의 「벌금」, 주요섭의 「살인」, 「인력거꾼」, 강노향의 「상해야화」 등 소설 작품들을 들 수가 있다. 심훈은 시

「북경의 걸인」에서 걸인의 형상을 통해 하층민에 대한 동정을 보여준 동시에 동등한 운명에 놓인 자기 민족의 고통도 하소연하고 있다. 피천득의 시 「1930년 상해」는 옷을 전당 잡혀 먹을거리를 사야 하는 현실과 곧 팔려갈 어린 생명을 시적 대상으로, 하층민들의 비참한 생활에 대해 공소하였고 박세영의 시 「북해와 매산」은 군벌혼전으로 피폐해진 북경의 암울한 현실을 비판하였다.

이와 더불어, 최독견과 주요섭은 소설 창작을 통해 제국주의 침략과 문화 헤게모니로 하여 식민지화된 상하이 도시문명의 가치결손에 대하여 비판함과 동시에 하층민들의 소외를 적나라하게 폭로하고 있다. 이러한 소설들은 참신한 시각과 심각한 문제의식을 보여주고 있는바, 최독견은 소설 「벌금」에서 중국옷을 입고는 공원으로 들어갈 수가 없는 현실과 서양 여인이 개에게 먹이던 빵조각을 고맙다고 받는 중국인 여성을 통해 굴욕적으로 살아가야 했던 하층민에게 연민의 정을 보이고 있으며 중국의 반식민지 사회현실을 신랄하게 비판하고 있다. 또한 강노향은 소설 「상해야화」에서는 조계지 프랑스인 집에서 노예살이를 하는 중국인과 프랑스 여인의 부정당한 관계 등을 통해 서양의 가치결손과 식민지 조계지에서의 남성의 소외 내지는 타락을 보여주기도 했다. 한편, 주요섭은 소설 「살인」에서 도시 최하층 기생인 우뽀의 형상을 통해 버림받고 소외당한 하층민들의 운명을 보여주면서 그들의 각성을 촉구하기도 했다. 작가의 다른 한 소설인 「인력거꾼」 역시 자본주의 문명이 최하층 인간에게 들씌운 불행에 대하여 묘사하고 있다.

이처럼 상기 다양한 소설작품들은 근대 도시인 상하이를 배경으로 그 속에서 살아가는 하층민들의 불행한 운명, 특히는 생존권을 박탈당하고 소외되어가는 인물들을 통해 식민주의의 죄행을 공소하고 있다. 물론 이러한 문제의식은 한국문인들의 중국에서의 근대적 도시체험에서 얻어진 것이라 해야 할 것이다.

또한, 유자명, 이두석, 이관용, 문일평, 이광수, 최남선, 주요섭, 김광주, 정래동, 강경애 등 쟁쟁한 한국문인들의 수백 편의 기행문들에서는 중국체험과 시대인식이 다양하게 보이고 있다. 즉 이러한 기행문은 중국전통문화와 서양문명에 대한 새로운 인식, 시국에 대한 인식과 비판, 망국 국민으로서의 애환, 민족에 대한 뜨거운 사랑, 민족독립에 대한 열망 등으로 일관되어 있다. 특히 이러한 기행문들은 근대 중국사회를 인식하는 역외시각(域外視角)으로서 귀중한 문헌적 가치가 돋보이는 바이다.

5. 가치 수용으로서의 번역과 비평

한국근대문학과 중국의 관련 양상은 중국근대문학에 대한 번역과 비평에서도 잘 드러나고 있다. 한국에서의 중국근대문학작품에 대한 번역은 주로 양건식, 정래동, 유수인, 이육사, 김광주 등 중국 유학경력이 있는 문인들에 의해 전개되었다. 소설로는 루쉰의 「아Q정전」, 「광인일기」, 「고향」, 궈모뤄(郭沫若)의 「목양애화(牧羊哀話)」, 딩링(丁玲)의 「떠나간 후」, 위다푸(郁達夫)의 「피와 눈물」, 린위탕(林語堂)의 「북경호일」, 샤오쥔의 「사랑하는 까닭에」 등이 있으며, 시작품으로는 후스(胡適)의 「등산」, 「11월 24일 밤」, 궈모뤄(郭沫若)의 「봄 맞은 여신의 노래」, 「죽음의 유혹」, 쉬즈모(徐志摩)의 「가거라」, 「우연」, 주즈칭(朱子淸)의 「잠자라, 작은 사람아」, 저우쭤런(周作人)의 「소하」 등이 있으며, 연극으로는 궈모뤄(郭沫若)의 「탁문군 삼경」, 톈한(田漢)의 「상상의 비극」, 어우양위첸(歐陽予倩)의 「반금련」 등이 있다. 그 외에도 루쉰 등의 산문이 번역 소개되었다.

이외, 중국근대문학과 관련된 비평으로는 양건식의 「호적 씨를 중심으로 한 중국의 문학혁명」(1920, 번역문), 김태준의 「문학혁명 후의 중국문예관」(1930), 정래동의 「중국 양대 문학단체 개관」(1931, 번역문), 「노신과 그의 작품」(1931), 「중국문단의 신작가 파금의 창작태도」(1933), 김광주의 「중국 좌익문예운동의 과거와 현재」(1931), 이육사의 「노신 추도문」(1936) 등이 있다.

이러한 중국근대문학 작품의 번역과 비평을 통해 한국 근대 문인들의 중국문학에 대한 인식과 수용 자세, 한국 근대에 있어서의 중국의 사회사상과 미학사상이 미친 영향, 나아가서 한국 근대 문학번역사와 문체의 변천과정도 이해할 수가 있다. 주지하다시피, 한국 근대 문인들은 대부분 일본을 통해 서구문학을 수용하였고 또한 서구문학에 대한 번역과 소개도 적지 않게 진행한 바이다. 그럼에도 프로문학 등 특수한 영역을 제외하고는 한국 근대 문단에서 일본문학이 별로 번역·소개되지 않았음은 주목이 필요한 대목이다. 이에는 식민지시기라는 특수한 시대적 상황 속에서 형성된 이질감과 거부감이 작용했을 것이다. 이러한 점을 염두에 둘 때 한국에서의 중국 근대문학의 전파와 수용은 근대 한국 문인들이 중국 근대작가들과 함께 20세기의 동아시아적 가치를 창출하고 공유하고자 한 시대의식과 무관하지 않을 것이다. 바로 이런 의미에서 중국근대문학에 대한 번역·소개와 비평은 한국근대문학과 중국근대문학, 나아가 중국과의 관련을 해명하는 데 불가결한 중요한 영역이기도 하다.

6. 편찬 동기와 총서의 구성

일찍 2014년 연변대학 통문화센터에서는 중국어로 된 『'중국현대문학과 한국' 자료총서』(1~10권)를 간행한바 있다. 베이징에서 열린 이 총서의 출판기념 좌담회에서 중국의 근대문학 연구자들은 필자에게 『'한국근대문학과 중국' 자료총서』를 편찬할 것을 제안한 바가 있다. 이에 상기 자료집 편찬의 중요성과 절박성을 깊이 인식하게 된 나머지 편찬위원회를 묶어 총서의 편찬사업을 시작했다. 한국근대문학과 중국 관련 자료는 이미 적지 않은 자료집에서 수록되기도 한 바이다. 예하면 연변대학 문학연구소에서 편찬한 『중국조선족문학대계』, 북경민족출판사에서 편찬한 『중국조선족 문학유산 정리편찬』 등에 수록된 적지 않은 작품들은 편찬자 나름의 시각에 따라 중국조선족문학의 출발점으로 인식되어 중국 조선족문학 권역에 귀속시켰지만, 한국근대문학사에 있어서도 중요한 작가와 작품들이다. 물론 상기 자료집들은 한국근대문학과 중국 관련 연구를 위해 정리된 자료 총서가 아니며 한국근대문학과 중국과의 관련 양상을 살피기에는 전체적이지 못함도 짚고 넘어가야 할 것이다.

한국근대문학과 중국 관련 연구는 1990년대부터 학계의 주목을 받기 시작하여 적지 않은 연구 성과를 내고 있다. 그럼에도 아직까지 중요한 자료들에 대한 발굴과 정리가 진일보 요청되고 있으며 일부 연구들은 충분한 자료적 검토가 확실하지 못한 점도 없지 않다. 이러한 상황은 한국근대문학과 중국 관련양상의 전반적 검토와 연구의 심화에 장애로 작용하고 있으며, 이에 본 자료집은 그에 대한 극복을 목적으로 하고 있다.

『'한국근대문학과 중국' 자료총서』는 편찬 의도를 구현하기 위해 작품 선정에서 첫째로, 한국근대작가들의 중국체험을 바탕으로 중국의 시간과 공간에서 벌어진 인물과 사건들이어야 하며, 둘째로, 중국인들의 생활 혹은 중국에서의 한국인들의 생활을 소재로 해야 하며, 셋째로, 중국체험을 기반으로 하는 동서양 관련 문화인식을 다룬 작품도 가능하다는 원칙을 지키고자 했다. 한편, 편찬과정에서 적지 않은 애로에도 봉착하였는바, 일부 작품들은 당시의 중국 경내에서 꾸려진 신문, 잡지들에 발표되었으나 신문과 잡지의 보존상태가 완전치 못하여 그 전모를 알 수가 없으며, 아울러 신문, 잡지의 경우 여러 곳의 도서관과 서류관에 분산되어 있었다. 또한 일부 작품들은 유고로서 분실된 것도 있었기 때문에 편집자들은 이러한 난제를 풀기 위해 국내외 도서관들을 찾아다녀야 했고 따라서 관련 인사들을 찾아 방문하기도 해야 했다. 비록 편찬자들이 많은 노력과 심혈을 기울였지만 아직 미비한 점이 적지 않다.

본 총서는 총 16권으로서 창작편 11권(소설 4권, 시 3권, 기행문 2권, 정론·실기·수필·희곡 2권)과 비평집 5권이다. 편집과정에서 편찬자는 발표 당시의 원본 형태를 그대로 보여주기에 노력을 경주하였으며, 섣불리 개정이나 첨삭을 시도하지 않았다.

본 총서는 편찬과정에서 국내외 많은 한·중 문학관계를 연구하는 전문가들의 열정적인 관심과 도움을 받았으며 특히 국내외 도서관, 서류관의 지지와 성원을 받은 바 있다. 총서의 편집에 도움을 주신 모든 이들에게 진심으로 되는 감사를 드리는 바이다. 앞으로 본 총서가 한·중 문학관계 연구자들과 독자들에게 도움이 되기를 진심으로 바라며, 미진한 점에 대해 전문가들과 독자들의 기탄없는 비평을 기대하는 바이다.

2020년 2월 1일

차례

1931년

일러두기

1. 본 총서는 1919년 중국의 '5·4운동' 전후시기부터 시작하여 1948년 남북한 단독정부 수립에 이르기까지 중국인 및 중국에서의 체험을 소재로 창작한 문학작품 중 문헌적, 문학적 가치가 높은 작품들을 수록하였다.
2. 본 총서는 총 16권으로 구성되었는바 소설(1~4권), 시(5~7권), 기행문(8-9권), 평론(10-14권), 정론·실기·수필·희곡(15-16권)으로 나누었다.
3. 초간본을 저본으로 하여 원본의 표기를 최대한 보류하는 것을 원칙으로 하였으나 일부 초간본을 확인할 수 없는 작품의 경우 초간본에 가장 가까운 판본을 수록하였다.
4. 독자들의 읽기와 이해를 돕기 위하여 표기법은 아래와 같은 원칙을 적용하였다.
   - 근대 모음을 현대 모음으로 바꿨다.

     예: ·→ㅏ
   - 근대 겹자음을 현대 겹자음으로 바꿨다.

     예: ㅺ→ㄲ, ㅽ→ㅃ
   - 띄어쓰기는 현행 한국어 표기법의 기준을 따랐다.
   - 소설의 경우 문장부호를 현행 한국어 표기법의 문장부호로 통일하였다. 대화는 " ", 간행물과 단행본의 명칭은 『』, 기사와 작품의 명칭은 「 」, 음악작품의 제목은 < >, 연극작품은 ≪ ≫로 통일하였고, 명확하지 않으면 ⁑ ⁑를 사용하였다.
   - 기행문, 평론, 수필, 정론, 시가, 희곡의 경우 원본의 문장부호를 보류하였다.
   - 원본에서 판독이 불가한 문자는 □로 표시하고 판독 불가한 문자가 1행 이상일 경우에는 주해에 "이하 × 자 판독 불가"를 밝혔다.
   - 원본의 오탈자, 오식은 보류하고 해석이 필요한 경우에는 주해에 "편자 주"를 밝혔다.

     예: 1) "淅江"은 "浙江"의 오식 ─ 편자 주
5. 외래어는 원본의 표기를 보류하였다.
6. 인명, 지명 등 고유명사는 원본의 표기를 보류하였다.
7. 한자는 원본의 표기를 보류하였다.
8. 잘못된 인명, 작품명, 신문·잡지명 등과 한자들을 중국어 원문과 대조해 바로잡았다.

1930년

中國 新詩 槪觀[01]

丁來東

(一)[02]

一. 序 言

中國 現代詩를 理解하려면 우리는 먼저 中國詩의 發達하여 온 沿革과 歷代의 詩論 及 詩形 等에 關하야 相當한 知識이 잇서야 할 것이다. 그러나 筆者와 가튼 無學으로서는 廣汎한 中國詩學을 銳利하게 分析 究明할 수가 업슬 뿐만 안니라 또한 이와 가튼 小論으로서는 仔細하고 精密한 研究를 할 수가 업슴으로 此 論文에서는 現代 白話詩를 注重하야 記述하고 中國古詩 即 文言詩에 關하야는 現代 白話詩와 關聯되는 部分만 簡易하게 적어 보겟다.

中國詩는 長久한 歷史를 가지고 잇는 만큼 그 起源에 關하야서도 議論이 끗나지 안하야 或은 黃帝 以前에 발서 詩가 잇섯다고 한 學者도 잇고 或은 黃帝 時에 잇섯다고 하고 沈德潛과 가튼 學者는 그 古詩 源에 『擊壤歌』를 처

01 『朝鮮日報』 1930.1.1(2면), 1.2(1면), 1.3(2면), 1.5, 1.9, 1.11, 1.15~1.19, 1.21~1.25, 4면.

02 매회 연재분 표기로서 16회에 걸쳐 연재되었다.

음에 두고 虞舜 時의 作이라 하엿스나 此等 說은 그 眞僞를 參考하기가 어렵고 다못 周時의 詩 『三百篇』은 그 時代도 能히 歷史上 事實로 證明할 수 잇슬 뿐만 아니라 詩로서도 相當한 價値를 가지고 잇다. 이 三百篇의 內容을 보면 民間의 詩 即 『風』이 大部分이요, 其外에 『頌』, 『雅』 即 宗廟의 詩와 朝廷의 詩 等이 잇다. 이것을 보면 中國의 詩도 다른 나라의 詩와 가티 그 根源은 民歌(BALLAD)인 것을 알겟스며 그의 詩形으로 보면 比較的 簡單한 三言, 四言, 雜言 等이 잇서서 詩形으로서 그 中 原始的으로 볼 수 잇다.

三百篇 以後로 詩形은 □□ 發達하야 漢詩에 五言, 七言의 詩가 盛行하고 唐時부터 五言 七言의 律詩와 絕句 等이 創作되엇다. 이외에 樂府, 塡詞 等 比較的 自由스러운 詩形이 만하여젓다. 이와 가티 中國詩의 詩形은 多樣多形이어서 쉬지 안코 進化를 하여왓스며 現代에 이르러서는 이와 가튼 詩形들도 모도 다 束縛과 制限이 잇다 하야 字數의 制限, 句數의 制限을 全部 打破하고 自由詩形을 쓰자는 意識的 運動이 일어낫다. 이것이 곳 中國文學史上에 大書特書할 文學革命運動의 一部 工作이다. 詩形에 革命을 불으지짐은 곳 內容과 形式은 그 關係가 絕實하야 內容을 自由스럽게 하여야 한다는 것이다. 이에 關하야 胡適氏의 說은 이러하다.

> 『以上의 數例는 詩體解放 後에 詩의 內容의 進步를 말한 것이어서 萬若 史的 進化의 眼光으로 中國詩의 變遷을 본다면 三百篇으로부터 今日에 이르기까지 詩의 進化가 詩體의 進化에 付隨하지 안한 것이 업는 것을 볼 수 잇다.』[03]

03 胡適, 「談新詩」, 『星期評論』雙十紀念號, 1919.10.10에서 인용된 것이다.

氏는 文學史上에서 詩形의 解放運動을 四期로 난우어 말하엿다.

『三百篇은 究竟 完全하게 『風謠體』(　　)[04]의 單純한 組織에서 脫却하지 못하엿다. 南方의 騷賦文學이 發生하면서부터 처음으로 長篇의 韻文이 나게 되엿다. 이것이 第一次의 解放이다.』
『그러나 騷賦體는 (兮)字와 가튼 字로 句尾를 맷는 故로 停頓이 너무 만하고 너무 冗長하야 不自然하엿섯다. 그럼으로 漢以後의 五七言 詩는 意味도 업는 結尾字를 削除하야 퍽이나 自然的이 되엇다……이것이 第二次의 解放이요.』
『五言 七言이 正宗 詩體 된 後로 最大의 解放은 詩에서 詞로 變한 것이엇다. 五七言은 言語의 自然에 맛지 안한 것이엇다. 그 理由는 吾等의 言語는 恒常 句句가 五言 或은 七言뿐만 안인 까닭이다. 詩가 變하야 詞로 됨으로 整齊句法에서 變하야 比較的 自然한 參差句法으로 되엇다……이것이 第三次의 解放이요.』

『……最近의 新詩의 發生에 이르러 五言 七言의 詩體를 打破하고 詞曲의 譜調의 束縛을 排斥하고 格律에도 拘定하지 안코 平仄長短도 도라보지 안코 自由로 詩를 짓게 되엇다. 이것이 第四次의 詩體의 解放이다.』[05]

---

04 비어 있으나 호적의 중국어 원문과 대조해 보면 "Ballad"이다.

05 이상 모두 胡適, 「談新詩」, 『星期評論』雙十紀念號, 1919.10.10에서 인용된 것이다.

詩形의 變遷하여 온 經路는 大槪 以上에 말한 것과 가트며 簡單한 表로 쓴다면 以下와 갓다.

(『支那文學槪論講話』(鹽谷溫 著) 七六頁의 表)

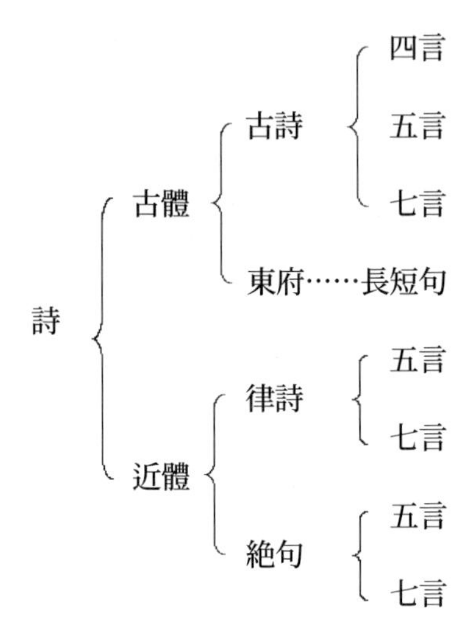

다음에 좀 말하여 둘 것은 中國 自古로 나려 오면서의 詩에 對한 觀念이다. 『詩』란 무엇인가? 이 疑問에 圓滿한 對答을 한 사람은 東西洋을 勿論하고 아즉 업다. 따라서 中國에는 大槪 엇더한 論者가 잇섯스며 大槪 詩의 內容의 엇더한 部分을 重要히 역여 왓는가를 알메 끈칠 뿐이다. 中國에서 詩란 무엇인가? 하고 물으면 一般이 共同으로 『詩言志』라고 할 만큼 『詩言志』란 定義는 普遍化하야 왓다. 關雎詩 序에는 조금 더 仔詳히 말하엿다.

(二)

『詩者, 志之所之也. 在心爲志, 發言爲詩. 情動於中而形於言.』

또한 史에는 이와 가티 말하엿다.

『詩言意, 意志也.』

이 外에 例가 만흐나 다 大同小異함으로 約하고 이 『志』라고 함은 무엇인가를 좀 말하야 보자. 『在心爲志』라던지 『意는 志也』라던지를 보면 今日에 말하는 『意志』와 彷彿한 것 가트나 이 『意志』는 普通 『感情』을 떠나서 생각함인 것임으로 詩는 곳 意志의 表現이라고 할 수 업다. 그럼으로 이 『志』字에는 意志가 包含한 것이나 純粹한 意志뿐만이 아니라 感情이 意志를 濾過한 後의 心理狀態를 말한 것 갓다. 孔子는 詩를 說明하면서『思無邪』라고 하엿다. 이것도 純全한 생각만을 말한 것이 아니요, 感情과 混合한 것을 『思』라고 말한 것 갓다. 또한 一步를 進하야 사람의 『생각』을 分析하야 본다면 感情을 떠난 純全한 『생각』은 업슬 것이다.

이外에도 여러 派가 잇다. 곳 劉勰가 『文心雕龍明詩篇』에 말한 것과 가티 『詩者, 詩也, 詩人性情』이라고 한 사람도 잇고 또는 魏了翁의 黃詩外集 序에 말한 것과 가티 『情動於中, 而言承之, 故曰詩』라고 『承人情感』을 主張하는 派도 잇고 春秋說 題辭에 말한 것과 가티 天地人 一般 宇宙를 包含하야 나린 定義도 잇다. 곳

『詩者, 天文之精, 星辰之度, 人心之操也.』

이와 가티 諸說이 多少 齟齬參差는 잇슬지언정 擧皆 情志에다 論點을 둔 것으로 보면 東西의 詩에 關한 定義가 그 歸結點이 同一한 것을 알겟다.

또 中國에서는 詩의 効用에 만흔 注意를 하여 왓섯다. 그 代表者로는 孔子가 第一일 것이다. 그는 論語 陽貨篇에 이와 가티 말하엿다.

『詩可以興, 可以觀, 可以群, 可以怨. 邇之事父, 遠之事君. 多識於鳥獸草木之名.』

孔子의 事父 事君의 思想은 詩에까지 그 影響을 밋첫다. 興, 觀, 群, 怨 모든 것이 社會의 安寧과 秩序의 維持를 버서난 것이 업고 甚至於 今日에 말하는 動植物學까지 詩에서 배우게 된 것을 말하엿다. 詩에 對하야 多少 道德方面을 떠나서 詩 獨立的 見地에서 생각한 사람도 업지는 안하엿지만은 大概 只今까지의 潮流는 이와 가튼 効用의 方面에 더욱 注意하여 왓는 것이다. 그럼으로 中古 以後로 抒情的 詩歌가 發達하지 못함은 이러한 思想의 彌漫이 그 重要한 原因도 될 것이다.

이와 가티 中國古詩에 關한 諸 方面을 觀察할려면 끗이 업슴으로 大概 詩形의 變遷, 詩定義의 諸說, 詩의 効用에 關한 說을 말하엿스니 이러한 繁雜한 問題는 제처노코 新詩에 關한 것만 專혀 말하여 보겟다.

中國 現代詩라고 하면 民國 五六年 後 即 文學革命 後의 白話詩를 말한 것임은 贅言할 必要가 업고 우리는 以上에서 白話詩의 由來와 白話詩의 發達한 經過를 各 方面 即 詩論, 形式, 內容 等 諸方面으로 研究하는 것이 本論의 主旨에 適合하겟다.

二. 歷代의 白話詩

中國現代詩를 말하려면 몬저 中國文學上에서 써오든 用語에 關하야 研

究할 必要가 잇다. 中國文과 中國語는 발서 戰國時代부터 一致하지 안하엿다 한다. 文과 語가 統一되지 못함으로 文學上 用語도 따라서 勿論 各各 달을 것이다.

現代 中國詩는 一般 民間에서 쓰는 白話를 그 用語로 한 故로 그 內容이 抒情的이며 平民的인 것은 말할 것도 업시 明白한 事實이다. 우리는 現代 白話詩를 말하기 前에 中國文學史上에 白話詩가 그 源流를 어느 時代에 두엇스며 文言詩와 白話詩는 엇더한 關係를 가지고 잇스며 白話詩 中에는 얼마나 조흔 詩가 잇섯는가를 參考할 必要가 잇다.

中國은 黃帝時에 文字가 처음 造作되어 即 當時 三皇五帝時에는 그 改易이 甚하엿고 周宣王時에 太史籒이 大篆을 만들어 내엇다 한다. 文字가 처음 낫슬 때에는 別로 文과 語가 달을 理가 업스나 當時에는 다못 交通이 不便한 때라 各 地方에 方言이 不少하엿슴으로 中國國語가 統一될 理가 업스며 따라서 文字 往來에는 一種 標準文字 或은 共同의 文體를 써슬 것이다. 그러한 때부터 文言과 白話가 서로 同一하지 안하엿슬 것인데 그 때는 正히 戰國時代라고 한다. 그 後 秦始皇時에 同文書의 必要를 늣겨서 言文 不一致가 多少 緩和되고 元朝에 科擧制度를 廢한 後로 白話文學이 蓬勃하기는 하엿스나 그래도 文言이 優勢를 占하여온 것은 감출 수 업는 事實이다.

(三)

古文 即 文言은 朝廷의 文書와 官吏 登用하는 데 試驗課程 即 科擧에 썻섯는 故로 自然 貴族文學의 用具가 되고 白話는 民間의 用語임으로 自然 平

民文學의 表現 用具가 되어 왓섯다. 貴族文學의 特長은 虛飾, 典古, 形式, 整齊, 理智的인 데 잇고 平民文學의 特長은 率直, 簡潔, 粗朴, 感情的인 데 잇슴으로 참다운 詩와文學은 平民文學 即 白話文學에서 求하게 될 것이다. 그러면 中國 自來의 白話詩는 엇더케 發達하야 왓는가. 筆者는 歷史上의 年代에 따라 大概 記錄하여 보겟다.

中國 上古詩歌의 元宗으로는 三百篇을 除하고 別로 다른 詩가 업슬 것이다. 이 三百篇은 擧皆가 소리내서 노래로 불을 수 잇는 詩요, 그 中에 十五『風』共 一百六十篇은 民間에서 불으든 노래로 볼 수 잇다. 이 三百篇은 全部를 다 白活로 볼 수 잇스며 三百篇 後로 헐신 만흔 時日을 지낸 後 中古에 일으러서도 萬古의 名作으로 일홈 잇는 古詩十九首랄지 孔雀東南飛, 隴西行, 箜篌引, 東門行, 婦病行, 相逢行, 艶歌行 等도 모도 다 白話 안인 것이 업다. 只今 漢朝의 詩를 들어서 白話詩가 엇더케 詩로서 成功을 하엿는가 보자.

『上山采蘼蕪, 下山逢故夫.
長跪向故夫, 新人復何如?
新人雖言好, 未若故人姝.
顔色類相似, 手瓜不相如.
新人從門入, 故人從閣去.
新人工織縑, 故人工織素.
織縑日一匹, 織素五丈餘.
將縑來比素, 新人不如故.』

이 詩는 農村의 夫婦 三人을 描寫한 것이다.

只今으로 말하자면 本妻를 離婚하고 新婦를 再娶하야 새 家庭을 꾸미고 잇는 터인데 新郎이 그 前妻에게 새님이 암만하여도 녯님 그대만 못하다고 告白하는 場面이다. 그 用語도 簡單하고 그 事實도 簡單하지만은 얼마나 그 實景을 아름답게 그리어 내엿는가. 이 外에도 孤兒行과 가튼 率直하고 簡潔한 詩 即 抒情時가 만코 『孔雀東南飛』와 가튼 詩는 只今도 시골서는 자조 보는 情景이며 그 用語의 簡明한 것이나 그 描寫의 現實에 接迫한 點으로 보면 中國詩 中 絶作의 하나라 아니할 수 업다.

魏晋南北朝로 갈닌 後로는 南方과 北方의 文學上 特異한 點은 잇슬망정 亦是 民間文學 即 白話文學을 어더 볼 수 잇고 甚至於 貴族文學에서도 白話로 짓는 作品을 어더 볼 수가 잇다. 即 北魏 胡太后가 그 情人 楊華를 爲하야 지은 『楊白花』歌와 가튼 作品이다. 北方으로 말하자면 企喩歌, 慕容垂歌, 隴頭歌, 折楊柳歌, 木蘭 等 詩歌가 잇고 南에서는 『樂府』속에 잇는 子夜歌, 上聲歌, 前溪歌, 團扇歌, 懊儂歌, 華山畿 等 詩歌가 다 白話詩로 볼 수 잇다.

近古 即 唐宋金元에 와서는 韓愈, 柳宗元 等이 古文 即 文言文學에 新天地를 열어서 古文 全盛時代로 볼 수 잇스나 또한 白話文學의 方面으로 보면 亦是 全盛時代로 볼 수 잇다. 이 때에 일으러서는 비록 民間 無名作家의 作品의 傳한 것이 적으나 李白, 杜甫와 가튼 大詩人이 잇서서 民間의 作品을 修飾하야 發表한 것이 만타.

只今 胡適氏의 貴族文學과 平民文學의 盛衰表를 抄記하면 如左하다.

初唐, 約 西歷 六二〇年 至 七〇〇年. 貴族文學의 時期요 平民文學의 勢力이 업는 時期.

盛唐, 約 西歷 七〇〇年 至 七五〇年. 文學이 白話化한 時期.

中唐, 約 西歷 七五〇年 至 八五〇年. 白話文學이 風行한 時期.

晩唐, 約 西歷 八五〇年 以後로 五代에 이르기까지. 白話文學의 全盛時期.

이와 가티 白話文學은 發達을 하여 왓다. 우리는 唐代의 白話詩의 例를 一二首 들어 보자.

空山不見人, 但聞人語響. 返景入深林, 復照蒼苔上.(王維)

美人在時花滿堂, 美人去後餘空牀. 牀中繡被卷不寢, 至今三載猶聞香. 香亦竟不滅, 人亦竟不來. 相思黃葉落, 白露點青苔.(李白, 長相思)

二月己破三月來, 漸老逢春能幾回. 莫思身外無窮事, 且盡生前有限杯.(杜甫, 絶句 漫興 九之一)

中唐에 일으러서 柳宗元, 張藉, 孟郊, 賈島 等의 詩는 白話에 만히 接近하엿고 白居易와 가튼 詩人은 意義的으로 白話詩를 지엇섯다.

(四)

우리나라에서도 흔히 읽는 『勸君一杯君莫辭, 勸君兩杯君莫疑……』 等이

랄지 그의『村夜』가튼 詩 即『霖草蒼蒼蟲切切, 村南村北行人絶. 獨山前門望野田, 月明蕎麥花如雪』等은 다 白話詩의 조흔 例요, 또한 白居易의 親友인 元稹, 劉禹錫의 詩랄지 樂府 等에서도 만흔 白話詩를 어더 볼 수 잇다.

晩唐에 일으러서는 白話詩에 反對하는 詩人 即 李商隱, 溫庭筠 等이 잇서스나 그러함에도 不拘하고 杜牧의 詩랄지 鄭谷, 杜荀鶴, 羅隱 等의 詩에서는 더 만흔 白話를 發見할 수 잇다. 以下에 此等 몃 首을 抄하여 보겟다.

> 自恨尋芳到已遲, 往年曾見未開時. 如今風擺花狼藉, 綠葉成陰子滿妓[06].(杜牧, 歎花)

> 江郡人稀便是村, 踏青天氣欲黃昏. 春愁不破還成醉, 衣上淚痕和酒痕.(鄭谷, 寂寞)

> 得即高歌失即休, 多愁多恨亦悠悠. 今朝有酒今朝醉, 明日愁來明日愁.(羅隱, 自遺)

> 我住在村鄕, 無爺亦無娘. 無名無姓第, 人喚作張王. 並無人敎我, 貧賤也尋常. 自憐心的實, 堅固等金剛.(無名詩人 作)

晩唐 五代의 詞에서도 白話가 만히 씨여 잇섯다. 詞에 白話가 만히 쓰인 것은 詞의 形式이 五言 七言과 가티 規定잇는 것이 아니요, 長短句로 成立

---

06 '妓'는 '枝'의 오식이다.

된 것임으로 白話를 그대로 쓰기에 容易한 까닭이겟다. 詞는 樂府의 一種 變體이다. 樂府는 本來 소리를 내어서 노래하게 된 것인데 後에 일으러서 漸漸 노래로 불으지 못하게 되엇다.

그래서 樂府 中에서 노래하게 된 것만은 『詞』라고 하게 되엇다. 詞는 白話 韻文의 進展할 自然의 길이여서 宋의 詞랄지 元의 曲이랄지 現代의 白話詩랄지가 다 가튼 趨勢로 進展하야 가는 것이다. 여긔서 詞의 例를 一二 들어보겟다.

> 昨夜夜半, 枕上分明夢見. 語多時, 依舊桃花面, 頻低抑葉眉. 半羞還半喜, 欲去又依依. 覺來知是夢, 不勝悲.(前蜀 韋莊, 女冠子)

> 一去又乖期信, 春盡! 滿院長莓苔. 手挼裙帶獨裵回, 來麽來? 來麽來?(後蜀 顧敻, 荷葉杯)

> 紅滿枝, 綠滿枝, 宿雨厭厭睡起遲, 閑庭花影移. 憶歸期, 數歸期. 夢見雖多相見稀, 相逢知幾時?(南唐 馮延己, 長相思)

> 春日晏, 綠酒一杯歌一遍. 再拜陳三願, 一願郎君千歲, 二願妾身長健, 三願如同梁上燕, 歲歲長相見.(同上, 薄命妾)

다음에는 北宋 南宋 約 百六七十年의 文學을 살펴보자. 이 때에는 學校가 設立되고 晩唐의 溫庭筠, 李商隱의 提唱한 騈偶文이 全盛하다가 도리여

反動을 일으키여서 抑開[07], 穆修, 尹洙, 石介 等이 騈偶文을 反對하고 古文을 復辟하야 大成功을 하고 歐陽修가 나서 古文의 宗師가 되고 曾鞏, 王安石, 蘇軾, 蘇洵, 蘇轍 等 唐宋八大家 中의 六大家가 一時에 並出하야 古文의 全盛時代들 일우엇섯다. 그러함에도 不拘하고 白話文學은 繼續하야 發展하엿섯다. 白話詞는 이 때에 南北宋을 通하야 極盛 時代를 일우고 白話詩 亦 南宋에서 조흔 步調로 發達을 하엿섯고 語錄의 白話散文이 佛教와 가티 發達하고 南宋에서 白話小說까지 크게 發展을 하엿섯다. 이 때 白話詩의 健將은 邵雍이엿섯다. 그의 生男吟을 一首 들어서 例를 삼아보자.

> 我今行年四十五, 生男方始爲人父. 鞠育教誨誠在我, 壽夭賢愚擊于汝. 我若壽命七十歲, 眼前見汝二十五. 我欲願汝成大賢, 未知天意肯從否.

다시 그의 無酒吟을 보자.

> 自從新法行, 甞苦樽無酒. 每有賓朋至, 盡日閑相守. 必欲丐于人, 交親自無有. 必欲典衣買, 焉得能長久.

이 때는 또한 哲學 全盛의 時代여서 詩에도 哲理詩가 만헛섯다. 그 重要한 詩人을 들면 梅堯臣, 程顥, 歐陽修, 王安石, 蘇軾, 黃庭堅, 秦觀, 張耒, 晁補之, 陳師道 等인데 그러한 詩人의 詩에서도 白話詩를 만히 볼 수 잇다. 南宋에는 當時 四大詩人 陸游, 范成大, 楊萬里, 尤袤 等이 나서 有意無意 中 만흔

---

07 '柳開'의 오식이다.

白話詩를 지엇섯다. 그 作品을 一二 들어보면──

過得一日過一日, 人間萬事不須謀. 鄰家幸可賒芳醞, 紅藥何曾笑白頭?(陸游, 醉中信筆 四之一)

> 靜看簷蛛結綱低, 無端妨碍小蟲飛. 蜻蜓倒掛蜂兒窘, 催喚山童爲解圍.(范成大, 秋日田園雜興 十二之一[08])

> 一晴一雨路乾濕, 半淡半濃山疊重. 遠草平中見牛背, 新秧疏處有人踪.(楊萬里, 過百家渡 四之一[09])

兩宋의 詞에 일으러서는 詩보다도 더 白話가 만으나 張偟하야──히 例를 들지 안코 그 重要한 作家만 列記하겟다.

北宋: 楊億, 晏殊, 歐陽修, 柳永, 黃庭堅, 蘇軾, 秦觀.

南宋: 辛棄疾, 陸游, 劉過, 劉克莊, 吳文英.

(五)

兩宋을 거처서 遼金元에 일으러서는 더욱 白話가 全盛하엿다. 이 때에 雜

---

08 실은 「秋日田園雜興」 "十二之四"로서 여기서는 정보가 잘못되었다. 정래동이 참고한 호적의 『國語文學史』(北平文化社, 1927) 역시 "十二之二"로 잘못 표기되었다.

09 실은 「過百家渡」 "四之四"로서 여기서는 정보가 잘못되었다. 정래동이 참고한 호적의 『國語文學史』(北平文化社, 1927) 역시 "四之二"로 잘못 표기되었다.

劇, 小說, 小曲 等 白話文學이 叢出하다가 明朝에 일으러 制度 곳처서 八股文章을 崇尙한 까닭에 白話文學이 多少 影響을 밧기는 바덧스나 白話小說等은 더욱 發達하야 淸朝에 와서는 거의 白話小說의 全盛時代를 일우엇섯다. 現在에 流行하는 白話小說 即 紅樓夢, 鏡花緣, 水滸傳, 儒林外史, 西遊記, 兒女英雄傳, 三國誌演義는 다 南宋 以後 六七百年 間 特히 淸朝時에 產出한 白話文學이다.

中國 新詩 三

以上에 屢陳한 것과 가티 白話文은 어느 朝代 어느 文學上 部門을 勿論하고 民間의 事實이 만히 그 材料가 되엇스며 그 表現方法이 따라서 簡易하고 描寫가 眞에 逼迫하야 通히 抒情的인 것이 만흔 것을 알겟다. 그럼으로 白話文은 只今까지 平民의 表現器具(多少 例外는 잇스나)인 것을 알 수 잇스며 以下에 記述할 現代 白話詩도 이 白話文의 根源에서 나온 것임으로 그 提唱한 意味로 보거나 그 趨向으로 보아서 民衆文學의 新興으로 보지 안할 수 업다.

(筆者란: 이 章은 多少 다른 參考書에서 參考된 것도 잇스나 大部分이 胡適氏의 『國語文學史』에서 摘記한 것임으로 이에 말하노라.)

三. 文學革命과 新詩壇

(A) 舊詩形 打破와 新詩形 問題

胡適 陳獨秀氏가 提唱한 文學革命은 中國 國語를 口語文으로 確定하자는 革命이다. 勿論 이 革命의 意義는 中國 四千年來 文學史上에 大書特記할

偉大한 事業이요, 中國 四億萬 新興民衆을 爲하야 慶賀할 일이다. 中國 古文은 學得하기에 難澁할 뿐만 아니라 現代 中國人이 日常 말하는 말과는 特異하야 발서 死文字가 된지는 이미 오래 前 일이다. 그러함에도 不拘하고 이 死文字 及 死文學을 只今까지 傳達한 것이 오히려 奇蹟일만치 神奇한 일이 되고 말앗다.

歐洲에서 라틘語를 文學上 用語로 오래동안 傳하여 온 것 가티 東洋에서는 漢文 即 中國 古文을 文學上 用語로 最近에까지 써서 왓다. 그러나 朝鮮이랄지 日本에서는 各自 自國語로 代用하게 되고 中國서만 專用하다십히 하엿스나 그 亦 時代의 潮流에 딸아 簡易한 것을 要求하게 되어 中國에서도 自然的 趨勢로 古文 即 死文字를 弊履와 가티 바리고 新文 即 白話文으로써 完全한 國語로 定하게 되엇다.

中國 新詩壇의 勃興은 이 文學革命의 한 部分으로 볼 수 잇다. 文學革命 初期에는 一般的 文字革命에 汲汲하노라고 詩歌의 部類에까지 深入하지 안하엿스나 모든 것이 整理됨을 따라 詩歌에 關하야도 그 斧鉞이 나리게 되엇다. 詩 部門에 仔細한 意見을 처음 發表한 이는 劉半農氏다. 그는 新青年 雜誌 三卷 三號 『내의 文學改良觀』에서 詩歌에 關하야 이러한 意見을 가지고 잇섯다.

> 『韻文에 改革할 點이 잇스니 第一은 舊韻을 破壞하고 다시 新韻을 지을 것이요, 第二는 詩體를 增加할 것이다.』『詩律이 嚴하야지면 詩體가 적어저서 詩의 精神이 束縛을 밧는 것이 더욱 甚한 故로 詩學이 發達할 希望이 적다.』

이것이 詩壇에서 舊 嚴格한 規律을 가진 詩形을 打破하고 新詩形을 만히 지어내서 詩의 精神을 더욱 自由스럽게 하자는 新聲이엇다.

그 後 民國 八年 十月에 胡適氏가 『新詩談』을 發表하야 詩體의 解放을 主張하고 新詩의 作法을 闡明하게 하엿다.

> 『歐洲 三百年 前 各國에 國語文學이 勃興하야 라틘文學에 代立한 것은 語言文學의 大解放이오, 十八 及 十九 兩世紀에 佛蘭西 유고—, 英國 왈죠와스 等의 提唱한 文學改革은 詩의 語言文學의 解放이엇섯다.[10] 今番 中國 文學革命運動도 먼저 語言文學과 文體의 解放에 잇다. 新文學의 語言은 白話다. 新文學의 文體는 自由를 崇尙하고 格律에 拘束을 밧지 안는다. 이것은 文의 形式 一方面의 問題에서 그리 重要치 안케 생각키나 그러나 그것은 形式과 內容과에 密接한 關係가 잇는 것을 몰은 말이니 形式上의 束縛은 精神을 自由스럽게 發展치 못하게 하고 良好한 內容을 充分하게 表現치 못하게 한다. 新內容과 新精神을 가지게 하려면 먼저 精神을 束縛하는 器具를 除하여야 할 것이다. 그럼으로 中國 近年 新詩運動은 詩體의 解放에 잇다고 하겟다. 이 詩體의 解放이 잇슴으로 豊富한 材料와 精細한 觀察과 高遠한 理想과 複雜한 感情 等을 詩의 안에다 너을 수가 잇슬 것이다. 五七言 八句의 律詩는 决코 豊富한 材料를 너흘 수가 업스며 二十八字의 絕句는 决코 精緻한 觀

10 중략된 내용이 있다.

察을 쓸 수가 업고 長短이 一定한 七言 五言은 次코 高遠한 理想과 複雜한 感情을 다할 수가 업다.』

이와 가티 形式을 打破하고야 新內容, 新精神을 發揮할 수 잇다고 하고 新詩라야만 精緻한 觀察과 高遠한 理想을 表現할 수 잇단 例로 周作人氏의 『小河』라는 詩를 들엇스나 너무 長篇임으로 引例함을 避하고 自作詩『應該』를 들엇다. 詩의 形式을 例 삼기 爲하야 原文을 抄하겟다.

(六)

應該

他也許愛我——也許還愛我——
但他總勸我莫再愛他
他常常怪我
這一天他眼淚汪汪的望着我
說道『倆如何還想着我?
想着我倆又如何能對他!
倆要是當眞愛我
倆應該把愛我的心愛他
倆應該把待我的情待他』

他的話句句都不錯

上帝幇我!

我『應該』這樣做!

『大意……그가 或 나를 사랑하겟지── 아니 아즉 나를 사랑하겟지. 그러나 늘 나 다려 다시 自已를 사랑하지 말으라고. 그는 늘 나를 이상스럽게 녁이더니 오늘은 눈에 눈물이 그렁그렁하면서 나를 바라보고 말하기를 『당신은 왜 只今까지 나를 사랑하심니까? 나를 사랑하면서 엇더케 그에게 하시려고? 당신이 만약 참으로 나를 사랑한다면 應當 나를 사랑하는 마음으로 그를 사랑하고 應當 나에게 대하는 情으로써 그에게 對하여야 할 것인데요.』

그의 말은 마듸 마듸 올타. 아아, 上帝여, 나를 도아주소서! 내가 『應當』 이러케 하게크름!

『이 詩의 뜻과 精神은 舊詩로는 傳達할 수가 업다. 다른 곳은 그만두고라도 單히 『他也許愛我──也許還愛我』의 十字 中에 멧 層이나 되는 뜻을 舊詩로 特히 表現할 수가 잇슬가』라고 하엿다.

康白情氏는 『新詩我見』[11]이란 論文에서 新詩란 무엇인가? 하고 反問하면서 以下와 가티 말하엿다. 『新詩가 舊詩와 다른 理由는 舊詩는 大體로 보아서 格律을 직히고 音韻에 拘束을 밧고 雕琢을 일삼고 典雅한 것을 崇尙한다. 이에 反하야 新詩는 自由로워서 一定한 格律이 업고 全然히 自然的 音節에

---

11 「新詩底我見」(『少年中國』 제1권 제9호, 1920.3)이다.

따르며 꼭 音韻에 拘束을 밧지 안코 質朴한 것을 崇尙하며 雕琢을 侮視하고 白話를 써서 典雅를 崇尙하지 안한다. 新詩는 人性을 桎梏하는 모든 陳套를 打破하야 다못 詩의 精神에 어깃짐이 업기를 要한다.』라고 하고 엇재서 新詩를 求하는가 함에는 여러 가지 理由를 들엇다.

(一) 社會의 經濟組織이 不完全하기 때문에 사람마다 그 生活에 安定할 수가 업게 된다. 따라서 舊制度 文物에 對하야 모든 懷疑가 일어나서 種種 新主義가 附帶하야 發生하고 詩壇도 그 潮流에 感動을 엇게 된다……謹嚴 帶한 格律이랄지 簡單한 形式이 우리의 深遠한 思想을 갈물 수가 업기 때문에 다른 新境地를 展開하지 안흐면 안되게 된다. 우리는 變風變雅가 周室의 衰한 때에 만들리고 辭賦가 戰國亂離時에 만들리고 五言이 漢의 末世에 盛하고 七言이 五胡가 中華를 擾亂한 後에 나고 詞와 曲이 宋元 患憂際會의 時에 난 것을 보면 그것이 모도 다 經濟的 關係에 因하야 內部에 일어나는 反應인 것을 알게 된다.

(二) 庚子拳匪의 變으로 銃砲와 學術思想 等 모든 것이 輸入된 데 따라 頭腦도 漸漸 科學的 智識이 물들어서 詩도 또한 具體的 觀念의 興起가 되어 形式에 拘束밧는 舊詩는 발서 吾等의 要求에 應할 수가 업게 되엇다. 그래서 그 結果 다못 革命에로 나아갈 수 박게 업게 되엇다.

(三) 佛蘭西大革命 後 自然主義의 文學이 勃興하고 詩體에도 大解放이 일어나고 明治維新 後 日本의 詩壇에도 大變動이 일어나서 新格律로부터 自由詩로 華詞로부터 白話로 나아갓

다. 近 數年 이와 가티 英米에서도 詩에 革命이 일어나게 되엇다……

(四) 物이 窮하면 變한다. 三百篇으로부터 辭賦로 樂府로 五言으로 七言으로 詞로 曲으로 變하야 온 것은 此理에 循進하는 徑程이어서 形式의 束縛에서 變하야 自由로 된 것이다. 曲의 辭句에 발서 白話가 쓰엿슴으로 形式은 발서 퍽 自由스럽게 되엇다.

(五) 歷史上으로 보면 人類思想의 進化는 古法에서 新法으로 師人에서 師已로 地方的으로부터 世界的으로 된다. 新詩가 當代人으로 當代語를 쓰고 自然音節로써 沿襲的 格律을 廢하고 質樸한 文詞로써 人性을 描寫하고 地方的 故意에 拘束되지 안할 것도 進化의 軌道上의 趨勢이다. 進化는 人力으로 阻止할 수 업는 일이다.

康白情氏도 新詩의 發生은 進化上 自然的 趨勢라고 하엿다.

以上에 말한 것은 文學革命 當時에 舊詩形을 打破하자는 主張과 打破하여야 할 自然的 情勢를 말함에 不過하고 以下에는 新音韻에 關한 諸家의 意見을 적어보겟다.

(B) 音韻 問題

白話詩의 音韻問題에 關하야는 胡適氏의 『新詩談』에 具體的 主張이 잇다.

(一) 五言 七言의 格式을 打破할 일.

(二) 平仄을 打破할 일.

(三) 押韻을 廢止할 일 等이다.

딸하서 新詩는 長短이 定한 것이 업고 다못 句內의 節奏는 意義의 自然 區分과 文法의 自然的 區分에 딸하서 分析할 것이요, 平仄은 本來 嚴格한 平仄이 잇슬 것이 아니라 다못 輕重 高下가 잇슬 뿐이요, 白話詩의 聲調에 일으러서는 勿論 平仄의 調劑에 잇지 안코 自然的 輕重 高下에 잇다고 하며 詩의 韻에 일으러서는 現代의 韻을 쓸 것임으로 古韻에 拘束을 밧지 안흘 것이요, 더구나 平仄韻에 拘束을 밧지 안흘 것이다.

勿論 新詩에도 韻이 잇스면 조키는 하지만은 업서도 無妨하다고 하엿다.

康白情氏의 音韻에 對한 意見도 그 『新詩我見』[12]에 잇스나 胡適氏의 것과 別로 差가 업고 詩를 쓰는데는 戱劇的 作用을 利用하여야 한다고 하엿다. 곳 이 戱劇的 作用이란 것은 抽象的 描寫法을 물리치고 具體的 描寫를 하여야 한다는 뜻이다.

只今에 일으러서는 여러 가지 試驗이 韻 다는데 쓰여 잇스나 革命 當時에는 이 問題가 퍽 難關이어서 雙聲 或은 疊韻으로 抑揚을 補充하고 現代韻으로 韻도 달아 본 等 一一히 그 例를 들 수가 업다.

(七)

(C) 詩의 內容 問題

다음에는 詩의 內容에 關하야 當時 論調를 적어보겟다. 胡適氏의 主張은 舊形式을 打破하여야 新精神을 發揮할 수가 잇다고 하엿스나 이 新精神이란

12 康白情, 「新詩底我見」, 『少年中國』 제1권 제9기, 1920.3.15을 지칭한다.

것이 무엇이란 것은 아즉까지 말치 안코 新詩 舊詩하고 詩를 區分 擘揚은 하엿스나 大體 『詩』란 것이 무엇이란 말에는 조금도 言及치 안하엿다. 遺憾이나 胡適氏의 意見을 爲先 紹介할 수가 업고 康白情氏의 說을 보면 이러하다.

> 『詩란 究竟 무엇인가. 나는 諸家의 所說을 斟酌하야 그것을 나의 意見으로 斷定하야 이러케 對答하겟다. 文學上에서 情緖的 想像的 意思를 音節的으로 戲劇的으로 描寫한 作品을 詩라고 한다고.』[13]

이 詩란 무엇인가 한 問題에 滿足한 對答을 준 사람은 中國뿐만아니라 世界를 다 터러 노코 업슬 것이다. 그러나 우리는 歷史的 見地에서 各各 所說을 볼 必要가 잇다. 또다시 現 詩壇의 一角에 雄座한 郭沫若氏의 意見을 살펴보자. 그는 무엇보다 形式을 실혀한다. 『他人 旣成의 形式은 因襲하여서는 안된다. 他人 旣成의 形式은 自己의 監이獄다[14].』[15]라고 絶叫한 詩人이 그 內容은 엇더케 말하엿는가?

> 『詩人의 心鏡은 맑듸맑은 海水와 갓다. 바람이 업슬 때에는 그 조용한 것이 꼭 거울가타여서 宇宙萬象이 다 그 안에 빗취고 잇지만은 한 번 바람이 불면 波浪이 일어나서 宇宙萬象이 다 그 안에서 激動을 始作한다. 이 바람이야말로 眞覺이다.

---

13 康白情, 「新詩短論」, 『草兒』, 上海亞東圖書館, 1922.

14 '監獄이다'의 오식이다.

15 郭沫若, 「致宗白華」, 『時事新報·學燈』 1920.2.24.

그 일어난 波浪이야말로 高張한 情調다. 이 激動한 印象이야말로 徂徠的 思像이다. 此等은 다 詩의 本體이다. 이것을 써서 낼 때에는 體相兼備를 必要로 한다. 이 大波大浪의 洪濤가 雄渾한 詩로 되여서 屈原의 離騷로 되고 蔡文姬의 胡笳十八柏이 되고 李杜의 歌行이 되고 딴테의 神曲이 되고 밀톤의 樂園이 되고 께테의 파우스트가 되엇고 이 小波小浪의 漣漪가 冲淡의 詩가 되여 周氏의 國風이 되고 王雜의 絶詩가 되고 西行과 芭蕉의 歌句가 되고 타골의 新月이 되엇다.』[16]

(D) 詩의 效用 問題

다음에 詩의 效用에 關한 當時의 意見을 들어보면 文學革命 當時에 詩에 對한 進展이 어느 程度에나 일으렷는가를 알 수 잇슬 것이다. 이 問題에 關하야는 兪平伯氏의 『詩의 進化還原論』(民國 十一年 『詩』號)[17]일 것이다. 氏 詩의 還原을 말하면서 『詩의 主要素質은 平民性이다. 詩에 貴族的 色彩가 加하기는 훨신 뒤에 일이다. 이 貴族性이 濃厚하여지면 詩의 普遍性에 妨礙가 된 故로 吾人은 詩를 本來의 面目 곳 淳樸한 데로 還原하지 안하면 한될 것이다.』라 하고 『詩라는 것은 人生의 表現이요, 또한 人生을 向善하게 하는 表現이다.』『詩의 效用은 사람의 眞摯와 自然과 普遍的 情感을 傳達하야 사람과 사람의 正當한 關係를 結合하는 데 잇다.』 이 『向善』이라는 말로 問題가 일어나서 周作人氏의 反駁도 잇섯고 이 思想은 톨쓰토이 藝術論의 影響

---

16 郭沫若, 「致宗白華」, 『時事新報·學燈』 1920.2.1.

17 정확히 「詩底進化的還原論」, 『詩』 제1권 제1호, 1922.1이다.

이라고 하나 이와 가튼 詩의 觀念은 本文의 序에도 말하엿거니와 中國 古來의 傳統思想으로 볼 수 잇다. 兪氏의 主張은 米國의 휘트맨과 가티 詩를 平民化하자는 것과 詩를 가지고 社會에 有用하게 하자는 뜻에 不過할 것이다.

周作人氏는 이에 對하야 三段으로 난우워서 反駁을 하엿다. (一) 詩의 効用, (二) 善에 對한 槪念, (三) 普遍化.

> 『第一, 詩의 効用은 計算하기가 어려운 것이다. 文藝問題는 社會的 眼光으로 넉넉히 硏究할 수가 잇지만은 이것을 가지고 唯一한 定論으로 할 수는 업다. 나는 언제나 文學은 個人的이란 것을 承認한다. 그러나 文學이 사람마다 하고자 하는 말을 하지 못하야 苦悶하는 것을 表現한 見地로 보와서 또한 人類的이라고 한다. 그러치만은 그 表現한 것은 主觀的으로 自己의 하고자 하는 말을 한 것이요, 決코 客觀的으로 大衆의 心情을 觀察한 것은 아니다…………참 藝術家는 그의 本性과 外緣의 總合에 끌려 誠實하게 그의 情思를 表現하면 自然으로 價値 잇는 文藝가 될 것이다. 그것이 곳 文藝의 効用이다. 功利的 批評도 一面의 理由는 잇다. 그러나 藝術의 社會的 意義를 너무 重視하면 本來의 文藝的 性質을 忽畧하게 된다.』

(八)

第二善에 對하야는 正確한 槪念을 가질 수가 업다고 하며 이 善이 現 社會에서 通行하는 道德 槪念의 善이라 하면 이것은 다못 不合理한 社會上의

一時的 習慣이여서 決코 藝術價値를 判斷한 標準으로 할 수는 업다. 萬若 크로프트킨이 말한 利人利己를 不分하고 個體와 種族을 다 幸福하게 한다는 善일 것 가트면 勿論 올타.

第三으로 普遍化에 對하야 이와 가티 말하얏다. ……文學家가 民衆이 自己의 藝術을 了解하는 것을 希望한다. 그러나 自己의 藝術을 가지고 억지로 民衆에게 遷染을 식힐려고는 하지 안한다. 그것은 文藝 本身이 著者 感情生活의 表現임으로 사람을 感動케 하는 것은 自然的 效用일 것이다. 現在 萬若 自己를 바리고 사람의 意見에 따라서 大多數의 了解를 求한다면 그 結果는 最好하여야 『通俗文學의 標本』이 되고 말 것이요, 참으로 自己 表現은 되지 안흘 것이다.[18]

兪氏의 論은 社會를 起點으로 보고 周氏의 論은 社會와 個人이 衝突되지 안한 範圍에서의 個人을 起點으로 보는 故로 이와 가튼 分歧가 생겻스며 兪氏는 平民文學을 主張한 故로 社會的 功利에 注重하며 周氏는 文藝들 個人의 表現으로 보는 故로 比較的 社會的 效果를 等閑히 한다고 볼 수 잇다.

以上에서 너무 張遑하게 新詩의 外形, 內容, 音韻, 效用 等에 關하야 말하엿다. 結局 이것을 簡單히 말하면 外式에서 一切 舊形式을 打破하고 形式 업는 形式을 쓰자는 것이요, 內容에 일으러서는 一定한 意見이 업스나 詩材는 될 수 있는대로 平民에 關한 것을 取하되 이 宇宙의 萬象은 다 新詩의 內容이 될 수 잇다는 것이며 音韻은 그 前 舊詩와 가티 平仄을 一定하게 定할 것이 업시 自由韻으로 하자는 것이며 效用에 일으러서는 向善徵惡과 普遍化를 主張하는 사람과 文藝는 文藝로서 價値가 잇는 것이요, 强迫하야 普遍化

18 仲密(周作人), 「詩的效用」, 『晨報副鐫』 1922.2.26.

할 必要가 업다는 사람이 잇다.

詩에 關한 理論的 方面은 大概 우에 말한 바와 가튼 諸家로써 文學革命 當時를 代表할 수 잇다고 하겟다. 우리는 理論的 方面을 떠나서 實地에 作品의 內容은 엇더케 讓하엿스며 形式은 그 前 漢詩와 얼마나한 差異가 잇는가 章을 곳치어서 觀察하여 보자.

四. 文學革命 當時의 一般詩

中國의 文學革命은 中國 新文學을 建設하자는 企圖임으로 文學上 形式이 랄지 內容에도 아모 規範도 업시 創作家 自己 獨創으로 新形式 新內容을 發見할 수 잇섯다. 一般 文學上에서 그러함으로 詩에서도 이러한 現象을 어더볼 수 잇다. 우에도 말한 바와 가티 新詩運動의 目標는 專혀 古文打破와 古詩形打破에 잇섯슴으로 新詩의 外形은 各異各樣이고 그 內容에도 新穎한 者가 적지 안하다. 그러나 모든 것이 初創 時期인 만큼 鍛鍊이 적고 詩라고 發表한 中에도 詩 안인 詩도 만하엿다. 이제 그 形式과 內容에 關하야 말하겟다.

(九)

【A】形式

新詩運動을 하는 目的이 前 그 五言 七言을 打破하고 또 古文을 쓰지 안코 白話를 씀에 잇섯는 故도 그 詩形은 퍽이나 複雜하고 리듬에 關하야도 未備한 點이 不少하며 詩形이 업는 만큼 詩 作家의 苦心은 더구나 말할 수도 업섯다. 그래서 或은 四言을 試驗하여 보고 或은 五言, 七言으로 지어보고 西洋의 自由詩와 日本의 新體詩와 가티 字數不定하게도 지어 보는 等 別 試

驗이 다 만하엿섯다. 우리는 그 발바온 길을 回顧하여 보자.

賣布謠

嫂嫂織布
哥哥賣布
賣布買米
有飯落肚
(大白)

(大意: 아주머니가 배를 짜고 형님이 배를 팔아 배 팔아 쌀 사면 먹을 밥이 잇지.)

이와 가튼 四言은 詩經에서 만히 쓰든 形式이요, 白話로 이와 가티 民謠를 지어 본 것은 中國 普通 民謠가 四言이 만함에 根據하엿겟다. 此等 四言은 文學革命 當時나 只今까지 一部 小詩를 除한 外에 그리 만히 써오지 안하엿다. 너무 簡單하야 疊音과 雙聲으로 感情을 激勵하는 効果는 만으나 豊富한 內容을 실을 수가 업다.

다음에 五言을 보면 그 例가 無數하게 만타.

小詩

也想不相思,

可免相思苦.

幾次細思量,

情願相思苦.

(胡適)

(大意: 생각을 안이하면 相思의 쓸알임이 업스리라고 생각도 하여 보앗스나 다시 생각하여 보니 쓸알인 相思가 하고자워.)

(이 詩는 白華氏가 東亞日報에 譯載한 일이 잇섯는데 全部가 誤譯이엇섯다.『也想不相思』를『생각을 하드래도 사랑을 아니하면』이라 하야『想』字와『相思』를『생각』과『사랑』으로 飜譯하엿다. 그러나 그런 것이 아니요,『也想一』은『我也想過……를 畧한 것이다. 그리하고야 第三行에 가서『幾次細思量』(몃 번 다시 생각하고 생각하여 보니)와 서로 相應이 될 것이다. 맛치 이 詩를 引用하게 되여 付帶로 말하여 둔다.)

山中即景

(一)

是自然的美, 是美的自然ー

絶無人跡處, 空山嚮流泉.

(二)

雲在青山外, 人在白雲內.

雲飛人自還, 尙有青山在.

(李大釗)

이 詩는 古詩 五言이나 別로 差가 업다. 그 用語도 純全한 白話는 아니요, 古詩의 白語化한 詩나 다름이 업다. 當時는 初創時代인 만큼 이와 가티 古詩에서 完然히 脫殼을 하지 못한 詩가 만하엿섯다. 이와 가튼 例가 또 한아 잇다.

江上

雨脚渡江來,
山頭衝霧出.
兩過霧亦収,
江樓看落日.
(胡適)

다시 七言의 詩를 멧 例 들어 보겟다.

山中雜詩

腦弱失眠宵洗脚, 眼疲抛卷午澆頭.
愛他冷冷淸淸的, 傍着梅邊自在流.
(沈兼士)

(大意: 밤에 머리 압하 잠 못자면 발을 씻고 나제 눈이 압흐면 책을 던지고 머리를씻네. 시연하고 막게 梅花가를 마음대로 흐르는 게 사랑스러워.)

첫 두 句의 글자 글자가 서로 對되는 것이 古味가 만타. 『宵』字와 『午』字, 『脚』字와 『頭』字 等.

聽雨

(劉半農)

我來北地將一年, 今日初聽一宵雨.
若移此雨在江南, 故園新筍添幾許?

이詩는 그 用語만이 古詩와 가튼 것이 아니라 韻가지 잇다. 『年』(넨), 『南』(난)과 『雨』(위), 『許』(쉬) 等.

以上의 例는 完然히 一首가 五言, 七言인 例만 들엇지만은 一首 內에 或은 九言 或은 七言인 例 는 不知其數일 것이오, 이러한 例는 文學革命 當時의 詩形을 代表한다고 할 수 업다. 그 當時에 盛行한 詩形은 自由詩形 卽 朝鮮新詩形과 日本, 英米의 自由詩形과 가튼 詩形이여서 一行의 字數도 制限이 업고 行數도 制限이 업는 詩形이엇섯다. 그 當時에는 韻에 對하야는 言及할 餘裕가 업섯스나 現今에 일으러서는 新韻도 相當이 運用을 하며 討論도 되는 中이다.

中國 古詩는 五言 七言만 잇슬 뿐만 아니다. 樂府가 잇고 詞가 잇고 曲이 잇서서 그 詩形도 各異하거니와 그 調子도 各樣이다. 그럼으로 外樣으로 一見하면 新詩 갓기는 하나 그 調子가 古樂府에서 나온 것이던지 或은 詞曲에서 進化된 것이 적지 안타 한다. 只今 胡適氏의 『新詩談』의 例를 引用하여 보자.

人力車夫

(沈尹默)

日光淡淡, 白雲悠悠.

風吹薄氷, 河水不流.

出門去, 雇人力車.

街上行人, 往來很多.

車馬紛紛, 不知幹些甚麼.

人力車上人,[19] 個個袖手坐.

還覺風吹來, 身上冷不過.

車夫單衣已破, 他却汗珠兒顆顆往下墮.

(大意: 햇빛은 淡淡하고 흰구름은 떠단인데

바람은 어름우를 불어 강물이 흐르지 안한고나.

문을 나서 人力車를 불으나

길 우에는 오고가는 사람도 만타.

무엇할러 이 가티 싯글던벙인고

人力車 탄 사람은 모도나 팔장을찌고 안졋서도

그래도 바람이면 치워한데

車夫는 홋옷이 다 떠러졋서 구슬가튼 땀만 뚝뚝 떠러지노나.)

---

19 "個個穿棉衣"가 빠져 있다.

(一〇)

이 詩는『孤兒行行[20]』과 가튼 古樂府에 變한 新詩로 볼 수 잇다 하고 自己 詩도 詞調가 만히 석겨 잇다는 것을 胡適氏는 말하면서 그 例로『鴿子』라는 詩를 들엇다.

鴿子

(胡適)

雲淡天高, 好一片晩秋天氣!
有一群鴿子, 在空中遊戲.
看他們三三兩兩,
廻環來往,
夷猶如意.
忽地裡 翻身映日, 白羽襯青天, 鮮明無比!

(大意)

비닭이

구름이 맑고 하늘이 놉흔 느진 가을의 조흔 날에

---

20 '孤兒行'의 오식이다.

한 떼 비닭이가 空中에서 졸고 잇네.

그들을 보니 三三五五로

오락가락 마음대로

圓을 그리며 날어 단니네.

급작이 몸을 놀리니 햇발에 빗처

靑天에 다은 그 흰 쭉지 곱기도 하네.

이러한 例와 가티 中國 白話詩는 비록 舊形式을 打破한다고 하여도 自然 舊殼에서 급작이 나올 수는 업고 어대라고 말할 수 업시 녯 詩의 그림재가 남어 잇섯다. 그래서 或은 白話 五言 七言을 지어보고 或은 詞曲體를 試驗하여 보고 或은 外國 詩歌의 即譯을 하는 等 一一히 例擧할 수가 업슬 만큼 多種類엇섯다. 그와 가티 試驗한 結果 完全한 新詩體로 獨立한 特色을 가진 詩歌가 나게 되엇다. 그러한 新詩에는 조금도 古詩形을 踏襲하지도 안코 獨特한 詩境과 獨特한 表現方式을 들 수 잇다. 그 例로는 胡適氏가 自作『送任叔永回四川』의 第三段을 들엇다.

送任叔永回四川(第三段)

這回久別再相逢,

便又送儞歸去,

未免太匆匆!

多虧得天意多留儞兩日,

使我做得詩成相送.

萬一這首詩趕得上遠行人,
多替我說聲『老任珍重珍重.』

(大意)
오래 갈렷다가 이번에 서로 맛낫는데
또다시 그대의 도라감을 당하니
마음이 너무나 서운하오 그려!
공괴스러히 이틀을 더 잇게 되여
내가 詩를 지어보내게 되니 얼마나 반가운지
萬一에 이 詩가 멀리 가는 그대에게 닷걸랑
『任君 잘가소』하고 안부나 하여 주기를──

文學革命 當時의 詩는 以上의 例와 가티 試驗 時期에 잇섯는 만큼 特히 그 詩形이 만하엿고 엇더크름 말을 驅使할 것인가가 問題이엇슴으로 文言을 버서나지 못한 것도 잇섯고 白話를 쓴다고 하야 詩로 成立 못 될 것을 發表한 作家도 만하엿섯다. 그러한 中에서 只今까지 詩作을 하여 오며 完全한 詩人도 나게 되엿고 或은 一時의 流行으로 여겨서 文學革命 當時의 詩壇에 參加하엿다가 거진 白話詩가 成立되자 詩壇에서 隱退한 作家도 만하엿섯다. 白話詩의 形式을 論하려면 아직도 論及할 點이 만하나 大槪 말할만한 點은 例擧하엿슴으로 形式에 關하야는 이만 끈치겟다.

(一一)

內容[21]

中國 文學革命은 文學上 一個 意義的 運動임으로 詩에 잇서서도 意義的 行爲가 만타. 勿論 當時의 作詩하는 사람이 全部 그와 가티 詩에다 自己 觀念을 注入하려 한 것은 아니지만은 거진 大部分이 압날의 新社會를 實施하기 爲하야 아니, 中國의 將來를 爲하야 詩에도 新精神을 注入할려는 傾向이 鮮明하게 낫타난다.

그러면 그 傾向이란 엇더한 傾向인가? 筆者는 當時 詩를 閱讀할 때에 唯獨히 늣기는 것은『向上 努力하자는』奮鬪的 精神과『平民의 生活을 實寫하야 그 生活狀態를 改良 或은 革命하자는』意圖 두 가지다. 勿論 當時의 詩人들이 自然을 咏吟하지 안코 달콤한 사랑을 속삭이지 안코 離別의 難堪한 것을 읍조리지 안코 孤獨 煩悶을 呼訴하지 안하엿다는 것은 아니지만은 그 때 大部分 努力한 作家들은 以上에 든 두 點을 意識的으로 提唱하엿다는 것이다. 우리는 新詩의 最初 提唱者요, 新詩集을 처음으로 낸 胡適氏를 그 代表的 人物로 들지 안하면 안 될 것이다.

그의『上山』이란 詩는 이 向上 努力하자는 精神을 가장 잘 말하고 잇다.

上山(登山)

『努力하자! 努力하자

21 응당 '【B】內容'이어야 한다.

努力해서 다라 올라가자』

머리도 도라보지 안코
땀도 씻지 안코
죽자살자 기어 올라간다.

『山중두막이다! 努力하자
努力해서 다라 올라가자!』

우에는 발서 길이 업다.
손으로 바우 우에 藤덩굴을 잡고 발도 바우 틈에 적은 나무를
드듸고
한 거름 두 거름 기어 올라간다.

이것이 그 詩의 첫 두 絕이다. 읽어 나려가면 小學生의 登山歌나 軍隊의 前進曲과 갓흔 늣김이 잇다. 이 詩의 뜻은 單히 登山하는 實憾을 그대로 記錄한 것이 아니요, 文學革命의 完成을 爲하야 中國의 革命을 爲하야 努力하자는 뜻일 것이다. 이 詩와 多少 性質은 다르나 우리 詩壇에도 이러한 例가 잇다. 『朝鮮之光』(十一月號) 『山 二題』(요한 作)에서 가튼 種類의 句絕을 볼 수가 잇다. 곳

『산을 보라 숙으린 머리를 잠간 들어
새로운 놀램과 희망을
새로운 기쁨과 용긔를

새로운 출발을
새로운 시대의
새로운 묵시를
우리에게 보내는 산을 보라.』

또다시 이 種類의 詩를 보자.

敲氷(어름 깨기[22])

(劉復)

零下八度의 日氣
七十里 길이나 어러 부튼 구든 어름이
나의 유쾌하게 도라가는 길을 막는고나.
배로도 갈 수 업고
陸路로도 갈 수 업고
어름——
내가 엇절 수가 업는 어름
아! 엇잿스면 조흐나!
엇지 할 수가 업서
사공과 이야기도 업시
힘을 預備하고

22 연은 엮은이가 중국어 원문과 대조하여 나누었다.

몽둥이를 갓추어
이 어러부튼 어름을 두드러 부시엇다!

어름아!
너와 내가
무슨 풀지 못할 寃恨이 잇겟느냐만은
다못 내가 내 길을 갈려고
엇절 수 업시 너를 두두려 부수은다.
내가 너를 부시고야만
나의 愈快히 도라 갈 길이 잇겟다.

(二[23])

上記와 如한 詩는 枚擧할 수 업시 만타. 이제 다시 한 首 『胡適』氏의 此種과 類似한 詩를 들어보겟다.

週歲──祝『辰報』一年紀念

(胡適)

녯 이야기 한 사람은 녯 이야기 하고
마술을 한 사람은 마술을 하고 잇다

---

23 '一二'의 잘못이다.

彩門 미테서 만흔 男女 손님이
밀려왓다 밀려갓다 분주도 하다.

(『唱大鼓』라고 하는 것은 녯 이야기를 曲調를 맛춰가면서 이야기하는 것이다. 恰似 우리나라서 재인들이 『春香歌[24]를 불으면서 더러 노래도 불으고 더려는 사설을 말로 하는 것과 가티)

主人이 어린애를 보듬고 나왓다——
지금은 그 애의 돌이여서
우리들이 모여와
그애의 慶祝會를 열고 잇다.

엇던 이는 복만키를 빌고
엇던 이는 오래 살기를 비는데
나 또한 와서 鄭重히
그 애의 奮鬪를 비노라.

내 이 한잔을 들어
너의 一年 동안의 奮鬪를 빌고
너의 病에 익인 것을 祝賀하고
너의 健康하고 平安한 것을 祝賀한다.

---

24 겹낫표 '』'가 누락되어 있다.

내 다시 한잔을 들어
너의 끗까지 奮鬪하기를 빈다
너 만약 病魔를 못익일량이면
病魔가 너를 익일 것이다?

이 詩와 가티 新聞의 週年을 祝賀하는 때에는 비록 文學革命 當時가 아니라도 이러한 말밧게 할 수가 업지만은 何如튼 當時의 詩歌에는 만히 包含되엿다.

우리는 다시 方面을 돌려서 그 때의 詩人들은 엇더케 平民 即 最低의 社會層에서 辛苦하고 虐待밧고 光明업시 牛馬와 가티 驅使를 當한 特히 中國의 下層 平民을 엇더한 態度로 對하엿는가 볼 必要가 잇다. 特히 이 下層 平民의 生活을 그리여서 一般 社會에 呼訴하고 一般 有志의 反省을 促進하고 그들을 爲하야 代辯하지 안한 詩人이 적다. 이러한 것도 無理는 안일 것이다. 中國의 雇人은 封建時代의 奴隸보다 더 甚하게 虐待를 밧고 服從을 當하고 下等의 生活을 하여서 世界 各國을 通論하고도 다시 그 類를 어더볼 수가 업슬 것이다. 그럼으로 社會의 改革에 그 眼目을 두고 人類不等을 主張하는 思想을 가진 者로서 누가 몬저 이에 着眼하지 안한 사람이 잇스랴. 世界에서 乞人이 만키로는 伊太利와 中國을 센다는데 伊太利에서는 뭇소리니가 씨—사를 빌어서 實行을 하엿든지 엇잿든 乞人이 업서졋다고 하니 아마 只今은 世界 中에서 中國이 第一位에 갈 것 갓다. 이만큼 社會가 腐敗하엿슴으로 新中國을 建設할 前線에 나슨 사람으로는 此等 生活을 改革하기 為하야 全力을 쓰는 것도 當然한 일일 것이다. 우리는 以上에서 中國 下層生活을 그려낸 詩歌를 들어 보자.

女丐

(辛白)

三十이 될라말라 한 女子가 내 人力車 뒤를 따러오며
입을 열고 부르지진다. 『나리! 銅錢 한 푼만 주오, 적선하신다
하고!』
그 女人은 한 손에 권연을 들고 한 손을 내밀며 돈을 달란다.
두 발을 쉬지 안코 달으며 멧 거름만에 나리를 한 번 부르고
담배를 한 목음 빤다.

이 詩는 勿論 人力車를 타고 가면서 눈에 보인 대로 쓴 詩일 것이다. 多少 諧謔이 석겨 잇스나 三十이 못된 婦人이 큰길 가에서 손을 벌리고 돈을 어들려 하는 것을 생각할 때에 그저 우서볼 일이 못되는 同時, 社會의 缺陷, 制度의 不完全, 財產의 不平等을 聯想하지 안흘 수 업슬 것이다.

中國의 都會는 어느 곳을 勿論하고 擧皆 人力車로 交通을 維持하고 잇다. 生活이 困窮하여지면 擧皆 人力車를 끌게 된다. 그런 人力車를 끌든 中에는 그 前에 擧人에 及第한 사람도 잇다 한다. 普通 人力車로 堪當치 못할 老人도 人力車를 끌고 거리로 단이면서 『人力車 타지 안켓습니까?』하고 웨치며 或은 富者집에 낫스면 貴童子야 玉童子야 하고 房에다 位하여 놋코 녀름에는 더위를 먹을가 하고 그늘만 차저주며 겨울에는 날로갓을 못떠나게 할 낫세에 人力車를 끄는 兒童도 만타. 그 例를 한 首 들어보면──

人力車夫

(胡適)

『人力車! 人力車!』 나는 것 가티
人力車가 왓다.
車夫를 본 손은 怒然히 슬품을 이기지 못하야 車夫에게 물엇다.
『너는 몃살인가?』
멧 해나 人力車를 끌엇는야?
車夫가 對答하기를
『올에 열여섯 살이얘요.
人力車는 밧서 二年이나 끝엇서요. 정말 三年이나 끝엇서요.』
손님이 말하기를
『네 나히 너무 적다.
나는 네 車를 탈 수가 업다.
만약 네 車를 타량이면
마음이 찔은 것 갓해서.』
車夫가 말하기를
『한나잘이나 손님이 업서
몸이 차고 배가 주림니다.
당신의 생각하야 주신 마음은 고마우나 그럿타고 제 배가 불러짐니까
이 나에 人力車를 끌어도
순사는 아무 말도 하지 안는데
대체 나리는 누구심니까?』

(三[25])

이 外에 劉半農의 作에서 이와 가튼 種類의 詩를 만히 볼 수 잇다. 그의 『學徒苦』라는 詩도 職業을 배우는 兒童의 生活을 그린 것이요, 또 그의 『相隔一層紙』라는 詩는 집안에 富家翁과 門밧게 乞人의 生活을 比較하야 쓴 것이다. 이 詩를 譯하야 보자.

조희 한 장 새에(相隔一層紙)

(劉半農)

(一)

방안에는 불을 피우고
나리가 창을 열고 과실을 사어라면서 말하기를
『日氣가 차지 안하는데 불이 너무 더웁다. 너무 뜨거워서 나를
데이게 말어라.』

(二)

문박게는 乞人이 한아 두러 누워서
니를 갈면서 北風에 대고 소리친다. 『죽겟네!』
可憐하다, 방안과 방박근
다못 열분 조희 한 장 새이로고나!

---

25 '一三'의 잘못이다.

다시 周作人의 『畵家』의 一絶을 들어보자.

畵家(第五段)

초가을 일흔 아츰에
길가 수채 구멍 겻헤
누런 옷을 닙고 머리가 허트러진 사람이
안저서 자고 잇다——
구부린 몸은 거의 접체지고
그의 등줄기의 曲線을 보니
分明히 生活의 困倦이 낫타나는고나.

當時에 貧困한 사람을 描寫하는 것은 共同協力하는 것가치 一齊히 이 方面에 努力하야 그 數肴가 헤알일 수 업시 만타. 우리는 以上의 幾例로써 代表를 하고 또 다른 한 方面을 살펴보자. 革命 當時인 만큼 모든 것에 反抗을 하고 舊制度, 舊習慣, 舊傳統에 憎惡를 늣기는 同時 排斥, 反抗하는 詩歌도 적지 안하엿섯다.

權威

(胡適)

權威가 산꼭닥이에 안저서
自己를 爲하야 開鑛을 하는 奴隷들 指揮하면서 말하기를

『너희들 누가 감히 反抗을 하겟는야』
『내가 너희들을 마음대로 할 것인데.』

奴隷들은 一萬年이나 일을 하야서
목에 매인 쇠사실이 거의 끈허지게 되엿다.
그들이 말하기들 『이 쇠사실만 끈허지면 우리는 反한다』고

奴隷들은 同心合力을 하야
한 가래 두 가래 山밋을 파서
山밋헤가 궁덩이 파졋다.
權威는 꺼울러저 산채로 끼울녀졋다!

上例와 가티 抽象과 實物을 混合한 것이 詩라고 할 수 잇는가는 여기서 問題 삼을 것이 아니요, 다못 그 寓意의 本意를 본다면 確實히 反抗的 意味가 包含되엇다.

(一四)

中國에서는 각금 反基督教運動이 일어난다. 그 裡面에는 純全히 宗教만 宣傳하는 것이 아니라 宗教의 탈을 둘너쓰고 政治的 活動을 하거나 或은 文化上 侵畧을 하는 黑幕의 잇는 까닭이겟지만은 그러한 意味에서가 아니고 基督教의 가르침에 좃즈면 아무 것도 改革할 수도 업고 實生活에서 落伍만 한다는 意味에서 反對한 例의 詩가 잇다.

아—멘

(李陶)

(一)

목사가 말하기를
『肉體의 快樂은
人類의 靈魂과 關係가 업다.
그저 일하고
그저 참아야 하오.
困苦한 艱難은
다 上帝의 命令이외다.
反抗하여서는 못쓰고
다못 服從하면
당신이 죽을 때에
天使가 나려와서 마즈리다.
아—멘!』

(二)

敎會門을 나서서
工場으로 드러가
하로 열두 時間 일을 하고
열두 時間 땀을 흘리고
돈 二十錢 벌어서
두 되 玄米를 사옵니다.

이것은 上帝가 저를 준 것이오니
上帝에게 感謝를 드려야 하겟다.
『하나님 아부지시여!
당신의 거룩한 恩惠를
제가 엇더케 가프오리까──
다못 당신이시여, 저를 용서하시와──
天堂에 가서 당신을 뫼시게 하여 주소서.
아─면!』

(三)

한달, 두달, 석달
한해, 두해, 세해
배부르게 뭇먹고
마음대로 잠못자
손발은 풍이 나고 麻木이 되고
페에는 菌이 充滿하야
그 전에 튼튼하고 살찐 몸은 어듸 가고──
다못 빼빼 마른 뼤만 남엇고나
『하나님 아부지시여 !
제 엇지 敢히 命令을 억일이니까.
제의 왼몸에 病 잇는 것을 可憐히 역이소서──
아─면!』

(四)

하루에 일 안한면

양식이 업고
이틀 일을 안하면
옷이 업서지고
저 혹독한 집 主人은
나를 쫓처내려 한다.
이 가티 繁華한 上海에——
華麗하고 壯嚴한 禮拜堂들만 뵈이고
한곳이라도 떠러진 살 곳은 차즐 수 업고나——
『하나님 아부지시여!
당신이 속히 와서 저를 마자주소서——
天堂에 가서 당신을 뫼시리다.
아—멘!』

이 詩는 經濟的 立場에서 基督敎를 反하는 詩이다. 이러한 實例가 實地에 업지 안할 것이다.

우에서 觀察한 諸 方面 外에 自然에 關하야는 엇더한 態度를 가지며 美에 對하야는 엇더한 觀念을 가지고 잇스며 사랑은 엇더케 解釋하는가 等 問題가 만흐나 여기서는 以上 獨特한 點 二三만 들고 그 外는 一切를 畧하기로 한다. 이로써 文學革命 當時의 一般 詩에 關한 觀察은 不充分하고 拙劣하나마 大綱을 말하엿다고 하겟다.

이 時期의 詩集과 重要 作品
嘗試集, 胡適 著.
草兒, 唐白情 著.

女神, 郭沫若 著.

惠的風, 汪靜之 著.

繁星春水, 謝氷心 著.

將來之花園, 徐玉諾 著.

(以上은 詩集)

小河, 周作人 著.

(長篇詩)

(一五)

五. 最近詩壇의 諸相

以上에서 말한 것은 大概 文學革命 後 卽 民國 七八年 以後로부터 民國 十三四年 間의 槪觀이요, 最近 詩壇에는 言及치 안하엿섯다. 그러나 最近 詩壇을 論할 때에는 自然 文學革命 當時의 作品에까지 溯源하지 안할 수 업슬 때가 잇슬 것이다.

中國 新詩壇은 文學革命 當時에는 자못 形式을 打破하고 그 用語를 交換하고 그 內容을 刷新함에 汲汲하야 技巧 方面이랄지 其他 細詳한 곳은 討論도 하지 못하고 詩에 試驗도 하지 못하엿스나 그 後로 漸漸 白話를 詩에 使用하는 데 相當한 成功을 하고 形式도 自然 整齊되게 되고 內容도 各 方面 生活을 包含하게 되자 外으로는 文學上 主義가 輸入되야 詩壇에도 그 影響이 不少함으로 中國 新詩에는 各種 派別이 나게 되엿섯다.

또 한가지 注目할 點은 文學革命 當時의 詩 作家는 擧皆가 文學革命을 完成하기 爲하야 詩壇에 뛰여 들어와서 活動을 하엿스나 漸漸 試驗을 하여 본 結果가 自己의 天才가 아님을 覺悟하고 或은 文學의 다른 方面으로 쏠제서 詩壇을 돌볼 機會가 업게 되야 民國 十三四年 以後로는 詩壇의 人物의 大部分이 新人으로 代替되엇섯다. 新詩를 主唱하고 新白話詩集을 처음으로 發表한 胡適氏를 비롯하야 沈尹默, 周作人, 康白情, 兪平伯, 傅斯年, 羅家倫, 沈兼士, 戴秊[26]陶, 周無, 玄廬 等 諸氏는 다 詩壇에서 引退를 하고 그 中에서 郭沫若, 謝氷心, 汪靜之, 劉半農 外 幾人은 只今까지 繼續하야 作詩를 하나 그리 力作을 내지 못하고 最近 詩壇에서 異彩를 나타낸 詩人은 徐志摩, 王獨淸, 李金髮, 朱湘, 魯迅, 高長虹, 聞一多 等 諸氏요, 新進으로 一般의 囑望을 밧고 잇는 詩人은 程鶴西, 馮至, 韋叢蕪, 羅西, 錢杏邙[27], 焦菊隱, 胡也頻, 仲平 等 諸氏를 들 수 잇고 이 外에 만흔 無名 詩人들이 新聞 雜誌의 詩欄을 채워가며 잇다.

우에 列記한 詩人 中 特色 잇는 幾人을 들어 大綱 大綱 그 特色과 그 作風 等을 論하여 보겟다. 勿論 詳細한 것과 完全하게는 할 수 업스나 簡約한 範圍 內에서 할 수 잇는대로 하여 보겟다.

郭沫若: 詩集『女神』, 『瓶』, 『前茅』, 『恢復』, 『沫若詩集』.

郭氏는 右記 詩集 外에 파우쓰트(께―테 作) 譯詩와 썰레― 譯詩選, 德國詩選 譯集 等이 잇다. 氏는 譯詩의 流를 보드래도 氏의 性格이 얼마나 激動的이요, 壯嚴을 사랑한지를 알 수가 잇다. 氏의 作 『女神』은 民國 十年 作으로

---

26 '秊'는 '季'의 오식이다.

27 '邙'은 '邨'의 잘못이다.

中國 新詩의 萌芽期에 屬한 作品이나 中國詩壇을 털어 놋코도 첫 收穫이라고 一般의 稱揚을 밧고 잇다. 이 詩集에는 詩劇이 三篇 실려잇고 그 外에는 全部 抒情 自由詩다. 氏는 恒常 太陽, 地球, 海洋, 蒼空, 光明을 노래하엿다.

只今 一一히 例를 들 수 업거니와 詩의 題를 보드래도 大概 알 수가 잇슬 것이다. 『日出』, 『浴海』, 『地球上에 放號하노라』, 『電火光中』, 『地球 나의 母親이여!』, 『光海』, 『太陽禮讚之什』 等은 다 이러한 種類의 詩이다. 氏는 熱情的이요, 主觀으로써 詩를 지으며 大洋의 波浪과 가튼 힘줄 센 리듬이 늘 詩에서 떠나지 안한다. 『女神』에 실린 詩는 全部가 浪漫的 傾向이 濃厚하엿스나 그는 思想上 變遷이 잇슨 後로 意識的으로 浪漫的 態度에서 脫走하려 하엿스나(비록 그 取材는 類를 달리할망정) 그 熱情은 어느 때나 갓튼 程度로 낫타난다. 一九二八年에는 『瓶』, 『前茅』, 『恢復』 三詩集을 發刊하엿다. 이것이 곳 그의 革命詩의 試驗인데 그 前 『女神』과 가티 一般 詩壇에 그 影響이 적고 『瓶』은 全 四十二章이나 된 長篇詩요, 『前茅』와 [28]恢復』은 短篇詩集이다. 그의 思想上 變遷이란 것은 곳 맑쓰主義로 轉換한 것을 말함이다. 그 『前茅』의 序詩들 보면 그 思想과 詩를 感得할 수가 잇다.

詩序

이 멧 수 詩는 꺽글구를 할지 몰으나
革命時代의 前茅라고 할 수 잇다.

---

28 겹낫표 '『'가 누락되어 있다.

이것은 五六年 前 나의 소리이요
이것은 五六年 前 나의 웨침이엇다.

氏는 이와 가티 思想의 方向轉換을 한 後로는 典雅, 優美한 詩를 排斥하고 다른 나라의 無產階級의 詩와 가티 口號, 標語 가튼 詩만 짓고 잇다. 그러나 只今도 그 熱情은 남어잇서서 讀者를 感激하는 힘이 적지 안타.

魯迅: 詩集『野草』

魯迅은 本來 短篇小說家이다. 그 前에 別로 詩들 짓지 안하엿스나 只今과 가티 短篇小說과 散文詩가 接近한 때라 氏는 二三年 前 中國詩壇에서 散文詩가 盛行할 때를 當하야『野草』라는 散文詩集을 發表하엿다. 短篇小說에서 그의 特長은 譏笑와 懷古다. 이 詩集에서도 氏의 그 諧謔은 더 銳利한 點을 낫타내며 그 가슴에 말로 하지 못할 述懷를 낫타내고 잇다. 그는 決코 動流하는 筆致를 가지지 못하고 恒常 沈悶하고 靜觀하는 態度가 나타난다. 이『野草』는 郭沫若氏의『女神』과 가티 中國 新詩壇의 最大 收穫이라는 評이 잇다.

高長虹: 著作『精神과 사랑의 女神』(詩集),『心의 探險』,『時代의 先驅』(散文詩集) 等.

長虹은 詩로 그리 일홈이 놉지 못하나 本來 魯迅과 合作하엿고 또한 魯迅의 影響이 만흠으로 여긔에 들게 되엇다. 그는 狂飆社의 一員으로서 勞働과 精神勞働의 並行을 主張하며 그 詩의 表現하는 方式은 象徵的이며 表現的이어서 容易히 理解하기가 어렵다. 그는 精神勞働과 肉體勞働을 並進하여야 한다고 하는데 아나키쯤과 共同하며 그의 詩로 代表作이라고 稱할만한 것은『民間으로서』라고 한다. 이 詩의 內容은 이러하다. 사람은 民間에서 낫스니 民間으로 도라가자. 自然과 人間을 調和하고 科學을 是認하며 宗教를 否認하는 態度가 鮮明하다. 譯詩를 記載할 것이나 너무 길음으로 約한다.

(一六)

氷心女士: 詩集『繁星』,『春水』.

이 두 詩集은 全部가 小曲集이다. 女士는 中國 新詩壇에서 小曲을 獨擔하야 別天地를 開拓하엿섯다. 女士는 그 句句가 麗雅할 뿐만 아니라 그 小句에 만흔 哲理를 包含식히고 잇다. 이 女詩人은 印度 타고아의 影響이 만하며 『春水』 選者 周作人의 小詩論을 보면 小詩는 東洋의 것이여서 西洋의 泊來品이 아니라 한다. 말하자면 氷心女士는 印度의 影響을 바든 詩人으로 볼 수 잇스며 近頃에 『春水』는 英譯이 出版되엿다 한다.

徐志摩: 詩集『徐志摩의 詩』.

象徵詩人으로 일홈이 놉흐며 北方의 土話를 善使하는 詩人이다. 그의 詩想은 別로 特別한 것이 업스나 詩形을 整齊하면 麗句華言으로 詩를 꾸미는데 中國 新詩壇의 어느 詩人보다 卓越하다. 그럼으로 唯美派, 裝飾派 等 稱號를 밧는 것도 無理가 아니겟다. 이 詩人은 佛蘭西 베레-ㄴ의 感化를 만히 바덧다 하며 日本의 西條八十을 聯想하도록 그 뿔조와한 點이랄지 詩를 裝飾하는 點에 共通點이 만타.

王獨淸: 詩集『王獨淸의 詩』,『聖母像前』.

이 詩人 가티 現代靑年에게 歡迎을 밧는 詩人은 업다. 그는 詩에 恒常 멜

랭코—ㄹ리를 먹음고 잇다. 이 詩人도 創造社의 一員으로 方向轉換은 하엿스나 그 本質인 哀愁는 그를 떠나지 안하고 잇다. 그 用語는 日用會話와 別로 差異가 업스나 그리기 어리운 哀愁를 銳敏한 描寫로 그려내며 鄕愁 等을 잘 읍고 잇다. 그 例로 『聖母像前』의 目次를 보면 如左하다.

(1) 悲哀가 나의마음을 忽然히 어둡게 하는고나

(3) 失望의 哀歌

(4) 頹廢[29]

李金髮: 詩集 『微雨』, 『爲幸福爾歌』, 『食客과 凶年』.

이 詩人은 文字의 拘束을 밧지 아니한 것이 그의 特點이요, 또 短點이겟다. 그는 伊太利 말을 그대로 쓰고 佛語 亦 任意대로 詩句 안에다 넛고 中國文으로 보드래도 文言과 白話를 가리지 안코 混合하여서 쓴다. 그럼으로 自然 읽기에 流暢하지 못하고 外國語에 素養이 업는 사람은 도모지 볼 수가 업다. 그는 自己가 베레—ㄴ의 弟子라고 承認한 때가 잇섯다 하며 그는 美術과 彫刻에 相當한 知識과 趣味가 잇는 것을 알겟다. 그는 詩集에 흔히 數幅의 裸體美人畵를 插入하고 그 詩의 想像力이 豊富한 것과 또한 異國情操를 咏歌하는 것으로 詩壇의 異彩들 發하고 잇다. 幻想, 神秘, 靈魂, 夜, 懊悔, El□yie 等을 깃거 詩의 材料로 한다. 그의 詩想이 中國式이 아니며 南歐洲의 色彩가 濃厚함은 伊太利 等地에 久留하엿든지 或은 文學에 造指가 깁흔 것을 알겟다.

---

29 이 시집(光華書國, 1927.12.1. 초판)은 6輯으로 구성이 되어 있는 바, 여기서는 편목 ⑵인 "流罪人語", 편목 ⑸, ⑹인 "Melancholia", "飄泊"이 빠져 있다.

朱湘: 詩集『草莽集』.

氏는 詩들 억지로 지은 자초가 보이지 안코 또 詩에다 自己 意思를 너허 보려고 하지 안코 늣기는 대로 詩를 쓰는 詩人이다. 이 點에 잇서서 氏는 다른 엇더한 詩人보다 詩의 素才가 만흐 것을 알 수 잇다. 氏는 그럿타고 詩들 粗雜하게 되는 대로 쓰지 안코 그 用語를 퍽이나 選擇하며 一行一句에 努力하는 痕跡이 完然히 낫타난다. 그럼으로 氏는 詩의 外形은 修飾에 修飾을 다 하나 그 內容은 素朴하고 純眞하야 讀者로 하여금 詩를 떠러질 수가 업게 하며 讀後에 餘音이 언제나 남어잇는 것 갓다. 朝鮮에서는 金億氏의 詩와 仿佛하며 日本에서는 川路抑虹氏와 비슷한 點이 만타. 只今 그의 小詩 一首를 譯하여 보겟다.

典當舖

美가 典當舖를 한 집 열고
오로지 사람 마음만을 밧는대요.
한이 되여 票를 들고 차즈러 가면
발서 門을 다처뿌렷대요!

以外에 革命 當時의 詩集과 新進詩人을 包含하야 充分하게 硏究들 할려 하엿스나 歷代의 白話詩와 革命 當時의 詩論 等에 너무 만흔 紙面을 虛費하야 도리어 最近 詩壇에 關한 論이 不充分하게 되엿다.

何如間 中國 新詩壇은 一般 傾向이 浪漫的이며 頹廢的 氣分과 革命的 氣分이 比等 比等하게 勢力을 가지고 잇다. 詩歌의 類로 본다편 詩劇이 조금

도 發達을 하지 못하고 歌謠 即 民謠, 童謠는 散在한 舊作을 収集하는 데 汲汲하고 아즉 詩人이 民謠, 童謠를 試作한 사람은 업스며 散文한 詩도 二三年前에 一時 流行은 하엿스나 幾卷의 詩集을 낸 後에는 그 亦 조흔 作品이 적으며 그 中에 發達한 것은 抒情小詩와 抒情自由詩라고 하겟다.

(完了)

中國의 映畵界 — 上海를 中心으로[01]

李弼雨

1[02]

中國 映畵界를 보고 와서 먼저 늣겨지는 것은 무엇으로부터 무엇에 이르기까지 하나도 豊足한 것이 업고 不完全하며 貧弱하기 짝이 업는 우리 朝鮮映畵界를 聯想할 때 말할 수 업는 憂鬱을 늣기게 된다. 中國 映畵界는 現在가 全盛時代들 일우워 잇다. 『토—키』가 完全히 實現되여 잇고 一日에 製作되여 나오는 映畵가 相當하며 그 作品들은 멀리 바다를 건너 歐洲 各國에 輸出된다. 그리고 普通 映畵 한 作品의 製作費가 二萬圓가량이오, 特作品이면 七萬圓 以上의 費用이 든다 하며 超特作品이면 十萬圓 以上 멧 十萬圓 乃至 얼마든지 限이 업다 한다. 이것만 보드래도 한 作品에 二三千圓에 쩔쩔 매는 朝鮮 映畵界를 생각할 때 얼마나 豊足하며 盛況인지를 엿볼 수 잇다. 그들의 撮影所를 대강 紹介하여 보겟다.

中國에서 『유니버살』會社라고 일컷는 가장 有名한 名星影片公司가 上海 佛國租界에 十三萬 三千 坪이나 되는 大廣場에 宏壯한 建物을 세우고 잇다.

---

01 『朝鮮日報』 1930.1.21~1.24, 5면.

02 엮은이가 넣은 연재분 표기로서 4회에 걸쳐 연재되었다.

이 攝影所는 張石川氏 個人의 經營으로 中國에서 相當한 人氣를 갓고 잇다. 이 撮影所 玄關을 들어서면 事務室이 모로 서잇고 三十間 가량 들어가서 右側에 四百坪이나 되는 『다—크·스테—지』가 잇고 左側에는 『그라스·스테—지』가 잇스며 中央에는 萬餘坪이나 되는 곳에 公園 가티 련못까지 精潔하게 되여 잇다. 그리고 二五○ 『뽈트』、四○○○ 『안피아』의 電力을 發電할 수 잇는 『쩨러네터』가 잇다. 攝影機로는 世界 最高인 『미첼』 機가 잇다. 이 『미첼』 撮影機는 世界에 八臺 박게 업다는 것인데 日本에 『유—늬버살』 攝影所가 設立될 때에 米國 『유늬버—살』會社가 자랑거리로 가지고 왓다가 妻三郎 『프로덕숀』과 爭議事件 後 두고 가서 于今까지 妻三郎 『프로덕숀』에서 使用하는 그것과 上海名星攝影所에 잇는 것과 東洋에 二臺가 잇슬 뿐이라 한다. 또 米國 『벨엔드·호엘』會社製의 高級 撮影機인 時價 一萬 七千圓인 『호엘』 機가 三臺가 잇고 其他 『데부리』社 撮影機는 各種으로 具備되어 잇스며 『아켈』 移動 撮影機까지 가추어 놋코 잇다.

撮影班은 八組로 組織되어 晝夜를 不顧하고 張石川氏 總指揮아래에서 攝影을 進行하고 잇스니 出演者로는 中國의 『스타—』 女優인 胡蝶孃이 잇고 男優에는 鄭小秋氏가 잇다. 製作된 映畵는 外國에 輸出이 만코 上海서는 名星映畵만 上映되면 劇場은 언제든지 立錐의 餘地가 업시 大滿員의 盛況을 이룬다. 筆者가 名星影片公司가 最高 收入記錄을가지고 잇다는 『紅蓮寺』라는 映畵를 中央大戲院으로 보러 간 일이 잇섯다. 이 『紅蓮寺』는 一集 十二卷式 第九集까지 잇는 繼續寫眞이다. 이 映畵의 『스토리』는 엇던 두 洞里에 里民들이 權利 다툼으로 因해서 大爭鬪가 이러나며 그 中에 魔術師외 劒客이 兩 洞里에 몃 사람식 잇서서 서로 里民을 指揮하야 늘 싸우는 것으로 第九集 百八卷까지 억지로 억지로 끌고 나아가게 만든 映畵다. 그럼으로 보기에 나종에는 합품이 나오고 支離하야 倦怠를 늣기게 하여 볼 수가 업슬 지경이다. 그러나 中國에서는 活劇이고 『트리크』를 만히 使用한 映畵면 스토리를 不問하고 『리듬』이든지 『템포』가 마지나 아니 마지나 一般 觀客들은 『好好』를 連呼하며 拍手 歡迎을 한다. 그리고 이와 가티 脫線的인 非映畵이지마는 『쎄드』나 衣裳이나 演出 人數는 相當하여 撮影費가 一集에 三四萬圓은 훨신 지나친다. 去年 十二月 十日부터 名星影片公司에서 『싸운드 스타디오』를 建設하고 『무비톤』을 純 中國語로 撮影을 進行하고 잇다. 이 『싸운드』 攝影設備의 資金은 約 六十萬圓이라 한다. 以上으로써 名星의 이야기는 막고 다른 攝影所로 옴기자.

2

共同 租界地에 五萬餘坪이나 되는 곳에 大中華百合影片公司라는 撮影所가 잇다. 經營者는 上海人 吳氏요, 製作責任者는 朱瘦菊氏와 王元龍氏이다. 그 前에는 大中華와 百合이 各各 獨立한 攝影所이엇스나 大資本家인 吳氏가 支配하게 되엿슬 때부터 合同하야 大中華百合影片公司라고 合名하고 한 攝影所 안에서 王元龍氏는 三兄弟가 製作함으로 三龍組라 하고 朱瘦菊氏는 華菊組라 稱하야 맛치 日本 右太撮影所나 阪妻攝影所에서 製作된 映畵가 松竹 『키네마』 손으로 提供되는 것과 가티 그 두 곳에 것이 大中華百合影片公司의 손으로 世上에 提供된다. 門前에는 조고마한 看板이 가로 大中華百合影片公司라 씨워 잇고 門안을 드러스면 바로 庭園이 잇스며 運動場이 잇다. 그런대 이 곳에는 우리 朝鮮 映畵界의 同志인 鄭基潭君, 金一松孃, 全昌根君, 張良君 等이 大活躍을 하고 잇다. 그래서 筆者가 鄭基潭君의 案內로 이 곳을 求景하게 되엿다. 門을 드러서서 庭園과 運動場을 지내면 楊柳 間에

十坪쯤 되는 中國式 八角亭이 잇고 約 四十坪 되는 연못에는 오리 떼가 游泳하고잇다. 左側으로 正面에는 四百坪되는 라스·스터지가 잇고 後面에는 衣裳室과 化粧室이 잇스며 左右에는 背景室과 發電室 及 製畵室이 잇다.

中央廣場에는 놉히 八十呎나 되는 宏大한 『쎄ㅅ트』가 잇스니 이 『셋트』는 鄭基潭氏의 脚色, 監督, 主演인 『黑衣의 騎士』라는 映畵의 宮殿 『씬』이라 하며 이 『쎗트』 費用은 三萬圓이라 한다. 이 곳에 諸般 設備는 日本 京都 牧野 『프로덕슌』 보다 나으며 電力은 二五 『뽈트』, 二○○『안피아』에 『제레네타』가 잇고 『호엘』 撮影機가 二臺, 佛國 『데―부리』社 『파보』가 四臺, 同社 『반벨』 二臺, 『벨엔드호엘』社 移動 撮影器가 二臺가 잇스며 『라이트』는 水銀燈으로 全部 되여잇다.

어느 날 『黑衣의 騎士』 夜間 撮影을 求景코 鄭基潭君과 가티 또 갓섯다. 벌서 準備가 되여 撮影은 始作되엿다.

오래 동안 듯지 못하든 『라이트』의 소래와 반가운 『호엘』機의 『크랑크』도는 소래를 들으면서 求景할 때 不過 五十 『컷트』쯤 撮影하고 고만 문허버린다. 이러한 設備 아래서 撮影을 한번도 못하고 『레―프』 쪼각과 機關銃 소리가 나는 撮影機械에다가 生命을 걸고 苦心하는 우리 朝鮮同志가 가엽슨 생각이 낫다. 그리고 또 現像室을 보게 되엿다. 現象室의 諸般 設備는 日本 松竹 『키네마』社 蒲田 『스터디오』 現象室과 갓다. 『프린팅』機는 價格 八千圓이나 되는 米國 『벨엔드호엘』社 製造인 『호엘』 自働 『프린트』機가 二臺요, 佛國 『데부리』社 『발보프린트』機가 三臺다. 그리고 또 時價 三萬圓이나 되는 自働現像 及 乾燥器가 一臺 잇다. 이 機械는 日本에도 勿論 오즉 東洋에는 이 곳 한 곳에 잇슬 뿐이라 한다. 撮影한 『네가틔―부』, 『포시리―브』를 左側 『왓바』에다가 걸어 놋코 『모―터』만 運轉식히면 現像이 되여 定着液을 실내 乾燥 『탕크』를 經過하야 十四分만에 完全한 寫眞이 되여 右便 『왓바』

에 말리여 진다.

이 大中華百合影片公司가 民國 八年에 創立되엿다 하니 이 諸般 設備가 俱備되기는 距今 約 十二年 前이다. 모든 機械 設備는 日本보다도 中國이 먼저 發展하엿다고 볼 수가 잇다. 그러나 中國사람들이 잘 쓰고 또 中國人의 性質에 適當하게 된 말이 잇다. 그 말은『만마휴휴』라는 말이다. 이 말은 아무러케나 또는 천천히 하자는 意味이다. 이런 말을 重大한 映畵 撮影 中에 監督, 徘優나 技師가 함부로 농담 갓치 쓴다. 劇에 場面이 틀려도『만마휴휴』요, 衣裳이 틀려도『만마휴휴』요, 어려운『트리크』도 만마휴휴라고 撮影도 하지 안니한다. 熱誠이 잇서도 몰을 것을 이『만마휴휴』로 因하야 不熱誠하게 되니 十年 前이나 今日이나 發展치 못할 것은 當然한 일이다.

3

華菊組에는 鄭基潭君이 監督이요 女優에는 金一松孃과 阮玲玉孃이잇고 三龍組에는 史東山氏와 王元龍氏와 王次龍氏가 監督이오, 女優에는 周文珠孃이 잇다.

이 撮影所에 자랑ㅅ거리요, 中國 映畵界의 代表作品인 時代劇『王氏四俠』은 三龍組와 華菊組가 合同하야 二年 間의 時日을 드려 二十餘萬圓에 巨大한 撮影費를 드려서 完成한 作品이다. 監督은 中國 映畵界에서 DW『그리피드』라고 崇拜를 밧는 史東山氏이며 主演은 王元龍氏 三兄弟이다. 그 外에 五千餘名의 助演者가 잇섯다.

中國 映畵界 有史 以來에 大作品인 이『王氏四俠』이 百星大戲院에서 封切될 때에 李慶孫과 筆者가 보러 갓섯다.

『퍼스트씬』은 『빠크닷드』의 盜賊에 『퍼스트씬』 가티 虛荒한 背景이며 暴亂이 이러나는 場面이다. 『테一마』는 『三銃士』를 倣[03]한 點이 만코 監督術이나 演技는 日本 映畵만은 하다. 撮影은 그다지 稱讚할 수가 업다. 責任 撮影技師가 病中이엿다고 辯明하나 何如間 그러케 훌륭한 機械를 가지고 撮影은 全然 失敗이다. 그리고 또 鄭基漂君의 原作 監督인 『女海盜』와 『愛國魂』도 보앗다. 金一松孃의 演技는 驚嘆할 만치 進步되엇고 上海나 南洋 方面에는 相當한 人氣가 잇다고 한다.

鄭基漂君의 監督術이나 演出은 中國人 보다는 나흐나 아즉 進步하여야 될 餘地가 만히 잇다고 보앗다. 全昌根君은 惡役이 適役이다. 『카메라』를 무서워하지 아니하고 몸을 잘 놀리여 만히 훌륭한 藝風을 보여준다. 그러나 君의 缺點은 『앙키』式이 만흔 것이라 하겟다. 이 大中華百合影片公司가 一九二九年 十月末日 頃에 事情에 依하야 解散되고 말엇는데 筆者도 얼마間 大中華百合 『스터지오』에서 『크랑크』를 돌리고 잇다가 解散 後 鄭基漂君과 가티 日本 東亞 『키네마』 女優 歌川ろり子와 가티 『싸운드』映畵 上海行進曲을 『마비통』으로 前篇을 製作하고 後篇은 다시 日本서 만나서 『삐타폰』으로 撮影키로 約束하고 作別한 後에 基漂君은 南洋 方面으로 가고 筆者는 朝鮮으로 왓다. 또 다른 곳으로 옴겨 보려하는 중이다.

共同租界地 北便에 長城影片公司가 잇스니 이 撮影所도 中國에서 相當한 勢力을 가지고 잇스며 舶來 人物이 만타. 이 곳에서는 歐米 各國으로 輸出을 目的하고 專門으로 高級 映畵만 製作하고 잇다. 그럼으로 이 곳 映畵는 中國人 劇場에는 잘 上映치 안코 大概 外國人 劇場에 만히 上映된다. 그래서 『팬』도 中國人은 高級 『팬』이 볼 뿐이요, 거의 外國人 相對이다. 背景이나 衣

---

03 '模'자가 누락되어 있다.

裳이나 監督이나 俳優까지라도 外國人에게 뵈여도 羞恥 아니될만한 程度에서 製作함으로 이 곳 映畵는 相當한 것이다.

以外에 天一, 華劇, 中國, 新民, 復旦, 華城, 新人, 中央, 上海, 南洋, 黎民 等의 數十個 所의 撮影所가 잇스나 名星, 大中華百合, 長城 三個 所가 中國 代表의 撮影所이다. 그러나 아모리 조고마한 撮影所라도 撮影에 諸般 設備는 完全하야 能히 獨立으로 잘하여 나가고 잇는 中이다. 朝鮮映畵와 기티 撮影機 한 대가 업서서 撮影機 몃 臺들 가지고 몃 곳에서 돌려 쓰지는 안코 아모리 조고마한 곳이라도 二臺 以上은 가지고 잇다. 언제나 우리도 이만한 設備를 하고 映畵를 製作할가? 그러나 名星, 大中華百合, 長城 等 撮影所를 除하고는 衣裳이던지 化粧이던지 모든 것이 幼稚하기 짝이 업서 보엿다.

(계속)

4

活劇을 조화하는 中國에서는 『다그라스』가 非常한 人氣를 가지고 잇다. 그 關係인지는 모르겟스나 時代劇은 全部 『三銃士』나 『쏘로』의 衣裳이오, 劍術도 갓고 長劍도 가튼 것을 使用한다. 그리고 그러한 衣裳에다가 中國 古代의에 衣裳을 입은 俳優가 석겨 잇기도 하고 現代에 中國式 衣裳에다가 斷髮한 女子가 굽 놉흔 구두를 신고 날뛰기도 한다. 한 畵面에 몃 종의 衣裳인지 알 수가 업다. 現代劇은 바로 西洋式으로 裸體男女의 舞蹈가 普通 만히 잇다.

盲目的이다. 畵面이 『스크린』에 빗치면 조흔 줄 알고 製作者도 맨드러 노흐면 一般 펜들도 興味잇게 보고 조화한다. 그리고 각금 中國이 아니면 보지 못할 映畵가 생기여 나는 것은 참으로 中國 映畵界를 爲하야 寒心한 일이며 可惜한 일이나 그네들의 撮影所에서 製作된 映畵는 撮影所에서 直接 配給지 아니하고 六合影片公司 營業部에서 二五『파센트』의 手數料를 밧고 紹介하야 주고 잇다. 이 營業所는 六個 所에(大中華百合에 三龍組, 華菊組, 長城, 新民, 復旦, 百星) 影片公司에 製作映畵를 取扱함으로 六合이라고 한다[04]. 그런데 營業方法은 朝鮮이나 日本 가티 常設館에 直接 配給치 안코 地方이 널분 關係上 各地 配給所에게 南洋이나 上海에 몃 봉이니 하고 興行權을 添付하야 販賣한다. 大概 製作된『프린트』의 販賣數는 南洋,『할빈』, 南京, 北平, 南滿洲를 合해서 한 映畵가 十八本이나 된다.

其外에 撮影所도 이와 가튼 方法으로 營業部를 設置하야 놋코 조고마한 撮影所에서는『네가티부』,『포시티부』를 利子를 밧고 融通하야 주고 또 撮影費도 融通하야 준다. 그럼으로 無產者라도 製作에 經驗만 잇스면 얼마든지 撮影所를 經營할 수가 잇다.

常設館은 上海에만 十餘處나 잇스며 그 三分之一은 外國人의 直營이다. 建築物은 大概 宏壯하며 三等館이라도 相當하며 淸潔하기 짝이 업다. 興行時間은 晝夜 三回로 分하야 잇는데 第一回는 午後 三時부터 五時半까지, 第二回는 六時부터 八時半까지, 第三回는 九時 二十分부터 十一時 五十分까지로 되어잇스며 發聲映寫器를 裝置한 곳도 만히 잇다.

지난 十二月 十八日에 다그라스 夫妻가 上海 왓슬 때 映畵人 主催로 다그라스 夫妻 歡迎會를 開催하엿섯다. 그 때 筆者도 鄭基澤君과 가티 한 자리를

---

04 정보가 잘못되었다. 六合影片營業公司의 간행물인『電影月報』제1호(1928.4.1)에 의하면 육합은 上海影戲公司, 明星影片公司, 大中華百合影片公司, 民新影片公司, 華劇影片公司, 友聯影片公司를 구성원으로 하고 있다.

엇게 되엇다. 『다그라스』氏는 筆者와 鄭君이 朝鮮사람이라 하매 快活한 우슴을 띠우며 반가히 握手를 交換한 後에 첫재로 朝鮮에 撮影所가 몃 個所나 잇스며 엇지하야 米國에 朝鮮映畵를 보내지 안느냐 뭇는다. 이 質問을 밧든 筆者는 구멍이라도 잇스면 드러라도 갈 지경이며 全身에 땀이 흘넛다. 무어라 對答하엿스면 조흘지 몰라서 쩔쩔 매고 잇섯다. 마츰내 怜悧한 『메리픽포드』孃이 눈치를 채엿는지 얼는 『交通이 不便한 關係이겟지요.』하고 愛嬌잇는 語調로 辯明하여 준다. 그 때 『메리』孃이 엇지도 고마웟는지 알 수 업섯다. 그래서 筆者는 억지로 모면을 하고 또 무엇을 물을가 겁이 나서 다시 『스크린』에서나 맛나기를 約束하고 『다그라스』夫妻 엽흘 떠나 나왓다.

以上에 紹介한 거와 가티 中國 映畵界는 諸般 設備가 相當히 發展하여 잇스나 映畵는 그리 進步되지 못하엿다. 少數를 除하고는 『필림』이 악가워서 볼 수가 업는 映畵가 多數를 占領하고 잇다. 이에 反하야 우리 朝鮮 映畵界는 짜른 時日에 놀라울만한 發展을 가지고 잇다. 우리는 그들에 比하면 天才일 것이다. 萬一에 우리 映畵界에 中國과 가튼 設備가 되여잇다 할 것 가트면 世界 映畵 市場에 내여노아도 북그럽지 아니할만한 훌륭한 名作이 얼마든지 나오리라고 筆者는 自信하고 잇는 바이다.

끗으로 將來가 暗憺한 우리 映畵界를 爲하야 苦心하는 同志 諸 先生들의 奮鬪와 努力을 끗치지 말고 速히 大資本家가 現出하야 世界 映畵 市場에 出品할 名作이 하로 밧비 產出되기를 바란다. 이 以上 더욱 仔細한 이야기는 요 다음 機會로 밀고 讀者 諸氏에게 잘못된 點이 만흔 것을 謝過하며 이만 붓을 멈준다.

(끗)

中國文學 雜論[01]

白話室主人

【一】[02]

詩·歌에 對하야

漢土사람은 詩와 歌의 界說에 對하야 일즉이 定義를 말하되 『詩는 言志요, 歌는 永言이라』고 하엿다. 이 定義는 오늘날에도 適用할 수 잇는 것이니 言志라는 것은 무엇이냐? 情을 말하는 것이다. 그럼으로 情을 말한 글은 이를 詩라고 이르는 것이다. 永言이라는 것은 무엇이냐? 그 소리를 늘이는 것이다. 卽 唱歎이다. 그럼으로 부르는 말은 이를 歌라고 이르는 것이다. 딸하서 情을 말한 글은 모도가 唱歎할 수 잇는 것임으로 詩와 歌는 나놀 수 업는 것이다. 그런데 漢詩人들은 흔히 이를 誤解하야 詩와 歌를 둘로 나누어 말하기를 『言志한 것은 詩요, 永言한 것은 歌다. 그럼으로 詩는 반듯이 唱할 수가 잇는 것이 이니요, 디만 情만 말하면 고만이니 唱할 수 잇는 것은 歌요, 詩는

---

01 『每日申報』 1930.2.22, 6면; 2.23, 4면; 2.25, 6면; 2.26, 4면; 2.27, 6면; 2.28, 4면; 3.1, 5면; 3.2, 4면; 3.6, 4면; 3.7, 5면; 3.9, 5면; 3.12~3.13, 4면. 글의 원본은 한자에 한글 독음이 방기(傍記)되어 있으나 여기서는 옮기지 않는다.

02 매회 연재분 표기로서, 13회에 걸쳐 연재되었다.

아니다.』한다. 이 말을 主張하는 사람이 만타. 또 詩歌와 音樂을 하나로 보아 『音樂에 느흘 수 업는 것은 다 詩가 아니다』한다. 이 말도 主張하는 사람이 만타. 대개 이는 『詩言志, 歌永言』의 文字에 古來로부터 確切한 解釋이 업서서 이 가튼 誤解가 생긴 것이다. 그러나 詩와 歌는 나누지 못하는 것이다. 그것은 이를 마음에 둔 것은 志(志는 곳 情이다)라 하고 이를 말로 나타낸 것은 詩라고 하니 이와 가튼 말로 이를 永言하면 歌라 이르는 것이 詩 外에 딸호 所謂 歌라는 것이 잇는 것이 아니요, 歌 外에 딸호 所謂 詩라는 것이 잇는 것이 아니다.

무릇 言志한 말에 永言치 못할 것이 업다. 그럼으로 무릇 詩는 모다 노래 부를 수 잇는 것이다. 例컨대

> 嗟夫! 大丈夫當如此也.(史記·高帝本記)
> 臣亦見宮中生荊棘露沾衣耳!(史記·准南傳)
> 陌上花開, 可緩緩歸矣!(吳越王錢鏐寄其夫人書)
> 紙灰飛揚, 朔風大. 阿兄歸矣, 猶屢屢回頭望汝也!(袁枚·祭妹文)

이것은 모다 舊文學 中의 所謂 『散文』으로 모다 노래 부를 수 잇는 것이다. 다시 말하면 卽 이를 永言하야 自然의 音節이 잇는 것이다. 어찌 반듯이 五言이나 或 七言에만 限하랴. 그러나 무릇 노래 부를 수 잇는 것은 또한 그 原文을 五言이나 七言의 舊式 詩로 고칠 수 잇는 것이니 다만 몃 字만 떨허버리면 되는 것이다. 緊要치 아니한 몃 字만 떨허버리면 原意에는 絶大한 變更이 업는 것이다. 자, 우에 引用한 몃 句節을 一一히 刪削하야 보자.

> 嗟夫丈夫當如此!

亦見宮中生荊棘!

陌上花開緩緩歸!

紙灰飛揚, 朔風大, 歸矣回頭獨望汝.

一 三의 두 例는 두어 字를 떨허버렷스나 原文의 뜻에는 조곰도 變更이 업고 둘째 例는 단시 『露沾衣』의 뜻이 업스나 大意는 고처지지 안핫고 넷재 例는 『阿兄』 두 字를 刪去하엿스나 또한 原意에는 損함이 업고 『回頭』 두 字를 『猶』ㅅ字 우에다가 옴겨 노앗스나 原文과 그다지 틀리지 아니한다. 그런데 하나는 舊式의 散文이요, 하나는 舊式의 詩니 舊文學者로 詩와 歌를 아조 갈러 딴 것 가티 말하는 사람은 이를 보면 恍然히 깨다를 것이다.

【二】

詩·歌에 對하야(二)

참으로 뜻을 말한 것은 다 노래라 할 수 잇는 것이요, 참으로 노래할 수 잇는 것은 다 후리어 五言 或 七言의 舊式 詩를 맨들 수 잇는 것 것이다. 詞曲은 無論이요, 劇詞도 또 그러하니 그 中의 唱句를 모다 七言詩로 고칠 수 잇다. 例컨대

有孤王, 坐至在, 梅龍鎭, 想起了, 朝中大事情, 將玉璽, 授與了,

龍國太, 朝中大事, 付與了衆卿(梅龍鎭劇, 正德帝唱)

이것은 劇詞다. 그런데 알에와 가티 括弧 속의 글ㅅ字를 刪去하면 곳 七

言詩가 된다.

> (有)孤王坐(至)在梅龍鎭, 想起(了)朝中大事情, (將)玉璽授與(了)龍國太, 朝中大事付(與了)衆卿.

> 自幼兒生長在, 梅龍鎭, 兄妹賣酒, 度光陰, 我哥哥, 他也曾, 對我論, 他言道, 前廳有一位軍人, 李鳳姐, 端茶是客堂進. (梅龍鎭劇, 李鳳姐唱)

이것도 劇詞다. 그런데 下文 括弧 속의 글ㅅ字를 刪去하면 곳 七言詩가 된다.

> 自幼(兒)生長(在)梅龍鎭, 兄妹賣酒度光陰, (我)哥哥(他)也曾對我論, (他言道)前廳有一位軍人, (李)鳳姐端茶(是)客堂進.

> 芍藥開, 牡丹放, 花紅一片, 豔陽天, 春光好, 百鳥聲喧, 我本當, 與駙馬, 同去遊玩.(四郎探母劇 旦公主唱)

이는 劇詞다. 前例를 짤하 七言詩로 곳처 보자.

> 芍藥(開)牡丹(放)(花)紅一片, 豔陽(天)春光(好)百鳥(聲)喧, (我本)當與駙馬同(去)遊玩.

以上의 모든 例로 보면 『散文』과 『舊式 詩』가 實로 一物임을 알 수 잇고

詩와 歌와의 關係가 어떠한 것임을 可히 알 수가 잇다.[03] 그런데 우에서 이미 말하얏거니와 詩와 歌는 究竟 『言志』라는 意味에서 情을 말한 것임으로 感情과 서로 떠나지 못할 關係가 잇는 것이다.

그러면 感情이라는 것은 무엇이냐? 感情이라는 것은 卽 사람이 보고 듯는 바에 對하야 發生하는 情이니 情에는 여러 가지의 種類가 잇다. 例하면 三字經의 말한 七情, 卽 喜, 怒, 哀, 懼, 愛, 惡, 欲이 普通 이르는 것인데 또 다만 喜, 怒, 哀, 樂 넉字 一切의 感情을 代表로 한다. 이제 便宜上 이 喜, 怒, 哀, 樂을 感情의 代表로 말하고저 한다.

사람이 귀와 눈이 잇스면 見聞이 업슬 수 업는 것이요, 이미 見聞이 잇스면 보고 듯는 바가 모다 그 마음에 부드치는 것이다. 사람이 木石이 아니요, 이미 부듸친 바가 잇스면 感情이 업지 못하고 이것이 다시 마음에 鬱結하야 반듯이 發洩하고야 싀원하고 그 發洩은 또 尋常한 말로 되지 못하는 것이니 그러기에 반듯이 咨嗟 詠歎하게 되는 것이니 그럼으로 소리에는 高低 輕重의 別이 잇서 自然의 音節을 일우는 것이요, 무릇 이 感情을 發洩한 말이 卽 自然으로 詩, 歌가 되는 것이다.

그리하야 心中에 참으로 感動하는 바가 잇서 이를 發洩하면 形式의 如何를 無論하고 모다 詩가 되는 것이니 만일에 마음에 感動하는 바가 업시 억지로 詩를 지으면 作者로도 詩라 할 수 업스니 假詩나 어들 뿐이요, 眞詩는 니다[04].

---

03 서두에서 여기까지는 胡懷琛의 『中國文學辨正』(商務印書館, 1927년) 중의 『詩歌聲律辨』을 초역하였다.

04 '아니다'로서 '아'자가 누락되어 있다.

【三】

詩·歌에 對하야(三)

다시 例를 들어 이를 證하면 隨園詩話의 실린 樵夫의 哭母詩의『叫一聲에 哭一聲, 兒的聲音娘慣聽, 如何娘不應?』가 하는 것은 말마다 眞情이 잇서 그 形式의 如何는 어찌하엿든지 吾人은 이를 詩라고 承認 아니 할 수 업다. 또 우에 例로 든 吳越王 錢謬가 그 夫人에게 보낸『陌上花開可緩緩歸矣』라는 것으로 말하면 이는 形式이 詩가 아니다. 그러나 詩意를 含有하야 이 九字 中의 그다지 緊要치 아니한 (可矣) 두 글ㅅ字만 떼여버리면 絶妙한 한 句의 七言詩『陌上花開緩緩歸』라는 것이 되는 것이니 만일에 原語가 詩意를 含有치 아니하면 設使 詩의 形式은 이루엇드래도 詩라고 할 수 업는 것이다. 맛치『天地玄黃, 宇宙洪荒』넉 字가 비록 句를 일우고 押韻을 하엿스나 吾人은 이를 詩라고 承認할 수가 업는 것과 갓다. 이로 詩의 唯一한 原質은 感情임을 알 수 잇스니 感情이 잇고야 詩를 지을 것이요, 感情이 업고서는 詩를 짓지 못할 것이니 感情이 잇스면 비록 樵夫 牧豎라도 能히 眞詩를 지을 수 잇는 것이요, 感情이 업스면 所謂 詩人이라도 한갓 假詩나 겨오 짓고 말 것이다.

그런데 이 感情이라는 것은 사람마다 다 잇는 것이요, 다만 厚薄이 잇슬 뿐이니 感情의 厚하고 薄한 것은 天賦한 바다. 그러나 또한 人力으로 이를 補助할 수 잇는 것이니 譬하면 甲, 乙, 丙 세 사람이 그 天生의 感情은 서로 가트나 甲은 一室에 蟄居하야 발이 門에 나지 안하 눈으로 보는 바가 업고 귀로 듯는 바가 업서서 自然히 感情이 發生할 수 업스나 乙과 丙은 門을 나 遊覽의 길에 올라 杭州, 南京으로 돌아 다니며『秦淮河』니『蘇小墓』니『明陵』이니 하는 天然의 湖山과 人造의 建築物을 보면 自然히 一種의 感觸이

發生하는 것이요, 이러한 感觸은 發洩치 아니하고는 못견대는 것임으로 이에 말로 나타나 맛츰내 詩가 되는 것이다.

그런데 乙과 丙이 가티 遊覽을 나섯지마는 乙은 讀書를 아니하야 보히는 것이 모다 歷史上의 陳蹟으로 憑弔할만 한 것을 아지 못하고 丙은 讀書를 하야 能히 눈아페 보히는 것이 歷史에 關係가 잇는 것임을 안다. 그래서 乙은 莫愁湖를 보고도 莫愁가 누구인 줄을 아지 못하고 다만 尋常한 한 泓水로 볼 뿐이며 蘇小墓를 보고도 蘇小가 누구인 줄을 모르고 한갓 蕁常한 한 荒塚으로 볼 뿐이지마는 만일 丙이면 이 中에 美人의 豔跡이 잇는 것을 안다. 乙은 明陵을 보고 明은 어느 代인지 아지 못하고 蘇堤를 보고 蘇는 어떤 사람인지 알지 못하야 또한 等閑히 이를 보지마는 만일 丙이면 그럿치 아니하야 한 번 南京과 杭州에 이르면 三國 五代의 割據의 遺跡과 南朝·南宋의 興亡의 感이며 莫愁·柳葉[05]·蘇東坡·林和靖·蘇小[06] 等 許多한 名士 美人의 逸事가 乙의 모르는 一種의 感情을 發生케 하야 이것이 自然히 말로 나타나 詩를 일우는 것이다.

【四】

詩歌에 對하야(四)

우리는 이로 作詩者와 遊覽 讀書의 關係가 어떠함을 알 수 잇다. 다시 이를 古人의 詩에 證하자. 『水光瀲灩晴方好, 山色空濛雨亦奇, 欲把西湖比西子,

05 '桃葉'의 잘못이다.

06 '蘇小小'의 잘못이다.

淡妝濃抹總相宜.』 이는 蘇東坡의 西湖詩니 西湖에 이르지 못한 사람은 짓지 못하는 것이요. 『月落烏啼霜滿天, 江楓漁火對愁眠, 姑蘇城外寒山寺, 夜半鐘聲到客船.』 이는 張繼의 楓橋夜泊詩다. 그러나 楓橋에 夜泊한 사람이 아니면 또한 짓지 못하는 것이요. 『折戟沈沙鐵未消, 自將磨洗認前朝, 東風不與周郎便, 銅雀春深鎖二喬.』 이는 杜牧之의 赤壁詩다. 그러나 周瑜와 曹操와 크게 싸혼 것을 아지 못하면 赤壁에 이르드래도 또한 짓지 못하는 것이다. 『江雨霏霏江草齊, 六朝如夢鳥空啼, 無情最是台城柳, 依舊煙籠十里隄.』 이는 韋壯[07]의 題金陵圖詩다. 그러나 西京과 六朝가 어떠한 關係가 잇는 것을 아지 못하면 또한 南京에 이르드래도 짓지 못하는 것이다.

이제 總히 한 마대로 말하면 詩라는 것은 感情을 發揮하는 물건이니 感情을 發揮하는 글인 까닭에 自然히 音節을 일우는 것이요, 이것이 詩·歌와 感情과 서로 떠나지 못할 關係며 感情은 본래 타고난 것이지마는 또 遊覽과 讀書로 補助하야 다시 이를 豐富케 하야 그 發生을 容易케 할 수 잇는 것이다.

그러나 感情이라는 것은 사람마다 다 잇는 것이요, 消滅할 수 업는 것이다. 그러치마는 만일 感情을 딸하 用事할제 잘하면 모르거니와 잘못하면 그 害를 이로 말할 수 업는 것이니 그럼으로 當日에 孔子가 感情을 調和하야 正路로 가게 하랴고 하얏다. 그러면 무엇으로 調和를 하느냐, 卽 詩歌로 하는 것이니 孔子가 詩로 가르친 所謂 『詩敎』가 이것이다. 또 그러면 무엇을 正路라 하느냐, 卽 孔子의 『所謂樂而不淫, 哀而不傷』이라는 것이 이것이니 卽 後人의 所謂『好色而不淫, 怨誹而不亂』이라는 것이다. 이것이 詩의 正軌요, 또한 詩의 効이다.[08](參照 胡懷琛, 楊鴻烈, 陣子展 諸氏 論文)

---

07 '韋莊'의 오식이다.

08 2회 연재분 말미에서 여기까지는 胡懷琛의 『中國文學辨正』(商務印書館, 1927년) 중의 『詩歌

【五】

屈原硏究(一)[09]

中國文學家의 元祖에는 屈原을 들고저 한다. 그 前에 决코 文學이 업슴이 아니지마는 다만 文學의 專門家가 업섯다. 저 三百篇과 其他 古籍에 傳하는 바 詩歌의 類 가튼 것에는 조흔 것이 원래 적지 아니하다. 그러치마는 거의 作者의 이름을 알 수 업고 또는 篇幅이 대단히 짤라서 우리가 이러한 作品을 닑을 때에는 기껏해야 時代의 背景 或 時代思潮의 一部分을 보아냄에 지내지 못하니 箇性을 表現한 作品을 求하랴고 하면 첫재로 屈原을 硏究하여야 한다.

屈原의 歷史는 史記 속에 一篇의 대단히 긴 列傳이이 잇서 우리 史料를 硏究하는 사람에게는 적지 아니한 반가운 일이다. 그러나 可惜한 것은 議論은 만코 事實이 적은 것이다. 우리가 가장 遺憾으로 녀기는 것은 屈原의 그 나고 죽은 해와 그 산 나희다. 傳文을 據하야 大略 推算하건대 그는 西紀前 三三八年에서 二八八年의 이르는 동안의 사람이니 나희가 적어도 五十 內外일 것이요, 孟子·莊子·趙武靈王, 張儀 等 여러 사람과 同時다. 그는 楚國의 貴族이니 貴族 中에도 가장 큰 것은 昭·屈·景 세 집인데 그는 곳 이 세집 中의 하나요, 그는 일즉이 『三閭大夫』를 지내엇다. 王逸의 말을 據하면 『三閭之職, 掌王族三姓曰昭·屈·景, 屈原序其譜屬率其賢良以屬國土.』라 하엿다. 그런즉 그는 當時의 貴族 總管이다. 그는 일즉이 楚懷王의 信用을 어더 벼슬이 『左徒』에 이르럿섯다. 本傳에 據하면 『入則與王圖議國事以出號令, 出則

與感情』을 초역하였다.

09 이하 『屈原硏究』는 梁啓超의 『屈原硏究』를 초역한 것이다.

接遇賓客, 應對諸侯王甚任之』라 하엿스니 그가 政治上에 일즉이 가장 重要한 자리를 占하고 잇섯든 것을 알 수가 잇다. 그 後에 上官大夫의 참소로 懷王이 그를 疎遠히 하엿다. 懷王은 在位가 三十年(西紀 三二八 至 二九七)인데 屈原이 左徒가 된 것은 어느 해인 줄을 알 수 업다. 다만 아모리 느저도 또한 懷王 十六年 以前일 것이니 그것은 그 해에 懷王이 秦相인 張儀에게 속임을 바닷고 屈原이 疏遠을 當한 뒤인즉 屈原이 左徒되기를 十年 前後라고 假定하면 그 때 그의 나희는 아모리 적어도 二十歲 以上일 것이니 그럼으로 그의 生年은 西紀前 三三八年까지는 가지를 아니 한다. 屈原이 在位할 때에는 楚國은 한참 强盛하엿고 屈原의 政策은 대개 六國을 聯合하야 가티 强秦을 물리치고 均勢를 保持함을 主張하엿다. 그런 까닭에 疏遠을 當한 뒤에도 오히려 齊國公使가 되엿섯다. 그러나 딱한 일은 懷王은 主意가 업서 어떤 때에는 秦國을 排斥하고 어떤 때에는 秦國과 聯絡을 하야 從橫家의 弄絡에 매ㅅ기어 마츰내『兵挫地削, 亡其六郡, 身客死於秦, 爲天下笑.』(本傳文) 하기에 이르고 懷王이 죽은지 六十年이 못되어 楚國은 고만 亡하엿다. 屈原은 아마도 懷王 十六年 以後부터 그 政治生涯가 完全히 斷絶된 듯하다. 그 後 十四年 동안은 大概 그대로 郢都(武昌) 一帶에 居住하얏섯다. 이는 懷王이 三十年에 장차 入秦하랴 할 때에 屈原이 오히려 力諫하엿스니 그와 懷王의 關係가 如前히 끈일락 말락하고 잇섯슴을 알 수 잇다. 懷王이 죽은 뒤에 頃襄王이 스자(前 二九八) 屈原의 反對黨은 더옥 得志하야 곳 그를 放逐하야 湖南地方으로 가게 하고 뒤에 고만 들레어 물에 빠저 自殺하기에 이르럿다.

【五】[10]

屈原硏究(二)

屈原은 어느 때에 죽엇는가? 『卜居篇』에 據하면 『屈原旣於[11], 三年不得復見』이라 하고 『哀郢』篇에는 말하기를 『忽若不信兮, 至今九年而不復.』이라 하얏스니 이 두 篇을 頃襄王 때의 作品이라고 假定하면 屈原은 적어도 西紀前 二八八年까지는 生存하얏섯다. 그가 政治生活을 脫離하고 오로지 文學生活을 하기는 大概 二十年 동안의 歲月이다.

屈原의 돌아다닌 地方은 얼마나 되는가? 그 著作 中의 보히는 바 地名은 알에와 갓다——

令『沅湘』兮無波, 使『江』水兮安流.
邅吾道兮『洞庭』.
望『岑陽』兮極浦.
遺余佩兮『澧』浦.

——右『湘君』

『洞庭』波兮木葉下.
『沅』有芷兮『澧』有蘭.
遺余褋兮『澧』浦.

——右『湘夫人』

---

10 응당 '【六】'이어야 하며, 따라서 이하 연재분 표기도 잘못 되었다.

11 '於'는 '放'의 오식이다.

哀南夷之莫吾知兮, 旦余濟乎『江湘』.

乘『鄂』渚而反顧兮.

邸余車兮『方林』.

乘舲船余上『沅』兮.

朝發『枉陼』兮, 夕宿『辰陽』.

入『溆浦』余儃徊兮, 迷不知吾之所如.

深林杳以冥冥兮, 乃猨狖之所居.

……

山峻高以蔽日兮, 下幽晦以多雨.

霰雪紛其無垠兮, 雲霏霏而承宇.

——右『涉江』

發『郢』都而去『閭』兮.

過『夏首』而西浮兮, 顧『龍門』而不見.

背『夏浦』而西思兮.

惟『郢』路之遼遠兮, 『江』與『夏』之不可涉.

——右『哀郢』

長瀨湍流, 泝『江潭』兮.

狂顧南行, 聊以娛心兮.

低徊夷猶, 宿『北姑』兮.

——右『抽思』

浩浩『沅』『湘』, 紛流汨兮.

——右『懷沙』

遵『江夏』以娛憂.

——右『思美人』

指炎神而直馳兮, 吾將往乎『南疑』.

——右『遠遊』

路貫『盧江』兮左『長薄』.

——右『招魂』

이 中에 『郢』都를 말하고 『江夏』를 말한 것은 그의 原住한 地方이요, 『洞庭』, 『湘水』는 自然히 放逐된 後에 늘 來往하든 곳이니 모다 그다지 考據할 것은 업다. 가장 注意할 것은 『招魂』의 말한 『路貫盧江兮左長薄』이라는 것이니 아마도 江西, 盧山一帶를 일즉이 이르러 본 것 갓다. 그러나 『招魂』은 完全히 이 浪漫의 文學인즉 곳 事實이라고는 認定할 수 업다. 『涉江』 一篇은 紀行的 意味를 含有하얏스니 그 中의 『乘舲船余上沅』이라고 말한 것이라든지 『朝發『枉陼』夕宿『辰暢』』이라고 말한 것을 보면 그가 일즉이 발오 곳 『沅』水 上流로 올라가 놀고 『辰州』 等處에까지 이른 것을 알 수가 잇다. 그의 말한 『峻高蔽日霰雪無垠』의 山은 必然코 『衡』嶽의 가장 노픈 곳이다. 그의 作品 中의 『幽獨處乎山中』이라 『山中人兮芳杜若』이라 하는 이 가튼 말이 甚히 만흔즉 생각컨대 그는 혼자 스스로 衡山 우에서 만흔 날을 보낸 듯하니 그의 文學은 아마도 그 時代에 大成한 것이다.

가장 奇怪한 一件事는 屈原의 家庭 狀況이 어떠한 것이니 本傳과 그의 作品 中에 影子도 볼 수가 업다. 『離騷』에 『女須之嬋媛兮 申申其詈余』라는 두마대 말을 王逸은 註로 말하기를 『女須 屈原姊也』라 하얏스나 이 말의 정말이고 아닌 것을 함부로 말할 수는 업다. 設使 정말이라고 하드래도 우리는 겨오 그에게 손위 누의가 하나 잇는 것을 알 뿐이요, 그남아 兄弟 妻子의 有無는 도모지 알 수가 업다. 作品에 나아가 보면 적어도 그는 放逐이 되어 湖南에 이른 뒤부터는 모다 獨身生活이다.

【六】

屈原研究(三)

우리는 屈原의 身世를 大略 밝히엇다. 둘째는 그때 어찌하야 그러한 偉大한 文學이 發生하엿는가? 어찌하야 딴 나라에는 發生하지 아니하고 홀로 楚國? 發生하엿는가? 엇재서 屈原에 그 首創의 地位를 占하엿는가 이 하는 것을 研究코저 한다. 첫재 問題는 比較的 簡單히 解答할 수 잇다. 그것은 當時의 文化가 最高潮에 達하야 哲學이 勃興하엿스니 文學도 그에 딸하 平行線으로 發展된 것이다. 그 中의 莊子·孟子와 및 戰國策의 실린 各 사람의 言論은 모다 多分히 文學趣味를 包含하얏다. 그런즉 優美한 文學의 出現은 時勢의 可能한 것이다. 둘재 셋재의 두 問題는 關係가 比較的 複雜하다. 나의 觀察의 依하면 華夏의 民族은 한번 同化作用을 지낼 때마다 文學界는 반듯이 異彩를 놋는다. 楚國은 春秋 初年에는 純全한 一種의 蠻夷로서 春秋 中葉 以後부터 漸次 同化하야 『諸夏』가 되얏다. 屈原은 同化가 完成한 約 二百年 뒤에 낫다. 그 때의 楚國사람은 中華民族 속에서 겨오 成長한 新分子니 맛치

社會의 겨오 成年한 新青年과 가탓섯다. 그 以前의 楚國사람은 本來 巫鬼를 잘 밋든 民族이니 神秘意識과 虛無理想을 만히 가저 맛치 어린애가 幻構한 童話를 조와하는 것 갓다. 그리하야 中原 舊民族의 現實的 倫理的 文化와 서로 接觸하기에 이르러 自然히 새로운 것이 發生하얏다. 이 새로운 것을 體現한 것이 곳 文學이다. 楚國의 當時 文化史上의 地位가 이와 갓고 屈原으로 말하면 그는 한 貴族인즉 當時 새로 輸入된 中原文化에 對하야 自然的으로 充分히 領會하얏슬 것이다. 그는 또 일즉이 齊國에 出使하얏섯다. 그 때는 맛츰 『稷下先生』 數萬人이 날마다 宇宙의 原理를 高談할 때인즉 그의 바든 影響도 當然히 적지 아니할 것이다. 그는 또 性質이 怪常한 사람으로 늘 社會와 反抗하얏섯다. 그 後에 放逐을 當하야 南荒에 아르러 그러한 變化 詭異한 山水 間에서 幽獨한 生活을 지내엇스니 特別한 自然界와 特別한 精神이 서로 擊發하야 自然히 特別한 文學을 産出한 것이다.

屈原에게는 作品이 얼마나 되는가? 漢書 藝文志 詩賦略에는 이르기를 『屈原賦二十五篇』이라고 하엿다. 王逸의 楚辭章句의 벌여논 바에 依하면 離騷 一篇·九歌 十一篇·天問 一篇·九草[12] 九篇·遠遊 一篇·卜居 一篇·漁父 一篇이요, 또 大招 한 篇이 잇는데 註에는 이르기를 『屈原, 或言景差』라고 하얏다. 그러나 大招를 자세히 읽으면 分明히 招魂을 摹仿한 作이요, 그것이 屈原의 손으로 되지 안흔 것은 수다하게 말할 것이 업는 것 갓다. 그러나 한 가지 자못 硏究할 問題가 잇스니 史記 屈原列傳에 贊하야 말하기를 『余讀離騷, 天間, 招魂, 哀郢, 悲其志』라 하얏다. 이것은 太史公이 分明히 招魂을 屈原의 作으로 認定한 것이다.

그런데 王逸은 이를 宋玉의 作이라고 하얏다. 王逸은 後漢人인데 무슨

12 '九章'의 오식이다.

憑據가 잇서 敢히 前說을 뒤집엇는가? 아마도 그는 이 一篇을 加하면 고만 二十六篇이 되어 藝文志의 數目과 符合이 되지를 안코 그는 또 생각하기를 이 一篇의 標題는 屈原이 죽은 뒤에 딴 사람이 그의 魂을 부른 것이라 하야 그래서 억지로 그것을 宋玉에게 주고 만 것이다. 그러나 나로 보면 招魂의 理想과 그 文體가 宋玉과 그 外의 作品과 甚히 갓지 아니한 곳이 잇스니 맛당히 太史公의 말을 좃차 屈原에게로 돌오 돌려보내는 것이 좃타. 그러하면 藝文志의 數目과 맛지 아니하지 아니하는가? 그러치 아니하다. 九歌 끄테 一篇 禮魂은 다만 다섯 句로 되어 實로 成篇이 되지 못하얏다. 이는 九歌에는 본래 侑神하는 神[13]이 잇고 十篇에는 各各 一神이 잇서 禮魂이 다섯 句는 當時 每篇 끄테 붓처 잇든 것이다. 그런 것을 後人이 傳鈔할 때에 귀치 안하 省略하야 篇마다 볏겨 늣치 안코 끗篇에다가 한목에 갓다 놋코 만 것이다. 王逸은 이런 것을 덤벙대어 똑똑히 보지 안코 그것을 한 篇으로 보아 招魂을 빼어놋코 만 것이다. 이것이 틀리지 안타 하면 屈原의 作品 篇目은 알에와 갓다.

【七】

屈原研究(四)

離騷 一篇.

天問 一篇.

13 중국어 원문과 대조해 보면 '曲'의 잘못이다.

九歌 十篇. 東皇太一, 雲中君, 湘君, 湘夫人, 大司命, 少司命, 東君, 河伯, 山鬼, 國殤.

九章 九篇. 惜誦, 涉江, 哀郢[14]抽思, 思美人, 惜往日, 橘頌, 悲回風, 懷沙.

遠遊 一篇.

招魂 一篇.

卜居 一篇.

漁父 一篇.

이제 이 二十五篇의 性質을 대강 말하겟다.

(1) 離騷. 本傳에 據하면 이 篇은 屈原이 疏遠을 當한 後 齊國에 出使하기 前에 지은 것이니 아마도 그의 最初의 作品이다. 첫머리에는 家世를 말하야 훌륭한 一篇의 自傳이요, 篇 中에는 그의 思想과 品格을 모다 叙述하야 全部 作品의 縮影이라고 할 수 잇다.

(2) 天問. 王逸은 『屈原……見楚先王之廟及公卿祠堂圖畵天地山川神靈琦瑋僑佹, 及古賢聖怪物行事……因書其壁, 呵而問之.』라고 말하얏다. 생각컨대 이 篇은 아마도 放逐되기 前에 지은 것인 듯하다. 그것은 『先王廟』가 偏遠한 곳에 잇슬리 업는 까닭이다. 이 篇의 體裁는 純全히 傳來하는 神話에 對하야 여러 가지의 疑問을 發한 것으로 되엇스니 前半篇은 宇宙開闢의 神話에 關하야 일어나는 疑問이요, 後半篇은 歷史 神話에 關하야 일어나는 疑問이다. 萬有의 現象과 理法에 對한 懷疑 煩悶은 이 屈原 文學思想의 出發點이다.

14 '哀郢'와 '抽思'는 각각 다른 작품으로서 쉼표가 빠져 있다.

(3) 九歌. 王逸은 말하기를 『沅湘之間, 其俗信鬼而好祀, 其祠必作樂鼓舞以樂諸神. 屈原放逐, 竄伏其域.……見其詞鄙陋, 因爲作九歌之曲, 上陳事神之敬, 下以見己之冤.』이라고 하얏다. 이 말은 아마도 틀리지 안는 것 갓다. 『九歌』라는 것은 이 樂章의 이름이요, 아홉 篇의 노래가 아니다. 그럼으로 屈原의 지은 것이 十篇이다. 이 十篇은 多方面의 趣味를 包含하야 集 中에 잇서 가장 浪漫的 作品이다.

(4) 九章. 이 九篇은 决코 한 때에 지은 것이 아니다. 大約 惜誦, 思美人 두 篇은 放逐되기 前에 지은 것이요, 哀郢은 처음 放逐되엇슬 때에 지은 것이며 涉江은 南遷하야 멀리 갓슬 때에 지은 것이요, 懷沙는 臨終할 때에 지은 것인 듯하고 그 남아지 各篇은 詳考할 수가 업다. 이 九篇은 作者의 思想의 內客[15]을 나누어 表現한 것이니 말하면 離騷의 擴大다.

(5) 遠遊. 王逸은 말하기를 『屈原履方直之行, 不容於世.……章皇山澤, 無所告訴. 乃深惟元一, 修執恬漠, 思欲濟世, 則意中憤然. 文采秀發, 遂叙妙思, 託配仙人, 與俱遊戲. 周歷天地, 無所不到, 然猶懷念楚國, 思慕舊故.』라고 하얏다. 그러나 筆者는 말한다. 遠遊 一篇은 屈原의 宇宙觀의 全 表現이니 이는 當時 南方 哲學思想이 文學者에게 나타난 것이다.

(6) 招魂. 이 篇의 考證은 아페 이미 말하얏다. 이 篇과 『遠遊』의 思想은 表面上으로는 아조 相反되는 것 가트나 其實은 그대로 一貫한 것이다. 이 篇은 上下 四方에 한 곳도 安樂土가 업슴을 말한 것이니 그러면 다시 現世의 物質的 快樂을 求하는 것이 어떨까? 조흐냐? 그의 思想은 발오 꾀테의 파우스트(FAUST) 劇本의 上部요, 『遠遊』는 卽 이 劇本의 下部이다. 總히 이를 말하면 이 篇은 懷疑的 思想의 過程의 가장 煩悶이요, 가장 苦痛인 것을 그린

---

15 '客'은 '容'의 오식이다.

것이다.

(7) 卜居와 漁父. 卜居는 이 兩種 矛盾의 人生觀을 말한 것이요, 漁父는 이 自己意志의 扶[16]擇을 表한 것이니 意味가 甚히 明顯하다.

【八】

屈原研究(五)

屈原을 研究함에는 맛당히 그의 自殺로 出發點을 삼아야 한다. 屈原은 어째서 自殺하얏느냐? 그것은 그는 한 潔癖이 잇는 사람으로 情을 爲하야 죽엇다. 그는 誠心으로 한 사람을 사랑하야 그 사람과 結婚을 하랴고까지 하얏다. 그러나 그는 한 가지 理想의 條件을 가지고 반듯이 그 條件下에서 몸을 맷기어 섬기랴고 하얏다. 그런데 그의 戀人은 늙어서 그를 알은 체 아니 한다! 알은 체 아니 하니 그는 곳 斷念하고 고만두겟는가? 아니다! 그는 决코 듯지 아니한다! 그는 그의 戀人에게 對하야 또 사랑하며 또 미워한다. 미울수룩에 더욱이 사랑한다. 이 두 가지 矛盾性이 날마다 서로 싸화 그 結果가 自己의 生命을 가저다가 『짝사랑』의 愛情에 殉死하얏다! 그의 戀人은 누구냐? 그것은 그 때의 社會다!

屈原의 머리ㅅ속에는 두 가지 矛盾 原素가 잇다. 하나는 極히 高寒한 理想이요, 하나는 極히 熱烈한 感情이다. 『九歌』 中의『山鬼』 一篇은 그가 象徵筆法을 가지고 自己의 人格을 描寫한 것이니 그 글은 알에와 갓다.

---

16 '抉'의 오식이다.

『若有人兮山之阿, (깁숙한 산언덕에 사람이 잇단 말가)
被薜荔兮帶女蘿. (벽려로 옷을 입고 녀라로 띄띄엇네)
旣含睇兮又宜笑, (고읍게 뜬 눈매는 우슴까지 먹음엇고)
子慕予兮善窈窕. (날 생각는 님의 태도 이상히도 안존하에)
乘赤豹兮從文貍, (붉은 범 잡아타고 얼룩 삭 압세우고)
辛夷車兮結桂旗. (신이 화수레 타고 게화긔를 꼬잣는데)
被石蘭兮帶杜蘅, (석란으로 몸을 싸고 두형으로 잡아매고)
折芳馨兮遺所思. (향긔로운 풀은 꺽거 생각는데 주 것만은)
余處幽篁兮終不見天, (대숩 속에 나는 잇서 한울 좃차 못보다가)
路險艱[17]兮獨後來. (것는 길 험하기로 혼자서 뒤에 왓네)
表獨立兮山之上, (웃둑이 이 산우에 호을로 섯노라니)
雲容容兮而在下. (구름은 뭉게 뭉게 알에서 일어나서)
杳冥々兮羌晝晦, (어둑하고 컹컴하야 낫좃차 흐리더니)
東風飄兮神靈雨. (동풍이 나붓기며 신령이 비를 주네)
留靈修兮憺忘歸, (님에게 머물러서 아니가랴 하것마는)
歲旣晏兮孰華予. (해 이미 느젓스니 누가 나를 빗내우리)
采三秀兮於山間, (산간에 내려와서 지초를 캐노라니)
石磊磊兮葛蔓蔓. (얼멍덜멍 돌서덜에 얼키설키 칙덩굴을)
怨公子兮悵忘歸, (님 원망하노라고 돌아올 길 이젓스니)
君思我兮不得閒. (님도 나를 생각컷만 오실 틈이 업스신가)
山中人兮芳杜若, (산중의 사람 되어 두약꼿을 몸에 꼿고)
飮石泉兮蔭松栢. (석천을 움켜 먹고 송백으로 움 삼으면)

---

17 '艱'의은 '難'의 잘못이다.

君思我兮然疑作. (님이 나를 생각할지 그것 역시 의심일세)

雷塡塡兮雨冥冥, (우뢰ㅅ소리 우룩두룩 빗발좃차 캄캄한데)

猨啾啾兮狖夜鳴. (잔나비는 청승맛게 밤새도록 울음 울고)

風颯颯兮木蕭蕭, (바람길은 쌀쌀하고 나무닙이 와삭이니)

思公子兮徒離憂. (님 생각하노라고 한갓 서름 지읍노라).』

訂正──本文 中『이 篇은 上下 四方에 한 곳도 安樂土가 업슴을 말한 것이니』는『이 篇은 말하기를 上下 四方에 한 곳도 安樂土가 업다』의 잘못된 것.

【九】

屈原硏究(七)[18]

만일에 여긔에 美術家가 잇서서 屈原을 그릴 때에 이 篇의 描寫한 그 山鬼의 精神을 나타내여 놋는다 하면 훌륭한 傑作이 될 것이다. 그가 홀로 山우에 서서 雲霧는 발 알에 잇는데 石蘭·杜若의 여러 가지 芳草로 自己를 莊嚴하야 참으로『一生의 愛好가 天然』으로 한 點의 티끌도 도모지 그를 물들이지 못한다. 그러나 그의『心中風雨』는 한 때도 쉬지 안코 늘 下界의『생각』하는 사람을 向하야 그의 萬斛 情愛를 보낸다. 그 사람이 自己를 사랑하거나 안하거나 그는 도모지 상관 아니 하고 그는 말하기를『님도 나를 생각컷만』한다. 그리고『오실 틈이 업스신가』한다. 그러나『그것 역시 의심일세』한다. 그런 까닭에 그의 十二時 中의 意緖는 完全히『우뢰ㅅ소리 이룩두룩 빗좃차

18 응당 '(六)'이어야 하며 따라서 이하 연재분의 표기도 잘못되었다.

캉캄한데 바람길은 쌀쌀하고 나무닙은 와삭인다』하는 속에서 놀고 잇다.

그는 哲學上에 잇서서도 대단히 高超한 見解를 가젓다. 그러나 그는 決코 幻想에 沈樂하야 現實의 人生을 버리랴고 아니 한다.

惟天地之無窮兮, (천지는 무궁컷만)

哀人生之長勤. (인생 어찌 록록한가)

往者余弗及兮, (지낸 일은 내 못보고)

來者吾不聞.(오는 일은 내 못듯네).

(遠遊)

道可受兮, 不可傳. (도 바들 수 잇다 해도 전해줄 수 잇슬손가)

其小無內兮, 其大無垠. (적다 해도 한이 업고 크다 해도 한 업스니)

毋滑而魂兮, 彼將自然. (혼 곳 아니 드럽히면 자연이 되오리라)

壹氣孔神兮, 於中夜存. (신긔로운 이 긔운이 중야에게 잇나니)

虛以待之兮, 無爲之先. (허령한 채 두고 보면 해욘업는 지음이라)

庶類以成兮, 此德之門. (그대로만 나아가면 덕의 입문이 아니리)

(遠遊)

그는 一面 대단히 天地의 無窮함을 達觀하고 一面으로는 甚히 人生의 長勤함을 悲憫하야 이 두 가지의 생각이 늘 그 머리 속에서 돌아다니어 그의 理想의 境界를 웬통 受用을 한다. 이런 見解는 道家의 가장 精微한 點이니 그의 領略한 것은 前輩의 老聃이나 同時의 莊周에게 못하지 아니하다. 그는 일즉이 그 境界를 그리어 말호대

經營四荒兮, 周流六漠. (사방을 경영하고 륙합에 주류하야)

上至列缺兮, 降望太壑. (성신까지 처다보고 바다까지 굽어보니)

下峥嶸而無地兮, 上寥廓而無天. (쟁엉하야 땅이 업고 요확하야 한울 업고)

視儵忽而無見兮, 聽惝恍而無聞. (보랴 해도 뵈이지 안코 듯자 해도 안 들리어)

超無爲以至淸兮, 與泰初而爲隣. (태초와 더부러서 이웃이 되엇도다).

(遠遊)

【十】

屈原研究(八)

그러면 그는 늘 그 境界에 住하야 翛然自得하면 어찌 조흐치 아나한가? 그러나 그리하지 못한다. 그는 말하얏다.

『余固知謇謇之爲患兮, (발은 말이 걱정인줄 나도 역시 알지마는)

忍而不能舍也.(참하서 남과 가티 버릴 수 업소매라)』

(離騷)

그가 現實社會에 對하야 못 보는 것이 아니라 버리지 못하는 것이다. 그의 感情은 極히 銳敏하야 남이 늣기지 못하는 苦痛도 그의 腦에 이르고만 보면 맛치 電氣를 마진 것 갓다. 그는 말한다.

『微霜降而下淪兮, (무서리가 내리이니)

悼芳草之先零. (꼿다운 풀 먼저 죽네)

……

誰可與玩斯遺芳兮, (남아 잇는 이 향긔를 누와 함께 구경하리)

晨向風而舒情. (새벽 바람 대하야서 나의 정을 페여 볼가)……』

(遠遊)

『惜吾不及見古人兮, (애답을사 녯 사람을 내 밋처 못뵈스니)

吾誰與玩此芳草? (꼿다운 이 방초를 뉘와 함께 보잔 말가)』

(思美人)

한 송이 꼿이 떨허지는데 『그대에게 무슨 상관이 잇는가?』 말이다. 그러나 다만 저 多情 多恨한 사람 되야서는 마음속에 얼마큼 견대기 어려운 것이 잇는 것이니 屈原은 人類社會의 痛苦를 참아 보지 못하는 것이다. 그럼으로 그는 말한다.

『長太息以掩涕兮, (한숨을 길이 쉬고 눈물을 지으면서)

哀民生之多艱. (민생의 간난함을 끗 업시 슬퍼한다)』

(離騷)

社會는 어째서 이 가티 痛苦하느냐? 그는 人類의 道德이 墜落한 까닭이라고 생각한다. 그럼으로 그는 말하엿다.

『時繽紛其變易兮, (때 어즈럽게 변하는데)

又何可以淹留. (또 어떠케 머므를가)

蘭芷變而不芳兮, (지란도 변하야서 꼿답지를 아니하고)

荃蕙化而爲茅. (전혜도 화하야서 띄풀이 되엇구나)

何昔日之芳草兮, (어째서 녯 날에는 방초로 그 잇다가)

今直爲此蕭艾也! (지금에는 어찌하야 쑥과 가티 되단 말가)

豈其有他故兮, (달은 까닭 그 잇스랴)

莫好脩之害也. (덕을 닥는 탓이로다)

……

固時俗之從流兮, (시속들은 류딸흐니)

又孰能無變化? (안 변하리 뉘 잇스랴)

覽椒蘭其若此兮, (초란을 보드라도 이러를 하옵거든)

又況揭車與江離(게거 강리 따위라야 다시 말해 무엇하리)』

(離騷)

그럼으로 그는 靑年時代에 곳 決心하기를 惡社會와 奮鬪하랴고 하고 늘 마음으로 조리면서 時光을 글읏칠가 두려하얏스니 그는 말하얏다.

『汩余若將不及兮, (빠르기도 빠를시고 내 하마 못 딸흐겟다)

恐年歲之不吾與. (이 세월 나를 위해 잇슬 듯 아니하야)

朝搴阰之木蘭兮, (아츰에는 산에 올라 목란화 꺽고서)

夕攬洲之宿莽. (저녁에는 물가에서 숙무를 뽀읍노라)

日月忽其不淹兮, (일월은 얼른 얼른 머물지 아니하야)

春與秋其代序. (봄 고데 가을 되어 절서가 밧귀도다)

惟草木之零落兮, (초목의 령락함을 다시금 생각하니)

恐美人之遲暮. (미인이 지모할가 아마도 념려로다)

不撫壯而棄穢兮, (악한 것을 버리기는 지금의 장년이라)

何不改乎此度也? (이 때에 어찌하야 고치지를 안하는가)』

(離騷)

訂正──再昨日의 本文 中『超無爲以至清兮』의 下에『무위를 뛰어나서 지청에 이르니』의 十四字가 脫落.

【十一】

屈原研究(九)

惡社會와 싸호랴고 하면 첫재는 自己가 惡社會를 빠저나와야 한다. 屈原은 어려서부터 矯然히 스스로 달은 바가 잇섯스니 그의 外面의 服飾에서도 볼 수가 잇다. 그는 말하되

『余幼好此奇服兮, (이 나는 어려서부터 긔복을 조와하야)

年既老而不衰. (나히가 늙어서도 페하지를 아니하고)

帶長鋏之陸離, (빗나는 긴 칼 차고)

冠切雲之崔巍. (놉다란 관을 쓰고)

被明月今珮寶璐. (명월패를 느리오고 보옥을 찻 것만은)

世溷濁而莫余知兮, (세상은 혼탁하야 나를 알지 못하기로)

吾方高馳而不顧. (내 노피 달려가며 아니 돌아보옵노라)』

(涉江)

또 말하되

『高余冠之岌岌兮, (관 노피 나는 쓰고)
長余佩之陸離. (긴 것을 나는 찻다)
芳與澤其雜糅兮, (향긔와 빗나는 것 서로히 얼렷것만)
惟昭質其猶未虧. (이 나의 본바탕은 축나지 안하노라)』

(離騷)

莊子는 말하기를 『尹文子[19]作爲華山之冠以自表』라 하얏스니 當時의 思想家는 奇異한 服飾으로 채리고 나서 流俗과 달리 表를 하고 지내든 것이 늘 잇는 모양이다. 屈原은 어려서부터 그러한 態度를 가젓섯다.

그는 이미 社會와 反抗하랴고 決心하야 목숨을 내어놋코 싸왓다. 그는 말하되

『民生各有所樂兮, (사람마다 제 각기 즐기는 게 그 잇는데)
余獨好脩以爲常. (이 나는 홀로서 덕 닥기를 일삼앗다)
雖體解吾猶未變兮, (사지가 물더나도 변치를 안하거든)
豈余心之可懲. (어떠케 내 마음을 층창할 수 잇슬손가)』

(離騷)

또 말하되

19 '子'자는 잘못 기입되었다.

『旣替余以蕙纕兮, (혜양으로 탓을 하야 이 나를 쫏채내고)

又申之以攬茞. (또다시 람체로다 참소를 하지마는)

亦余心之所善兮, (원래에 내 마음에 조와하는 것임으로)

雖九死其猶未悔. (아홉 번 죽드래도 후회를 안하노라)』

(離騷)

또 말하되

『與前世而皆然兮, (전세로 내려오며 모도 다 그러커든)

吾又何怨乎今之人. (내 또한 어찌 다시 지금 사람 원망하리)

吾將董道而不豫兮, (내 길을 발오십아 망서리지 아니하리)

固將重昏而終身. (번민에 파뭇처서 이 몸을 맛드래도)』

(涉江)

그는 發心하는 날에 이 일은 容易한 것이 아님을 크게 覺悟하엿다. 그는 惡社會와 몸을 버리고 싸호랴고 하엿다. 그는 果然 能히 그 말을 實踐하야 始終에 죽음도 讓步치 아니하얏다. 그러나 惡社會의 勢力은 넘오 커서 그는 『마즈막 한 個 남은 彈子』인 境遇에 이르러 하는 수 업시 몸을 깨끗이 하야 自殺하게 된 것이다. 로마의 美術舘 안에 一尊의 『어一따치』의 武士의 石彫遺像이 잇는데 傳하는 말에 이 사람은 『어一따치』國 幾百萬人 中에 第一 나종에 죽은 사람으로 눈 속에는 눈물이 돌고 뺨에는 微笑를 띄엇스며 올은 손에 칼을 들고 스스로 왼 엽구리를 찔르고 잇다고 한다. 屈原이 汨羅에 빠진 것도 말하면 이러한 心事이다.

【十二】

屈原硏究(十)

『余旣滋蘭之九畹兮, (내 이미 아홉 밧에 란초를 갓궈 놋코)
又樹蕙之百畝. (혜초를 또 백묘에 심어를 놋코서요)
畦留夷以揭車兮, (유리와 게지며)
雜杜衡與芳芷. (두형 방지 겻들여서)
冀枝葉之峻茂兮, (지엽이 무성하길 한갓 다만 바라오고)
願俟時乎吾將刈. (때 되기를 긔대리어 내 비라고 하엿나니)
雖萎絶其亦何傷兮, (시드러 말라 죽음 그 무엇이 앗가우랴만)
哀衆芳之蕪穢. (이 여러 꼿다운 풀 버려질가 슬프도다)』

(離騷)

이것은 屈原이 少年의 懷抱를 追叙한 것이다. 그는 計劃을 定하기를 同志를 만히 培植하야 協力하야 社會를 改革하랴고 하엿다. 그러나 뒤에 失敗하엿다. 한 사람의 失敗야 어떠하랴마는 가장 슬픈 것은 從前에 滿心으로 希望하든 사람이 漸々 墜落하야 가는 것이다. 所謂『衆芳蕪穢』로『昔日芳草, 今爲蕭艾』라 이것이 屈原의 가장 痛心事인 것이다.

그는 社會를 改革하랴고 하야 最初에 政治에 손을 대엇다. 그것은 그는 원래 貴族으로 國家와 休戚을 가티 하는 터이요, 또 일즉이 懷王의 信任을 어더 自然히 할 수가 잇다고 생각한 것이다. 그런 까닭에 그는『奔走先後』하아 國事에 參見한 것이 모도 다 그의 君王으로 能히『及前王之踵武』(離騷)케 하자는 것이엇다. 그런데 懷王은 그런 그릇이 아니엇다.

『初旣與余成言兮, (처음에는 이 나와 언약을 하고서요)

後悔遁而有他. (나종에는 딴전하고 달은 데로 가단 말가)

余旣不難離夫別兮[20], (내 이미 리별함을 어려함이 그 아니라)

傷靈脩之數化. (님의 마음 가끔 자조 변함을 슬퍼한다)』

(離騷)

『昔君與我言兮, (전일에 나와 서로 참 딴 언약 하올 적에)

曰黃昏以爲期. (황혼을 두고서 긔약을 하더니만)

羌中道而回畔兮, (중도에 배반하고)

反旣有此他志. (딴맘 잇다 하노매라)』

(抽思)

그와 懷王의 關係는 맛치 서로 사랑하는 사람이 이미 婚約을 하야놋코 忽然 變卦한 것과 갓다. 그럼으로 그는 말하되

『心不同兮媒勞, (마음이 안 가트면 중매만 괴롭구요)

恩不甚兮輕絶. (사랑 깁지 아니하면 가벼웁게 버리이네)

……

交不忠兮怨長, (사괴이 안 두터면 원망만 길 뿐이라)

期不信兮告余以不閑. (불신함을 긔약하고 틈 업섯다 하는도다)』

(湘君)

그는 이러한 經歷을 對하야 가장 痛心하야 作品 中에 늘 發洩하얏스니 그

20 '余旣不難夫離別兮'의 오식이다.

中에 가장 纏綿 沈痛한 一段은 알에와 갓다.

『吾誼先君而後身兮, (내 인군을 먼저하고 몸을 나종하얏더니)

羌衆人之所仇. (슬푸다 뭇사람의 웬수가 되단 말가)

專惟君而無他兮, (인군만 생각하고 딴 마음을 안 뒷더니)

又衆兆之所讎. (뭇사람의 윈수가 또 되고 말단 말가)

壹心而不豫兮, (한갈 가티 마음 먹고 주저치 아니하니)

羌不可保也. (슬푸다 이 몸을 보전치 못하겟고)

疾君親而無他兮, (인군만 친자하고 달은 마음 업섯스니)

有招禍之道也.(아마도 화를 내가 자초함이 이 아냐)

思君其莫我忠兮, (인군 생각 나보다 더한 사람 또 잇는가)

忽忘身之賤貧. (이 몸의 천빈함도 홀연히 이젓섯고)

事君而不貳兮, (인군을 섬길 적에 두 마음 아니 두어)

迷不知寵之門. (총애 밧는 방법까지 아지를 못햇도다)

忠何罪以遇罰兮, (충성이 무슨 죄인가 죄벌을 그 바드니)

亦非余心之所志. (이 또한 내 마음에 뜻한 배 그 아니며)

行不群以巓越兮, (하는 일이 뛰어나니)

又衆兆之所咍. (또 뭇사람의 웃는 배일세

……』

(惜誦)[21]

21 이하 연재가 중단된 것으로 보인다.

中國 文學革命의 先驅 — 靜庵 王國維[01]

梁白華

(一)[02]

靜庵 王國維는 折江 海寧사람으로 中國學界에 哲學, 文學, 文字學, 史學에 亘하야 貢獻이 極히 만흔 學者니 그의 殷, 商의 甲骨文字에 對한 研究 가튼 것은 世界的으로 驚嘆할 發明이다. 그는 일즉부터 北平 『淸華學院』에서 國學을 講하다가 民國 十六年 六月 二日에 『五十六年, 只欠一死. 經此世變, 義無再辱.』이라는 말을 남기고 昆明湖에 投身 自殺하얏다. 이에 對하야는 여러 가지의 말이 잇스나 어떠튼지 中國學界에는 한 큰 不幸이요, 損失이다. 本文은 中國 文學革命의 先驅者로의 故人의 一面을 말하는 同時에 從來의 中國人士의 文學에 對한 觀念이 어떠하얏나 함을 아울러 讀者에게 紹介코저 함이니 主로 吳文祺氏의 論文(中國文學研究所載[03])을 抄譯하고 이에 國學月報의 特刊 『王靜安先生專號』를 參照하야 筆述하는 것이다.

---

01 『朝鮮日報』 1930.3.14.~3.16, 4면; 3.17, 3면.

02 매회 연재분 표기로서 4회에 걸쳐 연재되었다.

03 吳文祺, 「文學革命的先驅者 — 王精安先生」, 『小說月報』 제17권 호외, 『中國文學研究』, 1927이다.

一

從前의 사람은 往往히 『文以載道』라는 陳猫老鼠式의 眼鏡을 쓰고 一切의 文學作品을 觀察하는 까닭에 功利 臭味를 띄지 안핫거나 或 道德敎訓을 包含치 아니한 純粹한 文藝는 그네의 曲解를 입엇슬 뿐 아니라 그네의 擯棄를 當하얏다. 詩經으로 말하드래도 分明히 一首의 相思를 그린 情詩인데 그들은 긔어히 무슨 后妃의 德을 讚美한 頌歌라 하며 分明히 一篇의 悲憤 情感을 쏘다 논 作品인데 그들은 돌이어 무슨 忠君愛國의 寓言이니 하고 말을 한다. 더구나 小說과 戲曲에 이르러서는……거의 文藝의 領土 박그로 驅逐을 當하야學者 文人의 一顧도 밧지를 못하다십히하며 設使 少數의 가장 少數의 사람이 잇서 能히 小說, 戲曲의……好處를 鑑賞한다 하드래도 모도 다 『雕虫小技는 壯夫不爲라』는 觀念이 잇고 도모지 이를 文學으로 看待하는 사람이 업다.──金聖嘆이 비록 일즉이 大膽하게 宣言하기를 『天下之文章이 無有出耐庵先生之右者라』고 하얏지마는 그의 小說을 讚美한 것은 다만 一種의 盲目的 好奇의 衝動에서 나온 것이니 어찌 能히 小說의 眞價値를 알앗겟느냐? 그가 『三國』, 『水滸』………… 等書를 評注한 것을 보면 그래도 時文家의 陋見을 버리지 못하야 그는 人生을 描寫한 純粹한 文藝를 事實을 記叙한 史書와 서로 가지고 並論하얏스니 足히 그의 文學에 對한 深切한 了解가 업슴을 알 수가 잇다.──이로 中國의 舊文人 中에는 文學의 眞諦를 徹底하게 明白히 아는 사람이 極히 적은 것을 볼 수 잇다. 그러키늘 뜻박게 二十年 前의 腐化한 中國文壇 속에 居然히 홀로 隻眼을 갓추고 小說, 戲曲을 文學中之頂點이라고 大聲疾呼한 한 사람이 잇스니 그 見解의 卓越함은 現代의 新文學家에 比하야 지낼지언정 决코 못하지는 아니하다. 그는 누구인가? 即 靜庵 王國維 그 사람이다.

靜庵은 다만 徹底하게 小說, 戲曲의 價値를 了解할 뿐만 아니라 能히 小

說, 戲曲에 對하야 精密한 系統의 硏究들 하야 노앗다. 그의 靜庵文集 此書는 지금 絶版되엇다. 中의 『紅樓夢評論』은 前清 光緖 三十年에 지은 것이요, 그의 『宋元戲曲史』는 民國 元年(此書는 民國 四年에야 出版되엇다)에 일운 것이니 무릇 靜庵의 이 兩部書를 읽은 사람은 無論 어떠한 사람이거나 모다 그의 中國文學에 對한 偉大한 貢獻을 否認하지는 못한다. 그런데 極히 奇怪한 것은 梁任公의 『清代學術概論』 中의 文藝를 論한 一節에 도모지 그의 名字를 提起치 아니하얏고 胡適之의 『五十年來的中國文學』 中에 章太炎도 位置가 잇고 梁任公도 位置가 잇스며 章行嚴도 位置가 잇고 심지어 『出人意表之外』니 『其女珠』니 『其母下之』니 『而方姚卒不之踣』니 하는 不通의 妙文을 쓰는 林琴南까지도 位置가 잇스면서도 王靜庵의 三字는 終乃 들어 말하지 아니하얏다. 蔡孑民이 일즉이 靜庵의 哲學思想을 紹介(五十年來之中國哲學에)하얏고 抗父가 일즉이 靜庵의 考古學識을 紹介(東方雜誌 第十九卷 第三號)하얏스나 다만 모다 그의 文學을 말하지 아니하얏다. 陳獨秀가 『前鋒』의 『寸鐵』中에 일즉이 말하기를 『胡適之의 所長은 是哲學士요, 章太炎의 所長은 是歷史和文字音韻學이요, 羅叔蘊의 所長은 是金石考古學이요, 王靜庵의 所長은 是文學이라……』 하얏지마는 다만 이것은 一種의 漠然한 評語에 지나지 못하고 系統잇는 紹介라고는 할 수 업다. 그럼으로 이에 文을 草하야 저윽이 紹介하는 바이다.

(二)

靜庵은 深切히 文學의 價値를 깨닷고 熱烈히 國人에게 文學에 注重할 것을 勸하얏다. 그는 말하되

生百政治家, 不如生一大文學家니 何則고? 政治家는 與國民以物質上之利益호대 而文學家는 則與以精神上之利益하나니. 夫精神之與物質이 二者孰重고? 物質上之利益은 一時的也요, 精神上之利益은 永久的也라. 前人의 政治上所經營者는 後人이 得一旦而壞之어니와 至古今之大著述하야는 苟其著述이 一日存이면 則其遺澤이 且及於千百世而未沫하나니 故로 希臘之[04] 鄂謨爾(호메르)也와 意太利之有唐旦(딴테)也와 英吉利之有狹斯丕爾(섹스피어)也와 德意志之有格代(꾀테)也에 皆其國人人之所尸而祝之하며 社而稷之者언마는 而政治家는 無與焉하니 彼等은 誠與國民以精神上之慰藉하야 而國民之所恃以爲生命者어니와 若政治家之遺澤하야는 決不能如此廣且遠也니라.

(靜庵文集·教育偶感)

그는 또 말하되

世人이 喜用功用할 새 我姑以其功用으로 言之호리라. 夫人之所以異於禽獸者는 豈不以其有純粹之知識과 與微妙之感情哉아. 至於生活之欲하야는 人與禽獸가 何以異리오. 後者는 政治家及實業家之所供給이오, 前者之慰藉滿足은 非求諸哲學及美術이면 不可하니 就其所貢獻於人之事業하야 言之컨대 其性質之貴賤이 固以殊矣나 至就其功効之所及하야 言之면 則哲學家與美術家之事業이니 雖千載以下와 四海以外라도 苟其所

04 '有'자가 누락되었다.

> 發明之眞理와 與其所表之記號之尙存이면 則人類之知識感情이 由此而得其滿足慰藉者, 曾無以異於昔이어늘 而政治家及實業家之事業은 其及於五世十世者希矣니 此又久暫之別也니라.

頑固者流가 예까지 보면 異口同聲으로 모다 『科學은 無論 西洋에서 發達하얏다. 그러나 文學으로 말하면 中國이 盛하다. 보라, 歷代의 文學家와 文學作品이 말할 수 업시 만치 아니한가? 歷代의 帝王은 다시 文學으로 取土[05] 하얏스니 이것이 文學을 注意한 明證이 아닌가? 구태어 王先生을 수고롭게 하야 反覆 申說을 아니 하야도 우리는 잘 안다.』하고 말할 것이다. 『文學은 中國이 盛하다!』 이것은 그들로 보면 조금도 疑心을 容할 餘地가 업는 天經地義일 것이다.――아마 지금도 이러한 見解를 가진 사람이 적지 아니할 것이다.――그런데 靜庵은 二十年 前에 이미 이러한 傳習의 自傲하는 陋見을 버리고 『中國의 文學家가 能히 外國의 文學家와 並駕齊驅할 수 잇슬가』하는 疑問을 가지고서 그는 大膽하고 自信잇게 『中國사람은 外國사람 가티 文學을 重하게 아니 본다.』고 斷定하얏다. 그는 말하얏다.

> 試問하노니 我家[06]之大文學家에 有足以代表全國民之精神을 如希臘之鄂謨爾, 英之狹斯丕爾, 德之格代者乎아 하면 我人所不能答也리니 殆無其人歟아? 抑有之而我人이 不能擧其人하야 以實之歟아? 二者에 必居一焉이라. 由前之說하면 則我國文學이 不如泰西요, 由後之說하면 則我國之重文學이 不如泰

05 '土'는 '士'의 오식이다.

06 '家'는 '國'의 잘못이다.

西니 前說은 我所不知요, 至後說하야는 則事實較然하야 無可諱也라. 我國人의 對文學之趣味가 如此하니 則於何處에 得其精神之慰藉乎아! ………夫物質之文明은 取諸他國하면 不數十年而具矣로대 獨至精神上之趣味하야는 非千百年之培養과 與一二天才之出이면 不及此어늘 而言敎育者, 不爲之謀하니 此又愚所大惑不解者也로다.

(同前·敎育偶感)

【訂正】昨日 本文 中『五十六年』은『五十之年』의 誤.

(三)

그의 말은 要點이 둘이니 우리는 特히 注意하여야 한다. 첫재는 그는 舊派 文人의 認定하는 大文學家의 무슨 司馬遷이니 무슨 韓愈니 무슨 李白이니 무슨 杜甫………니 하는 무리는 호머라, 쉑쓰피어라, 꾀떼라 하는 사람들과 서로 並論할 수가 업다는 것이요. 둘재는 그는 中國文人의 가지고 노는 詩詞歌賦의 작란감의 文學을 承認치 아니한 것이다. 그럼으로『我國之重文學이 不如泰西』라 하얏다. 이러한 高亢한 激烈한 聲調는 지금에도 오히려 적지 안흔『文學은 獨盛於中國』이라는 迷夢 中에 잇는 先生들을 놀래려든 하믈며 二十年 前에 잇서서랴?

그러면 究竟은 어떤 것이 文學이냐? 靜庵은 文學의 目的은 人生을 描寫하는 데에 잇다고 하얏다. 그는 말하되

美術中以詩歌戲曲小說로 爲其頂點하나니 以其目的이 在描寫

人生故라.

(靜庵文集·紅樓夢評論)

文學은 이미 人生을 描寫하는 것으로 職務라 하면 저 旁觀者의 입으로서 나온 叙事體는 當然히 當局者의 입으로 나온 代言體의 親切하고 眞實한 것만 갓지 못하다. 그것은 前者는 間接的이요, 後者는 直接的인 까닭이다. 그럼으로 靜庵은 戲曲이 叙事體로서 代言體로 變한 것은 한 큰 進步라고 하얏다. 그는 말하되

> 宋人大曲에 就其現存者觀之컨대 皆叙事體요. 金之諸宮調는 雖有代言之處나 而其大體只可謂之叙事요. 獨元雜劇이 於科白中에 叙事하고 而曲文은 全爲代言하니 雖宋金時에 或當已有代言體之戲曲이라도 而就現存者言之하면 則自元劇始하니 不可爲非戲曲上之一大進步也라.
>
> (宋元戲曲史·第八章 元雜劇之淵源)

그리고 저 經世致用의 策畧이라든지 懲惡勸善의 格言은 모다 文學이라고 할 수 업는 것이다. 그런데 不幸히 中國文藝界에는 充滿한 것이 다만 功利臭味와 道德敎訓을 띈 作品 뿐이요, 純粹한 文學作品은 極히 적고 이 極히 적은 文學價値가 잇는 作品도 또 學者文人의 輕視하는 바가 되엇다. 靜菴이 『中國之重文學은 不如泰西라』한 것이 怪異치 아니한 말이다. 靜菴은 말하되

> 『自謂頗騰達, 立登要路津[07]致君堯舜上, 再使風俗醇.』이 非杜

---

07 단구(斷句)를 해야 한다.

子美之抱負乎아? 『胡不上書自薦達, 坐令四海如虞唐.』이 非韓退之之忠告乎아? 『寂寞已甘千古笑, 馳驅猶望兩河平』이 非陸務觀之悲憤乎아? 如此者는 世謂之大詩人矣어니와 至詩人之無此抱負者와 與夫小說, 戲曲, 圖畵, 音樂 諸家는 皆以侏儒優倡으로 自儒[08]하며 其[09]亦以侏處優倡으로 蓄之하니 所謂『詩尙有事在[10]』, 『一命爲文人, 便無足觀』이 我國之金科玉律也라. 嗚呼라, 美術之無獨立之價値也久矣니 此는 無怪歷代詩人이 多託於忠君愛國勸善懲惡之意하야 以自解免하고 而純粹美術上之著述은 往往受世之迫害호대 而無人爲之昭雪者也라.

(靜庵文集·論哲學家及美術家之天職)

또 말하되

更轉而觀詩歌之方面컨대 則詠史, 懷古, 感事, 贈人之題目은 彌滿充塞於詩界호대 而抒情叙事之作은 什伯不能得一하고 其有美術上之價値者는 僅其寫自然之美之一方面耳라, 甚至戲曲小說之純文學도 亦往往以懲勸爲恉하고 其有純粹美術上之目的者는 世非惟不知貴라, 且加貶焉이로다.

(同上)

08 '儒'는 '處'의 잘못이다.

09 '世'의 잘못이다.

10 '詩外尙有事在'의 잘못으로서 '外'자가 누락되어 있다.

(四)

中國에 조흔 文藝가 업는 것이 아니다. 다만 世人이 賞識지 못할 뿐이다. 그러면 世人은 엇지하야 賞識지 못하느냐? 靜庵은 中國人의 性質은 藝術의 性質과 格格히 맛지 안는 緣故라고 하얏다. 藝術의 主要點은

> 在描寫人生之苦痛과 與其解脫之道하야 而使我濟[11]馮生之道로 於此桎梏之世界中에 而得其暫時之平和라.
>
> (靜庵文集·紅樓夢評論)

그런 까닭에 悲劇은 藝術上에 잇서서 極히 노푼 價値가 잇는 것이니

> 昔에 雅里大德勒은 於詩論中에 謂『悲劇者는 所以感發人之情緖而高上之라』하니 殊如恐懼與悲憫二者로 爲悲劇中國有之物하야 由比[12]感發하고 而人之精神도 於焉洗滌이라.
>
> (同前)

그러나 中國人의 精神은 悲劇의 性質과 全然히 反比例가 된다. 靜庵은 말하되

> 我國人之精神은 世間的也오, 樂天的也라. 故로 代表其精神之戱曲小說이 無往而不著, 此樂天之色彩하야 始於悲者終於歡

---

11 '儕'의 오식이다.

12 '比'는 '此'의 오식이다.

하고 始於離者終於合하고 始於困者終於亨이니——非是코는 而欲饜閱者之心이 難矣라. 若牡丹亭之返魂과 長生殿之重圓이 其最著之一例오. 西廂記之以警[13]夢終也는 未成之作也니, 此書 若成이런늘 我鳥[14]知其不爲續西廂之淺陋也리오. 有水滸傳矣어늘 曷爲而有蕩寇志하며 有桃花扇矣어늘 易爲而又有南桃花扇하며 有紅樓夢이어늘 彼紅樓復夢, 補紅樓夢, 續紅樓夢者는 曷爲而作也며 又曷爲而有反對紅樓夢之兒女英雄傳고. 故로我國之文學中에 其具厭世解脫之精神者, 僅有桃花扇與紅樓夢耳라. 而桃花扇之解脫은 非眞解脫也니 滄桑之變을 目擊之而身歷之호대 不能自悟하고 而悟於張道士之一言하며 且以歷數千里하야 冒不測之險하며 投縲紲之中하야 所索之女子를 纔得一面이어늘 而以道士之言으로 一朝而舍之하니 自非三尺童子면 其誰信之哉아. 故로 桃花扇之解脫은 他律的也오, 而紅樓夢之解脫은 自律的也니라. 且桃花扇之作者는 但借侯李之事하야 以寫故 國之戚이오, 而非以描寫人生으로 爲事. 故로 桃花扇은 政治的也요, 國民的也요, 歷史的也며, 紅樓夢은 哲學的也요, 宇宙的也요, 文學的也니 此紅樓夢之所以大背於我國人精神이요, 而其價値도 亦即存乎此하며 彼南桃花扇, 紅樓復夢等은 正代表我國人樂天之精神者也니라.

(同前)

또 말하되

13 '警'는 '驚'의 오식이다.

14 '鳥'는 '烏'의 오식이다.

> 我國人之文學은 以挾樂天之精神故로 往往說詩歌的正義, 善人은 必令其終케 하고 而惡人은 必罹其罰케하니 此亦我國戲曲小說之特質也니라.
>
> (同前)

紅樓夢은 中國人의 樂天의 精神을 違反한 悲劇이다. 그럼으로 文學上에 잇서서는 至高無上한 價値가 잇는 것이니 우리는 다시 靜庵의 暢論한 悲劇의 性質을 보자.

> 悲劇之中에 有三種之別하니 第一種之悲劇은 由極惡之人이 極其所有之能力하야 以交構之者요, 第二種은 由於盲目的運命者요, 第三種之悲劇은 由於劇中之人物之位置及關係하야 而不得不然者니 非必有蛇蝎之性質과 與意外之變故也라. 但有普通之人物과 普通之境遇로도 逼之에 不得不如是하야 彼等이 明知其害오도 交施之而交受之하야 各加以力호대 而各不任其咎하나니 此種悲劇은 其感人이 賢於前二者遠甚이로다. 若前此二種之悲劇은 我人이 對蛇蝎之人物과 與盲目之命運하야 未嘗不悚然戰慄이나 然이나 以其罕見之故로 猶倖我生之可以免이오, 而不必求息肩之地也언마는 但在第三種하야는 則見此非常之勢力이 足以破壞人生之福祉者로 無時而不可墮於我前하며 且此等慘酷之行은 不但時時可受諸己라. 而或可以加諸人이니 躬丁其酷이라도 而無不平之可鳴하니 此可謂天下之至慘也라.
>
> (同前)[15]

---

15 이하 연재가 중단된 것으로 보인다.

中國의 映畵界[01]

朴淚月 抄

(一)[02]

一. 映畵年鑑

米國을 비롯하야 佛蘭西와 獨逸과 가튼 곳의 映畵年鑑을 들처보면 그 나라에 딸하서 다 各各 滋味잇는 것이 만히 잇다. 獨逸의 年鑑에 揭載된 各 常設館 興行 系統圖 等을 보면 果然 獨逸式에 適合이 되어 잇다. 그러나 우리 朝鮮에 잇서서는 아즉도 그의 歷史가 짤부니 만큼 映畵年鑑 가튼 것은 어더 볼 수가 업는 것은 明確한 事實이다.

그런데 昨年度에 잇서서 現在에 우리 朝鮮 映畵事業을 爲하야 만히 活躍하고 잇는 李瑞求氏의──朝鮮映畵大觀이 出版되엇슬 뿐이다. 그러나 그의 歷史가 깁허감을 딸하서 다른 나라와 갓치 우리 朝鮮에도 이 압흐로 映畵年鑑 等이 出來할 것을 確信한다. 日本에 잇서서는 各 會社에서 發行한 映畵年鑑 等이 數萬種에 達하여 잇다.

---

01 『朝鮮日報』 1930.3.22, 3.25~3.26, 5면.

02 매회 연재분의 표기로서 3회에 걸쳐 연재되었다.

中華에 잇서서도 一九二七, 八, 九年度版의 中華映畵年鑑이 出版되엇다. 나도 僥幸히 一冊을 가지게 되엇다. 그리하야 筆者가 읽은 바 이 冊 中에는 우리 朝鮮映畵 팬들의 好奇心을 惹起할만 한 點이 間或 잇섯다. 그래서 이 번에 筆者는 『페지』를 들처가면서 斷片的으로 次下에 紹介하야 보려고 한다.

二. 中國映畵의 發生 始初

第一 것장에──影業尙未大盛同志仍須努力──이라고 씨어 잇다. 그리고 表紙를 들처보면 國民黨 電影隊의 寫眞이 잇다. 그들의 携帶한 映寫機를 보면 最新式製라고 할 수는 업다. 此 年鑑의 著者는 『뻰자민』 程樹仁君이다. 中國에 잇서서의 活動寫眞의 起源에 就하여서는──故左相承言──影戱之原, 出於漢武帝(西曆紀元前一百四十年)李夫人之亡, 齊人少翁言能致其魂, 上念夫人甚, 無已, 乃使致之, 少翁夜爲方帷, 張燈燭, 使帝他坐, 自帷中望之, 彷徨夫人像也, 蓋不得就視之, 由是世間影戱 等이 씨어 잇다. 張振宇 作의──漢武帝──觀影의 圖를 보면 果然 그의 周圍에는 六七個의 蠟燭을 點明하야 하얀 帷幕을 通하야서 武帝는 悲痛된 얼골로 보고 잇다. 女人의 樂人이 그 엽해 안저서 무엇인가 一曲을 하고 잇다. 이것은 紀元前 六十五年 『류쿠테쟈스』의 토·레─람 나듀로에 比較하면 좀 뒤진 것 갓다.

그러나 亡人을 追想케 하는 手段으로써의 影繪를 쓰게 된 것은 現在의 映畵에 잇서서도 흔이 잇는 일임으로 漢武帝를 今日에도 崇拜하는 最貴의 映畵로의 틀림업는 것은 事實로 볼 수가 잇다.

三. 映畵 會社 及 映畵 用語

民國人의 經營하는 活動寫眞會社가 即 影片公司 等은 그의 數가 만히 잇

다. 北京에 二, 天津에 四, 鎭江에 一, 無錫에 一, 上海에 一四〇, 抗州에 三, 成都에 一, 漢口에 四, 昆明에 一, 汕頭에 一, 廣州에 八, 香港 六, 九龍에 一, 合計 一七二個 所에 撮影會社가 列在할 뿐만 안이라 其他로 亞米利加에서 民國人의 經營하는 것이 中華電影公司 外에 三個 所나 된다. 그런데 喜劇은 笑劇이라고 하며 特作品 等은 『壯劇』이라고 불은다. 딸하서 그의 譯名을 順記하면 指揮者를 『製片總監』, 파도부레이라이터―를 『編劇家』, 새나라오라이터―를 『分劇家』, 자니쓰타이 톨·라이터―를 『華文說明者』, 잉그릿쉬·타이톨·라이터―를 『英文說明者』, 카슴팅그·떼렉터― 『劇務幹事』, 떼렉터―『導演家』, 앗새 스탠트·떠렉터―를 (副導演), 카메라·맨을 (撮影師), 오페라―터를 『映片技師』, 라쁘라토리맨을 『洗印製片者』, 캇트를 『剪接影片者』, 스틸·포토크라픽를 『照相者』, 셋트·데사이나를 『置景者』, 로켓슌을 『名勝背景』, 타이톨·카―드·라이터를 『題繪者』, 멕·압프·떼렉터―를 『化裝主任』, 스타를 『女主角』, 액터를 『演員』이라고 이와 가티 呼稱한다.

(二)

其外로 中華影業界의 留學生으로써 日本에 건너와서 硏究하고 온 사람들 中에 任克予, 徐卓呆, 夏伯銘, 袁樹德, 歐陽予倩 等의 五人이며 佛獨米英에 가서 留學을 하엿스며 中華映業年鑑을 처음으로 著出한 程君은 『컬넘비아』大學 電影科와 『뉴욕』影戲專門學校를 優秀한 成績으로 卒業한 後 現在에는 上海孔雀電影公司 製片部 主任 兼 導演의 職에 잇다.

四. 中國 映畵界의 一流 俳優들

現在 中華에서 一流 스타—로 그의 일홈이 놉흔사 람들 中에는——吳一笑(水許志에 黑旋風 李逵), 吳永剛, 王子明[03], 小凌波, 王漢倫, 玉慧仙[04], 王侃如, 文粉菊花[05], 王彩雲, 任愛珠, 朱珠瑛, 吳素馨, 李曼麗, 王曼麗[06], 林如心, 林慧芝[07], 周文珠, 胡蝶, 宣景琳, 胡慧英, 徐素娥, 徐琴芳, 徐素貞, 殷明珠, 席芳婧, 唐雪鄕, 原俠綺, 倪紅雁, 粉菊花, 粉菊花, 莊膽芬[08], 陳麗蓮, 陸轀貞, 陸劒芬, 符曼麗, 湯瑪麗, 張織雲, 張秀影, 張惜娟, 張美烈, 張秋痕[09], 許盈盈, 梁德儀, 傳文豪, 賀蓉珠, 過俊達[10], 楊耐梅, 楊依依, 楊愛立, 黎明輝, 翟倚倚[11], 南華夢[12], 飽月淸, 鍾祆車[13], 謝釆貞, 孫敏, 謝雲卿, 楊靜我, 史廷盤——等의 所爲演員 이 以外에도 近 六百 餘名에 達한다고 한다.

그의 製作能力을 볼 것 가트면 一九一三年度로부터 今日에 至하도록 數

---

03 '丁子明'의 오식이다.

04 '王慧仙'의 오식이다.

05 뒤에 다시 중복 열거되는 '粉菊花'의 오식으로 보인다.

06 '汪曼麗'의 오식이다.

07 확인되지 않는다.

08 '莊蟾珍'의 오식이다.

09 '朱秋痕'의 잘못으로 보인다.

10 '過達俊'의 잘못이다.

11 '翟綺綺'의 오식이다.

12 1925년 출품된 영화 제목이다.

13 '鐘扶東'의 오식이다.

百餘 種에 達한 優秀 映畵가 積在한 것을 그들의 宣傳紙面으로서 잘 알 수가 잇다. 그리고 또한 卷尾에 記入된 것을 보면──朗花[14]片影公司의 最新出品 廣告에 畵題는『再造共和』라고 하는『中國空前未有之大規模軍事歷史』의 註가 잇스며 民國偉人 唐繼堯 將軍의 主演映畵이다. 全 四十卷의 最長呎으로써 出演者는 數萬名, 戰馬가 萬餘匹, 飛行機의 空中 戰鬪의 場面까지가 다 잇다. 그리하야 이의 大收獲物은 中華에서 크게 자랑하는 映畵 中에서 最高點을 獲得하여 잇는 超特作 映畵의 하나이다. 그러나 우리가 이 名畵를 한번 볼 機會가 잇슬는지?…

五. 中國의 映畵 常設館

中華國의 映畵 常設舘을 擧論하면──影戱院(常設舘을 云함)의 數는 此下와 如히──哈爾賓에 一二, 奉天에 二(其中에 帶雨軒는 萬泉河에 잇서서 經理人은 張學良氏이다. 이 사람은 張作霖의 令息의 임홈과 가트나 其實은 他人), 大連에 四, 張口에 二, 北京 一四, 天津에一〇, 靑島에 六, 濟南에 三, 無錫에 一, 蘇州에 四, 上海에 三九, 抗州에 四, 福州에 一, 厦門에 四, 汕頭에 一, 潮州에 一, 香港에 八, 九龍에 三, 廣東에 七, 澳門에 三, 中山에 二, 佛山에 一, 凉州에 一, 以上의 總合計가 百五十六個 場所인 바 그의 定員은 大槪 千餘名 以上을 넉넉히 入場식힐만한 큰 常設舘이 靑島의 電氣舘, 日出舘, 南通 更俗劇場(二千名), 上海 小世界, 中央大戱院, 北京大戱院, 卞德大戱院, 奧迪安大戱院, 香港皇后大戱院(二千名), 澳門 淸平戱院, 佛山 昇平戱院 等이 잇다. 北京大戱院의 客席이며 內部 裝置는 寫眞을 通하여서 보면 恰似히 日本의 帝劇式의 훌륭한 裝飾임을 알 수 잇다.

---

14 '朗華'의 잘못이다.

(三)

六. 映畵學校 及 映畵誌

우리 朝鮮에 잇서서는 玄哲先生의 朝鮮俳優學校가 이 世上에 만흔 企待를 가지고 誕生하엿섯스나 그의 生命의 움이 아즉도 빗나기 전에 그의 자최는 五里霧中 格이 되고 말엇다. 참으로 우리 朝鮮 映畵界와 劇界를 아울러서 크게 哀惜하는 바이다. 하나 이 압흐로 다시 그의 存在가 永遠히 이 世上에 빗나주기를 暗祝하는 바이다.

그러나 中華國에 잇서서 上海를 第一中心地로 影戲學校(映畵俳優學校)가 그 中 만히 散在하엿다. 上海에 잇는 影戲學校의 數를 들면 大中華影戲學校, 大陸影戲, 中華電影公司, 中華影片戲研究社[15], 民新影戲專門學校, 光華影戲學校, 明星影戲學校, 昌明影戲函授學校, 坤範女子電映學校, 南洋電映學校, 崑崙電影學校, 菩薩電影學校 等이 잇스며 外國人이 經營하는 곳도 上海에 三個 所나 잇다. 映畵에 關係된 雜誌로서는 電影雜誌, 電影, 銀戲世界[16], 影戲, 戲劇電影, 影戲, 電影週報, 銀幕週刊, 銀燈, 影戲春秋, 影戲週刊, 國民電影半週刊, 電影畵報, 影戲半週刊, 其外로 他會社의 宣傳 雜誌 等이 만히 잇다. 그리고 單本行으로는 昌明電影亟授學校의 講義, 活動影戲(孫毓修), 同上(徐應昶), 電影百美圖, 電影明星小傳, 影戲劇本作法(候耀), 影戲學(徐卓呆) 等이 亞米利加厚本에서 飜譯한 것이다.

---

15 '中華影片戲劇研究社'로서 '劇'자가 누락되어 있다.

16 '影戲世界'의 잘못으로 보인다.

七. 映畵 檢閱 及 其他 方法

그 다음으로 檢閱의 問題에 關하야서는——北京教育部 電影閱會章程[17]. 江蘇省教育會 電影審閱委員會, 浙江省會 電影審查會 等 以上이 檢閱事務를 執行하는 것이 事實이다.

그의 檢閱 方法은——北京에 잇서서는 第二條件에 依하면——第一에는 影劇의 事實과 情形이 勸善懲惡의 本旨에 絕應되며 科學의 硏究에 有益이 普及되며 學校 教育上 補益點이 發明하는 時에는 그리고 扮演 影劇이 編者의 趣旨를 發揮하는 點이 特有할 時에는 獎賞하는 規定이 잇스나 이것은 極히 稀少한 모양이다.

第二에 잇서서는 禁止 又 剪裁하는 場面은 治安 妨害, 淫態 傷風케 하는 場面, 兇暴悖亂, 人心風俗에 影響을 普及케 할 場面, 그리고 外國映畵 中에서 中華人을 侮辱하는 點, 또한 中華映畵 中에서 邦交를 害하는 點에 對하야서 改訂 又는 剪裁를 命하는 時가 許多하다.

江蘇省의 委員은 十名인 바 그의 委員은 教育會에 屬하여 잇다. 審閱 標準은 社會에 良好한 影響을 普及하는 것으로써 主를 삼는다. 이 外에 合格된 映畵의 題名이며 會社의 일홈이 不知其數나 一一히 枚記할 수가 업서서 以上만으로 畧하고 끗친다.

中華의 어느 映畵를 勿論하고 다 各各 映畵에 對하야서 評語가 挿記되여 잇다. 그의 例를 몃 가지 들면은——『荒山得金』에 對하야 此片可以表[18]我國

---

17 '電影審閱會章程'으로서 '審'자가 누락되어 있다.

18 원문은 '表示'로서 '示'자가 누락되어 있다.

人夫婦之眞相情[19], 並可矯正輓近輕易離婚之薄俗, 佈景無疵──『大義滅親』에 對하야──此片足以激發愛國思想──『光[20]好月圓』에 對하야──此片平正無疵, 藝術亦佳──『富人之女』에 對하야 此片描寫富家女子驕奢淫佚無所不至, 似足以針砭薄俗, 惟藝術方面尙精益求精, 以斬[21]完善──等이다.

우리 朝鮮에 잇서서 中華映畵를 上映하기는 昨年度에 잇서서 市內 團成社를 비롯하야『三國誌』, 그 뒤를 이여서 朝鮮劇場에서『西遊記』, 그 후에 또다시 團成社에서『水滸誌』以上의 映畵 等인 바 大體로 보아서 모다 優秀한 作品이엿다.

맨 끗흐로 浙江省의 審查會에서는 엇더한가? 日本과 如히 教育廳과 警視廳에서 各 代表者가 出席하야 組織된 教育廳側 代表者가 十一名, 警察側의 代表者가 四人인 바 警察廳側의 人員이 적은 것은 또한 이상한 일이라고 볼 수가 잇다. 其外로 軍人無料觀覽은 嚴禁이다.

現今 中華映畵界에는 一大 革命期에 잇는 同時에 이 압흐로 그의 曙光이 全世界的으로 빗날 것을 나는 여긔에 疑心치 안는다.

──一九三〇. 二. 三五[22], 筆

---

19 원문은 '眞情'으로서 '相'이 잘못 기입되었다.

20 '花'의 잘못이다.

21 '蘄'의 오식이다.

22 '二五'의 오식으로 짐작된다.

文學革命에서 革命文學[01]

梁白華

挽近 十年 동안의 中國文을學[02] 말하랴면 먼저 民國 五年의 胡適氏의 提倡한 文學革命을 잠간 말 아니할 수 업다. 그것은 嚴正한 意味에서 中國의 새로운 文學은 이 때부터 일어난 까닭이다. 中國人의 文學에 對한 認識이 다시금 새로워진 것이다.

文學革命은 얼른 말하면 文言文學의 破壞, 國語文學 即 言文一致 文學의 새로운 建設이다. 外形的에 잇서서 딴테가 羅典의 死文學을 打破하고 伊太利의 國語 新文學을 創造한 것 가티 루터가 獨逸의 國語 新文學을 創造한 것 가티 쵸서가 英吉利의 國語 新文學을 創造한 것 가티 新中國의 國語 新文學의 創造가 胡適氏의 입으로 비롯오 呼號되면서 內質的으로 彫琢的, 阿諛的인 貴族文學의 推倒로부터 平民的, 抒情的인 國民文學의 建設로 陳腐的, 舖張的인 古典文學의 推倒로부터 新鮮的, 立誠的인 寫實文學의 建設로 迂敏[03]

---

01 『東亞日報』 1930.4.1, 부록 4면.

02 '文學을'의 오식이다.

03 '敏'의 '晦'의 잘못이다.

的, 艱澁的인 山林文學의 推倒로부터 明瞭的, 通俗的인 社會文學의 建設이 胡適氏의 뒤를 이어 『新青年』의 陳獨秀氏의 입으로 다시 疾呼된 것이다. 그러고 이에 錢玄同氏 等의 摯烈한 援助와 蔡元培氏의 摯誠인 庇護로 그들은 『國語의 文學, 文學의 國語』라는 큰 旗幟알에 한편으로는 新作品을 끈히지 안코 發表하며 한편으로는 歐洲의 名作을 直譯體로 紹介하기에 努力하얏다. 이것이 民國 五年부터 民國 七年 사이의 일이오, 同時에 北京大學의 學生 傅斯年, 羅家倫, 汪敬熙 等이 한 個 白話의 月刊 雜誌를 내고 이름을 『新潮』라 하고 英文名으로는 The Renaissance라고 하얏다. 即 歐洲史上의 『文藝復興時代』란 意味이엇다. 이 雜誌가 처음 나올 때에는 가장 精采가 充足하얏섯스니 이 文學革命의 運動에 잇서 確實히 一支의 有力한 後援軍이엇고 이 運動은 이미 一部 青年의 熱血을 鼓動하야 大學生의 이러한 響應까지 잇도록 된 것이다. 그리다가 그 이듬해의 『五四』의 學生運動과 『六三』事件을 機會로 『一日千里』의 勢로 白話文은 傳播되어 『思想革新』과 아울러 無數한 作家가 쏘다저 낫다. 이제 이 十年 동안의 그 作家와 그 作品을 紙幅이 업서 紹介치는 못하나 詩로, 小說로, 劇으로, 散文으로, 兒童文學으로 우리 外邦 사람에게 놀라운 成績을 보이고 잇다. 그러고 中國 新文壇에 이러한 놀라운 成績을 들어내기에 가장 功을 쓰기는 두 派의 사람이니 이를 두 團體라고 말할 수 잇다. 하나는 文學研究會요, 하나는 創造社니 顧名思義로 말한다면 하나는 文學研究에 偏重하고 하나는 文藝創作에 偏重하야 後來의 成績이 所期와 가탓다.

西洋文藝를 紹介한 것으 하면 文學研究會가 全中國 文壇의 首功을 占하며 會中의 主要分子는 魯迅(周同人[04]), 周作人, 沈雁氷, 鄭振鐸, 趙景深……等

---

04 '周樹人'의 잘못이다.

으로 다만 飜譯의 工作이 사람으로 하야금 驚嘆케 할 뿐만 아니라 그들의 文壇에 對한 硏究論文의 貢獻은 中國 內에서는 다른 團體로는 比할 수 업섯다. 그들은 自然히 創作도 하얏다. 그러나 그들이 中國文壇에 對한 影響으로든지 世界文壇의 貢獻으로든지 우리 外邦 사람이 時代란 觀戰線上에서 이를 批判을 한다면 그들은 創造社에 比하야 족음 떨어지는 듯하다. 創造社의 重要人物은 郭沫若, 郁達夫, 張資平……等으로 그들의 創作品은 모다 沸盪 熱情이 잇다. 그것은 作者의 身世가 飄零하야 世界에 對하야 모다 深刻한 認識이 잇는 까닭에 能히 一般 靑春男女를 感動케 한 것이다. 저 번 革命 中의 無數한 勇敢한 靑年이 前에 업든 功績을 세웟스니 그들의 熱血은 누가 鼓動시켯는가? 그들의 迷夢은 누가 喚醒하얏는가? 中國人이 아닌 우리로도 이 功勞는 創造社에 아니 돌려보낼 수 업다. 그러나 最近에 잇서서는 時代의 變遷으로 이 두 團體가 漸次 接近하는 傾向이 잇다. 創造社의 創造月刊은 第四階級의 文藝를 提倡하다가 出版部까지 封鎖를 當하고 文學硏究會의 主持하는 小說月報는 近來에 푸로文藝를 말하며 실른 創作은 거의 다 現今의 不安定 時代를 表現한 것이다. 文學革命運動의 初期에 잇서서 新潮社와 新靑年社의 創作이 中國의 思想界와 文學界의 大革命을 造成하고 思想과 文學

(이하 원본은 먹칠이 되어 있다. — 엮은이)

新興中國 行進曲 — 南京革命軍遺族學校와 理想村, 敎育施設, 藝術運動(발췌)[01]

蘇坑學人

五. 藝術과 田漢氏

中國의 文藝運動과 新劇運動은 엇더한가? 이것을 알자면 中國의 代表的 藝術團體인 「南國社」 一派의 일을 紹介 아니할 수 업다.

「南國社」라 함은 실로 中國 新思想界에 十餘年의 地盤을 닥고 잇는 田漢氏가 盟主가 되어 經營하는 것으로 一般的 藝術團體가 되어 單純한 新劇運動中心의 集團은 아니다. 「南國社」의 內容을 말함에는 盟主 田氏의 人物과 閱歷을 말하는 것이 捷徑이라. 나는 田氏가 昨年 七月上旬에 第二次 公演을 하기 爲하야 南京에 이르럿슬 때에 여러 벌 맛나서 숨김 업는 藝術 이약이를 하여도 보고 或은 그가 實演하는 演劇도 보고 만히 感激한 바 잇섯다. 그런데 前記 田氏는 湖南省의 사람으로 故志士 黃興氏와 同鄕이엇슴으로 아마 善化縣 出生이리라. 東京高等師範 出身인데 八年 前에 上海에 도라가 依然히 「少年中國」의 同人임과 同時에 郭沫若氏의 創造社의 한 사람으로 革命文學의 鼓吹에 盡力하엿는데 그 뒤 某氏와의 感情 問題로부터 그 곳을 나와

---

01 『三千里』 제5호, 1930.4.

서 그 后는 自己 안해인 漱瑜 女史의 個人雜誌 「南國」을 돕다가 뒤에 上海藝術大學 南國藝術學院 等을 經營한 일이 잇섯다. 그 뒤 今日과 가튼 黃金時代를 이룬 터이다.

그래서 이 南國社에서 하는 일이란 要컨대 푸로레타리아을 對象으로 하고 그들에 革命精神과 文藝運動을 兼하여 하고 잇는 터인데 國民政府 要人 戴天仇, 胡漢民 其他 諸氏가 매우 힘을 써서 南國社의 事業을 돕고 잇는 터인즉 中國의 文藝와 新劇과 映畵의 모든 藝術運動은 이 南國社를 中心으로 크게 發展될 것 갓치 보인다. 아무튼 新建設에 躍進하는 新興中國의 발자취가 偉大하지 안으냐.

史眼에 비최인 中國古代文化 簡考(발췌)[01]

朴魯哲

【二】[02]

(전략 ― 엮은이)

(2) 文學

古代文學은 그 用途의 넓음을 따라 著書와 立說에 派別이 繁多하얏고 그 중에 韻文과 散文을 分別하야 韻文은 古歌謠의 濫觴이 되고 擊壤賡歌는 韻文의 最高者로 되엿다. 夏에는 尙書와 詩 三百篇에 列入되는 五子歌謠가 잇스니 다 聲韻을 띄운 文章으로 그 중에 淸廟 明堂에 使用되는 歌曲도 잇고 或은 里巷의 歌謠로 使用되는 詞藻도 상당이 잇다. 이로써 足히 當時 韻文의 發達을 넉넉히 斟酌할 수 잇다. 그 후 다시 文運의 一變을 따라 賦를 崇尙하게 되고 또는 騷를 崇尙케 되엿다. 賦는 일즉이 荀況(荀子)의게서 비롯되고 騷는 屈原의게서 시작되엿스니 그 후 宋王, 唐勒, 景差가 이에 繼하야 詞와 賦로 一世에 일홈이 놉핫다. 屈原의 制作한 離騷는 楚詞를 合하야 韻文의 源

01 『中外日報』 1930.4.3, 4.5~4.6, 4.8, 4.11~4.13, 4.15~4.16, 4.18, 조간 1면. 10회에 걸쳐 연재되었으나 여기서는 문학과 관련된 제2회의 일부와 제3회를 발췌하였다.

02 매회 연재분 표기이다.

流라 할만하다. 散文은 한갓 錯綜, 繁博하야 但祗 傳記文과 論辯文으로 約分한 바이다.

(ㄱ) 傳記와 論文

當時 傳記文에 最高한 者로는 三墳, 五典, 八索, 九丘의 四種으로 그 辭만은 傳치 못하얏다. 그 外에 可考할 것은 尙書, 周禮, 春秋 及 左傳, 戰國策 等이니다. 一代의 훌융한 史學임을 알 수 잇다. 論辯文으로는 易이 最高한 것으로 毋論 諸子의 書는 거의 이와 갓흔 論辯 文體로 되엿다. 이 중에 左丘明 갓흔 이는 史學 兼 文學으로 그 造詣가 깁헛고 孔, 孟, 筍, 老, 莊, 列 갓흔 이는 哲學 兼 文學으로 그 뜻이 놉고 그 밧게 管子의 文에 勁拔한 風과 韓非子의 文에 深刻한 味와 孫子의 文에 奇橫하고 恣肆한 趣는 當代에 잇서서 바야흐로 文陣의 雄師로 웃듬이 될만하다.

(ㄴ) 六藝

諸子의 哲學이 衰殘하면서 비로소 經學이 出世하게 되엿스니 都是 經學이란 文學의 一部分으로 보는 데 지나지 안는다. 秦漢 以後로 六經의 名稱이 비롯되엿슴애 即 易, 書, 詩, 禮, 樂, 春秋 等이엿다. 후에 樂經의 衰缺함을 따라 다시 五經의 稱이 잇섯다. 그 文으로 된 품이 或은 哲學에도 屬하기 쉬웟고 或은 史學에도 屬하기 쉬웟다. 當時 儒者는 秦火에 타고 남은 典籍을 斷辯, 考訂하야 마츰내 訓詁의 學으로 勃興케 되엿스니 其時에 易은 田何에게 傳함이 되고 書는 伏勝의게 授함이 되엿다.

【三】

그 후 孔安國은 古文尙書를 壞壁 속에서 어더 내게 되엿다. 詩는 漢初에 이르러 魯의 申培, 齊의 轅固, 韓[03]의 韓嬰의 三家로부터 通行되기 비롯하엿슴애 이는 다 學官에 列入되엿다. 禮는 儀禮, 周官, 禮記의 三種으로 分하야 儀禮는 魯의 高堂生에게 傳함이 되고 周禮 及 禮記는 漢武帝 時에 河間 獻王의 獻한 바 되엿다. 그 후 戴德, 戴勝이 이에 加入하야 善히 刪削한 결과 이를 戴禮라 일가럿다. 春秋는 그 후 公羊高, 穀梁赤, 左丘明, 夷考[04]의 四家로부터 傳한 바 되엿스니 當時 漢儒로서 治經에 뜻 둔 자가 만핫슴을 알게 된다. 그 중에 著名한 이로는 馬融, 鄭康成을 꼽을 수 잇고 또한 許愼의 說文이 字書에 屬한다 하지만 그의 六經訓詁의 學으로 말매암아 斯學에 稗益됨이 자못 만핫다. 그 후 何休, 服虔은 馬融, 鄭康成의 자최를 이우고 魏의 王肅와 晋의 杜豫도 이에 稗益됨이 만핫다.

訓詁의 學은 별달니 一科가 잇서 詞章의 學이 되엿다. 그리고 韻文은 屈原의 離騷들 비롯하야 漢의 司馬相[05], 枚皋, 東方朔, 揚雄, 班固와 晋의 潘岳, 陸機, 左思, 張華 等이니 다 文詞로 일홈이 놉핫다. 이에 兼하야 梁의 江淹, 沈約의 詩品 豐骨이 크니만치 한갓 不逮의 作으로 넘어 穠麗에 過流한 맛이 돈다. 그러나 이러한 風氣로 因하야 한창 韻文이 極盛된 그 時代를 엿볼 수 잇다. 當時 또한 騈四, 儷文의 一派가 뛰여나와 일홈을 날이니 그 體만은 詞賦와 좀 殊異한 것으로 聲韻과 對偶된 품이 자못 工巧하엿슴애 이는 거의

03 韓嬰은 燕나라 사람으로서 여기서는 정보가 잘못 되었다.

04 '夷考'는 고찰의 뜻으로 인명이 아니다.

05 '司馬相如'로서 '如'자가 누락되어 있다.

韻文의 變體로 볼 수 밧게 업다. 齊梁 以後로 騈儷體가 한층 그 才技를 發輝하기 시작하면서 庾信, 徐陵 等의 일홈도 자못 놉핫다. 이 때에 隋文帝는 이를 革除코자 手段을 썻스나 別로 効力이 업섯슴애 그 風氣는 그대로 남아잇다. 詩歌學으로는 秦漢 以後로 그 風氣가 隨時로 變異하기 시작하야 詩 三百首 후로는 漢初에 이르러 五言體가 비롯하야 蘇武, 李陵의 贈答으로서 濫觴이라 할 수 잇다. 漢武帝의 柏梁臺詩는 七言體로 亦於是 聯句의 濫觴이엿다. 그 樂府 諸詩는 當時의 著名한 樂歌이엿다. 魏晋 以後로 詩學이 더욱 熾盛하야 曹操, 曹丕, 曹植 等이 詩歌에 相當한 功을 드렷고 所謂 建安七子로 有名한 저 王粲, 劉楨, 陳琳, 應瑒, 阮瑀, 徐幹, 曹植 等도 그 詩歌의 風骨로 보아 優秀한 作品을 만히 끼치고 晋의 潘岳, 阮籍, 陸機, 陸雲과 宋의 謝靈, 運謝, 惠連,[06] 顔延之의 詞藻는 그 風格이 超雅하야 자못 不逮하드니 齊梁 以後에 와서 한갓 靡靡하게 되엿다. 그 중에 晋의 陶淵明, 宋의 鮑照, 周의 庾信의 詩品에 이르러 한끗 優逸壯麗한 風이 돌앗스니 鮑詩는 俊逸한 趣가 나고 陶詩는 淡遠한 風이 돌고 庾詩는 그 韻氣가 바야흐로 雄渾하야 그 五言詩의 對偶에 이르러서는 더욱 技巧를 자아냇다. 隨의 薛[07]道衡의 詩品은 近體 詩律의 一派로 일홈이 잇섯다. 沈約은 별달이 四聲의 平, 上, 去, 入을 分하야 그 詩律이 더욱 雄巖하엿다. 散文으로는 司馬遷의 史記를 머리로 하야 그 體裁가 가장 渾淪되엿슴애 이에 따라 그 風骨도 자못 沈雄하엿다. 記事文의 軌範으로는 賈誼, 董仲舒, 鼂錯의 策을 드를만 하고 兩漢의 詔敕, 淵懿, 樸茂는 다 議論文의 雄者로 볼 수 잇다. 漢代 후로는 散文도 亦於是 그 風氣가 日靡하야 마츰내 古文의 狀態로 도라가고 말앗다.

---

06 '謝靈運, 謝惠連'으로서 단구(斷句)가 잘못 되었다.

07 '薛'의 오식이다.

(ㄹ) 史書

史學은 司馬遷의 史記를 짓기 始作하야 始皇帝로부터 漢武帝에 이르기까지 記錄된 그 史書야말로 繁博된 품이 古今에 絶比하리 만치 大著 중에 한아엿다. 그 후 班固가 이를 繼하야 漢書를 著하엿스니 史籍의 時代를 劃分한다면 실상 班固의 時節로부터 비롯되엿다 하여도 됴흘만 하다. 宋의 範曄의 漢書(東漢)와 晋의 陳壽의 三國志는 다 馬班 兩家의 舊書를 一遵함에 지나지 안는다. 晋書 及 南北朝의 諸史는 거지반 唐 以後에 나온 것이니 그 중에 오직 宋書는 梁의 沈約의 撰한 바 되엿고 齊書는 梁의 蕭子顯의 撰한 바 되엿다. 北魏의 書는 北齊의 魏收의 撰한 바로 이는 다 傳記體의 史書로 가장 일홈이 놉핫다. 編年體는 漢의 荀悅의 漢記 及 稗官小說에서 비롯한 것으로 亦於是 漢代의 雜史요, 또는 野乘의 體裁로 되엿다.

(하략 — 엮은이)

『阿Q正傳』을 읽고[01]

丁來東

(一)[02]

一. 이 글쓰는 動機

나는 昨夏에 『中國現文壇概觀』(朝鮮日報 載)에서 魯迅의 作品을 말하면서 『阿Q正傳』이 七八 國語로 飜譯이 되엇는데 隣近에 잇는 朝鮮에 아즉까지 譯이 업는 것이 遺憾이란 뜻을 말한 적이 잇섯다. 나는 中國語를 대강 알아보면서부터 『阿Q正傳』을 이제나 저제나 飜譯을 하야 볼까 하고 각금 魯迅의 短篇小說集 『吶喊』을 빼여들엇스나 그 文章이 難澁하고 諧謔이 深刻하고 中國語에 特有한 難[03]關意(Pun)가 만하서 엇더케 朝鮮말로 傳達할 수가 업서서 도로 書架에다 꼬저논 적이 非但 一二次 뿐만 아니엇다. 그리다가 今年早春에 白華氏의 譯을 接하게 되니 一面으로 나의 重任을 버슨 것 갓고 또한 다른 나라에 뒤지지 안코 中國 新文學이 紹介됨에 歡喜와 慶賀함을 禁치

01 『朝鮮日報』 1930.4.9~4.12, 4면.

02 매회 연재분 표기로서 4회에 걸쳐 연재되었다.

03 '雙'의 잘못이다.

못하엿섯다. 그래서 紹介文부터 읽어보니 그 紹介가 半面의 紹介 박게 되지 못하엿섯다. 本來『阿Q正傳』은 中國의 社會相을 그리려 한 것보다 中國人의 糊塗한 것과 中國 傳統的 思想인『精神的自慰』의 損失 等을 力說하야 當時 中國人의 普遍性格을 描寫한 것이란 것이 一般的 評이다. 勿論 當時의 社會를 그린 것도 事實은 事實이지만은 作家의 企圖는 完全히 中國人의 性格을 描寫한 데 잇섯슬 것이다. 그러나 이 紹介文 中 多少 잘못된 것은 그리 重要한 差誤로 볼 수가 업고 紹介는 비록 이러케 하엿서도 그 內容만 充分히 잘 譯을 하엿스면 問題는 업는 것인데 偶然한 一語의 甚한 誤譯이 나로 하여금 本文과 譯文과를 一一히 對照하게 하야 實로 말할 수 업시 만흔 誤譯을 指摘하게 되엇다. 그『偶然한 一語의 甚한 誤譯』이란 것은 錢太爺의 큰 아들이 日本 가서 半年 동안 留學을 하고 도라왓는데 그 머리채가(辮子) 업서저서 그 母親은 十餘次를 울게 되고 그 안해(老婆)는 三次나 우름에 빠졋다는 곳이다. 中國말에『老婆』라고 하면 普通『안해』라는 意味로 쓰는데 白華氏는 白話文만 볼 줄 알고 一般 日用會話들 或 아지 못하는 데서『안해』다고 譯할 것을『祖母』라고 飜譯함이나 안일까? 이 글에 잇서서 祖母라고 하여도 그리 事理에서 멀지는 안하나『안해』를『祖母』라고 함에는 一笑를 禁할 수가 업서 或 나의 中國語가 不足한 結果 내가 잘못 알앗는가 하고 諸 親友와 先生에게 물어보앗드니『老婆兒』이라고『兒』字를 붓치면 朝鮮서 쓰는『老婆』라는 意味로 쓸 수는 잇스나『祖母』라고 쓰지는 안는다 하며『老婆』라고 二字만 쓰면 一定코『안해』라는 意味라고 함을 알게 되엇다.

그래서 처음에는 私信으로 이러한 말을 하여 볼까 하엿스나 白華氏는 面識도 업슬 뿐만 아니라 또한 白華氏는 中國 古今文學을 꾸준히 紹介하여 오고 郭沫若 改編의『西廂』가튼 조흔 翻譯도 잇섯슴으로 이러한 誤譯 가튼 것을 公開한다고 그의 文名에 別로 毁損될 배도 아니요, 도리혀 一般 研究하는

데 參考가 되겟기로 公開하는 것이오니 譯者, 讀者 諸氏는 誤解가 업기를 바란다.

(二)

二. 魯迅의 白話文

魯迅의 小說은 現代에 쓰는 白話로 쓰여 잇다. 그러나 그 白話가 日用 말하는 白話와 똑 가트냐 하면 그것은 决코 그러치 안타.

어느 言文이 一致한 나라라도 仔細히 口語와 口語文을 比較하여 보면 如干한 距離가 잇는 것이 아니다. 中國의 白話文도 亦是 日常 쓰는 口語와는 다른 點이 如干 만치 안타. 文學革命 後로 言文一致를 불으지지고 만흔 効果를 내기는 내엇스나 文學作品과 口語 새이는 아즉 差異가 만타. 아모리 言文一致가 實現된다 하더라도 永遠히 이 差異는 업서지지 안할 것이다. 中國 現代作家 中에도 創造社의 諸人과 가티 거의 言文을一致하게 쓰는 作家가 잇스나 口語를 그대로 쓰는 데에는 平面的 感動을 일으킬 수 박게 업고 立體的 感動은 퍽으나 어려운 일이다.

作品의 前後 關係로 因하야 全然 不可能하다고 할 수는 업스나 퍽 困難한 일이다. 그럼으로 深刻한 感銘을 주는 데에는 簡單하고 意味가 깁흔 文字를 擇하게 된다. 魯迅은 白話를 쓰면서도 이 『深刻한 意味』의 文字를 選用한 故로 自然 그 文章이 理解하기에 難澁하고 그 文章은 鷄肋가티 씹으면 씹을수록 맛이 나는 것이다. 그럼으로 魯迅은 中國文字의 固有한 特長을 把握하엿다고 할 수 잇다. 中國文字는 意像의 文字임으로 한 字에 만흔 意思를 包含할 수가 잇고 또 오랜 歷史를 가지고 잇느니 만콤 文字의 蓄意가 豊富하야

中國文字를 理解하는 사람은 簡單한 一句를 볼지라도 만흔 感動을 일으키고 그 想像을 無限히 擴大할 수가 잇다. 魯迅은 中國文字의 이 關鍵을 잡어서 잘 使用한 故도 그의 文章이 難澁하다느니 深刻하다느니 하고 或은 稱嘆 或은 不平을 일으키게 된다.

魯迅은 文字만을 그러케 選擇할 뿐만 아니라 小說 一篇의 全體의 寓意도 또한 그러케 推測하기가 어려우니 그의 一篇의 小說을 읽고도 그 小說이 무엇을 뜻함인지 몰을 것이 如干 만치 안타.

여긔에 問題되는 『阿Q正傳』도 또한 그러하니 或은 革命 當時의 社會相을 그린 것이라고도 말을 하고 或은 中國 國民性을 表現한 것이라고도 하게 된다. 或 엇더한 小說家는 小說이란 寓意를 하는 것이 아니라고 말하겟지만은 魯迅은 文學을 志願할 때부터 中國을 開發식히자는 熱意에서 하게 되엇슴으로 그의 小說은 어느 한 篇을 치고 寓意하지 안한 것이 업고 그의 散文詩歌集 『野草』를 보면 더욱히 寓意가 鮮明하다. 이와 가티 作家는 寓意가 잇지마는 魯迅의 小說에 익지 못하고 觀察이 淺薄한 讀者는 그 眞意를 把握하지 못하고 失敗한 일이 만타.

그럼으로 魯迅의 白話文은 그 用語가 어렵고 그 寓意를 把握하기가 어려웁고 또 한 가지는 그의 諧謔이다. 그는 論文, 講演, 小說, 詩歌 等 무엇을 勿論하고 諧謔을 떠나서 말한 적이 업다. 本來 言語나 文字를 勿論하고 直接으로 攻擊하는 것보다 反面으로 背擊하는 것이 더 만흔 效果를 내는 때가 잇다. 魯迅은 그 性格도 이러한 點이 잇겟지만은 그 作品이 더 深刻하여지고 더한 層 讀者를 感動식히는 것은 反意語와 雙關語를 잘 使用하는 데 잇다고 하겟다. 곳 諧謔을 善用하는 데 잇다고 하겟다.

그러한데 朝鮮文은 綴音 文字임으로 中國文을 翻譯할 때에는 直接 翻譯이 되지 못하고 解釋 비슷하게 턱 업시 길어지기도 하고 또 엇더한 때에는

中國文의 深刻味가 적어지는 것도 가트며 또 엇던 때는 中國文에만 固有하게 잇는 反語와 雙關語를 適當하게 우리나라 말로 譯할 수가 업는 때가 만타. 假令 『阿Q正傳』 속의 題目 中에 『大團圓』이 그 한 例이겟다. 普通 朝鮮말로는 結婚을 한 後 포곤한 家庭을 꾸미는 것이 大概 그 뜻이겟는데 『阿Q正傳』에는 諧謔으로 두 가지 뜻을 다 따서 볼 수 잇다. 곳 『圓滿한 結果』와 事實上 그와 反對의 意味와로 볼 것이다. 그러나 朝鮮말도 그저 團圓이라고 하면 普遍으로는 무엇을 意味하는지 理解하기가 퍽 어려울 것이다. 이것은 만흔 例 中에 한 例에 不過하고 普通 中文을 翻譯할 때에는 이러한 곳이 거재두량이다.

나는 以下에서 飜譯이 圓滿하게 되지 못한 곳은 될 수 잇는대로 除하고 原文과 판연히 달리 飜譯된 곳만을 들어보겟다.

(三)

三. 誤譯 列擧

第一回分에서 第三段 『……나의 文章의 着想으로부터 말을 하면……』은 그 原文을 보면 이러하다. 『……但從我的文章着想……』

그 原文의 意思는 『文章의 着想』이 아니요, 『나의 文章으로서 생각하여 보면』이요, 너 우리나라 말답게 하자면 『나의 文章을 생각하여 보면』이라고 하야도 조흘 듯하다. 勿論 文章의 修辭的 方面을 말한 것이요, 文章의 着想 即 文章의 內容을 말한 것이 안일 것이다. 語學의 方面으로 보면 『着想』은 부튼 名辭가 안이요, 『着』字는 動辭로 보게 될 것이어서 우리나라 말로 하자면 생각 『想』을 『하여보면』에 該當할 것이다.

第四段에 『……발을 굴으고 춤을 추면서 말하얏다. 이것은 저도 매우 생각이 난다.』(傍點은 筆者가) 그의 訂正表를 보면 『매우 생각이 난다는 생각이 난다는 의 誤』라고 하엿다.

나의 뜻은 『매우 생각이 난다』든지 그리 『생각이 난다』는 데 잇지 안코 그것도 저 것도 안인 데 잇다. 只今 그 原文을 보면 ……便手舞足蹈說, 這於他也很光采(傍點은 筆者가). 上句의 『手舞足蹈的說』도 實相은 춤을 추고 발을 굴리면서 말하는 것은 아니요, 『깃거서 말하는 것을 形容』한 것이나 이것은 그리 큰 誤譯으로는 볼 수 업고 나의 말하려 한 곳은 그 下句 『這於他也很光采』이다. 이 句를 直譯을 하여 보면 『이것이 그에게도(阿Q) 퍽 영광이다』라는 뜻이다. 阿Q가 姓이 趙哥라는 것이 阿Q에게 퍽 榮光이라는 말인데 엇더한 差誤로 『이것은 저도 매우 생각이 난다』 或은 『생각이 난다』 等 얼토당토 안케 譯을 하엿는지 알 수가 업다.

第二回分에서 第一段에 『너 어떠케 趙哥라는 姓을 알앗느냐, 너 어듸서 그 姓을 알앗느냐?』 이 譯을 쓰면서 原文을 보니 이것은 確實히 不注意로 誤譯된 것이 아니요, 譯者의 中語 程度가 엇더한 것을 表示하는 것이며 實로 이 句를 이와 가티 理解하고 엇더케 前後가 聯絡이 되는지가 疑問이다. 萬若 中語를 初學하는 이 가트면 몰으거니와 多年 譯筆을 들어오든 이로는 想像以外의 誤譯이요, 좀 더 酷評을 한다면 中國語를 조금도 몰은다고 하여도 過言이 아니겟다. 그 原文은 이러하다.『你怎麼會姓趙!──你那里配姓趙!』

譯과 比較를 하여보면 『你』는 『너』, 『怎麼』는 『엇더케』, 『會』는 『알앗느냐』, 『姓』은 『姓』, 『趙』는 『趙哥』다. 그 미테 句를 보면 『那里[04] 『어듸서』, 『配』는 亦是 『알앗느냐』라고 譯하얏다. 筆者가 생각하건대 이 『配』의 뜻을

---

04 '』'가 누락되어 있다.

몰으기 때문에 이 一句를 全部 딴말을 한 것 갓다. 『配』字는 本來 『資格이 잇다』는 意味로서 이 種類의 어떠한 말로든지 飜譯할 수가 잇는 것이다. 그 原文의 意思를 大畧 말하자면 이러할 것이다.

『네가 어떠케 해서 姓이 趙哥이겟느냐! 네 따위가 姓이 趙哥야!』 이것은 誤譯에도 甚한 誤譯이다.

第三段 中 『……그리고 또 生年月日을 적은 手帖 가튼 것도 남아 잇지를 아니함으로……』 그 原文은 『……又未嘗散過生日徵文的帖子……』.

原文의 뜻은 『只今것 生日에 詩文을 바들어 宣布한 請託狀이 업습으로……』이겟다. 이것도 勿論 조흔 譯은 아니나 意思는 그러한 意思다. 곳 內地서도 生活에 餘裕가 잇는 사람은 生日이 되면 그 子孫이 書畵詩文을 名人에게 밧는 것 가티 『生日에 『글을 지여달라고』(徵文) 請하는 一定한 形式이 잇는 편지(貼子)를 各地 各人에게 보낸(散文, 곳 뿌리는 뜻) 일이 업습으로』 라는 말이다. 貼子라는 것은 警官이 住所 姓名 生年月日을 적는 『手貼』이 아니요, 結婚式이라든지 或은 晩餐會를 한다던지 一定한 形式이 잇는 通知書, 편지 等을 말한 것이다. 原文과 白華氏의 譯과는 아조 딴판이다.

同 第三段 『……그토록 事物에 밝은 사람이것만은 벙벙하얏다. 그러나 結論으로부터 말을 하면 陳獨秀가 雜誌 『新青年』을 맨들어서 羅馬字를……된 것이다.』

이 말은 茂才의 結論에 依하야서 말을 하면 그러타는 말인데 譯文으로 보아서는 阿Q의 結論인지 茂才의 結論인지 알 수가 업고 『雜誌『新青年』을 맨들어서』가 아니오, 經營한다는 말이다.

第四段의 『나의 自身으로는 설마도 그것이 업다고 말할 수는 업지만은 이제는 이 우에 더 調査할 수도 업고 다시 道理가 업습으로……』

原文: 『我雖不知道是眞沒有, 還是沒有查, 然而也再沒有別的方法了』. 原

文의 뜻은『나는 참으로 업섯는지 그러치 안하면 그 사람이 調査를 하지 안하엿는지 알지 못하기는 하지마는 인제는 다시 다른 方法이 업섯다.』

三人稱이 하는 行爲와 一人稱이 한 일을 混同하야 譯을 하엿스니 原意와는 딴판일 것이 勿論이다.

(四)

第一段,『……눈을 실죽하게 뜨고서』. 原文:『…瞪着眼睛道…』.『瞪着』은 눈을 부릅뜬단 말이다. 바로 그 미테 말에『나도 以前에는──너희들보다 낫섯서? 너 누구로 아느냐!』.

原文:『我們先前──比你闊的多啦? 你算是什麼東西!』.『……你算是什麼東西』는『너 누구로 아느냐!』라는 意味가 아니요,『네까짓 것이 다 무아냐!』일 것이요, 니어서『……하고 말하는 것이 긔ㅅ것 하는 소리엇다』의『긔ㅅ것 하는 소리엇다』는 原文에 업는 보탬이다.

同 第一段,『어느 늙은 영감쟁이가 阿Q를 치켜세어『너는 아모 것을 시켜도 잘한다』고 하얏다. 이 때 阿Q는 팔둑을 쑥 내밀고 구지레한 꼴로 그 늙은 영감쟁이 아페 나섯섯다. 달은 사람은 이 말은 정말로 듯지 안코 亦是 嘲笑로만 녁이엇스나 阿Q는 뭇척 깃버하엿다.』

原文:『有一個老頭子頌揚說,『阿Q眞能做!』這時阿Q赤着膊, 懶洋洋的瘦伶仃的正在他面前. 別人也摸不着這話是眞心還是譏笑. 然而阿Q很喜歡』.

그 뜻인즉『한 늙은 영감이 찬양하야『阿Q는 참 일을 잘한다』라고 말하엿다. 이 때 阿Q는 웃통을 벗고 비시개니 혼저 그 압헤 잇섯다. 다른 사람도 이 말이 참으로 한 소리인지 역시 嘲笑인지 알 수가 업섯다. 그러나 阿Q는 퍽 깃버하엿섯다.』

以上에 例擧한 것이 三回까지의 誤譯이요, 그 外에도 些少한 誤譯은 만흐며 四回 以下에도 不知其數나 筆者의 時間上 一一히 記錄할 수가 업슴으로 一切 約한다. 이 가티 原作과 判然히 다른 말을 쓰랴면 翻譯이라고 하는 것보다 도리혀 原作의 改作이라고 하는 것이 適當할 뜻하다.

本來 翻譯은 原作에 틀림이 업서야 할 것 곳 誤譯이 업서야 할 것이요, 다음에는 그 翻譯文이 通하여야 할 것이다. 그럼으로 中國의 有數한 翻譯家인 嚴復는 翻譯에 세 가지 條件을 들엇다 한다. 『信』, 『達』, 『雅』는 그의 말하는 三條件인데 『信』은 原作에 忠實한다는 것이며, 『達』은 翻譯 國語로 그 原作의 意味가 通達하여야 한다는 것이며, 『雅』는 文章이 流麗하여야 한다는 것이다. 그러나 一般으로는 이 三條件을 다 바랄 수가 업고 『信』과 『達』만 俱備하여도 될 것이다.

今番 『阿Q正傳』 譯은 첫째 條件도 갓추지 못하엿스며 따라서 둘째 條件이 俱備될 수가 업슬 것이다. 誤譯이 그와 가티 만하서는 原作의 『이약이』도 讀者가 알 수 업슬 것이며 무엇을 가지고 新興 中國小說界의 傑作이라고 하는지 알 수가 업다고 失望할 것이다.

筆者는 『阿Q正傳』이 이러한 誤譯이 업시 紹介되기를 바래며 中國 新文學이 더욱 만히 正確하게 우리나라에 紹介되기를 바라기 마지 안는다.

(끗)

새로 일어난 上海의 左翼劇[01]

저자 미상

『西部戰線에 異狀이 업다』라고 하면 昨年 겨울에 日本에서 築地小劇場과 新築地劇壇이 競演을 하야 日本 新興劇運動에 새로운 큰 波紋을 던졋스나 中國에는 한 거름 느저서 三月 二十一日 中國의 前衞座라고 할만한 上海의 『藝術劇社』가 이 脚本을 上演하야 特異한 効果을 보엿다 한다. 이른바 『藝術劇』이라 하는 것은 新派改良劇 또는 單純한 創作劇의 程度도 沈滯한 中國의 新劇運動에 잇서서 홀로 敢然히 銳角的 飛躍을 하고 잇는 極左翼의 前衞的 一群이다. 劇本은 東京本鄕座에서 한 村山知義氏의 脚色으로 된 五幕 十三場을 그대로 옴겨다가 村山氏와 편지로 連絡을 取하야 演出, 舞臺裝置, 効果 等에 적지 안흔 應援를 어덧다고 한다. 劇場은 上海在留 日本人의 唯一한 劇場인 北四川路의 演藝舘이엇는데 劇場이라고 하기보다는 日本의 『寄席』이라고 할만한 조그만 場所이엇다. 일부러 그런 場所를 擇한 것은 日本劇場 特有의 廻轉舞臺의 便宜가 잇는 것과 中國官憲의 干涉을 幾分間이라도 避할 수 잇는 理由엿는 모양이다.

---

01 『朝鮮日報』 1930.4.22, 5면

俳優는 藝術社 同人인데 그 大部分은 大學生으로 그들이 스스로 過渡階級이라고 일컷는『푸티뿌르 인레리겐챠』다. 興味 잇는 것은 同社의 幹部가 거의 日本留學 出身者인 것인데 그들이 힘차게 中國新興文藝運動의 最左翼의 尖端을 달리고 잇는 것은 우리의 가장 注目할 바이라 하겟다. 더욱이 그네들의 演劇을 보러오는 觀衆이 學生과 勞働者 뿐인 것이 가장 注意할만한 점이나 첫 번 公演에는그 團體에 돈이 만치 못하고 舞臺가 狹窄하야서 舞臺技巧나 裝置가 그다지 시원치 못하얏다 하며 同社의 手法을 吟味하면은 爲先『西部戰線에 異狀이 업다』라고 하야 明確히 戰爭을 反對한 것은 村山氏의 意圖를 그대로 踏襲한 것이라고 볼 수 잇다. 現在 中國 國內에서 되푸리하고 잇는 暗澹한 軍閥 爭亂에 對한 痛罵로써 利用하려 한 것은 中國 自身의 特殊 條件으로 보아 巧妙 適切한 頂門의 一針이라고 볼 수 잇는 것이다. 또 그와 同時에 軍閥 爭亂에 依하야 漸漸 窮乏의 밋바닥으로 쫏겨 들어가고 잇는 勞農大衆──(最近에 上海로 흘러든 農村 失業者만 하야도 二十萬에 達하고 失業工人數는 十萬 餘나 된다고 한다.』[02]에게 對하야 그들이 取할만한 反撥의 方向을 教示하려고 하는 露骨的인 努力이 보이는 것도 特色이다.

그리고 또 한 가지 特色은 이것도 中國革命의 特殊性에 依한 民族××意識의 高潮이다.

끄트로『藝術劇社』에 對하야 簡單히 紹介하자면 中國 新文藝運動史上에 잇서 同社의 位置에 對한 指摘이나 理論的 根據의 討究는 除外하고 여긔서는 커다란 輪廓만을 보기로 하자.

成立은 昨年 五月, 第一回는『씽그레이어』의『二層의 사나히』,『로망로

---

02 '』'는 ')'의 오식이다.

랑』의 『사랑과 죽엄의 戱弄』, 『루멜텐』의 『炭坑夫』, 第二回는 ○○○○[03]記念節에 應援 出演으로『○○○[04]被壓迫民族團結起來』, 第三回는 三八 國際婦女데이의 前날 밤에 女生活을 根據로 한 短劇, 第四回는 ○○○○과 함께 煽動的인 意圖를 演出한 바가 잇섯스니 幹部들은 左翼作家同盟에 들어가 雜誌 『太陽』, 『拓荒者』, 『大衆文藝』의 編輯과 執筆을 아울러 하고 잇다 한다.

(寫眞은 藝術劇社의 『삐라』와 女優 王瑩孃. 上左부터 同社의 幹部인 鄭伯奇, 陶晶孫, 沈端先, 葉沉.)

---

03 국제 노동절 기념행사였다.

04 '全世界'로 짐작된다.

中國의 近代詩僧 蘇曼殊大師 一生 ― 附 그의 遺著[01]

梁白華

(1)[02]

내 曾前에 湖南湘潭의 詩僧 黃讀山(釋名敬安 字寄禪)의 著『八指頭陀詩集述』을 닑다가 그 中의『余………七歲失母, 諸姊皆已嫁, 父或他適, 則預以余及弟寄食隣家. 日昃不返, 卽嗁號縱迹之, 里人爲之惻然. 年十[03], 始就塾師授論語 未終篇, 父又沒. 零丁孤苦, 極厥慘傷. 弟以幼依族父, 余無所得食, 迺爲農家牧牛, 猶帶書讀. 一日, 與群兒避雨村中, 聞讀唐詩, 至「小孤爲客早」句, 潸然淚下. 塾師周雲帆先生該[04]問其由, 以父沒不能讀書對. 師甚憐之, 曰,「子爲我執炊爨洒掃, 暇則教子讀, 可乎」卽下拜. 師喜甚, 每語人曰,『此子耐苦讀, 後必有所樹立. 余老不及見耳.』無何, 師以病沒. 然余遵師遺訓, 不欲廢業. 聞某

---

01 『每日申報』 1930.8.12~17, 8.19~8.24, 5면. 대부분 내용을 중국학자 楊溟烈의『蘇曼殊傳』(『晨報副刊』 1923.11.22~11.30)에서 초역한 글이다.

02 매회 연재분 표기로서 12회에 걸쳐 연재되었다.

03 '年十一'의 잘못으로서 '一'이 누락되었다.

04 '該'는 '駭'의 오식이다.

豪家欲覓小[05]童伴兒讀, 卽欣然往就. 至則使供驅役, 自讀輒遭訶叱, 因悲歎以爲屈身原爲讀書計. 旣違所願, 豈可爲區區衣食爲人奴乎. 旣辭去學藝, 鞭撻尤甚, 絶而復甦者數次. 一日, 見籬間白桃花忽爲風雨摧敗, 不覺失聲大哭, 因慨然動出塵想, 遂投湘陰法華寺出家. 禮東林長老爲師. 時同治七年, 余方成童也⋯⋯⋯』라 한 곳에 이르러 喟然히 눈물을 지은 일이 잇섯다. 그런데 세상에는 傷心人이 적지 아니하야 이 黃讀山 時代의 족음 뒤에 이와 遭遇가 가튼 詩僧 蘇曼殊를 나는 또 보앗다. 그것은 그의 作 『斷鴻零雁記』를 닑다가 이 小說이 그의 自叙傳임을 안 까닭이다. 그래서 그의 傳記를 어더보랴고 苦心하얏스나 異常한 것은 梁任公의 『淸學槪論』에나 胡适之의 『五十年來中國之文學』에나 도모지 그의 影子조차 볼 수 업고 아페 잇서 章太炎의 『章氏叢書』의 文錄二에 『書蘇元瑛事』라는 一篇 文이 잇스나 한갓 讃歎의 口氣로 史公의 筆墨과 突兀한 章法을 가지고 蘇玄瑛의 한 些瑣한 일을 말한데 지내지 못하야 非常히 簡略하고 이 外에 一篇의 『曼殊遺畵辯言』이 잇스나 단지 한 曼殊의 浪漫的 行爲를 傳한 것이요, 달은 것은 考査할 수가 업섯다. 그리고 뒤에 잇서서 柳亞子(棄疾)가 曼殊師의 遺著 『燕子山僧集』 속에 一篇의 『蘇玄瑛傳』을 지어 느헛는데 內容이 比較的 豊富하나 또한 曼殊의 生平을 잘 나타내지는 못하얏섯다. 이에 나는 上記한 諸 名士의 글을 根據로 하야 단지 『蘇玄瑛의 字는 子穀이요, 號는 曼殊며 廣東 香山人이요, 父는 廣州產으로 日本에 商하야 日本女를 娶하야 玄瑛을 生하얏는데 此를 挈하고 返國하얏다』하는 몃 마대의 말을 알앗슬 뿐이요. 『身世有難言之恫』이라는 그 生平의 일을 아지 못함을 遺憾으로 생각하야 나의 힘을 돌아보지 안코 그의 一生을 그 自傳小說을 通하야 抄하는 것이니 이는 한편으로 天才가 卓越한 文學家

05 '小'는 '一'의 잘못이다.

로의 蘇曼殊師의 그 遭□[06]를 슬펴하며 또는 興味를 늣김이다.

(寫眞 蘇曼殊大師)

(2)

이제 蘇曼殊의『斷鴻零雁記』小說을 아페 놋코 그 生平을 말하야 가랴고 한다. 대체 曼殊는 어떠한 사람인가? 그는 前記한 自傳小說 中에 그 乳媼에게『吾身世究如何者』오 하고 무르니 乳媼은『夫人──曼殊의 母親──爲日本產, 衣制悉從吾國古代, 此吾見夫人後, 始習聞之.「三郞」卽夫人命爾名也, 甞聞之夫人, 爾呱々墜地無幾月, 卽生父見背. 爾生父宗郞, 舊爲江戶名族, 生平肝膽照人. 爲里黨所推, 後此夫人綜覽季世, 漸入澆漓, 思携爾託根上國, 故挈爾身於父執爲誼子, 使爾離絶島民根性, 冀爾長進爲人中龍也. 明知玆事有干國律, 然慈母愛子之心, 無所不至, 乃親自抱爾潛行來游吾國, 僑居三年, 忽一日, 夫人詔我曰,「吾東歸矣, 爾其珍重.」復次, 指三郞淒聲含淚曰,「是兒生也不辰, 媼其善之[07], 吾必不忘爾賜.」語己, 手書地址付余, 囑勿遺失, 故吾今尙珍藏舊簏之中.』(斷鴻零雁記六──七頁)이라고 答하얏다. 그리고 蘇夫人이 日本으로 도라간 뒤에 曼殊가 그 父執의 집에서 어떠케 지내엇느냐 하는 데에 對하야서는 乳媼이『爾父執爲人誠實, 恒念爾生父於彼有恩, 視爾猶己出, 誰料爾父執辭世不旋踵而彼婦──曼殊父執의 妻子──初誠頓變耶? 至爾無知

06 '遇'로 짐작된다.

07 '善視之'로서 '視'자가 누락되어 있다.

小子, 受待之苛, 莫可倫比.』라고 말하얏다. 아닌게 아니라 曼殊의 父執의 妻子는 참으로 惡毒하얏다. 한便으로 曼殊에게는 蘇夫人이 이미 魚腹에 장사하얏다고 거짓말하고(八頁) 蘇夫人 쪽에는 또 말하기를 曼殊가 山에 올라갓다가 호랑이에게 죽고(二八頁) 乳媼도 다라낫다고 하얏다(六頁). 曼殊에게는 그 때에 또한 父執이 잇섯는데 이는 그의 未婚妻 雪梅의 父親이엇다. 曼殊는 이에 對하야 말하기를 『雪梅之父在余義父未逝之先, 已將雪梅許我, 後此見余誼父家運式微, 余生母復無消息, 乃生悔心, 欲爽前約.』(一五頁)이라 하고 그 다음에 『當時余固年少氣盛, 遂掉頭不顧, 飄然之廣州常秀寺哀禱贊初長老, 攝受爲驅烏沙.』(一六頁)라고 하얏다. 이것이 曼殊가 出家 入禪한 原因을 스스로 말한 것이엇다. 그 身世의 遭遇가 아페 말한 黃讀山과 가티 슬프지 아니한가? 다만 章太炎의 말한 曼殊에 依하면 『廣中重宗法, 族人以子穀異類, 群擯斥之. 父分貲其母, 令子穀出就外傳, 習英吉利語, 數歲, 父死, 母歸日本, 子穀貧困, 爲沙門, 號曰曼殊.』라 하고 또 『子穀少時, 爲父聘女, 及壯, 貧甚, 衣裳物色在僧俗間, 所聘女亦與絶.』이라 하엿스며 柳亞子가 曼殊를 傳한 말에는 『祝髮廣州之雷峰寺, 本寺慧能[08]長老, 奇其才, 試授以學, 不數年盡通梵·漢及歐羅巴諸國典籍』이라고 하얏는데 曼殊 自己의 말에 依하면 그는 西班牙 牧師 勞弼의 집에서 二年 間 歐文을 배웟는데 이는 그가 『其人淸幽絶俗, 實景教中錚錚之士, 非句藏禍心, 思墟人國者.』임을 羨慕함이서이엇다.(斷鴻零雁記一七頁)

08 '慧龍'의 오식이다. 아래에도 마찬가지이다.

(3)

그 뒤에 그는 그 「古德幽光」의 未婚妻 雪梅에게 一百金의 幇助를 어더 日本에 가서 그 生母를 맛나 보앗다. 「骨肉重逢」은 이 人生의 最大 快事다. 게다가 그는 그의 姨母의 厚遇를 입엇고 그 表姊 靜子는 纏綿한 戀愛를 걸어 그는 비록 雪梅를 생각하나 靜子는 그에게는 屬意한 사람이 업다고 하야 그가 病臥하자 靜子는 손수 湯藥을 달인다. 精美한 臥房을 내어주어 그로 잇게 한다. 그 榻畔의 紫檀几上에 每晨에 반듯이 一束 鮮花를 밧구어 꼬자 놋는다 하는 等 溫存을 體貼함이 이르지 아님이 업서 비록 紅樓夢 속의 賈寶玉의 所享한 豔福이라도 이에서 더 지낼 수는 업섯다. 그런데 뒤에 그는 畢竟 말하지 아니하고 다라낫다. 西湖로 돌아와 如前히 僧衣를 걸치고 和尙이 되어 어느날 麥氏家에 가서 法事를 做하다가 麥氏 女公子의 입에서 그의 未婚妻 雪梅가 『被其繼母逼爲富家媳, 迨出閣前一夕, 竟絶粒而夭』라는 消息을 어더듯고 그는 이로하야 廣州로 香塚을 차즈러 돌아갓다. 이것이 이 小說 『斷鴻零雁記』의 結束이다. 이 뒤의 曼殊의 事蹟은 仔細히 알 수 업스나 柳亞子의 作傳에 依하면 曼殊는 그의 恩師 慧能이 죽은 까닭에 그는 『漠然無所向, 遂返初服, 踰嶺絶大江, 遍歷湘之長沙, 皖之安慶, 蘇之秣陵吳門, 浙之武林, 而居上海長久. 又感玄奘故事, 萬里裹糧, 隻身走身毒, 周遊歐羅巴美利堅諸境, 自耶婆提航海歸, 其間數數東渡倭省母. 會前大總統孫文, 玄瑛鄕人也, 時方亡命嵎夷, 期覆淸社, 海內才智之士, 鱗萃輻湊, 人人願從玄瑛遊, 自以爲相見晩, 玄瑛翺翔其間, 若莊光之於南陽焉[09]. 及南都建國……晩居上海, 好逐狹邪遊, 姹女盈前, 弗一破其禪定也. 中華民國七年五月二日以疾卒于寶隆醫院, 年△十有

09 '南陽故人焉'으로서 '故人' 두 자가 누락되어 있다.

△.』이니라 하얏다. 이와 가티 그의 年齡은 알 수 업스니 그의 生年은 自然히 推算할 길이 업다.

그던데 以上의 殘闕 不全한 傳記에 依하야 우리는 曼殊가 『天眞未鑿』의 한 로맨틱한 사람임을 알수 잇다. 그럼으로 章太炎은 말하기를 『子穀蓋老氏所謂嬰兒者也』라 하고 『不解人事, 至不辨稻麥期侯, 啗飯輒四五盂, 亦不知爲稻也. 嘗在日本, 一日飮冰五六斤, 比晩, 不能動, 人以爲死, 視之, 猶有氣, 明日復飮冰如故.』라 하얏스며 또 말하기를 曼殊가 그 所聘女와 絶緣한 뒤에 『欲更娶, 人無與者, 乃入倡家哭之, 倡家駭走, 始去. 美利加有肥女重四百斤, 經[10] 大如汲水甕, 子穀視之, 問, 「求偶耶? 安得肥重與君等者?」 女曰, 「吾欲瘠人.」 子穀曰, 「吾體瘠, 爲君偶何如?」, 其行事多如此.』라 하얏다. 그러나 曼殊가 사람에게 뛰어난 것은 道德이 高尙하고 操守가 貞固한 것이엇다. 그래서 章氏는 잇대어 말하기를 『然性率直, 見人詐僞敗行者, 常瞋目詈之, 人以其狂戇, 亦不恨.』이라 하고 『書蘇元瑛事』에는 『獨行之士, 不從流俗, 然于朋友竺摯, 凡委瑣功利之事, 視之蔑如也. 雖名在革命者, 或不能得齒列.』이라 하고 또 말하기를 『元瑛與劉光漢有舊, 時時宿留其家, 然諸與光漢陰謀者, 元瑛輒詈之, 或不同坐. 礲而不磷, 涅而不滓, 其斯之謂歟』아 하얏스며 柳亞子의 『蘇玄瑛傳』에도 말하기를 辛亥革命 以後에 그가 日本에 잇슬 때에 알든 사람은 모다 때를 타 뜻을 엇고 다토어 玄瑛을 끄을랴고 한즉 『玄瑛冥鴻物外, 足未嘗一履其門, 時論高之. 生平口不言錢, 而揮手萬金[11], 値資絶餓不得餐, 則擁衾終日臥, 怡然弗而[12]爲困. 釋衲以來, 絶口婚宦事.』라 하얏다. 이러한 人格은 참으로

---

10 '脛'의 오식이다.

11 '揮手盡萬金'으로서 '盡'자가 누락되어 있다.

12 '而'은 '以'의 잘못이다.

章氏의 이른바 『厲高節, 抗浮雲』이라 한 六字가 適合한 評인 줄로 안다.

(4)

曼殊의 一生의 事蹟은 대개 以上과 갓다. 그런데 인제 그 平生 述作에 對하야 말하고저 한다. 曼殊의 著述은 말하면 꽤 만흔 편이다. 그러나 거의 散逸되어 잇지 아니하고 다만 考見할 수 잇는 것은 알에 列擧하는 몃 가지다.

(甲) 詩類

燕子龕遺詩 一卷

(乙) 小說類

焚劍記

絳紗記

碎簪記

斷鴻零雁記

(丙) 翻譯文學類

文學因緣

英漢三昧集

拜輪詩選

悲慘世界

(丁) 雜文類

梵文典 八卷

潮音 一卷

雜著隨筆 若干卷

曼殊의 詩는 王德鐘이 批評하기를 『所謂詩債[13]麗綿眇, 其神則蹇裳湘渚, 幽幽蘭馨. 其韻則天外雲璈, 如往而復極. 其神化之境, 蓋如羚羊掛角而弗可迹也.』라 하얏다. 이러한 기다리케 늘어논 浮泛한 말은 저 楊鴻烈君의 評한 淸豔明雋이라는 넉字만 못하다. 이 네 글자가 曼殊의 詩의 精神을 잘 나타냇다고 할 수가 잇스니 이제 그 몃 首 詩를 抄하야 이를 證하겟다.

有贈

春雨樓頭尺八簫, 何時歸看浙江潮?
芒鞋破鉢無人識, 踏過櫻花第幾橋?

過若松町有感示仲兄

契闊死生君莫問, 行雲流水一孤僧.
無端狂笑無端哭, 縱有歡腸已似冰.

住西湖白雲禪院

白雲深處擁雷峰, 幾樹寒梅帶雪紅?
齋罷垂垂渾入定, 庵前潭影落疎鍾.

---

13 '債'는 '蒨'의 오식이다.

憩平原別邸贈玄玄

狂歌走馬遍天涯, 斗酒黃鷄處士家.
逢君別有傷心在, 且看寒梅未落花.

이 네 首 詩만으로도 足히 曼殊 詩境의 淸麗한 것과 人品의 高潔한 것과 胸懷의 灑落한 것을 볼 수가 잇다. 처음에 이미 말한 저 詩僧 八指頭陀의 詩에 『十載身如一葉輕, 靑山到處自題名. 每來玉几雲邊宿, 會[14]向金鼇背上行. 鉢裏尙餘杳[15]積飯, 詩中猶帶海潮聲. 舊遊歷歷爲君數, 煙火[16]蒼茫無限情.』(詩集 卷二 戲濬川居士[17])이라는 詩가 잇다. 無論 조흔 詩다. 그러나 雕琢이 넘오 甚하야 曼殊의 것만 못한 것 갓다.

寄調箏人

生憎花發柳含煙, 東海飄零二十年.
懺盡情禪空色相, 琵琶湖畔枕經眠.
禪心一任蛾眉妬, 佛說原來怨是親.
雨笠煙簑歸去也, 與人無愛亦無嗔.

---

14 '會'는 '曾'의 오식이다.

15 '杳'는 '香'의 오식이다.

16 '火'는 '水'의 오식이다.

17 원문은 '戲贈濬川居士'로서 '贈'자가 누락되어 있다.

偷嘗天女唇中露, 幾度臨風拭淚痕.
日月思君令人老, 孤窓無邪正黃昏.

東居雜詩 十九首

却下珠簾故故羞, 浪持銀燭照梳頭,
玉階人靜情難訴, 悄向星河覓女牛.
流螢明滅夜悠悠, 素女嬋娟不耐秋,
相逢莫問人間事, 故國傷心秪淚流.
羅襦換罷下西樓, 荳蔲香溫語未休,
說到年華更羞怯, 水晶廉下學箜篌.
翡翠流蘇白玉鉤, 夜涼如水待牽牛,
知否去年人去後, 枕函紅淚至今留.
異國名香莫浪偸, 窺簾一笑意偏幽,
明珠欲贈還惆悵, 來歲雙星怕引愁.
碧闌干外夜沉沉, 斜倚雲屛燭影深,
看取紅酥渾欲滴, 鳳文雙髻是同心.
秋千院落月如鉤, 爲愛花陰嬾[18]上樓,
露濕紅蕖波底襪, 自拈羅帶淡蛾羞.
折得黃花贈阿嬌, 暗擡星眼謝王喬,
輕車肥犢金鈴響, 深院何人弄碧簫?

---

18 '嬾'는 '懶'의 오식이다.

碧沼紅蓮水自流, 涉江同上木蘭舟,
可憐十五盈々女, 不信盧家有莫愁.
鐙飄[19]珠箔玉箏秋, 幾曲回蘭水上樓,
猛憶定庵哀怨句, 三生花草夢蘇州.
人間天上結離憂, 翠袖凝妝獨倚樓,
凄絶蜀楊絲萬縷, 替人惜別亦生愁.
六幅瀟湘曳畵裙, 鐙前蘭麝自氤氳,
扁舟容與知無計, 兵火頭陀淚滿樽.
銀燭金杯映綠紗, 空持傾國對流霞,
酡顔欲語嬌無力, 雲髻新簪白玉花.
蟬翼輕紗束細腰, 遠山眉黛不能描,
誰知詞客蓬山裏, 煙雨樓臺夢六朝.
胭脂湖畔紫騮驕, 流水棲鴉認小橋,
爲向芭蕉問消息, 朝朝紅淚欲成潮.
珍重嫦娥白玉姿, 人天携手兩無期,
遺珠有恨終歸海, 睹物思人更可悲.
誰憐一闋斷腸詞, 搖落秋懷秖自知,
况是異鄕兼日暮, 疎鐘紅葉墜相思.
槭槭秋林細雨時, 天涯飄泊欲何之?
空山流水無人迹, 何處蛾眉有怨詞?
蘭蕙芬芳總負伊, 並肩携手納涼時,
舊廂風物重相憶, 十指纖纖擘荔枝.

---

19 '鐙飄'는 '飄燈'의 오식이다.

(5)

우리는 이 兩篇 詩를 比較하야 顯然히 第一篇은 出家人 本來의 面目을, 다음 한 篇은 『倩麗綿眇』로 浪漫 艶美한 그의 天才를 이에 完全히 露出한 것으로 볼 수가 잇다. 다시 또 두어 首를 들자.

(一) 西班牙雪鴻女詩人過存病榻, 親持玉照一幅, 拜輪遺集一卷, 曼陀羅花共含羞草一束見貽, 且殷々勗以歸計. 嗟夫! 予早歲披鬀, 學道無成, 思維身世, 有難言之恫, 爰扶病書二十八字于拜輪卷首, 此意惟雪鴻大家能之耳.
秋風海上已黃昏, 獨向遺篇弔拜輪,
詞客飄蓬君與我, 可能異域爲招魂?

(二) 汽車中隔座女郎言其妹氏懷仁仗義, 年僅十三, 乘摩多車冒風而歿, 余憐而慰之, 並示『湘痕』, 『阿可』.
人間花草太匆匆, 春來[20]殘時花已空,
自是神仙論小謫, 不須惆悵憶芳容.

그러면 이와 가티 品格이 高貴한 曼殊의 詩는 近代 中國詩壇에 어떠한 位置에 잇느냐? 王德鐘은 말하기를 『鳥虖! 近代詩道之宗尙, 誠難言矣. 所稱能詩者, 爭以山谷, 宛陵, 臨川, 后山爲歸, 自憙寄興深微, 裁章閑澹, 刊落風華以爲高, 然僅規模北宋之淸削, 而上不窺乎韋孟之門者, 則蹇澀瑣碎之病作焉. 自

20 '來'는 '末'의 오식이다.

古作家, 珥璫釵鈿之詞, 苟其風期散朗, 無傷大雅, 在所不廢, 今固亦有二三鉅子, 力武晚唐, 以沈博絶麗自雄, 顧刊播所見, 隷事傷神, 遺詞傷骨, 厥音靡靡, 託體猶遠在「疑雨」之下, 宜乎「玉台」, 「西崑」見詬於世哉, 於是而蘇子曼殊之詩可以俎百代已.』라 하엿다. 본대 조흔 詩는 모다 意味甚長하게 「내 손으로 내 입을 그리는 것」으로 根本 要素를 삼는 것이다. 저 模倣과 雛[21]琢과 浮淺한 詩는 自然히 曼殊 가튼 이러한 永久不朽의 價値는 업는 것이니 이것은 詩體의 古不古에 잇는 것은 아니다. 曼殊의 詩는 王氏의 말에 據하면 『多放失, 存稿至鮮』하야 王氏의 編定한 『燕子龕遺詩』 一卷에 단지 七言絶句 六十一首와 五言絶句 四首가 잇슬 뿐이다. 내가 이에 選錄한 詩는 該書에 依한 것이다.

그런데 나는 여긔 曼殊의 詩를 말하는 길에 그의 譯詩를 말하고저 한다. 그에게는 飜譯한 『拜輪(바이론)詩選』이 잇는데 그 卷首 自序에 그의 譯詩할 때의 心境과 그의 漢詩 英譯에 對한 批評과 및 自己의 譯詩에 對한 意見을 말하야 우리에게 조흔 參考가 되겟기로 이를 먼저 錄出한다.

> 去秋白零大學教授法蘭居士, 游秣陵, 會衲於祇桓精舍. 譚及英人近譯「大乘起信論」, 以爲破碎過甚. 衲喟然歎曰, 『譯事固難, 况譯以英文, 首尾負竭, 不稱其意, 玆無論矣. 又其卷端, 謂馬鳴此論, 同符景教. 嗚呼! 是烏足以語大乘者哉.』 居士屬衲爲購法苑珠林, 版久蠹蝕, 無以應其求也. 衲語居士, 『震旦萬事蓋墜, 豈復如昔時所稱天國(Celestial Empire)? 亦將爲印度, 巴比倫, 埃及, 希臘之繼耳.』 此語思之, 常有餘恫. 比自秣陵遄歸將母,

21 '雛'는 '雕'의 오식이다.

病起匈膈, 擩筆譯拜輪『去國行』, 『大海』, 『哀希臘』三篇. 善哉! 拜倫以詩人去國之憂, 寄之吟詠, 謀人家國, 功成不居, 雖與日月爭光, 可也. 甞謂詩歌之美, 在乎氣體, 然其情思幼眇, 抑亦十方同感, 如衲舊澤[22]頴頴[23]赤牆靡, 去燕, 冬月[24], 答美人贈束髮䙰帶詩數章, 可爲證已. 古詩, 『思君令人老』, 英譯作『To think of you makes me old』, 辭氣相副, 正難再得.

(6)

若小雅──

『昔我往矣,
　楊柳依々.
　今我來思,
　雨雪霏々.
　行道遲々,
　載渴載飢.
　我心傷悲,
　莫知我哀──』

---

22 '澤'는 '譯'의 오식이다.

23 '頴頴'는 '穎穎'의 오식이다.

24 '月'는 '日'의 오식이다.

譯如──

"At first, when we set out,
The willows were fresh and green;
Now, when we shall be returning,
The snow will be falling in Clouds.
Long and tedious will be our marching;
We shall hunger; we shal thirst.
Our hearts are wounded with grief,
And no one knows our sadness."

又 陳陶의 隴西行──

誓掃匈奴不顧身,
五千貂錦喪胡塵,
可憐無定河邊骨,
猶是春閨夢裏人!

"They swore the Huns should perish;[25] they would die if needs they must,
And now five thousand, sable—clad, have hit[26] the tartar

25 쌍점의 오식이다.

26 'bit'의 오식이다.

dust.

Along the river bank their bones lie scattered where they may,

But still their forms in dreams arise to fair anus[27] far away."

顧視元文, 猶不相及. 自餘譯者, 澆淳散朴, 損益任情, 寗足以勝鞮奇之任! 今譯是篇, 按文切理, 語無增飾. 陳義悱惻, 事辭相稱. 世有作者, 赤將有感乎斯文? 光緒三十二年, 佛從多羅夜登陵奢天下還日, 曼殊序於太平洋舟中.

『拜輪詩選』 속에는 『去國行』, 『留別雅典女郎』, 『贊大海』, 『答美人贈束髮㡜帶詩』, 『哀希臘』 五篇를 실엇는데 이로 中國文壇에서는 各譯이라고 크게 일커른다. 나는 英文을 모르지마는 그의 譯한 『去國行』은 미상불 잘된 詩기에 이에 原詩와 모다 錄出하야 그의 飜譯 솜씨가 어떠한가를 讀者에게 보힌다.

MY NATIVE LAND—GOOD NIGHT.

Adieu, adieu! my native shore

Fades o'er the waters blue;

The night—winds sigh, the breakers roar,

And shrieks the wild seamew.

27 'onec'의 오식이다.

Yon sun that sets upon the sea
We follow in his flight;
Farwell[28] awhile to him and thee,
My Native Land—Good Night!

去國行

行行去故國, 瀨遠蒼波來.
鳴湍激夕風, 沙鷗聲凄其.
落日照遠海, 游子行隨之.
須臾與爾別, 故國從此辭.

Few[29] short hours and he will rise
To give the morrow birth;
And I shall hail the main and skies,
But not my mother earth.
Deserted is my own good hall,
Its hearth is desolate;
Wild weeds are gathering on the wall;
My dog hawls at the gate.

---

28 'Farewell'의 오식이다.

29 'A few'로서 'A'가 누락되어 있다.

日出幾刹那, 明日眴息間.

海天一淸嘯, 舊鄕長棄捐.

吾家已荒凉, 爐竈無餘煙.

牆壁生蒿藜, 犬吠空門邊.

“Come hither, hither, my little page;

Why dost thou weep and wail?

Or dost thou dread the billows’ rage,

Or tremble at the gale?

But dash the tear—drop from thine eye;

Our ship is swift and strong;

Our fleetest falcon scarce can fly

More merrily alog”

童僕爾善來, 恫哭亦胡爲?

豈懼怒濤怒, 抑畏狂風危?

涕泗勿滂沱, 堅船行若飛,

秋鷹寧爲疾, 此去樂無涯.

“Come hither, hither, my stanch yeoman;

Why dost thou look so pale?

Or dost thou dread a French foeman,

Or shiver at the glae?——

Deem’st thou I tremble for my life?

Sir Child, I'm not so weak;
But thinking on an absent wife
Will blanch a faithfull cheek.

火伴爾善來, 爾顔胡慘白？
或懼法國仇, 抑被勁風赫？
火伴前致辭, 吾生豈驚迫.
獨念閨中婦, 顕容定枯瘠.

(此詩 未完)[30]

(7)

"Let winds be shrill, let waves roll high,
I fear not wave nor wind;
Yet marvel not, Sir Child[31], that I
Am sorrowful in mind;
For I have frome[32] my father gone,
A mother whom I love,

30 이는 제6연으로서 위치가 잘못 되었다. 제 4, 5연은 아래에 이어지고 있다.

31 원문은 'Childe'로서 'e'가 누락되어 있다.

32 'from'의 오식이다.

And have no friend, save these alone,

But thee—and One above.

童僕前致辭, 敷衽白丈人;

風波寧足憚, 我心諒苦辛.

阿翁長別離, 慈母平生親;

茕々復誰顧, 蒼天與丈人.

My father bles'ds me fervently.

Yet did not much complain;

But sorely will my mother sigh

Till I come back again"[33]——

"Enough, enough, my little lad!

Such tears become thine eye;

If thy guileless bosom had,

Mine own would not be dry."

阿翁祝我健, 殷勤尙少怨;

阿母沉哀恫, 嗟猶來無遠.

童子勿復道, 淚注盈千萬;

我若效童愚,流涕當無算.

---

33 큰따옴표는 잘못 기입된 부호이다.

"Come hither, hither, my stanch yeoman;

Why dost thou look so pale?

Or dost thou dread a French foeman,

Or shiver at the glae?"——

"Deem'st than[34] I tremble for my life?

Sir Childe, I'm not so weak;

But thinking on an absent wife

Will blanch a faithful cheeck[35].

火伴爾善來. 爾顔胡慘白？

或懼法國仇. 抑被勁風赫？

火伴前致辭, 吾生豈驚迫;

獨念閨中婦. 顗容定枯瘠.[36]

My spouse and boys dwell near thy hall,

Along the bordering lake,

And when they on their father call,

What answer shall she make?"——

"Enough enough my yeoman good,

Thy grief let none gain say;

---

34 'thou'의 오식이다.

35 'cheek'의 오식이다.

36 제6연으로서 앞과 중첩되었다.

But I, who am of lighter mood,
Will laugh to flee away."

賤子有妻孥. 隨公居澤邊;
兒啼索阿爹, 阿母心熬煎.
火伴勿復道, 悲苦定何言;
而今薄行人, 狂笑去悠然.

For who would trust the seeming sighs
Of wife or paramour?
Fresh feeres will dry the bright blue eyes
We late saw streaming o'er.
For pleasures past I do not grieve,
Nor perils gathering near;
My greatest grief is that I Leave
No thing that claims a tear.

誰復信同心? 對人陽太息;
得新已棄舊, 媚目生顏色.
歡樂去莫哀, 危難寗吾逼;
我心絶悽愴, 求淚反不得.

And now I'm in the world alone,
Upon the wide, wide sea;

But why should I for others groan.
When none will sigh for me?
Perchance my dog will whin ein[37] vain,
Till fed by stranger hands;
But long ere I come back again
He'd tear me where he stands,

悠悠倉浪天, 擧世無與忻;
世旣莫吾知, 吾豈歎離群？
路人飼吾犬, 哀聲或狺狺;
久別如歸來, 齧我腰間褌.

With thee, my bark, I'll swiftly go
Athwart the foaming brine;
Nor care what land thou bear'st meto[38],
So not again to mine.
Welcome, welcome, ye dark—blue waves!
And when you fail my sight,
Welcomes ye deserts and ye caves!
My Native Land—Good Night!

---

37 'whin ein'은 'whine in'의 오기이다.

38 'me to'의 오식이다.

帆檣女努力, 橫趏幻泡槃;

此行任所適, 故鄉不可期.

欣欣波濤起! 波濤行盡時;

欣欣荒野窟! 故國從此辭!

(去國行 完)

訂正──再昨日 本詩 第四首는 第六首가 잘못 印刷된 것.

曼殊의 譯詩를 드는 길에 그의 哀希臘(The isles of greece)을 譯文만 마조 紹介한다.

巍巍『希臘』都, 生長奢浮好.

情文何斐亹, 茶幅思靈保.

征伐和親策, 陵夷不自葆.

長夏尙滔滔, 頹陽照空島.

『窣』訶與『諦訶』, 詞人之所生.

壯士彈坎侯, 靜女揄鳴箏.

榮華不自惜, 委棄如浮萍.

宗國寂無聲, 乃向西方鳴.

山對『魔羅』東, 海水在其下.

『希臘』如可興, 我從夢中覩.

『波斯』京觀上, 獨立向誰語?

吾生豈爲奴, 與此長終古.

名王踞巖石, 雄視『沙邏』濱.
船師列千艘, 率士皆其民.
晨朝大點兵, 至暮無復存.
一爲亡國哀, 淚下何紛紛.

故國不可求, 荒凉問水濵.
不聞烈士歌, 勇氣散如雲.
琴兮國所寶, 仍世以爲珍.
今我胡疲苶, 拱手與他[39].

威名盡墜地, 擧族供奴畜.
知爾憂國士, 中心亦以恧.
而我獨行謠, 我猶無面目.
我爲『希』人羞, 我爲『希臘』笑[40].

往者不可追, 何事徒頻蹙?
尙念我先人, 因玆纍血肉.
冥々蒿里間, 三百『斯巴』族.
但令百餘一, 堪造『披麗谷』.

---

39 '他人'으로서 '人'자가 누락되어 있다.

40 '笑'는 '哭'의 잘못이다.

萬籟一以寂, 彷彿聞鬼喧.
鬼聲紛飄々, 幽響如流泉.
生者一人起, 導我赴行間.
槁骨徒爲爾, 生者墨無言.

徒勞復徒勞, 我且調別曲.
注滿杯中酒, 我血勝酃醁.
不與『突厥』爭, 此胡本游牧.
嗟爾俘虜餘, 酹酒顏何恧.

王迹已陵夷, 尙存羽衣舞.
『鞞盧』方陣法, 知今在何許?
此乃爾國故, 靡散[41], 隨塵土.
偉哉『佉摩』書, 寗當始[42]牧圉.

注滿杯中酒, 勝事日以墮.
阿郇有神歌, 神歌今始知.
曾事『波利葛』, 力能絶天維.
雄君雖云虐, 與女同本支.

羯島有暴君, 其名彌爾底.

41 '散靡'의 오식이다.

42 '始'는 '詒'의 오식이다.

闊達有大度, 勇敢爲世師.
今玆丁末造, 安得君如斯?
束民如連鎖, 豈患民崩離?

注滿杯中酒, 倏然懷故山.
峨々『蘇里巖』, 湯々『波家灣』.
緊彼陀梨種, 族姓何斑々.
儻念『欹羅嘎』, 龍胤未凋殘.

莫信『法郎克』, 人實誑爾者.
鋒刃藏禍心, 其王如商賈.
驕似『突厥』軍, 黠如『羅甸』虜.
爾盾雖彭亨, 擊碎如破瓦.

注滿杯中酒, 樾下舞婆娑.
國恥棄如遺, 靚妝猶娥娥.
明眸復善睞, 一顧光『婁離』.
好乳乳奴子, 使我涕滂沱.

立我『修寗峽』, 旁皇雲石梯.
獨有海中潮, 伴我聲悲嘶.
願爲摩大[43]鵠, 至死鳴且飛.

---

43 '大'는 '天'의 오식이다.

碎彼娑明杯, 俘邑定足懷?

(8)

이 外에 曼殊는 兩本의 英譯 中國 古代詩歌集을 編纂한 것이 잇스니 하나는 『文學因緣』이요, 또 하나는 『英漢三昧集』인데 原譯者의 姓名을 註出하고 比較와 批評을 略加하야 譯詩者의 絶好한 參考書다. 그런데 中國과 歐洲와 印度의 文學을 比較 研究한 뒤에 印度를 가장 贊美하고 그 다음은 中國이요, 또 그 다음은 英國이라고 하얏다. 이 말이 올흔가 안올흔가는 우리가 이 다음에 印度文學을 研究한 뒤에 다시 批評하기로 하고 지금은 단지 『有聞必錄』으로 그의 文章觀을 紹介하는 意味에서 그의 말을 알에 抄出한다.

『夫文章構造, 各自含英, 有如吾『粤』木綿素馨, 遷地弗爲良. 况詩歌之美, 在乎節族長短之間, 慮非譯意所能盡也. 衲謂之詞簡麗相俱者, 莫若梵文, 漢文次之, 歐洲番書, 瞠乎後矣.』라 하고 그는 例를 들어 말하기를 『漢譯今文『若輪盧迦』, 均自然綴合, 無失彼此. 蓋梵漢字體俱甚茂密, 而梵文八轉十羅, 微妙傀琦, 斯梵章所以爲天下書也.』라 하고는 『沙恭達樂』者(Sakoontala)印度先聖『毘舍密多羅(Viswamitra)女, 莊豔絶倫, 後此詩聖『迦梨陀娑』(Kalitasa[44])作 (Sukoontala) 劇曲, 紀『無勝能王』(Dusyanta)與『沙恭達』慕戀事, 百靈光怪, 千七百八十九年William Jones(威林留印度十二年, 歐人習梵文之先登者)始譯以英文, 傳德[45],

---

44 'Kalidasa'의 오식이다.

45 '傳至德'의 오식으로서 '至'자가 누락되어 있다.

Goethe見之, 驚歎難爲譬說, 之[46]遂爲之頌, 則『沙恭達倫[47]一章是也……印度爲哲學文物源淵, 俯視希臘誠後進耳. 其『摩訶婆羅多』(Mahabrata), 『羅摩衍那(Ramayana)二章, 衲謂中土名著雖『孔雀東南飛』, 『北征』, 『南山』諸什亦遜彼閎矣[48].』라 하엿다.

小說로는 또 陳獨秀와 合譯한 『悲慘世界』(佛文豪 유고 作 哀史)가 잇다. 이것은 白話體인데 內容을 만히 改作하야 은근히 袁世凱의 稱帝事를 諷刺하야 이로 人心을 激發케 하랴고 한 듯하나 이에는 번거롭게 말할 必要가 업고 小說을 말하는 김에 飜譯은 아니나 그의 傑作 『斷鴻零雁記』를 여긔에 말하고저 한다. 그러나 이 小說은 曼殊의 自傳이라는 것과 全書의 情節을 들어 아페 이미 總括的으로 말하얏슨즉 이제는 다만 그 藝術方面의 描寫를 紹介코저 한다.

『……一日淩晨, 鐘聲徐發, 余倚刹角危樓, 看天際沙鷗明滅. 是時已入冬令, 海風逼人於千里之外. 讀吾書者識之, 此日爲余三戒俱足之日. 計余居此, 忽忽三旬, 今日可下山面吾師. 後此掃葉焚香, 送我流年, 亦復何憾? 如是思維, 不覺墜淚, 歎曰, 人皆謂無母, 我豈眞無母耶? 否, 否. 余自養父見背, 雖煢々一身, 然常於風動樹梢, 零雨連綿, 百靜之中, 隱約聞慈母喚我之聲. 顧聲從何來, 余心且不自明, 恒結凝想耳. 繼又歎曰, 吾母生我, 胡弗使我一見? 亦知兒身世飄零, 至於斯極耶?

---

46 ‘之’자는 잘못 기입되었다.

47 ‘』’가 누락되어 있다.

48 ‘矣’는 ‘美’의 오기이다.

斯時晴波曠邈, 光景奇麗. 余遂披袈裟, 隨同戒者三十六人, 雙手捧香, 魚貫而行. 升大殿已, 鵠立左右. 四山長老雲集. 香讚旣闕[49], 萬籟無聲. 少選, 有尊證闍梨, 以悲緊之音唱曰, 「求戒行人, 向天三拜, 以報父母養育之恩.」余斯時淚如綆縻, 莫能仰視. 同戒者亦哽咽不止. 旣而禮畢, 諸長老一一來相勸勉曰, 「善哉大德. 慧根深厚, 願力莊嚴. 此去謹侍親師, 異日靈山會上, 拈花相笑.」余聆其音, 慈悲哀愍, 遂頂禮受牒, 收淚拜辭長老, 徐徐下山. 夾道枯柯, 已無宿葉, 悲涼境地, 唯見樵夫出沒, 然彼焉知方外之人, 亦有難言之恫.』

(二一三頁)

(9)

이 何等 辛酸한 描寫이냐? 여긔까지 써올 때에 또 黃讀山의 『八指頭陀詩集』 속의 『祝髮示弟』 一詩가 생각난다. 이것도 다 내리 읽을 수 업는 詩다.

『人間火宅不可住, 我生不辰淚如雨. 母死我年方七歲, 我弟當時猶哺乳. 撫棺尋母哭失聲, 我父以言相慰撫, 道母已逝猶有父, 有父自能爲汝怙. 那堪一旦父亦逝, 惟弟與我共荒宇. 悠悠悲恨久難伸, 搔首問天天不語. 竊思有弟繼宗支, 我學浮屠弟豈許? 豈爲無家乃出家, 歡息人生如寄旅, 此情告弟弟勿悲, 我行我法

49 '闕'은 '闋'의 오식이다.

弟繩武.』

또 딴 方面으로 曼殊가 그 姨母를 차저 보앗슬 때의 情形을 描寫한 것을 보자.

『……齊進廳事, 自去外衣, 倏然見一女郎, 擎茶具, 作淡裝出, 孃娜無倫, 與余等禮畢時, 余旁立諦視之, 果淸超拔俗也. 第心甚疑駭, 蓋以曾相見者. 姨氏以鐵箸剔火鉢寒灰, 且剔且言曰, 「別來逾旬, 使人繫念, 前日接書, 始知吾妹就痊稍慰. 今三郎歸, 誠如夢幻, 我樂極矣.」 余母答曰, 『謝娣關垂, 身雖老病, 今見三郎, 心滋治悅, 惟此子殊可愍耳.』 此時女郎治茗旣備, 卽先獻余母, 次則獻余, 余覺女郎此際瑟縮不知爲地, 姨氏知狀, 回顧女郎曰, 『靜子！ 余猶記三郎去時, 爾亦知惜別, 絲々垂淚, 尙憶之乎？』 因屈指一算, 續曰, 『爾長於三郎二十有一月, 卽三郎爲爾阿弟, 爾勿踧躇作常態也.』 姨女郎默然不答, 徐徐出素手, 爲余妹理鬢髮, 雙頰微生春暈矣.』

(一七頁)

이 또 何等의 『繪影繪聲』이냐? 또 가장 妙한 一段이 잇다.

『……時爲三月三日, 天氣淸新, 余就窓次捲簾外盼, 山光照眼, 花鳥怡魂, 心乃滋適, 忽念一事, 蓋余連日晨醒, 卽覺淸芬通余鼻觀, 以榻畔紫檀几上必易鮮花一束, 揷膽甁中, 弈弈有光. 花心猶帶露滴. 今晨忽見一翡翠襟針, 遺於几下, 方悉其爲彼姝之物, 花固美人之貽也. 余又頓憶前日似與玉人曾相識者, 因余先在羅弼女士齋中, 所見『德意志』畵伯『阿陀輔』手績『沙浮』伯[50]遺影, 與彼姝無少差別耳. 方凝竚間, 忽注自紗簾之下, 陳設甚雅, 有雲石案作鵝卵形, 上置鑑屏銀盒筆硯絳羅, 一塵不着. 旁有柚木書匱, 狀若鴿籠, 藏書頗富, 余檢之均漢土古籍也. 迨余廻視左壁, 復有小几, 上置雁柱鳴箏, 似尙有餘音僥[51]諸絃上. 此時余始驚審此樓爲彼姝妝閣, 又心儀彼學, 且邃, 翛然出塵[52], 如藐姑仙子.』

(二九頁)

이러한 點染은 『紅樓夢』 속 林黛玉의 居處하는 『瀟湘館』도 빗치 減한다. 曼殊의 才力은 참으로 놀랍다. 이 外에 또 第十二章에 曼殊가 靜子와 詩를 한 것과 『朱舜水』先生의 遺事를 論한 것이라든지 第十四章에 繪畵를 論한 것은 모다 絶好한 文章이나 여긔에는 抄錄치 아니한다. 다만 이 『斷鴻零鴈記』는 上海商務印書館에 英譯本(定價 一圓)이 잇슴을 말하야 둔다.

(10)

曼殊의 文學上의 天才와 造詣는 우에 말한 바와 갓다. 그런데 美術의 成

---

50 '伯'자는 잘못 기입되었다.

51 '僥'은 '繞'의 오식이다.

52 '又心儀彼學邃, 且翛然出塵'의 잘못이다.

就도 또한 사람에게 驚服케 하는 것이 잇스니 章太炎은 말하기를 『尤善畵』라 하고 『斷鴻零雁記』에는 그의 繪畵에 關한 紀事가 잇는데 말하기를 『一時余方在齋中下筆作畵, 用宣愁緖, 旣繪怒濤激石狀, 復次畵遠海波紋, 已而作一沙鷗斜身隨寒烟而沒. 忽微聞叩環聲, 繼聞吾妹, 推扉言曰, 「阿兄胡不出外游玩?」 余卽廻顧, 忽爾見靜子作斜紅繞臉之妝, 携余妹之手, 竚立門外, 見余卽鞠躬與余爲禮, 余遂言曰, 「請阿姊進齋中下坐, 今吾畵已竟, 無他事也.」 余言旣畢, 余妹强牽靜子逕至余側, 靜子注觀余案上之畵, 少選莞爾顧余言曰, 「三郞幸恕唐突. 昔董原寫江南山, 李唐寫中州山, 李思訓寫海外山, 米元暉寫南徐山, 馬遠夏圭寫錢塘山, 黃子久寫海虞山, 趙吳興寫雪茗山, 今吾三郞得毋寫匡山也? 一胡使人見則翛然如置身淸古之域, 此誠快心洞目之觀也.」 言已將畵還余, 余受之, 言曰, 「吾畵筆久廢, 今興至作此, 不圖阿姊稱譽過富, 徒令人慚愓耳.」 靜子復微哂言曰, 「三郞, 余非作客氣之言也, 誠思今之畵者, 但貴形似, 取悅市儈, 實則寗達畵之理趣哉? 昔人謂畵水能終夜有聲, 余今觀三郞此畵, 果證得其言不謬. 三郞此幅, 較諸近代名手, 固有瓦礫明珠之別, 又豈待余之多言也?』리오 하얏스니 曼殊가 中國畵壇에 어떠한 價値가 잇는 것은 이 知己의 女畵家가 이미 品評하얏스니 또다시 달은 사람이 부즈런한 말할 것은 업다. 또 柳亞子는 말하기를 『曼殊善繪事, 丹徒趙聲乞爲荒城飮馬圖, 未竟, 聲兵敗, 嘔血死, 玄瑛屬人焚其稿墓上, 自是遂絶筆弗復作.』이라 하얏다. 藝術은 이 生命活動의 表現이다. 曼殊의 그림은 이 가티 함부로 그리지 아니하니 足히 그 人格 高貴함을 알 수 잇다. 傅熊湘의 『燕子龕遺詩』의 跋에 말한 것에 依하면 曼殊의 그림은 『別輯於粵中, 凡得四十餘幅, 將用珂羅版印行.』이라 하얏고 『天荒雜誌』에 도 그의 景本 數幀이 잇다.

인제 曼殊의 雜文으로 暫間 말하겟다. 그의 이러한 種類의 글은 대단히 만흔 것 갓다. 그 『梵文典』 一書만 하드래도 우리는 다만 『章氏叢書別錄』(三)

『初步梵文典序』 속에서 알앗스니 本書는 『曼殊聞英人「馬格斯」「牟羅圍林」輩[53], 皆有「梵語釋」, 文雖簡略不能盡大乘義, 然於名相切合不鑿, 乃刪次其書, 爲「初步梵文典四卷」[54]이라 하얏다. 曼殊는 어려서부터 佛을 배운 사람이요, 또 『萬里擔經, 深習內典』하야 梵文에 기픈 造詣가 잇는 사람이니 佛學 方面에도 多少의 貢獻이 잇슬 것은 말할 것도 업다. 다만 우리는 단지 그의 『斷鴻零雁記』와 『燕子龕隨筆』과 그의 書札 속에서 零碎한 材料를 取할 수 박게 업슴을 遺憾으로 생각한다. 그의 『答馬德利鶍湘處士書』 속의 佛教의 聲論을 論한 包節에는

> 佛教雖斥聲論, 然『楞伽』, 『瑜伽』所說五法, 曰相, 曰名, 曰分別, 曰正智, 曰眞如, 與波爾[55]尼派相近. 『楞嚴後出』. 依於耳根圓通, 故有聲論宣明之語, 是佛教亦取聲論, 特形式相異耳.

(11)

또 沙門의 應赴의 起源과 그 流弊를 論하되

> 『應赴之說古未聞之[56], 昔「白起」爲「秦」將坑「長平」降卒四十萬,

---

53 「馬格斯牟羅」, 「圍林」輩의 잘못이다.

54 '』'가 누락되어 있다.

55 '爾'은 '彌'의 오식이다.

56 '聞之'은 '之聞'의 오식이다.

至梁武帝時,「誌公」智者將斯悲慘之事, 用驚獨夫好殺之心, 並示所以濟拔之方. 武帝遂集天下高僧, 建水陸道場, 凡七晝夜, 一時名僧, 咸赴其請, 應赴之法自此始. 檢諸內典, 昔佛在世, 爲法施生, 以法教化, 一切有情. 人間天上, 莫不以五時八教, 次弟調停而成熟之, 諸弟子亦各分化十方, 恢弘戒道. 迨佛滅度後, 阿難等結集三藏, 流通法寶, 至漢明帝時, 佛法始入「震旦」, 風流鄉盛. 唐宋以後漸入澆漓, 取爲衣食之資, 將作販賣之具. 嗟夫異哉! 自旣未度, 焉能度人? 譬如落井救人, 二俱陷溺. 且施者與而不取之謂, 今我以法與人, 人以財與我, 是謂貿易, 云何稱施? 况本無法與人, 徒資口給耶? 縱有虔誠之功, 不贖貪求之過, 若復苟且將事, 以希利養, 是謂盜施主物, 又謂之負債用, 律有明文, 呵責非細.「誌公」本是菩薩化身, 能以圓音利物, 唐持梵唄, 無補秋毫, 矧在今日凡僧, 相去更何止寓億由「延雲」,「棲廣」作[57]懺法, 蔓延至今, 徒吳正脩, 以資利養, 流毒沙門, 其禍至烈. 至於禪宗, 本無懺法, 而今亦相率崇效, 非但無益於正教, 而適爲人鄙夷, 思之寧無墮淚.』

또 木偶崇拜의 非를 論하되

『崇拜木偶, 誠劣俗矣. 昔中天竺「曇摩拙叉」善畵, 隋文帝時自梵土來, 遍禮中夏「阿育王塔」, 至成都雒縣大石寺, 空中見十二神形, 便一一貌之, 乃刻木爲十二神形於寺塔下. 崇山小林寺門上

57 '由「延雲」,「棲廣」作'은 '由延,「雲棲」廣作'의 잘못이다.

有畵神, 亦爲天竺「迦佛陀」禪師之迹. 復次有「康僧鎧」者, 初入吳設象行道, 時「曹不興」見梵方佛畵, 儀範端嚴淸古, 自有威重儼然之色, 使人見則肅恭, 有歸仰心, 卽背而撫之, 故天下盛傳「不興」. 後此雕塑鑄象, 俱本「曹」·「吳」, 「吳」卽「 道子」, 時人稱「曹衣出水, 吳帶當物[58]」. 夫偶像崇拜, 「天竺」[59]「希臘」「羅馬」所同, 與[60]天「竺」民間宗敎, 多雕刻獰惡神像, 至「婆羅門」與佛敎, 其始但雕刻小形偶像, 以爲記念, 與畵象相去無幾耳. 逮後「希臘」侵入, 被其美術之風, 而築壇刻象始精矣. 然觀世尊初滅度時, 弟子但寶其遺骨, 貯之塔婆, 或巡拜聖跡所至之處, 初非以偶象爲重, 曾謂如被[61]僞仁矯義者之淫祀也哉? 「震旦」禪師, 亦有燒木佛事, 百丈舊規, 不立佛殿, 豈非得佛敎之本旨者耶? 若夫三十二相八十隨好, 執之卽成見病, 況於雕刻之幻形乎?』

曼殊는 이와 가티 佛敎의 原來의 本義를 가지고 佛法을 『衣食之資』, 『販賣之具』를 삼고 『崇拜木偶』하는 沙門을 攻擊하엿스니 佛敎에는 『마틴루터』요, 佛敎徒들에게는 當頭棒喝이라 할 수 잇다.

曼殊의 雜文은 『梵文典』, 『書札』 等 우에 말한 것 外에 또 『潮音』 一書가 잇스며 『拜輪年譜』도 잇다는데 볼 수 업다. 이제 그의 『隨筆』과 『書札』 속에서 그의 浪漫的 天性과 그의 後半生의 遊歷 漂泊하든 情形을 볼 수 잇는 數

58 '物'은 '風'의 잘못이다.

59 '「天竺」與'로서 '與'자가 누락되어 있다.

60 '與'는 잘못 기입되었다.

61 '被'는 '彼'의 오식이다.

段을 摘錄한다.

『余至中印度時, 偕二三法侶居「芒碣山」寺中, 山中多果樹, 余每日啖果物五六十枚, 將及一月, 私心竊喜, 謂今後吾可不食人間煙火矣. 惟是六日一方便, 便時極苦, 後得痢疾, 乃至[62]去道尙遠, 機緣未至耳.』

(隨筆)

『吾日吸雅片少許, 病亦略減, 醫者默許余將此法治病矣……計余在此, 尙有兩月返粵, 又恐不能騎驢子過「蘇州」觀前, 食「紫芝齋」糭子糖, 思之愁歎.』

(再與柳亞子書)

(終)[63]

이제 이 稿를 맛침에 臨하야 曼殊가 中國人이냐 日本人이냐? 하는데 對하야 한 마대 말을 더하고저 한다. 그것은 어떤 사람이 筆者에게 이를 무름으로써이다. 曼殊의 親友 陳去病이란 사람이 柳亞子에게 한 말에 依하면 『나 보기에는 대개 曼殊는 油甁兒子(덤바지)다. 그래서 眞相을 宣布하기를 슬

62 '至'은 '知'의 잘못이다.

63 말미에 수록된 시 외의 내용은 柳亞子, 「對於飛錫潮音跋的意見」(柳亞子·柳無忌 編, 『蘇曼殊年譜及其他』, 上海: 上海書店出版社, 1926.1)에서 초역한 것이다.

혀하는 것이다.』하얏다. 이를 가지고 우리가 족음 생각할 것이 잇다. 張太炎이 말하기를 『父廣州產, 商於日本, 娶日本女而「得」子穀.』이라 하얏스니 이 「得」字는 『生』字로도 解釋할 수 잇고 또는 『取得』의 意味로도 解釋할 수 잇스니 『取得』이라고 하면 陳去病의 油甁兒子라는 말과 符合이 된다. 그리고 또 章氏는 『廣中重宗法, 族人以子穀異類, 羣擯斥之』라 하얏스니 원래 宗法이란 男系에 關한 것으로 그 가장 嚴重한 意義는 『異姓亂宗』을 防止함에 잇는 것이요, 母性 方面에 對하야서는 아모 制限이 업는 것이다. 그런즉 曼殊가 蘇某의 親生子로 設使 外婦의 所出이라고 하드래도 宗法上으로 말하면 무슨 아모 擯斥할 理由가 업는 것이다. 그럼으로 그 所謂 『異類』라고 한 것은 明明히 曼殊는 蘇氏의 血統이 아니라고 말한 것이니 油甁子가 아니고 무엇인가? 만일 그를 半日本人이라고 하야 擯斥한다 하면 『廣中重國籍』이라 할 것이요, 『重宗法』이라고는 아니 썻슬 것이니 章氏는 曼殊와 來往이 오래되어 或은 曼殊 身世의 眞相을 알기는 하나 또한 明言코저 이니하기 까닭에 古訓에 託하야 微詞로 나타내인 것일지니 이러케 말하면 曼殊의 生父는 確實히 日本이다. 柳亞子의 引證한 『潮音跋』에 所謂 『自幼失怙』란 말과 『斷鴻零雁記』의 所謂 『爾呱々墜地無幾月, 卽生父見背. 爾生父宗郎, 舊爲江戶名族, 生平肝膽照人, 爲里黨所推.』라 한 것은 모다 참말이요, 다만 曼殊가 廣東에 이른 原因에 잇서 亦是 柳亞子의 引用한 『潮音跋』에 所謂 『五歲, 別太夫人, 隨遠親西行支那, 徑商南海, 易名蘇三郎.』이라는 것과 『斷鴻零雁記』에 所謂 『後此夫人綜覽季世, 漸入澆漓, 思携爾託身上國. 故挈爾身於父執爲義子, 使爾離絶島民根性, 冀爾長進爲人中龍也.』라 한 것은 모다 遁詞다. 모다 遁詞인 까닭으로 『斷鴻零雁記』의 『明知玆事有干國律, 然慈母愛子之心, 無所不至. 乃親自抱爾潛行來遊吾國, 僑居三年.』이라 한 것과 또 例의 『潮音跋』의 『五歲, 別太夫人』이라는 것과 完全히 矛盾이 되는 것이니 實際의 事情으로

는 必然코 『生父見背』 以後에 그 母가 다시 『廣州産, 商於日本』하는 蘇某와 結婚하야 이에 曼殊는 當然히 蘇某의 義子가 되고 當然히 그 母親과 蘇某를 딸아 廣東으로 온 것일 것이니 이에 비롯오 所謂 『取女[64]日本女而得子穀』이라는 한 重大한 公案이 完全히 解決이 될 것이다.

끄트로 그 親友의 悼詩 한 首를 錄出한다.

劉三來言子穀死矣

(沈尹默)

君言子穀死, 我聞情惻惻.
滿座談笑人, 一時皆太息.
平生殊可憐, 癡點人莫識.
旣不遊方外, 亦不拘繩墨.
任性以行游, 關心惟食色.
大嚼酒案旁, 呆坐歌筵側.
尋常覺無用, 當此見風力.
大[65]年春申樓, 一飽猶能憶.
於今八寶飯, 和尙喫不得.

—完—

64 '女'는 잘못 기입되었다.

65 '十'의 오기다.

中國 新興文學[01]

梁白華

巴人兄!

中國文學에 對하야 朝鮮에서 배울 點을 들라고 電話로 付託하신지는 벌서 오래 것만은 그 期日에 써들이지 못한 것은 참으로 罪悚함니다. 그러나 그 約束을 履行코저 뒤느러지게 인제야 붓을 들고 보니 課題가 孟浪한 줄을 비롯오 깨닷겟습니다. 中國文學에서 우리가 무엇을 배울가? 나로는 이는 생각할 餘地도 업는 問題인 줄로 암니다. 배울 것이 무엇인가요? 中國의 文學은 이미 오랜 동안 우리 固有 文學의 元素가 되얏슬 뿐 아니라 그 字形이 가튼 것이라든지 字音의 近似한 것이라든지 또는 運用 同化上에 잇서 容易함은 勿論이요, 그 結果에 잇서 水乳 自然의 化合性이 잇는 것임니다. 그런즉 이 意味에 잇서서도 明確히 그 배울 點을 들어낼 수는 업습니다.

巴人兄,

그뿐 아니라 원래 文學이라는 것은 어느 나라의 것이나 그 本質은 다 가

---

01 『三千里』 제9호, 1930.10.

튼 것입니다. 그럼으로 어떤 나라의 文學은 배울 것이 잇다, 어떤 나라의 文學은 못쓴다 하고 말하는 사람이 잇다 하면 이것은 文學이 무엇인 줄을 모르고서 하는 사람의 말입니다. 이에 問題는 兄의 電話를 내가 잘못 드럿지나 아니하얏나 하는 데 잇습니다. 만일 그러타 하면 이 問題에 가장 가까운 것이 무엇이냐? 아마도 特色인가 함니다. 말하면 아모 나라의 文學은 무슨 特色이 잇다, 即 露西亞의 文學은 憂鬱沈庸하고 佛蘭西의 文學은 明快淸麗하다 듯이 中國文學은 또 어떠타 하는 그 特色을 써달라는 것이 아닌가 함니다. 나는 이러한 獨斷아래 말하려 함니다.

巴人兄,

대체로 中國文學의 特色을 든다면 알에와 갓습니다.

目的으로 말하면 實用임니다.

氣象으로 말하면 雄大함니다.

性情으로 말하면 悲壯함니다.

本質로 말하면 純一함니다.

形式으로 말하면 簡潔함니다.

造語로 말하면 對待임니다.

風味로 말하면 畵趣임나다.

이 여덜 가지 特點을 一一히 說明을 加하얏스면 조켓스나 筆者는 지금 그러한 時間이 업습니다. 다만 이 박게 그 缺點을 든다면 思想이 緻密치 못하고 情感이 微妙치 못한 것인가 함니다. 그러나 三千年來로 文豪 詩傑이 代로 끈히지 아니하고 雄篇大作의 傳할 者 决코 적지 아니하며 또 그 命脈의 悠遠長久함이라든지 그 結構의 錯綜함이라든지 그 辭令의 巧□함이라든지 그 語彙의 富贍함이라든지 世界 어느 나라 이와 匹敵할 文學이 업슬 줄로 암니다.

巴人兄,

우리의 將來 文學은 學術과 한가지로 世界的이 되지 아니하면 안됩니다. 即 古今東西의 粹를 採하고 材를 蒐하야 이를 消化하고 이를 融合하야 다시 한 新機軸을 내는 것은 操觚의 맛당히 理想할 배입니다. 그리고 中國文學은 우에 말한 바와 가티 우리와 因緣이 깁허 全然 文學言語를 달니한 泰西文學을 옴기어 痕跡이 歷然한 것에 比할 것이 아닌즉 이제 새로운 西洋文學을 咀嚼하는 同時에 또 舊緣잇는 中國文學을 翫味할 必要가 업슬까요? 美藝的 文學을 拮揚하는 同時에 實用的 文學을 皷吹할 必要가 잇는 줄로 생각합니다.

上海 在留同胞의 映畵『楊[01]子江』을 撮影 開始[02]

기자

中國女優의 助演 等 大規模로, 完成 即時 朝鮮서 上映한다고

【上海通信】 이역(異域)에도 풍운이 조석으로 변하야 항상 불안에 싸힌 중국에서 신산한 생활과 울분한 마음으로 지내이는 동포들 중에 다년간 중국 영화계에서 활동하는 영화인들이 규합하야 동방영편공사(東方影片公司)를 창설하고서 중국인 촬영소인 상해 고성영편공사(孤星影片公司)와의 합동으로 사회극(社會劇) 양자강(楊子江)을 대규모로 찰영 중이라는데 특히 중국 녀배우의 조연(助演)도 잇서 중국 영화계의 큰 쎈세이숀을 일으키리라든 바 찰영 완성 즉시로 푸린트 한 벌을 조선 서울에 보내여 상영케 하리라 하며 동방 영편공사의 부서는 아래와 갓다 한다.

『原作脚色』: 金[03]昌根, 『監督』: 李敬, 『撮影』: 韓昌燮, 『出演』: 金昌根, 吳雲男, 宋 [illegible], 黃允祥, 『女優』: 南國月, 『中國女優』: 錢似鶯 等.

---

01 '揚'의 오식이다. 이하도 마찬가지다.

02 『朝鮮日報』 1930.10.25, 5면.

03 '全'의 오식이다. 이하도 마찬가지다.

文學革命 後의 中國 文藝觀 — 過去 十四年 間[01]

天台山人[02]

【一】[03]

머리ㅅ말

조선에서는 甲午更張 以後에 西洋文化를 攝取하기 始作하야 三四千年 동안 그처럼 親密히 文化的 交涉을 서로 하여 오든 中國과는 突然히 關係를 끈허버렷다. 그 동안 中國에서도 鴉片戰爭 후부터 분주히 外國文化를 輸入 或은 消化하고 잇다. 그러면 그 輸入과 消化가 어느 程度에 達하얏는가를 觀察하야 彼我 對照하여 보는 것도 興味잇는 일일 것이다. 文學革命 後의 中國 文藝觀——이것은 그 實은 北京 旅行 中에 조금 듯고 본 것을 그대로 [04]聽塗說함에 지나지 못한다. 新興의 中國! 그 街頭 墻面에 빈틈업시 발은 『비라』! 갈우앗스되

---

01 『東亞日報』 1930.11.12~14, 11.16, 11.18, 11.20, 11.25~29, 12.2 ~12.8, 4면.

02 국문학자 김태준(1905~1949)의 호이다.

03 매회 연재분 표기로서 18회에 걸쳐 연재되었다.

04 '道'자가 누락되어 있다.

肅淸一切軍閥, 行動要紀律化.

生活要平民化, 工作要科學化.

思想要革命化, 遵從總理遺敎.

信仰三民主義, 擁護國民黨.

剷除封建思想, 打倒帝國主義.

扶助弱少民族, 廢除不平等條約.

等이라고 한 것 가티 모든 것을 改革하여 보자는 奮鬪 中에 잇나니 벌서 녯날의 中國이 아니다. 그들은 孔子를 버린지 오래다──우리는 一般 民衆의 精神生活에서 이에 對한 만흔 例證을 瞥見하얏다. 건방진 旅行談의 一片이지만은 筆者가 北京 西城에 잇슬 적이엿다. 王甲七이라는 俥夫가 근처에 잇서서 저녁마다 놀너온다. 나는 그의 말한 이야기 속에 기픈 『속크』를 주는 語句 두세 가지를 아직도 記憶하고 잇다. 그는 말하되 『近日의 不景氣에는 人力車의 乘客조차 줄어저서 生活이 困難한데 저 汽車(自働車를 가라침), 電車라도 一齊히 가서 부서버릴 생각이 난다……』 『오날은 어떤 西洋사람이 개까지 人力車에 태웟기에 그 者와 格鬪를 하고 豫定보다 倍額의 賃金을 바다 내엿다. 紳士가 다 무엇입니까요?』 『빨니 南軍이 들어오면 軍人이 되여가지고 모든 不義의 存在를 蕩掃하여 버리겟다.』라고! 나는 매양 가만이 듯고 그 豊富한 反抗性을 非常히 激揚하면서 阿Q의 時代는 分明히 지나갓다고 微笑하엿다. 또 어느 날 저녁이다. 朝陽門 밧그로 散步를 갈 적에 나는 同行하는 中國 동무에게 無意識하게 日語 對話를 게속 하엿더니 겨터서 보든 中國 小學生(約 八九歲) 五六名이 당돌히 길을 막으면서 『打倒××[05]人』, 『打倒東洋

---

05 '日本'이다.

鬼』라고 큰 소래 지른다. 純眞한 어린이의 머리에도 그 무엇이 그처럼 敵愾心을 深刻케 하엿든가? 다시 一轉하야 婦女界를 보라! 『女子與小人은 難養也』라고──孔子님이 이런 말삼을 다시 하다가는 生命이 危險할 터이다. 하물며 『三從五德』, 『男女 八歲에 不同席』, 『纏足』……말도 말어라. 女子 相續權 問題까지 擡頭하엿다. 정말 中國 婦女는 四五年 內에 急轉 直下하야 形式的으로, 精神的으로 『노라』와 『사로메』에 比하는 『三個叛逆的女性』(郭沫若의 지은 史劇)을 聯想케 한다. 만일 그 全部가 이처럼 되지 안헛슬지라도 그 大部分이 그만큼 尖端化하여 온다는 것을 旅客의 눈에 보여준다. 그뿐 아니라 新舊 軍閥의 地盤戰은 大衆과는 沒交涉하고 軍人과 勞働者와 工農階級이 暗暗裡에 堅固한 結合을 일우어 오는 것은 무엇을 말함인가? 이처럼 時局을 變하게 한 것은 確實히 文藝運動의 힘인 줄 깨다럿다. 나는 猫眼 가티 激變하는 中國의 眞相을 무엇으로든지 즉시 故國에 알녀드리고 십펏스나 性質이 粗懶함과 筆力이 그를 表現하는 데는 넘우 拙劣함으로 一步 물너가서 中國革命을 리─드하여 오는 文藝運動을 槪觀코저 합니다. 黃海를 건너 저의들의 부르지즘을 들으라. 『藝術은 反抗의 產物이다』──『文學은 宣傳이다』라고! 文學 或은 文藝運動이라는 것이 人間生活을 眞實하게 描寫하야 大衆에게 보여주는 以外에 다른 무슨 現代的 目的이 잇다면 나의 이 題目도 決코 徒然한 일은 아닐 것이다.

目次

5. 文學研究會의 功績

6. 創造社의 榮光스럽운 奮鬪의 歷史

7. 革命文學의 發達相

8. 中國 프로文藝의 進展 徑路

9. 新劇運動 槪觀

10. 創作界의 一瞥(主로 小說만)

11. 中國의 新文藝에 나타난『朝鮮』

12. 中國文壇의 現勢

【二】

黎明期 以前의 先驅者들

文學革命 以前에도 長久한 文學運動이 潛行的으로 進行하야 黎明 前의 暗夜와 가티 曙光을 찻고 잇섯다. 文學革命이란 一朝一夕에 일어난 것이 아니요, 그 오래 前부터 誘因이 釀成되어 無意識的으로 文學을 革命하야 오든 것이니 다만 胡適, 陳獨秀가 이것을 實地로 公表하고 宣傳하엿슬 따름이다. 그러나 公表, 提唱, 宣傳, 成功——이로써 胡適 諸氏의 功績이 絶大할 것은 異議가 업다. 그러나 胡適 一派의 先驅가 되어 黎明運動에 힘쓰든 이도 看過할 수 업스며 그 中에는『王國維』,『梁啓超』,『林紓』三氏로써 巨星을 삼는다.

王國維는『쇼펜하우어』의 藝術論에 立脚하야 紅樓夢·宋元 戱曲 等의 藝術的 批判을 試作하엿다. 지금까지 돌아보지 안튼 俗文學 硏究에 新進을 引導하야 藝術的 檢討를 流行시켯다. 藝術의 眞價에 나가서도『詩歌, 戱曲, 小說이야말로 藝術의 最高地位에 잇슬 것이라』고 하야『文以載道』式의 道德

的, 功利的 文學觀念을 부서버리고 元曲이 自然的 心情의 發露인 것을 激揚하며 그 新文體와 新語를 稱讚하야 一時代에 一文學이 잇다고 論하야 時代文學과 新文體에 對하야 闡明히 한 것은 後의 文學革命, 白話文學 提唱에 기픈 暗示를 주엇다.

梁啓超(號 飮氷室)가 新興中國의 思想 啓發에 준 影響은 文學上에 준 功績보담 크다. 文學上 功績으로서는 淸末의 暴露的 社會小說 隆盛의 原因을 일운 點에 잇다. 戊戌變 後에 그는 日本에 잇서서 淸議報, 新民叢報를 創刊하야 民衆의 覺醒에 全力을 傾□하엿다. 當時에 氏의 지은 新小說『新中國未來記』는 매우 好評이엇서 그 影響으로 淸末 官吏의 醜惡한 生活과 社會의 腐敗를 暴露시키는 諷刺小說, 即 李伯元의『官場現形記』,『小文明史』와 吳沃堯의『二十年目睹의 怪現狀』과 劉鶚의『老殘遊記』等이 簇生하야 南方에 크게 流行하얏다. 當時 北方에 兒女英雄傳, 七俠五義, 續五義와 가튼 講談小說이 流行하얏지만은 이는 新文學에 큰 影響이 업다.

梁啓超의 作風은 그 후 오래 繼續하야 文學革命 後에도 이를 模倣하는 사람이 만헛지만은 그는 文言文學의 臨終劇이엇다. 例컨대

雁來紅報 及 點石齋畵報──小說 附載

新小說 二年繼續──小說 附載

商務印書舘──李伯圭[06] 編, 繡像小說(72回)

月月小說──吳趼人 述, 小說(24回)

新新小說, 小說七日報, 小說旬報

---

06 '李伯元'의 잘못이다.

小說林──徐念慈 創作, 小說(12回)

小說林에 이르러 體裁가 比較的 整頓되엇스며 商務印書舘의 印行하는 小說月報에 이르러 原稿料를 주는 例가 열니며 體裁도 퍽 改良되고 現在까지 繼續된 中 가장 오랜 歷史를 持續하는 雜誌이다. 이 外에도 正書局 刋行의 『小說時報』, 圖書公司의 『小說海』, 中華書局의 『中華小說界』 等도 잇스나 모다 三四年만에 停止되고 以後는 林紓 혼자 文言小說界를 獨擔하야 가지고 現在에 이르럿다. 林紓의 일은 他章에 委함.[07]

(이 章은 大部分 大中國大系의 瀨川氏 論文 『中國의 現代文藝』에 依함)

【三】

文學革命의 提唱에서 成功에(一)

一. 文學革命의 提唱

文學革命의 先驅者를 말한 나는 다시 文學革命의 理由와 및 當時의 情狀을 발키고저 한다. 辛亥革命의 失敗──그는 民主主義가 封建勢力에 對한 革命의 失敗이다. 卽 革命 中路에서 洪憲皇帝 袁世凱의 簒奪을 當하야 封建의 巨樹를 찍다가 큰 뿌리를 남겨 노앗다. 帝國主義 國家의 壓迫은 날마다 加速度로 急激하야 온다. 이는 ·部分의 世界思潮에 接觸한 知識分子로 하야금 一心으로 啓蒙運動에 努力케 하얏다. 『新思想은 北大(北京大學)의 門에서……』 胡適, 陳獨秀, 李大釗, 錢玄同, 周作人, 劉復, 沈尹默 等의 北大敎授

---

07 "例컨대" 이하 내용은 譚正璧의 『中國文學進化史』, 上海: 光明書局, 1929.7에서 초역된 것이다.

와 佛國 留學에서 방금 돌아온 總長 蔡元培氏들이 힘을 다하야 機關誌『新青年』을 刋行하야『데모그라시—』와『싸이엔스』를 高叫하며 各 方面의 改革에 猛進하엿다. 그리하야 改革의 斧鉞은 文學에까지 나리게 되엇다. 文學革命이란 무엇인가? 舊文學의 否定이다. 다시 말하면 古文文學의 命을 變革시켓다는 말이다. 辯證的으로 그 歷史的 意味를 考察하면 다음의 第三階段에 屬한다.

A. 文學은 점점 修辭, 技巧를 重히 녁이어 秦始皇의 專用하든『朕』字의 特創과 가티『文』은 어느새『話』와 分立하게 되어 큰 勢力을 일우엇스니 歐洲에서『라틴語』를 文學語로 오랫동안 傳하야 온 것과 가티 東洋 各國 特히 中國에서 古文만을 專用하고 몃 千年 동안 中國文學의 精髓를 일운 文選派의『文』, 江西派의『詩』, 夢窓派의 詞, 聊齊[08]志異派의 小說, 桐城派의 古文 가튼 것이 各各 그 時代의 文壇을 獨占하얏다.

B. 晋, 唐 年間에 佛典의 翻譯으로 因하야 그에 附隨한 影響으로 語體와 文體의 多少 接近을 보게 되엇스나 質的으로는 클지라도 量的으로는 적다. 그리하야 元代의 劇曲, 明代의 小說과 가티 民間生活을 體材로 하고 어느 程度까지 白話로써 記述하야 古文文壇의 裡面을 혼자 支配하고 잇든 通俗文學이 잇섯지만은 또한 量的 變化가 적고 또 文體는 發展하얏다 할지라도 內容의 發展은 一種의 桎梏에 잇섯다.

C. 民國革命의 政治的, 經濟的 大變動을 짤하 生活이 複雜하야젓다. 新時代의 要求는 陳腐를 排斥하고 새롭고 簡便한 것을 要求하는 趨勢에 잇서서 新思想과 新生活을 表現하는 새로운 方法을 求하지 아니하면 말지 아니할 形勢에 잇섯다. 이에 白話文學으로 文學의 正宗을 삼고 舊文學의 殿堂을 부

---

08 '齊'는 '齋'의 오식이다.

서버리고 새로운 形式으로 새로운 內容을 긔록하자는 運動——이것이 文學革命運動의 意義이다.

그럼으로 그것은 國語文學(白話)運動과 新文學運動의 兩面을 包含하얏다.

一九一七年 一月, 胡適氏는 雜誌『新青年』에 文學改良芻議라는 論文을 提出하야 白話文學을 主唱하고 그 후 連하야『歷史的觀念論』[09],『建設的文學論』을 發表하고 陳獨秀氏는『文學革命論』을 發表하야 古文文壇의 牙城에 肉迫하야 古文徹廢를 高調하얏다. 先鋒 胡適의 改良 八條는——

1. 文보담 質인 情感과 思想을 가진 文學일 것.
2. 古人을 모방치 말고 各各 그 時代에 適應한 自己의 創作文學일 것.
3. 文法에 틀리지 안케 할 것.
4. 別號를 지어도『寒灰』,『死灰』라고 하든지 落日을 對하면 老年을 슯허하며 秋風을 對하면 零落을 늣기는 等 空然한 呻吟과 亡國的 哀音을 忌避할 것.
5. 陳腐한 熟語를 쓰지 말 것.
6. 古典을 引用치 말 것.
7. 排句, 對句, 平仄, 虛實에 拘泥하지 말 것.
8. 古語 古字를 避하고 俗語 俗字를 만히 쓸 것.

等이다. 이에 對하야 陳氏의 議論은——

---

09 『歷史的文學觀念論』의 오기이다.

1. 雕琢 阿諛를 主하는 貴族文學을 廢하고 平易 抒情한 國民文學을
2. 陳腐 誇張한 古典文學을 打倒하고 新鮮 率直한 寫實文學을
3. 迂晦 艱澁을 일삼는 山林文學을 그만두고 明瞭 通俗한 社會文學을 建設하여야 한다.

라고 말하엿다.

(胡適文存 卷一 參照)

【四】

文學革命의 提唱에서 成功에(二)

二. 文學革命의 反動 및 그에 對한 勝利

當時의 睡獅國에는 아즉도 無力한 桐城派의 古文이 散文의 地盤을 獨占하고 잇서서 林紓가 盟主가 되고 王闓運, 章炳麟의 流는 周秦 以上의 古文을 復興코저 하며 徐枕亞 一派의 駢驪文 小說이 一時를 糊塗하고 잇서서 梁啓超, 章士釗 等의 黎明運動도 泰山一鼠의 늣김이 잇섯다. 이 적에 文壇의 一角에 放送한 胡適, 陳獨秀 等의 『文學革命論』이야말로 古文藝術의 殿堂에 던진 鐵椎와도 갓고 鯨鰐의 群集한 海面에 던진 大風과도 가트다. 各 方面에 反對가 만헛다. 北大악악에서도 『國故』, 『國民』(雜誌』[10]를 發刊하야 古文을

10 ‘』’는 소괄호 ‘)’의 잘못이다.

擁護하는 者 잇스며 校外의 反對黨은 安福派의 武人 政客들을 꼬여 이 運動을 强壓케 하얏다. 한편 林紓는 上海 新申報에 몃 篇 小說을 揭載하야 北大 敎員들을 痛罵하며 安福派의 國會를 運動시켜 蔡元培, 胡適, 陳獨秀, 錢玄同 等을 彈劾하고 林紓 스스로 蔡元培에게 書信을 보내여 新文學運動을 攻擊하얏다.

風雨와 矢石 가튼 反對 속에서 白話文學이 萌芽하얏다. 一九一八年『新青年』은 白話로 全혀 썻다. 陳獨秀의 經營한『每週評論』과 北大 學生들의 經營한『新潮』와 다음에 北京의 新聞, 白話詩, 散文詩에까지 全部 白話로 쓰게 되어서 白話文學의 勝利는 確定化하얏다. 그리자 五四運動이 일고 六三事件이 일어서 全國的으로 政府에 逼迫하야 曹汝霖, 陸宗輿, 章宗祥 세 사람을 罷免시키고 各地의 學生團體들도 急作히 無數한 白話 新聞을 發刊하야 一年 동안에 四百餘 種에 일은 것은 조선의 己未運動 直後를 말하는 것 갓다. 白話文學은 이에 完全히 中原을 征服하얏다.

三. 文學革命 直後의 文壇

嬰兒로써 世界文壇의 一隅에서 呱呱의 소리를 지르는 當時의 白話文學은 아즉도 技巧上에 만흔 洗鍊을 要하얏다. 目前의 두 길『自由詩』와『外國文學 번역』에 全力을 다하얏다. 最初 五六年 間의 新詩와 短篇小說만은 成功하얏다. 魯迅의 지은 短篇『狂人日記(阿Q正傳을 包含함)』는 이 時代를 代表하는 것이며 또 同人의 지은『吶喊』과 周作人의 지은 隨筆『自己의 園』도 當時의 文壇에 만흔『센세―숀』을 이르켯다.

【五】

中國의 翻譯界

1. 翻譯王『林紓』의 虛되인 事業

琴南『林紓』는 福建 出生이엇다. 古文에만 힘을 다하야 北京의 어느 學校에서 教鞭을 잡은 餘暇에 古文으로 (Dumas Fils)의 作『茶花女遺事』(椿姬)를 飜譯하야 만흔 喝采를 밧고 이에 一段의 興味를 늣켜 全生을 飜譯事業에 貢獻하얏다. 그러나 外國語라고는 全혀 알지 못함으로 他人의 口述하는 것을 듯고 大意를 取하야 번역하는 것임으로 譯文은 勿論 錯誤가 만흐나 古文으로써 能히 現代生活의 複雜한 境遇와 熟語와 思想 感情과 滑稽的 風味를 充分히 表現한 것은 琴南이 아니면 到底히 能치 못할 것이요, 古文文學의 臨終에 반짝거리든 最後의 光焰이다. 그 뿐 아니라 그의 飜譯 部數가 매우 만허서 一百五十六種의 多量에 이른다. 그 中에는 英人 作品 九十四種, 佛人 作品 二十六種, 米人의 것 十九種, 露人의 것 六種을 筆頭로 各國 作品이 飜譯되어 잇스며 이것을 原作者 別로 본다면

哈葛德(?)의 作品 二〇種.

科南道爾(Conan doil[11])의 것 七.

托爾斯泰(Tolstoi) 六.

小仲馬(Dumas fils) 五.

狄更司(Dickens) 四.

莎士比亞(Shakespeare) 四.

---

11 'Doyle'의 오식이다.

史各德(Scott) 三.

歐文(米人 W.Irving) 三.

大仲馬(Alexandre Dumas) 二.

等이 가장 主要한 것이며 日本 德富蘆花의 『不如歸』도 이 손에 번역되엇다. 그리고 自身의 지은 作品도 甚히 만허서 金陵秋, 官場新現形記, 冤海靈光, 劫外曇花, 劒膽錄, 京華碧血錄 等 가튼 小說과 畏盧瑣記, 畏廬漫錄 가튼 隨筆과 天妃廟, 合浦珠 及 蜀鵑啼 가튼 傳奇와 閩中新樂府와 畏廬詩存 가튼 詩歌도 잇다. 小說의 作風은 熱情에 넘치는 少年 男女의 團圓幕이어서 中國 固有의 才子佳人傳에서 相距가 過히 멀지 아니하다. 다만 描寫法에 잇서서 文言으로서는 成功한 편이나 文言이기 때문에 讀者가 적어서 文言文學의 閉幕期에 一時 古文을 볼 줄 아는 少數人의 賞玩에 지나지 못하고 말게 되엇다. 이 點에 그의 藝術的 生命이 업다. 世人은 그에게 『飜譯王』의 王冠을 드리고저 하나 그의 事業은 畢竟 헛수고에 지나지 못한다.

2. 一般 飜譯界의 昨今

文學革命 以前──飜譯의 初創期에는 原昨의 趣味만을 重要視하고 그 原作 作品이 그 本國文壇 或은 世界文壇上에 잇는 地位와 價値를 돌아보지 아니하고 所謂 當時의 名流들이 世界文壇의 形便 가튼 것은 돌아볼 餘暇도 업시 原作의 神通한 妙味야 업서지거나 말거나 自己의 愛好하는 것이면 될수록 中國人의 脾胃에 맛게 하야 完全히 意譯하여 버렷다. 林紓의 번역도 『스콧트』와 『띡켓스』 作品 以外에는 大部分 그러하다. 文學革命 後──周作人이 耶穌敎會에서 中文으로 聖經 번역함을 보고 直譯을 始作하야 原作의 妙味를 일치 안코저 하기 때문에 無理한 點이 만히 생겨서 一種 『歐化의 語體』를 일웟스나 그가 『點滴』, 『現代小說譯叢』을 飜譯한 후로부터 白話 번역 成

功의 記錄을 지엇다. 그 후로 西洋文學이 一時 中國의 文苑을 轟動하고 一般 譯者도 이에 對하야 深切한 認識을 갓게 되어 西洋 一流의 作品들이 接踵하야 번역되엇다.

대저 時代潮流의 洗禮와 被壓迫 民衆의 딱한 環境下에서 가장 歡迎되고 또 歡迎되어야 할 文學은 能히 時代를 逆覩하야 民衆에게 만흔 反抗의 精神과 ××[12]의 力量을 주는 것이 아니면 안된다. 中國의 飜譯界를 보드래도 民衆의 文學에 對한 時代的 要求의 傾向을 알 수 잇나니 露國의 『틀게네후』, 『아스트러루스키』, 『꼬리키』, 『체호후』, 『톨스토이』, 『부라크』 諸氏의 作品이 耿濟之, 鄭振鐸, 趙景深, 沈頴[13], 蔣光慈 가튼 사람의 손에 닥치는대로 모주리 飜譯되엇고 『티골—』의 詩 가튼 것도 일즉부터 紹介되어 잇다. 飜譯 部數를 原作 國別로 보면 露國이 엄청 만코 米國이 가장 적다. 다음에 揭載한 統計는 正確치 못하나 어떠한 比例를 보는 參考材料가 될 것이다.(本表는 林紓의 譯을 除함)

外國作品 飜譯 部數 統計(一九二九年 初夏 譚正壁氏 調査에 依하야 表를 지음)

國名	詩歌集	小說, 戱曲	短篇集	戱曲集	童話	其他	計
露	2	78	12	2	3	1	97
佛	2	63	8	2	1	1	77
英	3	43	4	1	1	3	55

12 '革命'으로 짐작된다.

13 '沈穎'의 오식이다.

獨	2	29	—	—	1	1	33
日	2	38	9	2	—	16	67
印	3	5	6	1	—	—	15
스간디나비아	—	16	—	2	2	3	23
휘리스	—	4	—	1	—	—	5
波	—	5	1	—	—	1	6
西	—	5	—	1	—	—	6
伊	—	7	—	—	—	—	7
澳	—	3	—	—	—	—	3
匈	—	2	—	—	—	—	2
希	1	5	—	—	—	1	7
米	—	3	—	—	—	—	3
猶	—	1	2	—	—	1	4
世界	2	—	6	3	1	—	12
其他	1	7	—	—	—	1	9

昨今에 이르러서는 蔣光慈氏의 露國文學 紹介의 功이 先進이엇든 耿濟之氏 等을 凌駕하게 되엇다. 日本에서 近日 出版하는 『西部戰線, 平靜無事』도 中國에서는 昨年에 郭沫若氏가 번역하얏스나[14] 方今 日本에 流行하는 『읍톤·싱그레아』의 小說(例 石炭王·屠場)도 今年에 와서 모주리 出版되엇서 文學市場에 가장 好景氣를 持續하고 잇다.

日本文學은 日本 留學生이 甚히 만허서 가장 紹介되엇지만 『武者小路』,

14 잘못된 정보이다. 이 책은 『西線無戰事』라는 제목으로 洪深, 馬彥祥의 공역에 의해 1929년 10월 上海平等書店에서 초간본이 출판되었다.

『菊池』의 作品이 首位를 占하고 獨步, 瀨石, 芥川, 藤村, 谷崎, 啄木 諸人의 作品과 好色一代男(西鶴), 多情多恨(紅葉의 金色夜叉), 風流佛(露伴) 가튼 것까지도 번역되엇다. 그리고 우리의 注意를 惹起시키는 것은 日本小說集이 만히 流行하는 것과 廚川白村, 有島武郞의 散文이 甚히 이르는 것이다. 이로써 短篇物이 가장 人口에 膾炙함을 알겟스며 鄭振鐸 著『世界文學大綱』은 世界文學의 精髓만을 總集한 것으로 斯界에 寄與한 最大 貢獻이다.

【六】

新詩運動의 今昔

1. 嘗試期의 新詩

胡, 陳 諸氏가 文學革命을 提唱한 후 中國 新詩壇의 勃興이 急激하얏스나 그 初期에는 舊詩形의 打破와 新詩形의 造成方法을 討究하고 一般이 文學革命에 汲汲하느라고 詩歌의 內客에까지 深入지 못하얏스나 모든 것이 整理됨을 딸하 이에 關하야도 斧鉞을 나리게 되엇다. 詩 部門에 關하야 남 먼저 仔細한 意見을 發表한 이는 劉半農이니 그는 雜誌『新青年』三號에『나의 文學改良觀』이라는 題目下에 詩歌에 關하야 다음과 가튼 意見을 發表하얏다.

> 『韻文에 改革한 點이 잇스니……第一은 舊韻을 破壞하고 新韻을 지을 것이요. ……第二는 詩體를 增加할 것이다.……詩律이 嚴하면 詩體가 적어서 詩의 精神이 束縛을 밧는 것이 더욱 甚함으로 詩學이 發達할 希望이 적다.』

新詩 精神을 自由스럽게 하자는 第一聲이 劉氏에게 提唱되자 民國 八年 十月에 胡適이 그에 響應하야 詩體의 解放을 主張하고 新詩의 作法을 더 한층 闡明하게 되엇다.

『形式上의 束縛은 精神을 自由스럽게 發展시키지 못하고 조흔 內容을 充分히 表現치 못하게 한다. 新內客과 新精神을 가지게 하랴면 먼저 精神을 束縛하는 器具를 버려야 한다. 中國 近年의 新詩運動도 詩體의 解放에 잇나니 이로 因하야 豊富한 材料와 精細한 觀察과 高遠한 理想과 複雜한 感情 等을 詩의 안악에 담을 수 잇슬 것이다. 五七言 八句의 律詩는 决코 豊富한 材料를 너흘 수 업고 廿八字의 絕句는 决코 精緻한 觀察을 긔록할 수가 업고 長短이 一定한 七言 五言은 决코 高遠한 理想과 複雜한 感情을 다 할 수가 업다……』[15]

그리하야 이 때에 남 먼저 新詩의 創造에 着手한 이가 胡適이다. 胡氏의 白話詩의 첫 試作은 周作人의 歐洲文學 紹介와 함께 新文學 建設에 가장 有力한 運動이엿다. 一九一三年(民國 二年) 胡氏가 米國에 留學하면서 白話詩를 지여 本國으로 보낸 것이 『嘗試』集(陸游의 嘗試成功自古無라는 句에서 取함)이니 朝鮮에서 崔六堂의 舊作 三篇에 比肩한 偉績이다. 그 후 一九一六年에는 白話詩의 實驗室 속에 잠겨 잇섯지만은 當時의 詩風은 古調를 만히 버서나지 못하얏다. 그의 詩例

15 胡適, 「談新詩」, 『星期評論』雙十紀念號, 1919.10.10에서 인용된 내용이다.

題『蝴蝶』

兩個黃蝴蝶,

雙雙飛上天.

不知爲什麼,

一個忽飛過.

剩下那一個,

孤單怪可憐,

也舞心上天,

天上太孤單.

劉大白의 舊夢, 陲[16]吻, 劉半農의 揚鞭集 가튼 것은 모다 이 時期의 產物이며 詩形도 이와 가티 古詩과 舊套를 버서나지 못하얏다.

2. 新詩의 急速한 進步

胡氏는 右에 例記한 『蝴蝶』詩를 錢玄同에게 보이니 錢氏 回答이 아즉도 文言 窠臼에서 脫却하여 나지 못하엿다고 評한다. 胡氏는 다시 奮發하야 嘗試集 第二編을 지엿다. 그 『鴿子』詩──

雲淡天高, 好一片晩秋天氣!

有一群鴿子, 在空中遊戲.

看他們三三兩兩,

16 '郵'의 오식이다.

迴環來往,

夷猶如意,

忽地裏, 翻身映日, 白羽襯青天, 十分鮮麗!

이에 만흔 白詩와 詩人이 雨後竹筍 모양으로 일어낫다. 感情의 再現이 短的이기 때문에 新文體에 돌라부터 가장 빨리 詩壇을 形成하엿다.

그러나 初期의 自由詩인 만큼 아즉도 白話文의 未熟으로 말미암아 情緖를 全體의 『톤―』우에 『십보라이즈』할 수 업다. 여러 作家 中에 沈尹默은 詞에서 脫却하여 왓스며 그의 傑作 『三絃』은 周作人의 『小河』와 함께 當時의 가장 尤物인 同時에 無韻詩의 基礎가 이에 成立되엇다. 康白情의 草兒, 河上集, 陸志韋의 渡河, 兪平伯의 冬夜, 西還, 憶足, 汪靜之의 『蕙底風』, 『寂寞한 나라』, 焦菊隱의 『夜哭』, 『他鄕』은 當時 詩壇의 珠玉篇이다.

【七】

3. 氷心女士, 郭沫若, 徐志 摩 三氏의 詩

그 후 輩出하는 詩人 속에는 儼然히 三大學 『氷心』, 『郭沫若』, 『徐志摩』 三人이 잇다. 氷心女士 謝婉瑩은 小詩를 特創하야 筆致가 淸纖하고 描寫가 婉妙하야 가장 少年 男女의 새에 愛讀되엇다. 그의 作品 『春水』와 『繁星』의 두 詩集은 『타골』의 影響을 바더 特別히 一家를 機抒하고 잇으며 宗白華의 『流雲』, 梁宗岱의 『晩禱』, 張國瑞의 『海愁』, 『轉眼』 等 篇과 그他 何植三, 孫席珍, 旦如 等의 詩篇도 氷心을 模倣한 것이며 葉紹鈞, 劉延陵 等의 小詩도 이와 비슷한 것이 만흐니 可히 當時의 風尙을 알 것이다.

(以上은 胡適의 白話文學史와 譚正壁의 中國文學進化史, 丁來東氏의 中國新詩概觀 論

文을 參酌하야 쓴 것이다.)

最近에 이르러 西洋의 詩風을 模倣하기 始作하야 그 權輿를 일운 것이 郭沫若氏의 『女神』 三部曲이다. 그는 女神에 다음과 가티 말하얏다.

無邊天海呦!
一個水銀的浮漚!
上有星漢湛波,
下有融晶汎流,
正是有生之倫, 睡眠時候.
我獨披着件白孔雀的羽衣,
遙遙地, 遙遙地,
在一隻象牙舟上翹首.

우리는 이를 通하야서도 詩人으로서의 郭氏가 얼마나 靈感에 豊富한지 알겟다. 그는 만흔 語句를 創造하며 聲調가 和諧하고 또 雄大한 氣魄이 잇다. 郭氏는 그 餘에도 『瓶』, 『星空』 가튼 詩篇과 詩經을 白話로 繙譯한 卷耳集이 잇다. 郭은 小說 戱曲도 만히 쓰지마는 詩人으로서 가장 成功하고 잇다.

또 『詩哲』의 稱이 잇는 徐志摩의 詩가 階級的 立場에서 非難을 밧고 잇으나 그의 著 『志摩的詩』, 『冷翡翠的一夜[17]』를 通하야 여러 가지 特色을 보여주나니

1. 다른 作家보담 詩에 만흔 形式을 가진 것.

---

17 '翡冷翠的一夜'의 오식이다.

2. 特殊한 震動과 節奏와 力量이 잇다는 것.

3. 疊句와 排句를 適當히 만히 쓴 것.

4. 詩體가 浮華하고 纖美한 것.

5. 文字가 甚히 歐化한 것.

等이다. 그 餘에 于賡虞의 『晨曦之前』, 朱湘의 『夏天』과 『草莽集』 等이 가장 聲價가 노프며 그 餘에도 梁實秋, 蹇先艾, 劉夢葦, 饒孟侃, 李金髮……가튼 사람들이 잇서서 錚錚한 詩名을 가지고 잇다.

(郭, 徐의 詩는 錢杏邨의 中國現代文學作家[18] 卷一, 卷二와 西瀅閑話의 新文學運動以來十部著作을 參照)

四. 革命詩의 發表

最近에 이르러는 革命文學의 猛烈한 發展과 太陽派의 進出과 並進하야 詩界에도 큰 刺戟을 주엇다. 反抗文學과 情緒的으로 革命을 憧憬하는 幻想文學의 一致이니 即

(一) 民衆을 기픈 잠에서 覺醒시키랴는 咆哮의 부르지줌인 抒情的 發展과

(二) 革命의 衝動인 熱情에서 胎生한 幻想文學의 發展

에 基調를 둔 것이다. 蔣光慈 等의 作風은 더욱 이러한 傾向이 만며흐[19]

18 『現代中國文學作家』의 잘못이다.

19 '만흐며'의 오식이다.

聞一多의 『나는 中國人이다』와 蔣光慈의 『中國勞働歌』와 劉一聲의 『奴隷的宣言』『十月革命』을 謳歌한 詩들은 모다 이 類이다.

(略)

【八】

文學研究會의 功績

文學革命 以前부터 周樹人(號 魯迅), 鄭振鐸 等이 商務印書舘의 資本을 배경으로 하고 『小說月報』를 發行하야 外國文學을 번역 소개하며 中國의 新舊文學을 研究하여 왓다. 그 反面에 胡適, 周作人 一派도 文學革命의 提唱後에 舊文學을 整理(考證 或은 標點, 研究 等)하는 事業에 着手하얏슴으로 이들은 서로 握手하야 文學運動上에 한 派를 일우웟다. 그 후 魯迅이 北大에 招聘되어 週刊 『語絲』를 發行하고 五卅事件 후는 北新書局에서 莽原(半月刊)을 發刊하야 『쏘베－트·러시아』의 文學을 紹介하다가 魯迅과 高長虹의 不和로 停止하고 그 후 『狂飆』(長虹 編), 『北新』을 내다가 모다 停止를 當하얏다. 『語絲』와 『小說月報』는 態度 穩健하기 때문에 生命이 길다. 小說月報는 東方雜志와 함께 아즉까지 繼刊하는 中國雜志界의 兩大關門이다. 文學研究會는 또 『露西亞文學研究』, 『佛蘭西文學研究』, 『中國文學研究』 等도 編輯하얏다. 더구나 中國文學의 研究에 잇서서는 胡適의 通俗文學考證, 汪原放의 標點과 校勘, 謝無量의 詩經研究, 吳梅의 戱曲研究 等 價値잇는 것이 만흐다. 이와 가티 研究會는 研究에만 힘을 다함으로 그 機關誌 『小說月報』는 푸로陣營에서 『사론藝術』(消閑藝術)이라고 指目하야 攻擊의 標識이 되엇다.

研究會 沒落期에 잘 創作的 活動을 게속하고 잇는 葉紹鈞이다. 그는 『小

資產階級에서 選出한 鬪將』이라는 冷罵를 바드면서 巧妙하게 心理描寫에 進路를 열고 잇다. 그 初期의 代表作인 『隔膜』 以外에 『火災』, 『線下』, 『城中』 等 作品이 잇스며 그 30%는 敎育에 關한 敎育小說임에 그의 特色이 잇다.

創造社의 榮光스럽운 奮鬪의 歷史

創造社의 藝術에 對한 態度야말로 純熱情的이다. 그들은 創作을 生命으로 하야 自我의 創造——그것을 藝術에 求하엿다. 最近 中國의 文藝運動은 文學研究[20]와 創造社의 二大團體가 거의 그 全面을 차지하고 잇섯지만은 前者는 研究的, 保守的이고 後者는 創作的, 急進的이든 兩極端으로 딸하 나섯다. 後者의 活躍은 白熱的이고 光明한 印象을 주엇다. 그럼으로 지금까지 文壇上에 絕對的 地位를 가지고 잇다. 現文壇의 活動人物은 모다 創造社에서 培養한 것이다. 創造社의 歷史는 中國文壇의 盛衰 消長과 呼吸을 한까지로 하고 잇다.

1. 團體運動開始期——創造社에서 團體的으로 文學運動을 開始하기는 一九二〇年 五月 雜誌 『創造』를 發刊함에서 出發한다. 當時의 幹部는 郭沫若, 郁達夫, 成仿吾, 張資平 等의 日本 留學生으로서 文學革命 提唱 後에 故國에 돌아와서 活躍하엿다. 그럼으로 創造社의 開始는 文學革命運動의 『第二期的 展開』라고도 볼 수 고다.

2. 最初에는 個性을 尊重하고 個人主義를 崇奉하며 創造와 建設에 힘써스나 研究會의 壓迫으로 因하야 藝術至上主義에서 社會主義文學에 方向을

---

20 '文學研究會'로서 '會'자가 누락되어 있다.

轉換하야 五卅事件 後에 劇變하여 버렷다.

郭沫若氏도 『藝術家와 革命家』라는 題目下에 『廿世紀의 文藝運動은 人類社會의 美化에 잇나니 우리는 革命家인 同時에 藝術家이라』고 부르지즈며 또한 革命文學으로 轉換하야 雜誌 『洪水』를 發刊하는 同時의 郭派의 周全平, 葉靈鳳, 潘漢年 等 三四名의 新勢力이 添加하엿스나 郭이 革命에 從軍하고 不在中에 郁達夫가 그들을 放逐하고 郭, 郁의 對立을 보게 된 것도 이적의 일이다.

3. 다음에 創造派의 第二次 激變 프로文學에의 方向 轉換이니 日本 留學生 李初梨, 朱鏡我, 馮乃超, 彭康 等이 參加하야 『맑스』主義로 文學을 批判하야 이에 『文學批評時代』를 演出한다. 이리하야 創造派는 『프로文學』과 『革命文學』의 共同戰線上에 서서 巨大한 力量으로 發展할 적에 南京政府의 彈壓을 바다 一九二九年 二月 七日 그는 찬란한 十年의 歷史를 남기고 閉鎖되엇다.

【九】

革命文學의 發達相

처음에 『藝術를 爲한 藝術』이 創造社에서 絕叫되어 로맨틱에 色彩를 띄우자 『人生을 爲한 藝術』이 研究會에서 對唱되어 人生主義를 謳歌하게 되엇다. 이 矛盾되는 두 主義가 混淆하야 作品에도 나타나게 되어서 戀愛와 自由結婚 가튼 것이 當時 惟一한 題材이엿다. 이 兩派의 創作 行動에 新文學은 새로 建設되엇다. 創造社가 藝術至上主義에 陶醉하야 잇슬 적에 象牙塔에 잠겨 잇는 詩人의 迷夢을 깨틸은 驚鍾은 赤色 雜誌 『中國青年』이엿다. 一九二三年 『文學研究의 青年에게 告함』이라는 論文을 咆哮하얏다. 그리하야 青年讀者의 獲得과 文學運動의 實際 運動化를 힘쓰고 잇섯다. 當時 文壇上의 要求는 다음 세 가지이엿다.

一. 偉大한 民族精神을 表現한 作品.

二. 社會의 實際生活을 描寫한 作品.

三. 略.

等이엿다. 이와 가티 文學과 革命이 問題가 되자 創造社 一派들도 꺼림업시 이에 共鳴하야 郭沫若은 말하되 『藝術은 反抗의 產物이라』하고 成仿吾는 『라스킨』說을 引用하야 『藝術은 손과 머리와 마음의 合作物』이라고 하는 等 漠然한 文學意識 속에서 彷徨하다가 一九二六年 四月 郭氏가 『革命與文學』을 發表한 후부터 分明히 革命文學의 戰線에 서게 되엇다. 거긔다 露西亞에서 歸國한 熱血 鬪將인 蔣光慈氏를 마지하야 一段의 活氣를 더하얏다. 나는 蔣氏의 『革命文學에 關하야』라는 一文을 빌어서 本章의 題目인 『革命文學』을 定義코저 한다.

> 『革命文學이란 무엇인가? 內容은 무엇인가?
> 그는 被壓迫的 群衆을 出發點으로 한 文學이다.
> 그의 條件은 一切의 舊勢力에 反抗하는 精神을 具有한 點에 잇다.
> 그리고 反個人主義的이다.——
> 또 現代生活을 認識하야 社會改造의 새로운 進路를 指示하는 것이다.』고.

그런데 近年 中國의 革命文學에 對하야 興味잇는 일은 무슨 政變 或은 慘變이 잇스면 반드시 그에 關한 만흔 作品이 일어나는 것을 常例로 한다. 最

初의 二七慘變을 題材로 한 鄭振鐸의 詩『死者』, 蔣光慈의 菊芬이라든지 濟南事件을 背景으로 한 張資平의『歡喜陀와 馬桶』이라든지 모다 그것이다. 一九二六年 革命軍이 濟南 半壁의 地를 席捲한 후로는 血潮의 鼓動과 情操의 飛躍에 幻想文學을 胎生하야 創作의 洪水時代를 일우고 그 中 技巧에 勝한 것으로는 郭의『我的幼年』, 蔣의『少年飄泊者』와『鴨綠江上』,『菊芬』, 錢杏邨의『歡樂的舞蹈』, 金滿成의『林娟娟』, 葉雪鳳[21]의『處女的夢』, 戴平萬의『都市之夜』等이 잇다.

【十】

中國 푸로文藝의 進展 徑路 — 過去 四年 間의 일

一九二六年 革命 後의 文學은 反帝國, 反軍閥의 標榜이엿다. 當時에는 無産階級만으로 革命이 될 것 갓지 아니함으로 小資產的 國民黨와 共產黨派와의 提携가 成立되엇다. 그 후 蔣介石의 淸共과 및 그의 反動的으로 資本主義 政策을 採用함에 밋처『콤민턴』은 抗爭에 敗하야 第四階級(푸로—)의 獲得에 熱中하야 潛航運動을 行하엿다. 이 時代까지의 革命文學은『小부르』와『푸로—』의 混合한『混合型文學』이엿스나 푸로文學의 提唱된 후로부터 思想界의 尖端化와 함께『인테리겐티아』의 淸算期에 들어세게 되엇다.

1. 푸로派의 難關 突破

푸로文學運動은 一九二七年 乃至 二八年의 初期에 擡頭하엿다. 그는 創

21 '葉靈鳳'의 오식이다.

造社와 太陽社의 共同戰線우에 이러나서 理論과 創作의 兩面으로 『맑스文學論』을 宣揚하고 貴族文學, 부루文學의 『사론藝術』의 殿堂을 突擊하야 革命文學派를 프로文學陣營下에 그대로 統合시키는데 成功하엿지만은 突然히 文壇의 一角에서 反프로의 彈丸이 와서 떨어젓다.──即 『語絲』, 『新月』, 『小說月報』의 反프로 雜志는 프로文學派의 現成文學 攻擊에 또한 共同戰線을 펴고 『創造』, 『太陽』 兩派의 프로陣營에 肉迫하엿다. 當時 文壇에 이러난 새로운 現象은 魯迅과 郁達夫의 堅固한 提携이엿다. 『魯迅』은 가로되 『프로文學은 理論은 何如튼지 畢竟 藝術을 武器로 大衆을 獲得코저 함이다.』라고 하며 『郁』은 말하되 『眞正한 프로文學의 正體는 프로階級 사람들 自身에서 오는 것이다.』라고 하야 『語絲』에 陣을 치고 프로文壇을 揶揄하엿다. 語絲의 攻擊은 『創造』에 集中하야 非學理的인 野卑한 論戰이 兩年을 繼續하야 創造派는 魯迅으로써 술의 名產地인 紹興사람이라 하야 『醉眼朦朧한 魯迅』이니 『社會認識의 盲目者 魯迅[22]이니 하고 攻擊하며 魯迅과 郁達夫의 두 사람은 다시 나아가 大衆文藝를 發刊하며 葉鼎洛, 李守章, 夏萊蒂 等도 添加하야 堂堂한 陣容으로서 文壇에 進出하엿다.──갈오되 『우리는 一階級에 屬하는 文學을 目的으로 하지 안는다.』고. 이것이 프로陣營에 던진 最大 脅威이엿다.

『太陽派』는 그 동안 創作에만 힘을 쓰고 『畢竟 프로文學은 幼稚하다』는 嘲笑와 冷罵를 甘受하엿다. 그럼으로 一九二八年의 文壇은 理論的으로는 프로陣營의 勝勢를 말하면서도 作品으로는 『反프로』의 壓倒下에 잇섯다. 反프로派 自然主義 作家들인 『葉紹鈞』과 『茅盾』과의 活躍이 一九二七──二八年의 文壇에 凱歌를 울렷다.

---

22 '』'가 누락되어 있다.

一九二九年의 푸로文壇은 劈頭부터 彈壓의 暴風에 襲擊되어 創造月刋과 太陽月刋이 新年號에서부터 停止되엇다. 太陽派는 즉시 『海風週報』, 『新凉月報[23]』 等은 發刋하엿스나 모다 짧은 生命으로 彈壓의 犧牲이 되엇다. 國民黨은 푸로文壇을 抑壓하고 文藝를 政治에 利用코저 一九二九年 六月, 三民主義文學의 鼓吹와 反三民主義文學의 取締를 嚴急히 하엿다. 文壇의 自然的 趨勢가 時代의 要求에 依하야 左傾의 一路로 急進하는 中國青年의 一般傾向을 三民主義文學이라는 漠然한 文藝政策으로써 停止시킬 수가 잇슬가? 大海로 흘러드는 楊[24]子江 물을 다시 上流까지 끌어올릴 수는 잇슬는지 몰으나 푸로文壇의 陣營이야말로 彈壓을 바들수록 커지는 것이엿다.

이리하야 이러난 것은 熱烈한 푸로文壇의 再生이엿다. 從來로 여러 小團體에 헤저 잇든 것이 戰線統一의 必要로 一九三〇年 三月 三日 左翼作家聯盟 結成大會가 上海에 召集되어 堂堂한 宣言을 發表하얏다.(宣言文을 길어서 略함) 이 聯盟에 依하야 『創造』, 『太陽』의 傘下에 잇든 代表 作家들의 組織한 『大衆文藝社』, 『摩登青年社』, 『藝術劇社』, 『拓荒月刋社』, 『萌芽社』, 『現代小說社』, 『水沫社』와 밋 『뿌지·부르派』라고 指目하든 田漢의 南國劇社의 七作家도 이 共同戰線上에 세게 되엇다. 聯盟 結成의 第一의 具體的 表現으로서 『神州國光社』에서 文藝講座 第一集이 出版되어 『藝術上의 階級鬪爭과 階級同化』, 『푸로小說論』, 『勞働階級과 文化的工作者의 養成』, 『露西亞 푸로文學 發達史』 等 맑스主義文學理論이 만히 滿載되엇다. 近日의 푸로文學은 全혀 露西亞의 그것이며 『업톤·싱크레어』의 作品도 만히 紹介되고 잇고 『트로

---

23 '新流月報'의 잘못이다.

24 '揚'의 잘못이다.

츠키』의 『革命文學』, 『루나촬스스키—』의 『實證美學의 基礎』, 『보구다놉푸』의 『푸로藝術論』 等 『푸로文學理論』에 集中하고 잇다.

푸로 作家로는 蔣光慈, 錢杏邨, 楊邨人, 洪雪菲[25], 龔氷盧, 郭沫若, 葉靈鳳, 金滿成, 潘漢年, 向培良, 周全平, 陶昌孫, 王一榴, 鄭伯奇 等이 가장 活躍하고 잇다.

【十一】

中國 푸로文藝의 進展 徑路(續)

2. 中國 푸로文藝의 發展 階段

中國의 푸로 論壇人은 中國 푸로文學의 發展 階段을 어떠케 말하고 잇는가? 그들은 말하되

(가) 푸로運動의 第一階段에는 理論으로서는 旣成文壇과의 鬪爭에 잇고 創作으로서는 無產階級의 自然生長性의 生活描寫와 無產階級의 前衛的 英雄的 行動의 表現의 두 가지 傾向이 잇는데 前者는 푸로階級의 苦訴를 代辯하는 創作行爲이니까 발으거니와 後者는 『못토』와 『스로간』의 文學이라는 冷罵를 밧는 곳에 幼稚한 맛이 보인다.

(나) 푸로文藝運動의 第二階段은 理論上 自己 糾正에 잇다. 作品 意識上 自己의 小市民的 意識의 殘部를 克服함에 힘쓰며 作品 形式上 革命的 『푸라그마틱』을 變하야 푸로的寫實主義로 나가는 데 잇다. 現在의 푸로文藝運動은 아즉도 이 階級 淸算을 完結치 못하얏다.

---

25 중국좌익작가연맹 성립 당시 7인 상무위원의 하나였던 洪靈菲(1902~1934)의 오기로 보인다.

(다) 第三階段은 全 文壇의 大部分이 左傾 或은 푸로의 解放運動 復興에 依한 새로운 歷史條件下에 展開된다. 現在 中國의 푸로文壇은 漸漸 발을 이에 옮기고 잇다. 이 階段의 特點은 우리가 要求하는 運動을 群衆에게 擴大하며 『부루』와 『푸로』의 群衆 속에 伸展함에 잇다. 우리의 文藝家의 要求는 積極的으로 푸로 解放의 一切 實地運動에 參加하는 同時에 적어도 自己의 生活을 푸로化하며 自己를 一個의 戰鬪的 無產階級으로 化하지 안흐면 안된다.

(右 兩章은 自己硏究의 不足을 늣기고 瀨川氏의 論文을 專襲하얏다.)

中國의 新劇運動 概觀

一. 中國舊劇의 特有性

中國의 戲劇은 古代의 歌舞에서 戲優로 戲優에서 彈詞, 打諢, 院本으로 院本에서 다시 좀 더 進化하야 元代의 雜劇으로──이와 가티 세 번 變遷하야 비로소 格劇이 極嚴하고 形式이 完備한 元劇에 이르럿다는 것이 王國維氏의 學說이다.(宋元戲曲史에 依함)

그러나 元曲은 每本을 四折(四幕의 뜻)에 限한 것이라든지 每折을 한 宮調에 限하고 折마다 一人의 『唱』에 限한 것이라든지 만흔 缺點을 가저섯다. 그러나 南北曲의 分別이 생기고 崑曲, 傳奇가 만히 續出되어 明清 五百年을 지나는 동안에 만흔 改良을 바다왓다. 그러나 傳奇는 二十幕以上, 五十幕까지 되는 長篇 劇本임으로 到底히 그것을 한번에 實演할 수 업슴으로 戲本 中에 가장 자미잇고 精采잇는 몃 折씩을 집어내서 例컨대 西廂記의 拷紅, 長生殿의 聞鈴 等과 가티 몃 折씩을 摘出하야 實演하야 왓다. 그럼으로 識者는 알지만 一般 觀衆은 그 趣旨를 알기 어렵다. 그럼으로 各 地方에 土戲가 생겻다. 安徽의 『徽調』, 漢의 『漢調』, 粵의 『粵戲』, 蜀의 『高腔』, 秦의 『秦腔』, 北

京의 『京調』가 그것이다. 그리하야 各地의 俗戲는 元明의 雅劇보다 만흔 進步를 하고 잇다. 卽

(가) 雅劇보다 文字와 用語가 平易한 것.

(나) 複雜한 樂曲이 洗鍊되어 簡單하야진 것.

(다) 『戲』의 長短이 雅劇보다 自由 無制限한 것.

(라) 점점 短戲로 向한 것이 만흔 것.

(胡適文存 卷一과 밋 青木正兒氏의 支那近世戲曲史 參照)

대저 中國의 舊劇이야말로 純粹한 戲劇이다. 劇場에 들어가면 귀가 아푸도록 鍾鼓絲竹의 식그러운 音樂과 生旦丑淨의 노래를 듯는다. 條理잇는 舞蹈와 威氣잇는 劍術을 본다. 靑黃赤白의 濃淡한 色彩와 金玉寶石의 華麗한 衣飾이 觀衆의 眼光을 眩惑한다. 그럼으로 戲劇藝術의 固有美 以外에 聲的, 色的, 動的의 複合 價值를 보겟다. 이는 歐洲의 opera comic, Light opera, musical comedy, operatta[26] reue와 近似한 것으로 觀衆을 모흐는 能力은 現代式 對話劇에 比하야도 돌이어 클 것이다. 그러나 舊劇의 長點은 同時에 短點을 包藏하고 잇다. 樂隊, 舞臺, 衣飾과 가튼 準備에 만흔 費用을 要하며 技術의 特有를 要한다. 役者가 나와서 自己紹介를 하는데 一例를 들면 役者가 스스로 『나는 一個 小賊인데 무슨 물건을 훔치랴고 하오.』라고 하는 것처럼 不自然하고 不合理한 것은 업다. 그리고 一般 劇本에 悲劇的 要素가 적어서 觀衆에게 불붓는듯한 感情을 이르키여 주지 아니한다.

(陳源의 西瀅閑話와 郁達夫의 文學論集에 依함)

26 'operetta'의 잘못이다.

【十二】

中國의 新劇運動 概觀(續)

2. 戱劇 改良運動의 顚末

이러한 缺點을 改良코저 이러난 것이 文學革命의 部分的 事業으로서 一九一七年 傅斯年氏의 『戱劇改良各面觀』을 비롯하야 歐陽予倩, 張謬子, 胡適 諸氏들의 理論의 幕이 열려서 背景, 光線, 裝束, 舞臺 等 細密한 部分에까지 論議되엇다. 胡氏의 『文學的經濟法』은 가장 傾聽의 價値가 잇나니 갈우왓스되

a. 時間 節約——最短 時間에 一篇의 事實을 完全히 演出토록 할 것. 桃花扇 全本을 實演함에 八十時間을 要하는 것 가튼 것은 元來부터 現代的이 아니다.

b. 人力經濟——役者의 精力에 限度가 잇슴으로 過度히 疲勞치 안케 할 것.

c. 舞臺上의 排布物이 設備能力에 過히 困難치 안케 할 것.

d. 千車萬馬의 戰爭과 가티 長漫한 事實을 一一히 演出하야 觀衆에게 厭症을 주지 말고 間接的 手段으로 表現할 것.[27]

等이며 張謬子는 좀 더 極端히 三一律을 提唱하야 戱劇은 『一個時間內』에 『一個地方』에서 『一個事實』을 實演하는 것이여야 한다고 말하엿다.

---

27 胡適, 「文學進化觀念與戱劇改良」, 『新青年』 제5권 제4호, 1918.10.15. 여기서는 호적의 원문 내용이 부분적으로 고쳐져 있다.

(雜誌『新青年』 및 胡適文存 參照)

무릇 外國劇本이 中國에 들어오기 始作한 것은 三十年 前 일이다. 偶然이 무슨 目的과 系統도 업시 들어온 戱劇은 中國의 戱劇을 部分的으로 修正하야 一種 畸形的인 文明戱(一名 新劇 或은 文明新劇)가 되엇다. 이 發端는 春柳社 一派가 日本에서 春柳社를 組織하야 그 후 上海로 옴겨서 新劇을 實演한데 비롯하지만은 春柳社의 墮落은 革命社會에 아무 效果를 주지 못하고 말엇스며 또 그 劇本은 所謂『幕表制』로서 演劇의 骨子만 대강 幕으로 난호아노코 一切의 科白과 脚色을 役者에게 一任한 것이엿다. 當時는『입센』이니『쇼—』니 한 社會問題 劇本이 輸入된 것도 아니오, 다만 義和團과 辛亥革命當時의 愛國的 義憤에 넘친 警世劇이니 例컨대 腐敗한 政治를 攻擊한『社會鍾』과 安南의 最後를 取扱한『亡國恨』과 朝鮮의 事實을 題材로 한『安重根』 等이엿다. 陳大悲의 代表作인『英雄與美人』과『幽蘭女士』도 처음에는 幕表制의 劇本이엿섯다. 그리고 當時에 正式으로 西洋劇을 紹介하기는『馬君武』,『梁啓超』가 잇지만은 文言 譯本이기 때문에 舞臺와 創作과는 沒交涉으로 끈처 버렷고 胡適, 熊佛西, 候曜 等이 비로소 社會劇을 번역 或은 試作하엿다. 一九二三年 陳大悲와 蒲伯英의 兩氏는 北京에 人藝戱劇專門學校를 創建하야 그의 生命은 비록 짤나스나 劇界에 던진 波動은 가장 크다. 그 후 陳大悲는『新中華戱劇協社』를 세우고『戱劇』月刊을 刋行하다가 모다 失敗로 幕을 닷치고 그 成績은 文明戱의 水平線에서 버서나지 못하얏다.

그 후 郭沫若, 田漢, 郁達夫 等의 感傷的, 敎育的인 社會劇에 손을 대고 또 아름다운 流行的 劇本에 힘을 쓰고 잇는 丁西林, 白薇女士 等이 잇다. 近年에 余上沅, 趙太侔氏와 가티 舊劇 擁護派도 생겨서 周作人氏가『中國戱劇의 三條路』라는 論文에 말함과 가티 混沌 無進의 狀態에 잇다. 舞臺藝術의 不

振과 劇本의 太少한 것은 中國戱劇의 全面相이다. 劇作家가 合計 三十名 가량인데 그 半數는 劇 一篇씩을 지은 사람이며 至今까지의 劇本 總數에서 三分之二는 獨幕劇이오, 劇集도 一打에 지나지 못하며 劇論도 아주 보잘 것이 업다. 戱劇運動은 갈스록 暗雲이 疊疊하다.

(向培良氏의 中國戱劇概評 參照)

【十三】

中國의 新劇運動 概觀(續)

3. 陳大悲, 丁西林, 田漢 三氏의 奮鬪

新劇運動史上에 잇서서 처음에 陳大悲, 다음에는 丁西林 또 그 다음에는 田漢——이 세 사람이 잇서서 新劇運動이 恒常 이 세 사람을 圍繞하고 이러난 것을 看過할 수 업다. 그러타고 陳大悲氏가 무슨 戱劇的 天才가 잇섯다는 것은 아니지마는 그는 戱劇運動의 開拓者이엿다. 그는 蒲伯英氏와 함께 人藝戱劇專門學校를 세웟다가 너무도 時代의 反響이 업기 때문에 失敗하여 버리고 그의 著作인 劇本은 『英雄與美人』, 『不如歸』, 『幽蘭女士』, 『父親的兒子』, 『維持風化』, 『良心』, 『虎去狼來』, 『張四太太』[28](以上 幕劇), 『平民的恩人』, 『愛國賊』(以上 獨幕劇). 그他 啞劇까지 甚히 만허서 자조 人藝學校에서 實演도 하엿고 그 奇特한 場面과 恐怖스러운 事件과 暗黑한 思想은 잘 時代의 精神을 表現한 것이엿다. 陳大悲를 도와서 新劇에 힘쓰고 잇든 舊 人藝學校

---

28 이는 『英雄與美人』와 동일 작품으로서 1929년 표제를 고쳐 출판하였다.

長 蒲伯英의 作『道義之交)[29],『濶人的孝道』도 拙劣한 諷刺로써 官僚階級을 攻擊한 藥石이 되엇다. 또『陳』의 一派에는『好兒子』(獨幕劇)의 作者 汪仲賢과『潑婦』,『回家』[30],『潘金蓮』의 作者인 歐陽予倩이 잇스며 그 外에도 愛美的劇團 陳晴皐 等과 人藝學校生 萬籟天, 李朴園 等이 잇다. 劇의 結尾를 懺悔와 自殺로써 하는 陳大悲의 作品과 正反對의 一面을 보여준 이는 陳의 後輩인 丁西林이다. 그의 作品도『一隻의 馬峰』,『守護』,『壓迫』,『捕虎의 夜』[31] 가튼 것은 人藝學校에서도 實演하야 相當한 成績을 어든 것이며 그 外에도 그는『酒後』,『親愛的丈夫』가튼 作品이 잇지마는 그의 作品을 通하야 볼 수 잇는 것은 日常生活에 處한 機智的 部分과 輕한 風刺와『에로틱』한 斷面 가튼 趣味잇는 瑣事에 지나지 못한다. 그럼으로 遊蕩階級의 消遣物에 지나지 못한다는 評도 바덧지마는 이 作風은 大端히 流行하야 蘋影의 作『聖的喜劇』, 懋林의 作『母親』과『盲人』等이 생겻다. 白薇女士의 近作인『訪雯』도 甚히 感傷的 氣味도 잇지마는 丁西林의 作風과 一脈의 共通性이 잇다. 그런데 陳大悲에서 丁西林에 이르는 동안에 만흔 趣味가 創造되며 擴大된 것은 否認할 수 업스며 이 繼承한 田漢, 郭沫若, 郁達夫 等의 創造社 作家들의 손을 지나서 劇壇은 敎育的 時代劇 或은 歷史劇과 感傷的인 社會劇이 만히 生産되어 貧弱하나마 비로소 盛況을 일우엇다. 中國의 舊劇은『써커스』나『노래의 展覽會』에 지나지 못한다고 比較的 舊劇 改良에는 誠意가 업고 徹頭徹尾로 西洋劇을 模倣하야 完全히 새로운 戱劇을 建設하자고 主張하면서 南國社를 세우고『南國月刋』,『現代劇』等을 發刊하는 鬪將 田漢은 지금에 와

---

29 '』'의 잘못이다.

30 중국어 원제는『回家以後』이다.

31 중국어 원제는『獲虎之夜』로서 丁西林이 아니라 田漢의 극작품이다.

서는 南京政府의 映畵宣傳 部長으로도 잇고 映畵에 努力하고 잇지마는 新劇運動에 가장 忠實히 努力하엿다. 그리고 그의 作品『珈琲店之一夜』,『湖上的悲劇』,『蘇州夜話』,『鄕愁』,『落花時節』,『午飯之前』은 모다 現代劇의 代表作으로 選出되지마는 妙하게 虛無主義的(nihilistic) 氣分을 주는 新興的 趨向이 잇다. 同時에『青春的夢』劇의 作者 張聞天이 잇슴을 記憶하여야 한다.

【十四】

中國의 新劇運動 槪觀(續)

4. 그他 作家와 作劇

西洋 劇本의 飜譯은 馬君武, 梁啓超 諸氏의『쉑스피어』紹介와 吳稚暉氏의 波蘭『廖抗夫』의 아나系 作品『夜未央』을 번역한데 出發하엿고 그 후 春柳社에서 茶花女(椿姬)를 實演한데서 實演이 始作되엇다. 그러나 當時는 時期가 넘우 일으고 또 文言體의 飜譯이엿슴으로 影響이 적엇다. 얼마 후에 胡適之氏가 雜[32]青年을 通하야『입센』을 紹介하엿고 또 스스로『終身大事』를 지어 女性解放의 先聲을 지엇다. 胡氏 一派에 熊佛西氏가 잇서서『青春的悲哀』,『新聞記者』,『新人的生活』,『這是誰的錯』,『洋狀元』,『一片愛國心』,『長城之神』等 만흔 劇을 지엇스며 그의 벗 侯曜는『復活的玫瑰』,『山河淚』,『棄婦』,『可憐閨裡月』等 評價 노픈 作品을 내엿스며 더욱 山河淚는 朝鮮××[33] 運動의 失敗를 그린 것으로 그의 다른 作品과 가티 非戰文學的 傾向이 濃厚

---

32 '新'의 오식이다.

33 '己未' 혹은 '三一'이다.

하다. 侯曜 以外에 小說月報에 揭載된 것은 王成組의 『飛』, 顧一樵의 『孤鴻』 等이 잇다.

다음은 觀察의 主點을 歷史劇에 두고 써서 나가자! 熊佛西의 『長城之神』은 孟姜女 故事를 取扱한 것이어니와 楊蔭深의 『一陣狂風』도 梁山伯, 祝英臺의 달큼한 『로만스』, 婦女運動의 盟主로 세우려하는 祝英臺의 民間說話를 題材로 한 것이다. 郭沫若氏의 『三個叛逆의 女性』은 聶嫈, 卓文君, 王正君과 가티 史上에 가장 勇敢하고 大膽한 三個 女性을 집어내서 寓話體로 婦女運動을 리―드하는 教訓劇이다. 그 餘에도 顧一樵의 作 『荊軻』와 『項羽』, 伯顏의 作 『宋江』 獨幕劇 等이 잇다.

(現代戲劇 一卷 參照)

視野를 感傷的 劇本에 돌려보건대 郁達夫氏의 『孤獨者의 悲哀』, 『一個下女』는 그 題目만 보아도 郁氏 特有한 世紀末的 頹廢 氣分이 흘러나온다. 白薇女士의 『琳麗』와 『幽靈塔』, 『訪 [34]』도 紅樓夢流의 高踏的이고 로맨틱한 『유―머』中心의 愉快味가 잇다. 더구나 琳麗는 中國 唯一한 詩劇으로 有名하다. 『黑衣人』, 『尼菴』, 『盲腸炎』을 通하야 그의 作家 陶晶孫의 孤獨, 寂寞, 恐怖, 失望의 情調에 衝激된다. 王新命의 『蔓羅姑娘』도 『하루삥』에 잇는 中露 混血兒의 戀愛의 失敗와 悲慘한 意境을 그린 것으로 靈魂의 衝激을 밧는다. 曹靖華의 『恐怖之夜』는(三幕劇) 露都에 가서 共產主義에 傾到하는 青年을 題材로 한 바 그 第三幕은 全部 英語를 쓰여 잇나니 戲劇의 效果부터 沒覺한 行爲이다. 그 外에도 徐葆炎, 尙鉞, 朋其, 楊晦, 余上沅 諸氏도 各各

---

34 '訪雯'이다.

四五種의 劇本을 지엇고 王統照의 『死後의 勝利』, 顧千里의 『畵家의 妻』(三幕), 孫景章의 『寶珠小姐(三幕)』, 孫俍工의 獨幕劇 『死刑』——等이 近來에 가장 傑作에 屬하는 것이다.

創作界의 一瞥 — 主로 小說

1. 問題의 『阿Q時代』

一九二七年 錢杏邨의 『死去了的阿Q時代』(阿Q時代는 지나갓다)라는 論文이 雜誌 『太陽』에 發表되자 寂寞할뻔한 文壇은 阿Q時代論戰을 發端으로 一九二八年 봄까지 革命文學, 푸로文學派와 對反革命, 反푸로派와의 論戰으로 一時 騷然하엿든 일은 아즉도 記憶이 새롭운 일이다. 阿Q란 무엇인가?——民國 七年 魯迅(周樹人의 펜넴)이 지은 小說 『阿Q正傳』의의 主人公 『阿Q正』이란 말이다.(梁白華氏의 鮮譯 紹介도 잇섯다) 阿Q는 當時에 가장 愛讀되엇고 世界의 各國語로 번역되고 『로만·로—란』도 『東方에 이것이 잇슬 뿐이다』고 激賞하엿다고 한다. 그러나 辛亥革命 후의 十年 동안에 中國 民衆의 思想은 놀낼만큼 覺醒하야 豪紳階級에 無條件으로 屈服할 阿Q도 아니요, 運命에만 依賴하야 革命軍의 힘으로 自己의 私仇를 갑고저 하는 阿Q도 아니요, 阿Q의 陰險刻毒한 性格은 辛亥革命 當時의 民衆的 思想을 反映한 것이라는 것이 錢杏邨의 評이다. 魯迅은 그 후 吶喊, 野草, 彷徨 等의 만흔 作品을 發表하얏스나 푸로文藝의 全盛期에 잇서서 다시 舊日 得意의 顔色도 업시 沒落期에 잇는 『小부르』의 最後 吶喊과 할 수 업서서 野草의 歧路에서 徨彷하는 데 지나지 못한다. 魯迅의 作品에 現代的 意味가 업다는 것은 事實이다.

(李何麟 著, 中國文藝論戰과 錢杏邨 著, 中國現代作家 卷一 參照)

阿Q正傳을 模倣한 作家로는 許欽文(作品 故鄉, 毛線襪, 趙先生的煩腦, 鼻涕阿二)이 잇고 魯迅의 『莽原』 發刊 때의 同志 高長虹(狂飆運動의 先驅)의 作品 『實生活』, 『從荒島到莽原』, 『春天的人們』, 『給——』, 『時代的先驅』, 『心的探險』, 『遊離及靑白』 等은 革命中國의 靑年의 苦悶을 잘 보여준다. 그 外에 上章에서 말한 葉紹鈞의 一派에 劉大杰, 王統照, 沈從文, 丁玲女士 等이 잇다. 女士ㅅ 말이 낫스니 말이지 中國文壇에서 가장 華麗한 筆致로써 讀者를 魅惑하고 잇는 氷心女士(上述)가 잇고 同派의 綠漪女士 蘇雪林(作品 綠天, 棘心), 沅君女士 馮淑蘭(作品 卷葹, 劫灰, 春痕), 陳學昭(作品 倦侶, 烟霞伴侶, 寸草心, 如夢), 白薇, 廬隱 等 女流作家 數十人이 잇다. 그他[35] 『小부르의 戰士』라는 評은 밧지만은 그 作品 『幻滅』, 『動搖』는 『小부르』의 幻滅과 動搖를 그린 것으로 이름 잇고 그他 『追求』, 『野薔薇』 가튼 作品도 모다 勝作이다. 矛[36]盾의 一派에는 黎錦明, 胡雲翼, 金石聲 等이 잇서서 人道主義를 高揭하고 잇다.

【十五】

創作界의 一瞥(續) — 主로 小說

2. 郭沫若과 郁達夫

革命文學의 두 老將 『郭』과 『郁』도 어느새 두 派를 일우엇다. 대저 五四運動 後에 軍閥의 殘酷한 逮捕와 殺害에 對하야 靑年의 心理에 두 分野를 일웟스니 한 派는 모든 壓迫을, 犧牲을 무서워하지 아니하고 反抗과 鬪爭의 一

---

35 아래 작품명으로 봐서는 응당 중국 근대작가 '茅盾'이어야 한다.

36 '茅'의 잘못이다.

路로 나가는 것이며 한 派는 外力의 襲擊으로 因하야 意氣를 沮喪하고 灰心落膽하야 幻滅의 悲哀를 늣기는 積極 對 消極의 對立이다. 創作壇에도 이 두 方面을 分別하야 볼 수 잇스니 前者는 郭의 一派요, 後者는 郁의 一派이다. 郭은 熱情잇고 光明한 性格과 生活이 그대로 作品에 나타난다. 그가 『女神』을 놀애하고 日本女性과의 『라부·렛터』를 모은 『落葉』, 『橄欖』을 發表할 적에는 自然美를 憧憬하는 로맨틱한 詩人이엇다. 그러나 그가 河上肇氏의 『社會組織과 社會革命의 結果』를 飜譯한 후 成仿吾에게 보내는 편지에 말하되 『나는 오날까지 半睡狀態를 깨지 못하고 잇섯다. 나를 깨와준 것은 河上氏이다.』고 한 그 후부터 푸로文學의 尖端을 걸어나가게 되엇다. 로맨탁한 詩人은 藝術의 꿈으로 滿足할 수가 업시되엇다. 一九二六年의 革命에도 가만히 잇슬 수가 업서서 革命에 從軍하얏다. 그는 一九二九年 以後 『압튼·싱크레어』의 作品을 번역하며 『水平線下』, 『反正前後』, 『我之幼時』 가튼 作品을 發表하야 만흔 活動을 繼續하고 잇다.

이와 反面에 郁은 어려서 父母를 여힌 關係인지 憂鬱한 性格과 沈痛한 語調가 그의 代表作 『沉淪』과 『蔦羅集』에 나타난다. 그는 그 후 만흔 社會的 苦悶을 품고 革命의 都市 廣東에 가서 革命에 對한 懷疑와 政治的 苦悶을 兼하야 드듸여 正義와 싸우기로 決心하고 日本의 푸로文壇과 提携하야 國際聯合戰線에 서서 農民文學을 提唱하고 잇다. 그의 作品은 『迷羊』, 『在寒風裏』, 『達夫代表作』 等도 잇스나 金錢, 名譽, 性慾의 三大慾望을 滿足시키지 못하야 『世紀末的 데카단』에 빠진 者의 불으지즘이요, 다만 作風이 甚히 思索的이고 描寫가 매우 巧妙한 곳에 그의 特色이 잇다.

創造社의 一派에는 戀愛小說을 잘 쓰기로 이름잇는 張資平氏가 잇스니 그의 著 『沖積期의 化石』, 『苔莉』, 『飛絮』, 『最後的幸福』 等 三角 四角 多角의 달큼한 戀愛를 題材로 하야 中國女性의 性的 苦悶을 그리고 잇다.

3. 太陽派의 鬪將 蔣光慈

우리는 中國文壇의 領袖들이 모나 日本 留學生임을 안다.——魯迅(仙臺醫專), 郭沫若(九大 醫學士), 郁達夫(東大 經濟學士), 張資平(東大 理學士), 陶晶孫(九大 醫學士) 等. 그러나 이 外에 特別히 빗나는 title도 업시 無冠의 名將으로서 가장 民衆의 사랑을 밧고 잇는 蔣光慈 그 사람이 잇는 것을 이저서는 안된다. 一九二五年『모스크바』에서 돌아온 蔣光慈(當時의 이름은 光赤)는 最初의 詩集『新夢』 속에 列寧『레닝』을 哭하고 革命의 嬰兒, 中國勞働歌, 太平洋의 險象, 모스코—吟 等——十月革命의 讚美와 世界革命의 憧憬을 긔록한 革命의 抒情詩로 가득히 차서 잇섯다.

一九二七年 第二詩集『哀中國』이 發表되어 二七慘案, 五卅事件, 沙基事件 等의 直後이엇기 때문에 民族愛와 反帝國主義 意識이 濃厚하게 잇섯다. 그는 創造의 方向轉換 前에 雜誌『春雷』를 發行하야 左傾 靑年 間에 만흔 同情과 反響을 바덧다. 그는 理論보다 創作에 힘써서 일즉『少年飄泊者』,『綠江上[37]』,『菊芬』,『野祭』,『最後의 微笑』,『短褲黨』,『哭訴』,『麗莎의 哀怨』을 發表하고 昨今에도『一個女性의 自殺』,『衝出雲圍的月亮』(新刊)을 發表하야 第四階級의 藝術과 人生觀과 生活方法에 基礎를 두고 鬪爭과 熱血의 精神을 吐하야 間接으로『러시아文學』을 맛보게 한다. 그 文藝의 自體에 나가서 본다면 粗俗하고 淵深치 못하고 文法에 만히 어그러저서 惟美派의 批評家로 하야금 批評한다면『淺薄한 文壇零落이라』고 밧게 보지 아니할 깃이나 그 作品의 材料는 民衆의 喜怒哀樂과 民衆의 利益의 戰鬪的 情緖를 表示한 것임으로 一般民衆의 要求하는 作者임에 틀님이 업다. 그의 作品은 讀者層에 絶大한 힘을 扶植하고 잇다.

37 『鴨綠江上』의 오기이다.

蔣氏가 太陽派의 主將이라고 하면 그 여페는 그의 親友인 理論鬪爭家 錢杏邨이 잇슴을 이즐 수 업다. 錢氏의 作品『革命의 故事』,『歡樂與舞蹈』,『義塚』,『荒土』,『一條鞭痕』,『暴風雨的前夜』等은 그의 벗 楊邨人의 作『失蹤』,『戰線上[38]과 및 [39]狂瀾』과 함께 만히 愛讀되고 잇다. 이 一派에는 龔廬氷, 洪靈菲, 英[40]藥眠, 于賽虞, 巴金, 趙伯顏 等이 잇다.

【十六】

中國의 新文藝運動에 나타난『朝鮮』

甲午更張 以後의 朝鮮에서 越南(安南)亡國史와 美國獨立史가 크게 流行되는 일은 누구의 記憶에든지 새로운 일이겟지만은 中國에서도 文學革命以前의 啓蒙期에 잇서서 國事가 多難하야 時局의 推移를 근심하는 志士는 周圍 列國의 覆餗된 前轍을 殷鑑으로 삼고저 各種의 讀本을 지어냇다. 朝鮮에 關하야서도 約 五六種의 半史, 半小說的의 演義體가 잇섯다고 하나 나의 眼目에 든 것은 겨우 四種이엿다.──××[41]亡國史 二冊, 朝鮮痛史(上海에서 朝鮮人의 손에 出版된 朝鮮痛史의 번역인가?) 一冊, 國事悲 四冊, 英雄淚 四冊 等이다. 그러나 이러한 小說은 白話로 씨여잇지만은 三國演義의 體裁와 가튼 것으로서 또 그 文章과 意匠의 拙劣함으로써 文學的 價値가 적은 것이다. 그

---

38 ‘』’가 누락되어 있다.

39 ‘『’가 누락되어 있다.

40 ‘黃’의 오식이다.

41 “高麗”로 짐작된다.

리고 文學革命 前後에 생긴 幕表制의 劇本『安重根』은 哈爾賓 驛頭에 銃火가 일어난 刹那의『劇的 씬—』을 잘 表現한 것이며 候曜가 지은『山河淚』一劇은 ××[42]合倂 當時의 國情을 巧妙한 結構와 親切한 描寫로 잘 表現한 作品이엿다. 文學革命 直後인 民國 七年에(一九一八年) 郭沫若氏가 金剛山을 求景하고 돌아가서 지은『牧羊哀話』一篇이 잇스니 郭氏가 다시 民國 十一年 十二月에 修正하야『星空』이라는 詩集 속에 너허서 刊行한 것이다. 勿論 當時의『郭』은 오늘의『郭』이 아니엇슴으로 로맨틱한 藝術至上的 興趣가 甚히 濃厚하야 讀者로 하여금 濃熟한 果樹園이니 花園을 彷徨하는 듯하며 더욱 처음 한『페지』는『願生高麗國하야 一見金剛山』이라고 하든 中國人의 金剛讚美가 郭氏 一流의 筆致로 아름답게 긔록되엇다. 그 梗概——

金剛山 萬二千峯의 山靈은 나의 魂魄을 곽 붓잡는다. 나는 金剛山 미테 仙蒼里라는 조그마한 村落의 尹老婆의 집에 寄宿을 定하엿다. 尹婆는 나의 萬里 逆旅에 孤獨함을 자조 慰勞하여준다. 나는 날마다 九仙峯, 毘盧峯, 그他 彌勒, 白馬, 永郎 等各峯을 踏破하엿다. 萬二千峰의 朝暮雨晴에 色色으로 變하는 光景은 내가 文人 畵家가 아님으로 完全히 그려서 우리 兄弟朋友와 함께 보지 못하는 것이 큰 遺憾이다.

어느 날 九仙峯에 혼자 안저슬 적이다. 저녁 해는 莊嚴하게 山下의 雲煙과 나의 마음을 浮動시켜 올 적에 陣陣한 淸風 속에 分明히 어느 계집 아해가 羊을 치면서 놀애를 부르난듯한 短片이 한 節 두 節씩 凄涼하게 들녀온다. (歌略) 그 마즈막 一

42 "韓日"로 짐작된다.

節──

羊아! 羊아!

설워말라!

내가 잇거든

虎豹야 올라구──

虎豹가 온대도

이 내 목숨 다하야

그 놈, 쟈갈(銜) 물리리니

羊아! 羊아!

그 女郞의 놀애 소리는 떨어지는 太陽과 가티 점점 멀어지더니 들니지 안코 말엇다.

그 다음날 나는 尹婆와 함께 마루에 안저슬 적에 尹婆가 『저 아희가 우리 閔家의 佩黃小姐입니다.』라고 말함으로 나는 『웨? 名門小姐가 저러케 羊을 치고 잇느냐』고 물엇다. 그러자 尹婆는 무슨 感激에 가심이 터지는 듯, 心臟이 찌저지는 듯 痛哭을 하더니 나의 慰問으로 눈물을 싯고 一場의 哀訴를 계속한다.

『佩黃──元來 京城 大漢門 박게 살든 李朝 쩍의 子爵 閔崇華 대감의 딸님이랍니다. 子爵은 朝廷에 잇다가(略) 大勢가 이미 글너진 줄 알고 그냥 이 곳으로 왓지요! 子爵의 前夫人 金氏는 十六年 前에 이 世上을 떠나고 後室 李氏가 들어왓지요! 前夫人의 所生에 佩黃小姐가 잇슬 따름, 金夫人은 돌아가실 적에 다섯 살된 佩黃를 저에게 養育하라고 맛겻지요! 저의 남편 尹石虎는 근본 閔府의 侍從이엿고 저의 아들은 尹子英이드람니다.

尹婆는 이 말을 끗하자 긔가 맥히는 듯 한숨을 하고 눈물을 뚝뚝 흘린다. 나는 다시 繼續하라고 勸하얏다. 尹婆는 다시 머리를 들더니

『子英은 매우 총명하야 子爵도 대단히 사랑하고 英兒! 英兒! 하고 불으며 英兒가 佩黃보다 나희 한 살 더 만흠으로 서로 英兒, 黃妹라고 불넛답니다. 李夫人은 名門小姐로 日本 留學은 고사하고 뉴욕, 론돈, 파리, 우인 各地에 海外 風霜을 만히 격고 廿二歲에 故國에 돌아와서 外交界의 花形이엇답니다. 子爵은 이 곳에 온 後부터 지나간 榮華를 이저버리고 豪奢한 生活을 떠나서 저의 夫婦에게도 羊을 치게 하얏습니다. 英兒가 열두살 적입니다. 英兒와 佩黃가 어느 날 羊을 딸하 海金剛까지 가서 그만 두 아희가 뭇羊과 함께 岩壁에 의지하야 빗처주는 달빗도 몰으고 기픈 밤에 놀내서 차저오는 父母도 몰으게 서로 억개를 벼개하고 잠자는 것을 차저 온 일도 잇습니다. 英兒는 여러 중과 함께 武術을 배호며 小姐는 子爵에게 글을 배우더니 英兒가 열여섯살 먹자 그만 그의 아버지가 죽엇드람니다.[43]
尹婆는 다시 一場 痛哭을 하더니 그리고는 房에 들어가서 英兒의 遺書와 閔李氏가 尹石虎와 密謀하고 子爵을(略) 長安寺에서 죽이자는 封信과 두 장을 내서 놋는다. 英兒의 遺書에는 『어머님! 저는 忠誠스럽고 사랑 기픈 子爵을 救하기 爲하야 죽겟나이다.』라고 쓰여잇다. 果然 六月 十一日 저녁 英兒는 李

43 ‘』’가 누락되어 있다.

氏의 計劃을 看破하고 子爵의 代身에 長安寺에서 죽엇다.[44]그 후 李氏는 북그러워서 自殺하고 저의 남편은 어대로 가서 오지 안습니다. 이것이 小姐와 나의 羊 치는 理由입니다. 羊이 죽으면 英兒의 벗이 될가하고 그 墳墓가에 뭇습니다. 밤이면 虎豹의 舞蹈場도 되고요……』

【十七】

中國의 新文藝運動에 나타난『朝鮮』

郭沫若氏는 恒常 조선은 悲哀에 넘친 나라으로써 본다. 그가 一九二四年(?)에 지은 小說『陽春別』에는 다음과 가티 긔록하여 잇다.

>『내가 俄國으로 나가기 前에 日本에 가고저 한다. 朝鮮은 내가 八年 前에 한번 가서 보앗다. 朝鮮사람은 中國에 比하면 아즉도 좀 조흔듯하다. 그러나 조선사람은 一個 悲哀뿐이다.』
>
> (『塔』 八十七頁 參照)

中國 現代의 二大作家라고 할만한 郭洙若과 蔣光慈의 作品 속에 前者는 金剛山, 後者는 鴨綠江을 背景으로 한 두 短篇이 잇는 것도 異常하다면 異常하고 異常치 안타면 異常지 아니하다. 웨? 이 두 題目은 絶好한 題材로서 時代의 先驅가 되려 하는 大作家의 眼光에 빨리 빗치워야 할 것이다. 前者

44 '『'가 누락되어 있다.

는 世界 惟一한 風景에 잇서서 後者는 悲壯한 國境의 軍歌的 情調에 잇서서──조선에도 만히 잇서야 할 金剛文學과 國境文學이다. 已未 以後에 『妓生』, 『不良少年』 等을 그린 모든 頹廢的 文學이 얼마나 現實에 貢獻하고 잇는가 生覺도 하야 볼 問題이다. 蔣氏의 鴨綠江上은 『碎了的心』 或은 『橄欖』이라는 여러 가지 이름을 가지고 發售되는 短篇이다.

梗槪

어느 눈 오는 밤이다. 모스코 寄宿舍에 波斯, 朝鮮, 中國의 세 사람 留學生이 잇서서 煖爐 엽페서 戀愛의 經驗談을 한다. 이야기는 波斯靑年에서 始作되어 다음은 中國靑年, 다음은 조선靑年의 차례에 이르렷다. 그는 『아─』하고 긴─한숨을 한 후 슬픔에 넘처서 『나야말로 戀愛의 世界에서 가장 슬픈 사람이다. 지난 三月에 故國에서 돌아온 사람에게 消息을 들으니 나의 사랑하든 可憐한 雲姑(女子의 이름)는 그만 서울 감옥에서 죽엇다고 한다.』 그는 이와 가티 말한 후 眼眶에 흘으는 눈물을 가리우고 말치 아니하다가 두 동무의 勸에 못익이어 다시 계속한다.

『朝鮮의 北境을 흘으는 鴨綠江의 下流에 잇는 외로운 섬(島)──이 곳이 나의 搖籃을 돌애하든 곳인 동시에 雲姑와 함께 놀든 곳이엇다. 열세살 적에 나의 아버지는(略), 어머님도 그 길로 바다에 던저 죽엇다. 依託할 곳 업는 나는 愛情이 무르녹는 雲姑를 어머니처럴 或은 친누나처럼 밋고 이섯다.(略)

> 나는 마음과 몸을 둘 곳이 업다고 생각하고 故國을 떠나는 最後의 決心을 하엿다. 밤 열한[45] 時 한 척의 적은 배가 가만히 鴨綠江邊에 人煙 업는 곳에 매여이다. 親愛한 벗이여! 누가 알엇스랴? 이 一別이 永遠의 離別일 줄이야? 그 후 雲姑는 社會主義青年同盟 婦女部의 書記로 잇다가 罷工煽動의 罪로 收監되엇든 것이다(略)[46] 라고 한다. 그러자 同室 C君이 눈을 듬뿍 쓰고 들어온다. 밤은 열두 時……』[47]

蔣氏는『異鄕與故國』이라는 紀行文에 만히 朝鮮青年의 苦悶을 그렷다.

(本章은 손에 原本이 한 책 업서서 妄言뿐)

【十八】

中國文壇의 現勢

나는 先章에서 今年 三月 三日 左翼作家聯盟大會가 上海에서 열리고 그 聯盟의 編輯으로서 四月에는『文藝講座 第一輯』이 出版되엇슴을 말하얏다. 다시 이 말을 吟味하면 다음의 두 結論을 엇나니

1. 中國文化의 中心이 二三年來에는 上海로 옴겨와서 文壇의 中心도 上海에 잇게 되고 더욱 이 聯盟의 成立 後는 만흔 푸로文壇의 闘將이 한 陣營

---

45 중국어 원문에는 '밤 열시'이다.

46 '』'가 누락되어 있다.

47 '』'가 잘못 기입되어 있다.

에 團結하야 强陣을 일우고 잇다는 것과

2. 프로文學의 決定的 勝利와 旣成文壇의 完全한 破滅이다. 저『푸티·부루』派로 注目하든 魯迅도 인제는 프로小說의 번역에 從事하며 劇壇의 健將 田漢도 프로陣營의 傘下에 모여들어『푸티·부루』文壇의 完全한 崩壞를 보게 되엇다. 그러나 아즉도 한편에『사론文學』이라고 冷笑를 밧는『小說月刋』,『金屋月刋』,『眞善美』,『東方雜誌』等의 文藝雜誌가 프로陣營 밧게 存在하지마는 文壇의 主潮와는 沒交涉의 地位에 잇다.

이와 가티 表面的으로는 프로文壇의 統一戰線에 잇는 것 갓지마는 各 作家의 作品의 內容을 檢討하면 그러치도 아니하다.——新로맨틱, 自然主義的, 頹廢的, 肉慾的, 歡樂文學, 逃避文學 等 各 作家의 個性과 生活에 依한 複雜한 現象을 混淆하야 짜내고 잇다. 이 矛盾的 混淆야말로 中國 今日의 社會相이다. 프로陣營에 轉換한 作家들의『이데오로기—』의 淸算도 아즉 完全히 되기 前에 부루文壇이 破潰하야 버렷다. 그리하야 프로文學은 當局의 彈壓에 反比例하야 그 思想은 一瀉千里의 形勢로 讀者層에 浸淪하고 잇다. 今年 五月 以後에도 郭沫若, 蔣光慈 兩氏는 만흔 創作을 發表하얏지마는 文壇 全體로 보면『인테리겐티우』作家의 淸算期에 잇고 장차 프로 自身의 創作時代의 出現을 豫期하고 잇다. 中國의 프로文學은 아즉 幼稚하야 評價의 價値라든지 世界文壇上에 紹介할만한 것이 아즉은 업다. 그러나 水平線下에 呻吟하고 잇는 社會相과 中國의 經驗하고 잇는 體驗과 苦悶이 充分히 만흔 偉大한 文學的 素材를 가지고 잇는 것이며 中國作家들이 모다 壯年이나 靑少年期의 人物이 만흔 것은 갓가운 將來에 相當히 優良한 新興文學의 發生할 것을 豫測할 수 잇다. 文學革命에서 革命文學, 革命文學에서 프로文學의 展開에! 過去 十四年 間의 奮鬪는 놀랄만큼 크지마는 아즉도 新興文學 胎生의 黎明期에 잇다. 빗난 太陽의 빗갈은 장차 아츰의 濃霧를 驅逐하고 中國文壇

을 世界文壇 우에 떠올으게 할는지도 알 수 업다. 中國文壇도 인제는 理論的이나마 世界文壇의 最高峯인 푸로文學의 頂点을 바라보고 긔여올나 가고저 한다. 갓가운 將來에 對한 나의 期待를 豫言하야 둔다.

中國의 現文壇에 對하야는 벌서 昨年 八九月에 丁來東氏가 朝鮮日報에 紹介한 바 잇섯스며 저도 좀 더 作家 本位로 쓴 論稿가 잇지마는 아즉 이만 한다.

(完)

南京政府의 一大彈壓에 左翼文士들 日本에 亡命[01]

기자

信憑할만한 側의 情報에 依하면 中國共産黨의 一派는 南北戰 終熄 後의 農村組織運動에 新戰術을 採用할 것과 全中 赤化 再組織 方針 等에 關한 全中『쏘베—트』大會를 지난 七日부터 十一日까지 間에 開催하려고 各地의『쏘베—트』及 極左『프란손』에 指令을 發하야 各各 準備 中이든 바 이것을 探知한 南京政府에서는 直時 大彈壓政策을 쓰기로 決定하고 一派 代表의 上海集合을 待하야 一網打盡의 總檢을 敢行하려는 中이드니 그 先行 活動으로 去月來로 本月 初旬까지에 在上海 左翼作家의 大檢擧를 行하야 作家 魯迅氏 等의 自由大同盟, 錢杏村의 左翼作家聯盟, 社會科學聯盟 關係者 等 百五十 餘名에 逮捕令을 發하게 되엇는데 이 때문에 劇作家 田漢氏와 그 一派가 早急히 逃亡하야 續續 日本에 亡命한 모양이라 한다.

---

01 "海外文藝消息",『東亞日報』1930.11.19, 4면.

中國 尖端女性 — 맹렬한 그들의 활약(발췌)[01]

저자 미상

(3)[02]

꽃다운 문예가 수심 녀사 — 보석 가튼 그의 문장

북경대학 교수 아모개라씨인 명함을 손에 쥐일 때에는 아—어떠한 사람일가 하고 생각하고 섯슬 사람은 만흔지언정 수심(氷心)[03]녀사라 하면 신중국(新中國) 문예에 다소라도 맘을 두고 잇는 사람이면 아아 그의 시집(詩集)인 『번성』(繁星)과 『춘수』(春水)의 저자(著者)로 또 소설 『초인』(超人)과 애의 실현(愛의 實現)의 저자의 본명인 줄 곳 알아차릴 것입니다. 『애의 실현』은 일문으로 번역까지 되어 잇습니다. 실상 그는 현대 분위긔 속에서 자라난 허다한 신중국인에게 애송을 밧는 녀류작가로 그의 쓰는 문자는 보석과 가티 맑으며 읽은 뒤의 회억(回憶)은 미풍(微風)이 나브ㅅ기는 봄철의 잔잔한 물결과 갓다는 평을 밧고 잇습니다. 이상의 말한 작품 이외에도 『최후의 사자』(最後의

---

01 '빙심(氷心)'의 잘못이다. 아래도 마찬가지다.

02 매회 연재분 표기로서 5회에 걸쳐 연재되었다. 여기서는 여성 문인과 관련된 제3~5회만 발췌한다.

03 '』'가 잘못 기입되어 있다.

使者) 리가의 일년(離家의 一年)의 최근 작품도 잇는데 그는 우스레—대학을 나와 작년에야 결혼한 금년 이십구 세 된 이로 요 사이도 틈틈이 단편을 만히 써내고 잇습니다.

비애의 작가 로은 녀자 — 그도 역 비애 경험가

로은(廬隱) 녀사는 수심(水心) 녀사와 동향인 복건(福建)사람으로 본명은 황영(黃英)이며 오년 전에 처녀작 『해빈의 고인』(海濱의 故人)을 북경에서 발표하고 계속하야 단편소설집 『만려』(曼麗), 『령해조석』(靈海潮夕)을 발행하고 일약하야 수심 녀사와 가티 뛰여나게 되엇습니다. 사진으로 본 그는 눈과 코가 또렷또렷하며 입이 좀 커서 어덴지 남성적 긔풍을 가저 수심 녀사의 동그스름한 맛이 나며 따뜻한 감을 주는 것과는 전연 별다른 점이 만흡니다. 비애(悲哀)와 우수(憂愁)의 긔분이 로은 녀사의 작픔 어느 구석에든지 떠도는 것을 보면 신중국 무인[04] 작가 중 유일의 비애 경험자라고 전해지는 것도 사실인 모양입니다.

(4)

다재한 록저 녀사 — 외국어를 두 가지나

록저(綠漪)[05] 녀사의 본명은 이 수 년래로 교묘하게 감초지엇섯습니다. 그

---

04 '부인'의 오식이다.

05 '록의(綠漪)'의 잘못이다.

의 펜네ㅡ므(아호)도 소매(蘇梅), 설림(雪林) 등 때에 딸하 변하얏습니다. 오륙 년 전 북경고등녀사사범에 잇슬 시절부터 문학 녀학생 사대 금강(四大金剛) 중의 제일인으로 친 사람으로 『리의산 련애사적고』(李義山戀愛事跡攷)라는 대담하기 쌍이 업는 고증적 일서(考證的一書)를 내노흔 것을 시작으로 하고 결혼 긔념으로는 록천(綠天)이라는 단편소설집을 발행하고 더욱이 어머니가 돌아간 긔념으로 미구에 극심(棘心)이라고 제(題)를 부친 제이 단편소설집을 내어노랴 한다 합니다. 다시 말할 것 업시 다방면으로 그러고 다재한 녀성으로 소설 소품 가튼 것 외에 옛 모형의 한시집(漢詩集)도 잇스며 불란서ㅅ 것의 번역한 것도 잇고 또 일본말도 잘한답니다. 얼듯 보아서는 겨우 녀학생 시절을 막 지낸 듯이 보이는 모던 녀성이랍니다.

극히 첨단적인 백미녀사 — 극작가로 유명해

백미(白薇) 녀사는 본성이 황(黃)씨이오, 호남 사람으로 지금은 중국 공학(公學) 교수의 부인입니다. 일본에서 구년 동안 류학하고 민국 십사년에 시극 『림려』(琳麗)를 출판하고 신문학운동의 첨단의 길을 밟은 이래 『타출유령탑』(打出幽靈塔) 가튼 사회 비극 종류의 작품이 잇스며 최근에는 군벌을 배경으로 한 『장미주』(薔薇酒)라는 이 막[06]의 희곡이 잇다 합니다.

---

06 4막극이다.

(5)

창조파 녀류작가 원군녀사 — 육감적 묘사를 잘해

원군(沅君) 녀사는 창조파 중 녀류작가의 제일인입니다. 본명은 풍숙란(馮淑蘭), 현재 중국 공학의 교수로 잇는 이입니다. 감(淦) 녀사의 별명으로 『권시』(卷葹)라고 하는 창작 여섯 편을 발표한 이래로 급히 이름을 떨친 작가 이안(易安), 대긔(大琦)라는 별호는 바로 그이엇습니다. 그러고 춘흔(春痕)은 제이오, 겁회(刼灰)는 제삼의 창작입니다. 대담하고 로골적이며 평명(平明)한 문자를 가지고 육감적 묘사는 어댄지 장자평(張資平)의 풍이 잇답니다.

남자보다 수에 잇서 적지 안타 — 모다 삼십세 미만

이상에서 말한 사람들 외에 학생 편에서 귀중하게 여기는 작가로 형철(衡哲), 숙화(淑華)의 두 사람이 잇습니다. 그러고 소품문(小品文) 방면에는 진학소(陳學昭), 오서천(吳曙天)의 두 사람이 잇습니다. 번역 방면에는 CF 장근분(張近芬), 림란(林蘭), 군잠(君箴)의 세 사람이 잇습니다. 또 요즈음 『흑암중』(黑暗中) 네 편짜리 창작집을 내고 대번에 천재의 이름을 날리게 된 정령(丁玲) 녀사도 잇습니다. 신중국의 녀류작가는 남성작가에 비하야 반듯이 적지 안흡니다. 다만 지금까지로서는 호적(胡適), 주작인(周作人), 로신(魯迅), 곽말약(郭沫若), 장자평(張資平)들과 마주 설만한 작가와 비평가는 업슬지언정 미구에 나타날 가망은 만흡니다. 아모튼 녀류작가는 모도 젊은이입니다. 삼십세를 넘은 이는 업다고 합니다.

1931년

新興 中國文壇에 活躍하는 重要 作家[01]

天台山人

(一)[02]

序言

新興中國의 眞相——意氣와 熱血 밧게 아무 것도 업다. 尖端에서 尖端! 極端에서 極端으로 달아나서 모든 것을 改革하지 안코는 두지 아니하는 現狀이며 이것은 그들로 하여금 社會的, 政治的 成功에 引導한 直接 誘因이 된다. 그리고 이 多事 多難한 社會背景아래에서 자라난 文藝와 밋 그 作家의 生活은 恒常 그것을 表現 또는 實證하고 잇다. 나는 이에 中國의 現代文藝를 云云하게 되엿다. 나는 昨年 十月, 十一月에 東亞報를 通하야 文學革命 後 十四年 동안의 文藝運動을 觀察한 바 잇섯거니와 이번에는 그의 續稿로서 中國의 모든 作家가 一齊히 方向轉換을 한 經路까지의 月旦을 試코저 한다! 賢明하신 讀者는 알으실 것이다.——이 結論 업는 論稿가 筆者 本來의 本意가 아니여섯고 筆者도 얼마나 自己 抹殺에 苦心하엿는지를!

歲月은 흘으고 世事는 박귀여 오날의 『테—제』도 반다시 明日의 『테—

---

01 『每日申報』 1931.1.1, 1면; 1.3, 1.5, 1.7, 1.10~1.11, 1.13~1.18, 1.20~1.25, 5면.

02 매회 연재분 표기로서 18회에 걸쳐 연재되었다.

지』가 아니다. 一九二七年[03] 胡適之, 陳獨秀 一派가 頑固한 漢文學徒의 風雨가튼 反對 속에서 『死字, 死文學의 廢止』, 『文學革命』을 提唱한 후 벌서 半三十年의 봄을 마지하게 되엿스니 三十年을 一世代라고 볼진대 오히려 今昔의 感이 업지 아니하다. 그들은 짤분 時日에 잘 싸워온 猛將이엿고 凱旋將軍이엿다! 白話文學의 完全 勝利, 自由詩의 發展, 新小說, 新劇本의 創作 等에 相當한 成功을 하여왓스며 一九二七年 以後는 文學硏究會, 創造社를 中心으로 한 各色 作家들의 作家意識에 對한 論戰이 열녀서 結局은 階級文學의 勝利에 돌아가고 말엇스나 一九二九年 南京政府의 嚴命으로 創造社가 閉鎖된 후로부터 文壇은 分裂 混沌의 狀態에 빠젓다가 一九三〇年 三月 左翼作家聯盟이 上海에서 成立된 후부터 모든 作家들은 聯合戰線우에 다시 活氣를 띄고 活動하든 것이 同 十月에 또한 政府의 彈壓을 바다 主要 作家는 모다 東京으로 亡命하고 文人의 恐怖時代를 招致하엿다.

(二)

그러나 同 十一月에 政府에서 發表한 『言論機關絶對自由의 許可』 府令은 반다시 後日의 文藝思想의 發展에 絶大한 期待를 보여 준다. 何如間 現代의 中國은 旣往의 中國이 아니며 五年 前의 中國도 今日의 中國은 全혀 아니다. 特히 文藝運動에 잇서서는 더욱 甚한 바가 잇스니 우리의 常識的 見解로는 中國人이 世界에 가장 保守的인 듯하지만은 實際로 그 나라의 物情을 살펴보며 그 文藝를 집씹어보면 意外에 판다른 結果를 어들 줄로 밋는다. 이 點에

---

03 '一九一七年'의 오기이다.

잇서서 孤陋한 조건의 漢學者들의 反省을 促한다. 스사로 君子然하는 漢學者들——諸君은 慘澹한 現實을 어떠케 보고 잇는가? 무슨 事業을 하엿는가? 『三省吾身』의 聰明이 잇섯드면 『有蹈東海而死』가 맛당치 아니할가? 나는 彼我 對照의 資가 될가 하고 中國現代의 主要 作家 몃 사람의 行績을 一瞥코저 한다. 半部分은 錢杏邨의 『現代中國文學作家』를 抄譯하는 程度로 하엿다.

文學家로서 본 『胡適之』의 一面

胡適이가 元來 文人이 아닌 줄은 自他가 承認하지만은 作家를 論하는 序曲에 잇서서 그처럼 文學革命上에 功績이 赫々하던 胡氏를 論지 아니하고 默過하기는 內心에 너머 섭々하기로 一節을 割愛한다.

胡氏에게는 哲學이 그의 本能인 듯하나 文學에 잇서서 相當한 功績이 잇나니

㈠ 文學改良芻議, 建設的文學論을 남 몬저 提唱하야 白話文學의 勝利를 엇게 된 것,

㈡ 舊文學의 整理와 考證,

㈢ 自由詩의 提唱과 『입센』劇 紹介,

㈣ 劇本 『終身大事』의 創作

等이다.

㈢

그런데 ㈠은 이에서 말할 必要도 업거니와 ㈡에 니르러 氏는 水滸傳, 紅

樓夢, 西遊記, 金瓶梅, 儒林外史 等의 作者와 著作을 考證하며 同時에 여러 種類의 文學史를 썻다. (三)의 自由詩! 氏는 白話運動과 함께 新詩運動에는 絶對로 偉大하다.

一九一三年(民國 二年) 胡氏가 米國 留學으로부터 돌아와서 白話詩集인 嘗試集을 發表하엿다.[04] 그 후 一九一六年까지는 白話詩의 實驗室에 蟄伏하여 잇섯지만 當時의 詩風은 古調를 만히 버서나지 못하엿섯다. 그는 『蝴蝶』詩를 지여 同志 『錢玄同』氏에게 보이니 錢氏는 아즉도 文言의 窠臼에서 만히 버서나지 못하엿다고 評한다. 胡氏는 다시 奮發하야 嘗試集 第二集을 지여 오날 날의 自由詩와 달음 업슴을 지엿다. 그의 鴿子詩

[05]雲淡天高, 好一片晩秋天氣.
有一群鴿子, 在空中遊戲.
看他們三三兩兩,
廻環來往,
夷猶如意,
忽地裏, 翻身映日, 白羽襯青天, 十分鮮麗.』

胡氏는 누구보담도 몬저 『입센』의 劇本 『노라』, 『群鬼』, 『民衆公敵』 等을 번역 紹介하며며 熊佛西, 候曜 等과 함께 劇本을 짓기 始作한 것이 獨幕 『終身大事』劇이다. 『終身大事』 率直하게 말하면 婚姻解放을 宣言한 短劇이며

04 정보가 잘못 되었다. 胡適은 1910년 미국으로 유학을 떠나 1917년 귀국하였으며, 『嘗試集』은 1916년 창작하기 시작하여 1920년에 출판되었다.

05 '『'가 누락되어 있다.

中國의 『노라』라고 할만한 主人公 田女士가 父母에게 結婚問題를 맛기지 아니하고 自己의 愛人인 陳先生을 딸아난 것이니 作者는 소래처 말하엿스되 『이 갓치 父母는 頑固한데 장님 가튼 頑固의 말을 들을 必要가 잇늬?』라고! 다만 對話와 動作과 人物의 描寫는 매우 拙劣하야 作劇史上에 한 骨董品이 되엿다. 胡氏는 마침내 文學家가 아니엿다. 胡氏란 누구냐? 浙江사람 胡適이니 字는 適之요, 北京大學 敎授로 오래 잇서스며 『戴東原[06]』, 『中國哲學史大綱』, 『先秦名學記[07]』 等의 哲學 著書도 잇다.

(四)

紹興 周氏 兄弟

『周氏 兄弟』라는 文句는 中國 文藝運動의 先驅가 된 周樹人, 周作人 兄弟를 指稱함으로서 이러한 稱號는 벌서 陳源이가 한 번 西瀅閑話에 썻다가 周樹人氏를 激怒식킨 일이 잇다.(魯迅의 華盖集 參照) 그런데 中國의 文藝運動史上에는 第一 몬저 論치 안을 수 업는 것이 周氏 兄弟의 功績이다. 魯迅이라면 누구든지 아는 周樹人의 聲價 놉픈 阿G正傳[08]과 周作人의 白話文 翻譯의 成功이 모다 남 보담 先鞭을 치고 이슴으로써다.

周樹人은 浙江 紹興사람이다. 그가 『술 名産地』인 紹興에서 낫다고 하야 色彩 다른 文人에게 『醉眼矇曨한 魯迅』이라는 惡評을 바든 일도 잇다.(李何

06 중국어 원제는 '戴東原的哲學'이다.

07 중국어 원제는 '先秦名學史'이다.

08 '阿Q正傳'의 오기이다. 아래의 'G'역시 모두 'Q'의 오기이다.

林 編, 中國文藝論戰 參照) 열여덜살에 南京水師學堂에 入學하야 機械學을 배호다가 半年만에 中破하고 礦路學堂을 卒業한 후 東京에 留學하야 豫備校를 마친 후 醫師가 되고저 仙臺醫專에서 二年을 지내는 동안에 日露戰役이 發端되여 어느 날 活動寫眞을 보러 갓다가 엇떤 中國人이 露國 探偵이라는 嫌疑로 被殺되려함을 알고 故國에 돌아와서 獨逸에 가고저 하다가 그도 如意치 못하엿다. 때는 氏의 廿九歲 쩍이다. 杭州의 兩級師範學堂의 生理教授와 紹興中學의 敎頭를 지나 上海에서 翻譯先生을 하다가 師範學堂의 校長으로부터 北京大學의 國文敎授로 招聘되여 師範大學, 女子師範大學의 講師를 兼任하엿섯다. 그의 펜넴 『魯迅』은 民國 七年(一九一八) 『新青年』誌에 狂人日記를 發表할 적의 筆名이다. 그것이 크게 激賞된 후 그는 小說集 『彷徨』, 『吶喊』을 發表하엿다. 一九二七年 以後 그는 旣成文壇의 老將으로 創造社 一派의 攻擊의 焦点이 되여 氏는 『語絲』에 陣을 치고 잘 對戰하다가 畢竟은 그 一派에 傾服되엿다. 그리하야 그는 北京을 떠난 후 厦門大學에서 執鞭한지 半年만에 廣東에 갓다가 逃亡하야 上海에 돌아와서 勞働大學에서 가라치다가 그도 집어치우고 『펜』으로 生計를 세운다. 今年 四十九歲, 그는 昨年 十月 文壇의 自由大同盟을 提起하엿다가 南京政府의 彈壓을 바다 지금은 居住조차 未詳하다. 何如間 文學革命 以後의 中國文壇에는 가장 巨人이다. 그는 『狂人日記』 十五篇을 發表한 후 그 一篇인 阿G正傳은 가장 好評이여서 英佛露獨의 各國語로 번역되고 『로만·로—란』도 『東方에 이것이 잇다』고 激賞하엿다. 이는 氏 得意의 絶頂時代이엿다. 阿Q正傳은 벌서 조선에도 梁白華先生의 紹介가 잇섯지만은 그 梗槪를 말하면

『阿Q는 甘肅의 末莊이라는 村落에서 그날그날의 勞働生活을 세우는 사람이엿다. 그는 돈만 좀 잇스면 투전하러 가서 누구

보담도 큰소리 치가며 勝負를 다투는 것이엿다. 어느날 神樂堂 근처에서 큰 투전이 始作되엿다. 阿G는 그냥 이겨서 銅貨가 小銀貨로, 小銀貨가 大銀貨의 무덱이로 變하엿다. 阿Q는 너머 깃뻐서 겻에서 싸움이 닐어나는 것도 알지 못하엿다. 阿G가 닐어서랴고 할 적에는 벌서 그 銀무덱이는 업서젓다. 阿G는 투전에 진 것보담 더 悲憤한 것이엿다. 어느 날 阿G는 길거리에서 싸움에 진 憤푸리를 할 곳이 업서서 得意한 얼골로 길 지나가는 女僧의 머리를 꽉 눌넛다. 阿G의 손을 避한 女僧은 『亡할 자식』이라고 痛罵하엿다. 『亡할 자식』! 『不孝 세 가지에 無後爲大라는데!』 이러케 생각하면서 가슴이 찌저지는 듯하엿다.

(五)

『그것은 계집년이다.』라고 웨첫다. 어느 날 阿Q는 근처 趙氏의 집에 쌀을 찌으려 雇傭되엿섯다. 저녁 마친 후 그릇 부신 어멈과 마조 안저 閑談을 시작하엿다. 阿Q는 생각하되 『이것도 계집년이다.』, 『이년은 寡婦다.』, 『나와 너와 함께 가자』고 하면서 그 어멈 압헤 꿀엇다. 그 어멈은 소래 질으며 逃亡하니 阿Q는 그 主人에게 出入을 拒絶되엿다. 이튼날 그 村落을 지나갈 적에 그 村落의 모든 婦女들은 阿Q의 얼골만 보면 逃亡하는 것이엿다. 阿Q를 雇傭하려는 사람은 아무도 업고 饑餓가 그의 眼前에 切迫하엿다. 宣統 三年 九月 廿四日 革命黨의 報道가 이 村落에도 傳하여 왓다. 村落사람들은 모다 놀라서 어찌할지 몰나하나 阿Q만은 『응, 革命도 괜치안타』, 『나도 參加

하자!』阿Q는 갑작이 눈이 열녓다. 『叛逆도 재미잇(이하 1행 판독 불가 — 엮은이)지. 나를 侮辱하든 그들을……그 中에도 趙家의 어멈만은 죽여야 하겟고……趙家의 재물은 모다 이리로 가지와야 한다』는 心算!

몃츨 지나 縣城이 종용하게 된 어느 날 밤, 阿Q는 멀니서 무슨 騷亂한 소리가 잇슴을 들엇다. 騷亂한 곳이라면 그냥 깃뻐하는 阿Q는 담박 그 곳을 向하야 달아갓다. 趙家가 掠奪을 當하고 잇섯다. 阿Q는 크게 깃뻐서 남몰내 길우에 긔여가서 본즉 만흔 革命黨이 箱子, 寢臺(趙家의 재물) 가튼 것을 날우는 것이엿다. 달 업슨 밤이엿다. 阿Q는 『대체 저 것을 어대로 가저가는가?』생각(이하 1행 판독 불가 — 엮은이)서 阿Q를 잡아 留置場에 던지엿다. 安眠의 몃츨을 지난 어느 날 아츰 그는 흰옷을 입피고 銃殺되엿다. 村落에는 그 후에도 區々한 이약이가 만히 喧傳되엿섯다.』

阿Q正傳은 村落에서 흔히 보는 名物男을 題材로 하야 『유—머』를 多分히 潛藏한 寫實主義的 作品이다. 이 一篇은 中國의 近代文藝의 劃時期的 名作으로서 錢杏邨은 일즉 『阿Q時代가 지나갓다』고 宣言하여 讀書子의 耳目을 警動식혓고 氷禪 等이 『아즉도 阿Q時代가 남어잇다』고 辯護하든 것도 一九二九年 三月의 일이다.(中國文藝論戰 六〇頁 參照)(이하 1행 판독 불가 — 엮은이) 이 잇고 翻譯으로는 『桃色의 像[09]』, 『어느 靑年의 꿈』, 『露西亞勞働者의 勢

09 중국어 원제는 '桃色的雲'이다.

力』[10], 『苦悶的象徵』, 『象牙塔』, 그他 童話集, 詩集들이 잇스며 著述로는 中國小說史略, 小說舊聞鈔 等이 잇다. 그는 一種 暗澹한 諷刺家이여서 作品 속에 個人的 苦悶과 中國人 固有의 情緖를 잘 보여주고 때로 『니히리스틱』한 氣分을 줄 적도 잇다. 魯迅에 關하야는 中國文壇에 가장 論議가 만허 數種의 『魯迅論』까지 잇지만은 臺靜農의 『關于魯迅及其著作』이 가장 一讀의 價値가 잇다.

周作人, 號 啟明, 字는 仲密, 그 妻는 日本女性이지만은 排(이하 1행 판독 불가 — 엮은이) 日文을 硏究하고 돌아가 北京大學에 이어서 飜譯에 從事하야 『域外小說集』을 發刊하얏스나 녜전 漢文으로 飜譯하얏기 때문에 讀者가 업서서 完全히 失敗하고 文學革命 直後에 白話로써 直譯的 文體를 創案하야 비로소 飜譯에 成功하얏다. 氏의 힘으로 文體가 만히 歐化되얏다.

氏는 特別히 일홈난 創作은 업지만은 또 小品, 散文의 世界에도 成功하고 잇스며 그의 隨筆集으로 談龍集, 談虎集이 잇서서 文苑의 珍重을 밧고 잇다.

周氏 兄弟 中에 또 周建人이라는 사람이 잇지만은 氏는 다만 飜譯界에 從事함 따름이다.

(五)[11]

郁達夫의 「데카단」[12]

胡適, 魯迅을 圍繞하고 잇는 人物에 「郁達夫」가 잇으니 또한 浙江産이다.

---

10 확인되지 않는 작품이다.

11 응당 '(六)'이어야 하나 잘못 표기되었으며, 이에 따라 뒷부분 연재분 표기도 잘못되었다.

12 이하 욱달부 관련 내용은 거의 전부가 중국 문예이론가 錢杏邨의 「『達夫代表作』後序」(『達夫代表作』, 上海春野書店, 1928.3.15)의 내용을 초역한 것이다.

一高로부터 東大 經濟學部를 마친 후 郭沫若氏와 함께 創造社를 세우고 北京大學에서 敎鞭을 잡엇다. 그는 몹시 頹廢的이여서 그의 作品에는 光明이 보이지 안는다. 그 理由는

1. 五四運動 以後에 列强과 軍閥의 襲擊과 跋扈로 因하야 그의 意志와 魂魄을 일코 消極的으로 幻滅의 悲哀에 빠진고

2. 어러서 父母를 일코 殘弱한 몸은 깁피 悲哀를 體驗하야 憂鬱한 性格의 基礎를 맨들엇고 그 후에도 婚姻에 對한 不滿과 生活의 脅威와 社會의 苦悶과 故國의 哀愁로 因하야 憂鬱한 性格이 점々 擴大되여섯다.

나는 막슈·놀다우氏(Max.Nordau)의 說을 引用하야 達夫의 頹廢的 變質의 釀成된 原因을 좀 더 仔細히 하고저 한다. 氏는「世紀末」的 疲勞로부터 나는 變質을 말하되

1. 肉體上 一般人과 다른 特徵이 잇스니……自我의 念이 매우 强하고 容易히 一時의 衝突에 動搖되는 것.

2. 容易히 情緖를 動하야 相關업는 일에 웃던지 울든지 하는 特徵.

3. 그 사람의 周圍 環境의 支配로 或은 厭世悲觀하며 或은 宇宙人生에 對하야 자로 恐怖心을 내여 항상 困憊, 倦怠, 煩悶을 늣기는 것.

4. 活動上 매우 憂鬱한 狀態.

5. 限界 업는 夢想으로 注意를 한 가지의 일에 集中치 못하고 딸아서 思索을 統一할만한 腦力을 判斷 또는 追求치 못하고 다만 漠然, 曖昧, 無順序한 斷片的 妄想에 耽溺하게 되는 것.

6. 다음은 懷疑的 傾向이니 모든 問題에 對하야 疑惑을 품고 그 根抵를 캐여 마츰내 그 煩悶을 解決치 못라는 것.

7. 最後의 特徵은 神秘狂(Myster ial[13] Delirium)의 狀態이다. 『놀다우』氏의 본 近代人의 病的 生活이 達夫의 作品에서 가장 完全히 들어난다. 達夫의 作品 속에는 快樂的 分子를 發見할 수 업고 다만 灰闇하고 陰慘하고 悲苦하고 沈痛한 曲調가 各處에 나타남을 본다. 達夫는 『놀다우』의 말한 時代病의 完全한 表現者이다. 그는 스사로 그의 作品 속에 分明히 代辯하고 잇다.

> 『可憐하게 어려서부터 社會의 虐待를 바다 오날에는 이 世上에 착한 사람 잇다는 것을 信치 안케 되엿다. 사람을 만나면 속히지나 안는가 하고 항상 警戒하게 되엿다.』
>
> (南遷 P12)

> 『家庭이 그의 마음에 맛지 아니하고 社會가 또 몹시 欺凌하야 그의 性格은 매우 高傲하게 되엿다.』
>
> (過去集 201—202)

> 『感受性은 더욱 强하다.』
>
> (沈淪 38)

> 그는 狐獨篇에 소래질으되 『아—人類의 運命이여 世上 萬物은 夜半의 그것과 가티 灰闇한 것이다.』
>
> (過去集 P124)

13 'Mystica'의 오식이다.

라고 하엿다.

(六)

達夫의 늣긴 바 人生은 暗憺한 것이요, 事業은 空虛한 것이다. 自殺할 勇氣좃차 업스니 酒色에라도 沈醉할 박게! 이것이 達夫 創作의 前期 生活의 背景이며 우리는 그가 人生의 意義에 잇서서 氏의 두 가지의 重要한 口號를 듯자.

1.『나는 眞正한 零落者이다! 그럼으로 社會 人間에 對한 無用物이다.』

(零餘者 P7)

2.『時間은 하루 하루 지내나고 다만 나의 事業, 나의 環境, 나의 將來만은 아! 千辛外苦를 지나고 보니 그 무엇이 내 손에 잡힌 듯하다. 꽉 불어 주엿든 손을 폇처보니 내 손에는 一條青煙이 잇슬 뿐이엿다.』

(過去集 P138)

이와 갓치 達夫 初期의 思想이 甚히『데카단』이엿든 것은 그의 三大 希望——黃金, 戀愛, 名譽(南遷 P34)——의 不滿足에서 온 것이 아닌가 한다. 그는 이 時代에 아직 日本에 잇섯고『沈淪』,『南遷』,『銀灰色的死』,『胃病』,『風鈴』,『中途』,『懷鄉病者』……等 몃 篇을 發表하야 青年男女의 性的 苦悶을

描寫하며 그 苦悶에서 併發하는 病態的 心理, 戀愛的 動作, 性的 滿足의 渴望──惡魔와 가튼 全部의 行動──모든 것이 完全히 性的 苦悶에 잇는 靑年의 一幅 縮圖이엿다. 이것은 單純히 時代病의 關係뿐 아니라 生理方面으로 볼지라도 靑年 男女가 孩提 時代에 벌서 性慾 生活 或은 性慾的 衝動을 經驗하고 春情 發動期에 니른 후에 兩性 認識이 다시 分明 精細하게 되여 神秘한 性的 生活은 매양 그들의 幻想의 中心을 일우며 兩性의 生理的 發育이 날마다 健全됨을 딸아 心理上에서도 性的 苦悶의 根本을 일운 우에 다시 外象의 氣候, 環境, 異性의 氣息과 輪廓과 肉, 美, 聲調, 情調 等 襲擊 或은 內外刺激의 接觸을 바다 乃終에는 性的 犯罪에까지 引導한다.

꼴즈워씨—(Golsworthy)의 法網(Justice)에 『술과 게집이 업다면 監獄도 門을 닷칠 것이다.』라는 一句가 肯綮에 맛는다. 靑年의 이 狂熱한 時期에 自己의 欲望을 滿足식힐 手段은 업고 다만 强壓으로 抑制하야 抑制로써 苦悶에 苦悶으로서 悲觀에 그리하야 自己의 前途와 學業을 頹廢하고 酒肉에 沈醉하여 여러 가지 劣等의 心境을 맨들며 自暴自棄로 滅亡을 取하는 性格──이것이 達夫 後期의 作品에 나타난 總決算이엿다. 그럼으로 達夫의 三大 慾望中에도 그의 가장 要求하는 것은 美人뿐이엿다. 『每日 小說을 낡은 餘暇에는 太半 『카훼—』에 가서 술을 먹엇다(過去集 序 P3)』, 『兩年 동안의 나의 生活은 紅燈綠酒의 沈湎, 荒妄, 邪遊, 不義의 淫樂……魂을 일흘만한 一群 嫵媚의 遊女, 그리고 그들의 嬌艶 動人하는 佯啼 假笑가 나의 마음을 迷惑케 하엿다.(蔦羅行 P.56)』 이것이 達夫의 自白이다. 그뿐 아니라 그는 家庭問題, 婚姻問題에도 만히 煩悶하고 잇섯스며 또 몸이 異域에 잇서서 貧弱한 祖國에 對한 哀愁가 强烈하여저서 無限한 感慨에 쓸어저 『혼자 컴컴한 곳으로 천천히 달아갓다. 時間 空間의 觀念도 世界 一切의 存在도 그의 머리에 完全히 消失되엿다.(過去集 P135)』 그리하야 조금도 疑慮업시 自己의 前途를 끈처 버리고

酒色에 沉湎하엿섯다.

遠大한 理想과 抱負를 품고 故國에 돌아오니 達夫 創作의 第二期로 들어가게 되엿다. 그러나 當時의 故國은 엇떠한 天才라도 그의 理想을 實現식힐 方法이 업섯고 社會의 待遇는 너머나 冷靜하엿고 待遇는 姑捨하고 그의 背後에는『빵』問題가 襲擊하고 잇섯다.『上海 땅을 발자 즉시 生計 問題가 그를 運命의 鐵鎖圈에 結縛하엿다.(蔦羅行 P6)』『 東奔西走로 飢餓의 驅使를 밧고 맛츰내 一個 知識 販賣商이 되엿다.(鷄肋集 題辭 P2)』 이리하야 理想의 影子는 春雪 갓티 사라지고 社會的 苦悶은 深刻하여 가고 前進의 精神은 完全히 죽어 버렷서『生』에 對하야도 懷疑하엿고 또 이것을 毁滅코저 하엿다.『沈重한 다리리를 끌고 黃浦江 두던에 몃 번이나 올나섯든 것이엿다.(蔦羅集 P6[14])』 運命의 惡戱란 그를 너머 虐待하얏섯고 經濟的, 社會的 苦悶을 몹시 밧는 達夫에게는 性的 苦悶은 重心 地位를 일어바리고 完全히 經濟의 奴隸가 되여 비로소 經濟組織에 懷疑하게 되엿다. 그럼으로 第二期에 表現된 生活은 經濟制度의 權威, 罪惡이엿스며 經濟制度가 天才에게 준 迫害와 社會의 冷酷과 惡毒과 不公正이엿섯다.

深刻한 頹廢에 빠젓든 達夫는 光明한 一路를 찻고저 革命의 都市『廣東』에 갓섯스나 結局『光明』한 길을 發見치 못하엿다. 그러나 固有의 煩悶이 점々 자취를 감추고 政治的 煩悶을 하게 된 第三期的 展開에 이르럿다. 이 政治的 苦悶은 實로 民衆 一般의 함께 늣기는 바이엿으며 第一에 軍事方面에 疑心을 품고 淺薄한 人道 觀念에서 被迫害者에 對한 同情을 하며 軍人의 腐敗와 惡毒을 痛罵한 것을 그의『寒灰集序』와『日記九種P242』에서 發見할 수 잇고 第二의 政治方面에 잇서서도 反動 軍閥의 盤據한 政治 行政에 만흔 不

14 'P9'의 잘못이다.

滿을 갓게 되여 이것이 그의 憤慨와 失望과 悲哀에 引導하는 誘因이 되엿다.

(七)

그럼으로 斷然코 正義를 爲하야 싸우고저 決心하고 日本의 左翼文壇과 提携하야 國際聯合戰線에 세고지 農民文藝를 提唱하엿스나 中國側의 指彈만 밧고 돌이혀 苦境에 빠젓다. 氏의 作品을 대강 우에 引用하엿지만은 長篇小說 『迷羊』이 가장 재미잇는 것이며 評論, 小說集, 飜譯도 만흐며 劇本으로는 獨幕 『孤獨者의 悲哀』가 잇슬 뿐이다. 그 梗概——

> 『젊어 靑春에 豪蕩히 지나면서 돈을 물쓰듯 하다가 十萬 家産을 다 헤치고 늙으막에 流落하야 妓女의 崑曲 敎師가 되여 少時에 서로 結識한 妓女와의 사이에 난 게집아해도 잇섯지만 그 妓女는 窮困하야 그 아희를 버렷슴으로[15] 그 老人은 그 妓女를 그냥 뚜드리고 달아난 후 妓女는 그로 因하야 病死하고 그 아희도 어떠케 되엿는지 몰은다.』[16]는 悲劇.

이 짧은 一幕에도 그의 感傷的 色彩와 暗憺한 一面이 항상 支配하고 잇다. 그러나 達夫의 作品으로서 偉大한 價値를 보히고 잇는 것은

一. 藝術에 對하야 忠實한 것.

---

15 내용이 잘못 되었다. 그 기녀는 아이를 버린 것이 아니라 남자의 빈곤함을 탓하였다.

16 培良, 『中國戱劇槪評』(上海泰東圖書館, 1929.7)에서 초역한 것이다.

二. 豪爽하고 坦白한 것.

三. 作風이 思索的이고 描寫가 巧妙한 것.

等 일가 한다. 氏는 今年 卅五歲, 北京大學에서 『文藝批評』, 『小說論』 가튼 科目을 가라치고 잇다.

中國文壇의 彗星인 「郭沫若」

中國의 文藝運動의 消長과 呼吸을 한가지로 한 것은 創造社의 運命이엿다. 一九二〇年 雜誌 『創造』의 創刊에서 發源한 創造派의 活動은 一九二九年 二月 七日 光榮스러운 十年 동안의 奮鬪의 歷史를 남기고 閉鎖되기까지 中國 文藝運動의 全面을 支配하엿다. 日本 留學에서 금세 돌아온 創造派가 當時 胡適氏들 文學革命 提唱의 直後들 바다 新文學建設에 汲汲하다가 五州[17]事件 以後 그들은 藝術至上主義에서 社會主義文學으로 方向轉換(第一劇變)을 하엿다가 一九二八年 以後 푸로文學으로 다시 轉變(第二 劇變) 하여 버렷던 것이엿다. 그 동안에 郭沫若氏 思想의 變遷한 것이야말로 創造派를 代表하는 同時에 向上心 잇는 中國靑年 全體의 思想的 推移를 代表하는 것이엿다.

그는 元來 卓文君이 녹아나든 司馬相如와 東洋의 過去 文壇을 뒤흔들든 文章 三蘇(蘇東坡의 父子) 產地로써 有名한 巴蜀(四川)사람으로 雄大한 氣魄을 가득히 가지고 나섯다.

岡山六高로부터 九州帝大 醫學部를 卒業한 『딱터』이다. 그 로맨틱한 才子의 일이라 그 留學 中에도 日本女性과의 사랑에 빠저서 만혼 煩憫을 하엿

---

17 '州'는 '卅'의 오식이다.

으며 故國에 돌아와서는 廣東大學에서 敎鞭도 잡엇으며 創造派의 劇變과 함께 思想은 恒常 劇變하여 왓으며 一九二六年 蔣介石이가 北伐에 成功하야 長江 沿岸까지 席捲하여 올 적에 그는 傍觀만 할 수 업서서 스사로 從軍까지 하여섯지만 인제 와서는 너머도 新思潮의 尖端으로 急進함으로 要路의 驅逐을 바다 四方으로 亡命하여 단니게 되엿다.

(八)

그는 甚히 情熱에 넘치는 ××[18]的 詩人이며 光明하고 로맨틱한 性格은 그의 生活과 作品에 그대로 들어난다. 그의 創作生活을 二期에 난호아 볼 적에 우리는 그가 『河上肇』氏의 社會組織과 社會××[19]의 結果를 飜譯한 후 思想의 劇變하여 버린 一九二四年을 境界線으로 하고 前期, 後期에 난호고저 한다. 前期에 잇서서는 『女神』, 『星空』, 『甁』, 『塔』, 『橄欖』, 『落葉』이 그의 重要한 作品이며 自然美에 憧憬하는 로맨틱한 詩人의 全體를 나타내고 잇으며 後期에는 反正前後, 水平線下, 我之幼時 等을 지여서 過去의 非를 懺悔하고 또 近年에는 가장 『읍톤·싱그레아』의 作品 飜譯의 熱中하야 『로맨틱』한 詩人은 어느새 藝術의 殿堂을 버서나서 時代의 尖端을 것고 잇으니 氏의 活動은 中國女性의 裸體 行列과 함께 『尖端』的 二大 活劇이다. 現在까지의 氏를 總決算하여 보면 氏는 詩로써 가장 成功하고 잇으니 氏의 代表作인 『女神』(劇詩) 三部曲을 徐志摩의 詩가 『各體自由詩의 成功』과 『文學의 歐化』

18 '革命'으로 짐작된다.

19 '革命'이다.

에 가장 成功하고 잇다 하면 郭氏는 이 두 點에는 徐氏에게 一步를 輸하고 잇으나 또한 一種 淸新한 語句와 和諧한 聲調는 舊式 辭章의 束縛으로 排闢하고도 남음이 잇으며 雄大한 氣魄으로서 훨신 勝하다고 할 것이다.

그러면 그의 作品을 좀 더 이약이하야 보자! 女神은 三部曲으로 된 劇詩인데

1. 女神의 再生――顓頊과 共工의 爭位를 노래한 것.

2. 湘累――흐린 世上 말다하고 湘江에 몸을 던진 屈原의 亡靈과 구의 누나 『女須』와 의 對話.

3. 棠棣의 華――聶嫈과 聶政이가 그 어모님의 墓側에 서로 離別하는 劇的 『씬―』이다.

이 女神에 對하야 讚頌을 한다면[20]

1. 靈感의 豐富이니 豐富한 想像과 神秘한 眼睛을 보이며 鳳凰槃涅은 가장 代表詩이다.

2. 詩 속에 偉大한 힘을 만히 蘊藏하고 잇나니 簡結히 말하면 廿世紀 『力』의 表現, 震動, 奔馳, 紛亂, 速率의 表現이다. 例 됴[21]在地球邊的[22]放號(P161), 我是偶像崇拜者(P142).

3. 情緖의 健全이니 詩人이면서도 畸形的 病態가 적다. 그의 말과 갓치 『到處에 生命의 光波가 잇고 到處에 新鮮한 情調가 잇고 到處에 詩가 잇고 到處에 우슴이 잇다. 바다도 웃으며 山도 웃으며 太陽도, 太陽도…그리고 나

---

20 이하 네 가지 특징에 대한 서술은 錢杏邨의 「郭沫若及其創作」(『現代中國文學作家』(第一卷), 上海泰東圖書局, 1928년)에서 초역한 것이다.

21 '됴'는 '立'의 오식이다.

22 '的'은 '上'의 잘못이다.

의 阿和와 나의 嫩苗도 모다 함께 우슴 속에 잇서서 웃는다.』

4. 狂暴의 表現이니 女神 속에는 勇猛스럽고 反抗的이고 狂暴한 精神뿐만 아니라 만흔 狂暴한 技巧가 함께 對稱的으로 들어 잇서서 그의 詩는 技巧와 精神이 함께 震動하야 狂風暴雨모양으로 사람을 움즉시고 잇다.

이와 갓치 『女神』의 地位가 堅固한 만큼 그의 創作에 永遠性이 잇으며 그의 小說集인 橄欖도 모다 詩趣로 가득한 것을 보면 그는 天才的 詩人인 同時에 詩로써 가장 成功하고 잇다. 그의 지금까지에 出版한 詩歌集을 三大 分類로 하여 보면

(1) 自然을 吟詠한 詩는 『女神』, 『星空』 속에 잇고

(2) 『戀愛』에 關한 詩는 『瓶』 속에 잇고

(3) 『單命[23]』에 關한 詩는 前矛[24] 속에 잇다.

그런데 多方面한 郭氏는 다시 『三個叛逆의 女性』이라는 史劇을 지여서 (培[25] 속에도 잇고 各々 單行本도 잇다) 非常한 人氣를 끄럿다. 그는 歷史上에서 奇怪한 남 다른 行跡을 발고 나간 세 사람ㅅ 女性──聶嫈, 卓文君, 王昭君──을 擇하야 그가 詩에서 쓰든 그 氣魄과 그 技巧으로 이를 潤飾하야 婦女運動에 對한 眞理의 宣傳에 資助코저 웨친 것이다.

(1) 卓文君은 自己의 運命을 自己가 開拓하는데 웨? 父母는 兒女를 蹂躪하는 惡人이 되고저 히냐고 結末하고(塔 P202)

(2) 王昭君은 元帝의 高傲한 行儀에 徹底히 反對한 것이며

23 '革命'의 오식이다.

24 '前茅'의 잘못이다.

25 '塔'의 오식이다.

(3) 원수를 갑는 女英雄의 勇敢스럽고 大膽한 聶嫈을 그려낸 것으로 二幕에 鬼의 出現과 衛士들의 狂走는 劇 自體로는 缺點이면서도 가장 反抗의 氣質을 皷舞하여 준다.

(九)

그 中에도 卓文君은 입센(Ibsen)의 『노라』, 王昭君은 『사로메(Salome)에도 比하는 것이지만 郭氏 自身도 말하는 바와 가티 입센의 劇本이나 『꿰―데』의 『화우스트』의 影響을 만히 바든 것은 事實이다. 이의 模倣으로서 『楊蔭深』 가튼 이는 『一陣狂風』 一劇을 지여 祝英臺로써 婦女運動의 先驅를 삼엇지만은 이와 가튼 歷史劇은 그 特色을 그와 包含한 教訓 속에 가지고 잇서서 一個 賢人의 格言 갓기도 하고 哲士의 一篇 寓話 갓기도 하다. 『三個女性』의 作者인 郭氏는 『橄欖』(短篇集)을 發表하야 社會的, 經濟的으로 苦悶이 甚하던 氏의 生活을 告白하며 天才 詩人의 社會 輕視의 深刻한 壓迫 속에 늣기는 幻影을 描寫하는 同時에 『山中雜記』, 『行路難』, 『路畔的薔薇 六箏[26]』과 가티 牧歌 情趣의 豊富한 表現도 보엿다. 氏는 그 후에 지은 水平線下로써 創造派 方向轉換 後의 青年의 苦悶을 그렷스며 다시 『反正前後』를 發表하야 中國青年의 過去를 回顧하야 連하야 『我之幼時』를 發表하야 自叙傳的으로 로맨틱한 過去를 悔笑하고 잇다. 氏에게는 橄欖과 同時에 論하여야 할 『落葉』 一書가 잇다. 이는 어느 日本女性과 中國青年과의 사이에 사랑으로 交換된 四十二通의 書信이 『엘델의 悲哀』모양으로 그냥 插綴되여 잇다. 그

---

26 '箏'은 '章'의 오식이다.

리고 詩經을 白話로 飜譯한 卷耳集의 存在도 조선사람으로는 알아둘만 한 일이다.

가장 大衆의 支持를 밧는 作家「蔣光慈」[27]

大衆의 要求하는 說訴文學作家인 蔣光慈氏는 露都에서 故國에 돌아온지 六年 동안에 文壇에 寄與한 努力이 매우 크다. 權威잇는 作家로 하여금 그의 文藝形式을 批評하랴면『淺薄한 文壇零星』이라고 말할 것이나 讀者 社會에 波及한 影響은 孫中山의 三民主義에 지지 안을 만큼하다. 即 그는 社會의 要求에 依하야 붓을 들어 作品을 내는 故로 農夫가 광이를 들고 바틀 갈며 鐵匠이 錘로써 鐵을 팀과 갓치 實際의 目的을 따라 大衆의 要求에 應하야 지은 것임으로 惟美派 文學의 批評家의 눈에 빗처보면『粗俗하다』는 評이야 듯거나 말거나 그는 完全히 民衆의 戰士요, 民衆의 作家이다. 民衆의 喜怒哀樂과 民衆의 利益과 民衆의 戰鬪的 情緖를 惟一한 資料로 하는 作家가 一般의 崇敬하는 作家됨에는 正히『러시아』의 Demian Bedny의 例와 갓다. 勿論 文藝 그 自體는 淺薄하고 粗俗하고 語句가 非文法的이라는 譏弄을 바들지라도 民衆의 要求하는 理想的 世界의 描寫와 旣成社會의 萬惡 暴動에 잇서서 그의 惟一한 歡迎과 支持를 밧는다. 이것도 蔣氏 自身도 昨年 東京에 갓다가 와서 지은 紀行文 속에도 말한 바와 가티 下流生活을 對象으로 한『꼬리키―』의 創作은 作家가 批評家가 제 아모리 詆毁히여도 確實히 ××[28]前 러

---

27 이하 장광자와 관련된 내용은 대부분 錢杏邨의 「蔣光慈與革命文學」(『現代中國文學作家』 第一卷, 上海泰東圖書局, 1928년)을 참조한 것이다.

28 '革命'이다.

시아의 惟一한 大衆文藝 作品이엿섯다. 近來에 中國 思想界가 三分五裂하야 混沌한 狀態에 잇슬 적에 蔣氏의 作品이 혼자 文學市場에 不景氣를 몰으고 잇는 것도 偶然한 일은 아니다.

(十)

나는 蔣氏의 作品을 詳論할 自由가 업슬만큼 그의 作品이 ××[29]的인 것을 感激한다. 그의 作品은

一九二〇年 留露 時의 發表인 『新夢』(詩集).

一九二五——一九二七年 回國 後의 發表인 『哀中國』(詩集), 『少年飄泊者』, 『鴨綠江上』, 『短褲黨』.

一九二八年 以後 現在까지에 『野祭』, 『菊芬』, 『災[30]訴』(詩), 『紀念碑』, 『最後의 微笑』, 『麗莎의 哀怨』, 『異邦과 故國』(紀行文), 『一個女姓의 自殺』, 『衝出雲圍的月亮』 等.

그에게는 技巧는 論할 必要도 업다. 다만 熱烈한 抒情이 그의 詩요, 熱情잇는 叙事가 그의 小說이다. 더욱 『新夢』, 『哀中國』의 詩集 속에 잇는 『哭레닌』, 『懷拜倫』, 『革命의 嬰兒』, 『中國勞働歌』(以上 新夢), 『哀中國』, 『北京』, 『懷都娘』, 『罷工』, 『血祭』(以上 哀中國) 等篇은 그야말로 一種의 洗練한 標語 口號와도 갓다. 그는 故國에 돌아온 후 變化 無窮한 中國의 實情을 目擊하고 時代的 衝動을 바다서 쓴 것이 만흐다. 『少年飄泊者』——主人公 汪中이 安徽省 丁

29 '革命'으로 짐작된다.

30 '哭'의 오식이다.

縣 어느 小作人의 아들로 자란 汪中이 그의 父母가 어느 地主에게 打殺된 후 그 怨儺를 갑고 이 世上에 그와 同類의 存在를 全部 업시하리라 決心하고 『乞人』, 『보―이』, 『徒弟』 일만 가지 辛苦를 다하다가 廣東軍官學校로 入學한 이약이며, 『鴨綠江上』은 作者 露都에 잇슬 적에 조선青年에게서 들은 이약이를 쓴 것이며 『短褲黨』은 『五卅[31]』 以後의 工人階級의 ××[32]的 試鍊과 ××成功의 描寫이다. 『우리 前路에 싸움이 웨 그리 만흔가? 우리 敵은 언제나 消滅할 品가』(短褲黨)이라는 말이 作의 全 精神이다. 哭訴는 一部의 抒情詩이지만은 『野祭』고 丫江 沿岸의 一 女革命家의 犧牲을 그린 것이며 『菊芬』도 또한 『野祭』의 結末에 지나지 못한다. 그 후 『麗莎의 哀怨』, 『一個奴性의 自殺』도 技巧의 進步는 잇스나 作風은 一律이며 戀愛를 重心으로 하지만은 犧牲的 結末에 깁흔 衝動을 준다. 그는 『創造』의 方向轉換 前부터 雜誌 『春雷』를 發表하야 左傾青年 사이에 만흔 同情과 反響을 바다왓고 只今까지도 가장 創作生活에 꾸준히 熱中하고 잇다. 蔣氏(太陽派) 一派의 理論 錢杏邨이 잇스며 그의 作品 『歡樂과 舞蹈』, 『義塚』, 『荒土』, 『一條鞭痕』, 『暴風雨的前夜』 等 篇이 모다 有名하다.

戀愛小說로 일홈잇는 張資平

張資平이라고 하면 누구나 몬저 戀愛小說을 聯想한다. 그는 東京帝大 理學部를 卒業하고 郁, 郭과 함께 胡適 一派의 文學革命을 提唱한 후에 故國 그

31 '五卅'의 오식이다.

32 '革命'이다. 아래도 마찬가지다.

[33]에 돌아가서 創造社를 세우고 의 中心人物로 活躍하엿스며 群樂社에도 꾸준한 活動을 하여온 가장 通俗的 作家이다. 이제 그가 엇지해서 戀愛小說家라는 稱呼를 밧게 되엿는지 探究하여 보자! 그의 長篇小說로는 『冲積期化石』, 『飛絮』, 苔莉, 『最後的幸福』 等이 잇지만은 모다 戀愛類에 屬하며 短篇小說로는 『愛的焦點』, 『雪的除夕』, 『不平衡的偶力』, 『蔻拉梭』, 『植樹節』, 『素描種種』 等[34] 三十六篇이 잇지만은 戀愛類에 屬할 것이 十六篇이고 그 餘 二十篇 속에는 다시 四類에 난호어 볼 적에 智識分子의 經濟的 苦悶을 描寫의 對象으로 한 것이 七篇, 學生과 敎師의 生活을 題材로 한 것이 七篇, 兒童을 對象으로 삼고 抒情的으로 描寫한 것이 三篇, 其他 三篇 等이 그것이다. 그의 創作 七十萬字 속에서 戀愛小說에 關한 것이 五十五萬字 가량이라 한다.

(十一)

더욱 그 戀愛小說이 우리의 注意를 끄는 것은 그 結構가 全部 三角, 四角戀愛 뿐인 것이다. 그 十六個의 短篇을 가지고 볼지라도 三角戀愛 十篇이 首位를 占하고 兩個 三角이 一篇, 多角戀愛가 二篇, 一男一女의 戀慕가 兩篇, 兩性 結婚 後의 衝突을 그린 것이 一篇 等이 잇는 것이다. 이럼으로써 우리는 張資平氏에게 三角 以上의 兩性 關係를 그리는 戀愛小說의 稱呼를 冠코저 한다. 그러나 이 戀愛小說의 產出된 것도 그의 時代와 密接한 關係가 잇서온 것

---

33 '그'의 위치가 잘못되었다. 응당 '故國에 돌아가서'와 '그의 中心人物로'이어야 한다.

34 이하 장자평과 관련된 내용은 대부분 錢杏邨의 「張資平的戀愛小說」(『現代中國文學作家』(第二卷), 上海泰東圖書局, 1930년)을 부분적으로 초역한 것이다.

을 니즐 수 업다. 그 創作은 確實히 時代的 產兒이엿스며 五四運動 以後 금세 닐어난 女子解放運動에 刺戟되여 必然히 要求되여 나온 創作이다. 그럼으로 五四運動 前後期의 反映인 만큼 作品 속에는 封建的 思想이 깁히 支配하고 잇스며 戀愛哲學에 對하야 一定한 定見이 업다. 다시 말하면 그의 戀愛에는 靈肉 兩 方面을 描寫한 것은 업고 다만 濃重한 肉的 愛가 잇슬 뿐이며 男性이 女性에 對한 興味는 外形美의 選擇과 肉感의 衝動 따름이요, 女性의 人格美에 對한 愛着 가튼 것은 全然 보여주지 아니한다. 『桃色의 雙頰·曲線美의 紅唇·彈力을 富有한 乳房의 輪廓·기름끼 도는 肉感·사람을 魅惑식히는 光明한 媚力과 姿態(不平衡의 偶力에서 取함)』—이러한 條件이 사랑을 닐키는 原因 全體이엿다. 그럼으로 그의 要求하는 女性은 반다시 處女이여야 하며 『處女之寶』(貞操)가 그 小說 속에서는 重要한 要素를 일우고 잇다.(飛絮·苔莉 P93) 그뿐 아니라 그 作品의 題材가 千篇一律하고 結構가 定型 公式을 가젓다는 곳에 그의 缺點이 잇다. 『Curacao』, 『密約』, 『性的屈伏者』, 『不平衡的偶力』, 『性的等分線』……等 篇을 가지고 볼지라도 男女가 서로 約束하고 旅舘에 가서 性的 關係를 發生하는 點에 모다 共通하며 『雙曲線과 漸近線』, 『聖誕節前夜』, 『密約』, 『晒禾灘畔의 月夜』, 『最後의 幸福』 等과 갓치 『男女가 두 번재 만나서 過去의 關係를 追想하고 一步 나아가 性的 結合을 發生한 후 다시 離別하고 女性은 다른 男便과 關係를 맷게 되면 前番 男性은 그냥 憤怒, 懺悔, 消沈하여 버리나 女性에 對한 縱慾과 犯罪는 完全히 버서나지 못하고 다만 模糊한 基督教義를 가지고 自己를 克復코자 몃 句의 聖經을 引用하야 끗을 막는 것』이 그의 常套手段이다.—性慾 衝動과 서로의 誘惑으로 處女寶의 掠奪과 最後에 基督教的 懺悔까지 모든 것이 徹底히 中國味를 보여주지만은 題材가 單調한 것만은 疑心업다. 그러면 아뭇 特徵도 업는 作家가 웨 그처럼 大衆의 歡迎을 바다왓슬가? 그 原因으로는 그의 描寫 技巧가 가장 通俗 明快하고 매우 成熟하여 잇는 관게이다. 더구나 『苔莉』, 『最後의 幸福』 가튼 篇은 누구에게도 북그럽지 안흘 만큼 筆致가 成熟하여 보이며 現代 中國作家 中에 『性戀』의 描寫로서는 到底히 氏를 追隨할 사람이 업다. 『性戀』──即 性에 覺醒한 青年 男女의 苦悶期, 前後의 心理, 生理 狀態로부터 環境에 밋치는 影響이라든지 春情 發動期로부터 壯年까지의 生理와 性的 心理와의 發展 過程과 順序라든지 或은 女性이 性的 關係가 잇슨 후에 생기는 性的 變化와 兩性의 變態 性慾에까지 細密히 考察 또는 描寫하여 오는 곳에 『理學士』의 顏貌를 엿볼 수 잇다. 그는 戀愛類 以外에도 『植樹節』, 『寒流』, 『百事哀』, 『兵荒』, 『氷河時代』, 『澄清村』, 『末日的受審判者』 等 社會 事件을 取扱한 것도 업는 것은 아니나 그 中에는 長篇 『歡喜陀與馬桶』이 가장 傑作이라는 것을 讀者에게 推薦하여 둔다.(資平小說集 第三輯)

그러나 그 創作의 技巧라는 것은 自然主義의 技巧 그것이라고 하지만은 아즉도 東西洋 名著와 頡頏할 수는 업다. 環境의 誘惑에 잇서 어느 것이 『하부트만』과 가트랴? 變態 性慾도 적어도 谷崎潤一郎만큼 그려낸 것이 무엇이 잇는가? 性慾을 그려내는 寫實 筆致가 무엇으로 『모파싼』에 比하여 볼가? 女性의 勇敢하고 로맨틱한 것을 그려내이는 것이 『후러우스타』를 大敵할가? 이러케 보아오면 文學革命運動의 搖籃을 금방 비서난 中國文壇의 輕重까지라도 張資平氏를 通하야 물어보고 십흐다. 이에는 조금도 無理가 업다. 맛치 春園·想涉·東仁 諸氏를 通하야 조선文壇을 規定코저 함과 갓다. 그러나 大衆的 作家 『張資平』氏는 원제든지 노一時代의 盲目者는 아니엿다. 그는 갑작히 方面을 轉換하야 좀 더 多數의 大衆을 爲하야 새로운 局面을 開拓하고 십다. 轉換 後의 作品 『柘榴花』, 『青春』, 『在上海』, 『寒夜』 等 篇은 階級意識의 清算期인 만큼 內容이 徹底치 못하다.

(十二)

教育小說家 葉紹鈞[35]

新文化運動의 初期에 잇서서『生』의 覺醒,『生』의 懷疑에서 出發한 衝激은 드듸여 家庭, 社會 或은 社會上 一切의 舊勢力과 舊制度까지 懷疑하게 되엿다. 이 懷疑的 色調를 가장 濃厚히 가지고 난 것은 葉紹鈞氏의 最初의 作品인『隔膜』一集이다. 中國文壇에 잇서서 靑年 向上을 代表하는 郭沫若氏와 頹廢 向下를 代表하는 郁達夫氏가 잇는 一面에 葉氏의 代表하는 部門은 人間의 陰慘과 隔膜을 보여주는 一種의 深味가 잇는 것이다. 그럼으로 郁氏의 頹廢와도 判異하야 現實 社會에 對하야 種々의 悲哀를 늣기면서도 一種 向上을 要求하는 光明한 期待의 마음을 潛藏하고 잇다.『隔膜』의 始初에 나타나는 部分은 懷疑, 咀呪, 感想[36], 失望뿐이엿스나『火災』以後에는 점々『生』의 力量을 增加하야 왓다. 그러나 畢竟은 暗黑의 暴露에 屬하는 것이요, 充實한 生命의 힘을 가지지 못한 人物이 만타. 대저 生活上 그다지 困難을 늣기지 안는 階級에 잇는 사람은 堅實히 光明을 追求하는 意志가 업고 優柔不斷한 性格을…가지고 多少間 現實에 對한 不滿이 잇슬지라도 個人을 犧牲하야 大衆을 解放할만한 決心이 업서서 이것은 다만 現實的 苦悶을 釀成할 따름이다. 그럼으로『隔膜』에는 사람이 機械로 化한 것을 말하엿고『孤獨』,『歸宿』에는 人生의 孤獨을 說明하고『病夫』篇은 人類 職業의 煩悶을 說破하고『小病』篇에는 經濟의 支配밧는 生活을 說到하는 等이 그것이다.

---

35 엽소균 관련 내용은 거의 전편이 錢杏邨의「葉紹鈞的創作的考察」(『現代中國文學作家』第二卷, 上海泰東圖書局, 1930년)에서 초역한 것이다.

36 중국어 원문과 대조해 보면, '感傷'의 잘못이다.

不滿에서 懷疑로——一切에 對한 懷疑로 擴大하는 것이 原則이다. 그리하야 아무리 懷疑하야도 무엇이 生命인지 生命의 眞實을 알지 못하고 만다. (隔膜 P24, P25 ,P115) 이런 人物의 思想上 根本 錯誤가 惟心論에 잇는 것이 아닌가 한다. 人生의 機械를 엇떠케 打破하며 人類의 隔膜을 엇지하면 업시 할는지 未來에 對한 宿題로 하여 둔다.

나는 葉氏를 教育小說家라고 題稱하엿다. 그것은 그의 創作의 取材 方面으로써 말한 것이니 그의 쓴 바 教育小說이 甚히 만허서 一九二七年까지에 쓴 六十八篇 中에 教育에 關한 것이 二十餘篇이나 됨으로써이다. 그는 일즉 各處서 豐富한 教育을 經驗하엿으며 十二萬字의 長篇教育小說『倪煥之』를 쓴 것도 有名한 事實일 뿐더러 그에게는 教育小說이 가장 長技인 듯하다. 그는 完全히 教育家의 立場에 세서 教育의 實際와 및 各 方面을 表現하되 冷靜히 自己의 體驗한 바 教育 病胍을 記述한 一種의 回憶錄이라고 할지니 教育家의 心理를 精細히 解剖하며 學生의 環境과 生理 狀態를 잘 注意하고 잇다. 그 描寫의 範圍는

(1) 教育界 暗黑의 暴露

(2) 教育家의 生活

(3) 學生 生活과 및 學生 方面의 事件

等의 三方面을 볼 수 잇지만은 描寫의 技巧가 가장 成熟하엿다고 볼 것은 (3)에 屬할『義兒』,『小銅匠』,『馬鈴瓜』,『先驅者』等이다.

葉氏의 小詩는 劉延陵 一派와 함께 女心[37] 女士流의 그것에 지나지며 作

---

37 '氷心'의 잘못으로 보인다.

劇에도 힘 쓰지 아니하지만은 童話 作家나 散文家로서는 成功하고 잇다고 볼 것이다.『稻草人』이라는 童話集 一部는 一九二一年부터 一九二[38]年까지에 收集한 童話 二十三篇 本.

(十三)

教育小說家 葉紹鈞

이 童話集은 一種 說教의 形式으로 그 意味와 그 技巧에 잇서서 兒童에게 가장 適當하며 措辭가 매우 美麗하야 그는 小說뿐 아니라 童話에 잇서서도『小學教育』에 多年 從事하던 作者의 思想과 技巧를 髣髴히 들어내고 잇다. 그 二十三篇을 좀 더 解剖하여 보면『小白船』은 兒童의 純潔을 讚頌한 것,『傻子』는 兒童에게 忠實하고 博愛하여야 한다고 證明하는 同時에 戰爭에 反對한 것,『燕子』는 兒童에게 世間에 傷害업다고 미들 수 업는 것을 알녀준 것,『一粒種子』가 富者때문에 즐겨 꼿을 피지 안흐려 하는 經過를 쓰 것,『地球』는 地球의 本源을 말한 것이며 이 中에는 燕子가 가장 勝作인 듯하다. 그리고『芳兒의 꿈』은 母性愛의 表現,『新的錶』(새 時計)는 兒童에 對한 時間 嚴守의 教訓,『梧桐子』,『大喉嚨』은 一時 笑話의 材料,『旅行家』는?[39] 그리고『富翁』은 勞働階級에 寄生하든 富翁의 末路를 그린 것,『鯉魚의 遇險』은 同類의 殘殺을 可憐히 생각한 것, 그他 同情的『眼淚』와 悲慘한『畵眉鳥』篇 가

---

38 '一九二二'로서 '二'자가 누락되어 있다.

39 錢杏邨의 중국어 원문은 "『旅行家』는 원하는 대로 다 생기기를 바라는 것은 잘못된 사상임을 표현하고 있다."이나 언어적으로 난해하여 저자가 물음표로 남긴 것으로 보인다.

튼 것이 잇으며 『玫[40]瑰和金魚』의 意味는 報酬를 바라지 안는 賞賜가 업고 相對者의 사랑을 밧고저 하야 發하지 안는 사랑이 업다는 것이며 『花園之外』는 한 窮한 아희가 公園에 들어가려다가 拒絶되여 公園에 박게서 멀니 바라보는 刹那의 意識, 『祥奇[41]의 胡琴』은 眞藝術에 對한 上流階級의 沒理解, 『瞎子와 聾子』는 밋지 못할 人間의 恐怖, 『克宜의 略歷[42]』은 都市가 人類에 對한 損害와 都市에 對한 咀呪, 『跛乞丐』는 한 他人의 幸福을 爲한 一 配達夫의 犧牲, 『快樂的人』은 世間에는 快樂을 몰으고 사는 사람이 잇다는 暗示, 『小黃貓의 戀愛故事』는 黃貓와 白貓와의 戀愛를 深摯한 肉慾 戀愛의 悲哀로써 說明한 것, 最後에 『稻草人』은 一夜의 經驗으로 人間의 不幸을 看破하고 잇튼날 아침 참지 못하야 다시 田園으로 돌아간다는 것 等이 本書의 槪略이다. 勿論 이러한 世界에 美麗한 童話의 人生이 잇지만은 希望과 力量이 아즉도 不足하다. 氏는 童話 以外에도 十二篇의 散文이 잇으니 兪平伯氏와 合著한 『劍鞘』 四篇이 그 中 尤物이다. 氏의 作品을 通하야 엇는 印象은 社會의 陰慘한 生活의 暴露와 大部分은 寫實主義의 表現인 極히 冷靜한 觀察이 이슬 뿐이다.

40 '玟'의 오식이다.

41 '奇'는 '哥'의 오식이다.

42 중국어 원제는 '克宜的經歷'이다.

茅盾과 그의 作品[43]

一九二七年 以後 左翼作家의 猛烈한 攻擊 속에 旣成文壇의 文人들이 一齊히 붓을 던지고 먼ㅅ츳하고 잇슬 적에 『푸로』文壇의 選出한 勇將이라는 惡評을 바다가면서도 葉紹鈞氏와 함께 가장 꾸준히 活動하여 온 이는 茅盾 그 사람이다. 그러나 茅盾은 元來 그의 筆名이지만 老作家 茅盾은 平生에 그의 本名 쓰기를 忌避하는 사람이니 구태여 紹介치 아니한다. 그는 元來 翻譯과 批評에만 從事하여 오다가 一九二七年 以後부터 創作 生活에 들어섯다. 그의 作品으로는 『幻滅』, 『動搖』, 『追求』, 『野薔薇』의 四種이 잇서서 가장 時代의 精神을 表現하고 잇스며 新文藝運動이 닐어난 후 그들의 革命性의 堅强치 못하고 딸아서 政治的 鬪爭에 對한 階段認識이 明白치 못함으로 因하야 二三次의 抗鬪를 지나지 못하야 『幻滅』의 心情을 내게 되며 다음에 『動搖』하게 되여 魯迅의 『彷徨』과 達夫의 『沈淪』과 同一한 過程을 지니게 된다.

(十四)

『幼滅[44]——主人公은 『靜』이라고 하는 女子인데 前半은 『靜』의 學生 生活이고 後半은 『靜』의 社會 生活이다.

『主人公 『靜』은 戀愛라든지 男性에게 對하야는 恐怖를 하는

---

43 모순 관련 내용은 錢杏邨의 「茅盾與現實」(『現代中國文學作家』 第二卷, 上海泰東圖書局, 1930년)을 참조하고 있다. 적지 않게 초역한 곳도 보인다.

44 ‘』’가 누락되어 있다.

女性임으로 男主人公『抱素』의 사랑까지 拒絶하여 버렷다. 그러다가 『抱素』가 『靜』과 함께 잇는 『慧』라는 女性을 사랑하는 눈치를 알은 『靜』은 一心으로 熱烈히 『抱素』를 사랑하고 놋치 안엇다.(前部) 그 후 男主人公 强連長이 『靜』과 結婚한 후 蜜月에 出發하는 消息을 듯고 『靜』은 『連長』의 行止 問題에 對하야 또 한번 游移한다. (後部)』

이 游移가 끗츰업시 『靜』의 生活에 나타난다. 前部의 末에 『靜』은 一時의 衝動으로 革命을 計劃하고 武漢에 달아갓스나 革命人物의 溷濁한 生活을 보고 그만 『幻滅』의 悲哀를 늣겻다. 그러나 오래지 아니하야 다시 革命을 信仕[45]하고 場裡에 나가섯다. 이와 가튼 游移와 幻滅이 實로 近來 靑年 男女의 一般 現象이라고 볼 것이며 『아찌빠쉐우(Artsybashev)가 지은 『朝影』 속의 『리쓰』와도 갓흐다. 全書의 結構를 말하면 前部 八章은 後部 六章보담 材料의 分配와 精密한 程度가 만흐며 四章이나 十三章과 가튼 失敗한 部分도 잇스나 幻滅 思想은 完全히 描寫되여 잇다. 革命에 對한 幻滅과 靑年의 戀愛狂的 生活의 描寫를 함께 題材로 取하야 細緻한 筆致로 쓴 作品이다.

『動搖』——이것은 作者가 兩湖 地方에 잇스면서 만히 본 投機分子를 그려낸 것으로 陰險 刻毒한 그네들 生活의 正體가 讀者를 憤恨케 한다. 長江 沿岸에 橫行하는 投機分子의 行動——때로는 軍閥 官僚와 連結하야 墮落한 民衆을 買收하며 宗法社會의 觀念을 利用하야 自己의 力量을 膨脹하야 煽動과 陷害를 함부로 上級機關에 對한 經濟 疏通과 暴行과 乃終에는 列强과의 提携에 니르는 等, 實로 社會의 一面을 雄辯하고 잇는 것이다. 그 主要人物

45 '仕'는 '任'의 오식이다.

은 豪紳階級의 投機分子인 胡國光과 改良主義의 代表인 方羅蘭과 熱情잇는 革命靑年 史俊과 健全한 革命黨人 李克 等이며 作者는 가장 國光의 心理와 性格을 精細히 描寫하엿으되 全篇으로 보면 舊小說의 風味가 조금 남어잇고 形式上으로는 完全히 새로운 格式이며 主客觀 敍述이 잘 調和되지 못한 것과 描寫의 技巧가 生拙한 것이 그의 缺點이라 할 것이며 意識의 糢糊와 함께 完善한 作品이라고 말할 수가 업다.

『追求』──描寫의 技巧로서는 前 二者보담 勝하며 主人公의 하나인 張曼靑 描寫에 가장 成功하엿다. 그리고 外科醫의 屍體 解剖 모양으로 靑年의 心理를 分析하야 더욱 兩性의 戀愛心理에는 作者 獨特한 深刻한 表現을 하고 잇다. 그러나 全書의 『크라이막스』는 前 二者보담 훨신 弱하다.

우에 말한 三部曲을 두고 볼 적에 共通하게 엇는 印象은 『幻滅』, 『動搖』 悲觀 뿐이고 生機가 적다. 『追求』에 니르러는 더욱 그러하다.

이 三部曲을 發表한지 七個月만에(一九二九年) 그는 短篇集 『野薔薇』를 發表하엿다. 그는 이에 이르러 技巧도 顯著히 進步되고 心理의 分析도 더욱 날카롭게 된 것을 늣긴다. 그러나 그에 나타나는 人物은 三部曲과 달음이 업서서 그와 가튼 傷感과 悲哀와 憎惡를 보여주는 人生의 醜惡과 社會의 暗黑과 傷感의 情調가 每篇 속에 流路하고 잇다.

矛盾[46]이 『野薔薇』에서 靑年 丙을 說明한 文句를 빌어서 矛盾의 作品에서 엇는 印象을 說明하자!

『꿈 속에 詩 가튼 情趣
금빗 가튼 더품

---

46 '茅盾'의 오식이다. 이하도 마찬가지다.

도모지 살아지고
다만 컴々하고 무거운 現實이
그의 心靈을 눌으고 이슬 뿐!』

女流作家들

中國의 文學運動에는 男子의 活動에 지지 안흘 女性의 그것이 잇다. 좀 文藝에 뜻을 두는 이는 氷心女士, 白薇女士 쯤은 아지 못할 사람이 업다.

氷心女士 謝婉瑩은 當年 三十歲의 妙齡으로 『우스리大學』을 卒業하야 再昨年에 結婚하엿다. 그의 特創인 小詩는 特別히 一家를 機抒하고 잇스며 그의 詩集은 『春水』, 『繁星』, 『超人』, 『愛의 實現』과 『最後의 使者』, 『離家의 一年』 가튼 近作이 잇서서 近年의 書籍 市場에 郭沫若, 蔣光慈氏의 作品과 갓치 書架를 燦爛히 裝飾하고 잇다. 그는 가장 『타골』의 影響을 바닷스며 徐志摩, 郭沫若氏의 詩와 함께 中國詩壇의 巨擘을 일우고 잇다. 그의 作風을 因襲하는 一派에는 宗白華, 梁宗岱, 張國瑞 諸氏가 잇다. 氷心의 지은 바 『愛의 實現』은 日本에도 번역 紹介되엿스며 世人은 그를 讚頌하되 그의 쓰는 文字는 寶石 갓치 맑으며 읽은 뒤의 回憶은 微風이 나붓기는 봄철의 잔잔한 물결과도 갓다고 한다. 陳源은 그의 作 『超人』을 文學革命 以後 十部의 大著作에 白薇女士의 作 『琳麗』와 함께 選入하고 特히 그 小說 속에 잇는 散文詩를 稱讚하엿다.

白薇女士는 엇떠한 사람인가? 그는 湖南사람으로 現在 中國公學 教授로 잇다. 東京에서 九年이나 留學하고 돌아와서 『琳麗』 一劇을 發表하고 一躍하야 一流의 劇作家라는 榮譽를 밧게 되엿다. 『琳麗』는 中國 惟一한 詩劇이요, 技巧와 體裁가 兩全한 劇本으로서 그처럼 聲譽가 잇지만은 比較的 內容에 잇는 情緖가 薄弱한 듯하다. 劇中에 나타나는 人物은 藝術家, 音樂家, 舞踏愛慕者, 女優 等을 包含하야 藝術家의 失戀을 中心으로 하엿지만 그 동안에는 錯綜 奇離한 環境을 添加하야 그와 가튼 夢境이 三幕 中 兩幕을 차지하게 되엿스며 더욱 作者는 詩意잇는 物件을 만히 使用하엿스니 即 舞蹈를 한다고 하면 舞蹈 自體보담도 各種 光線의 變換, 化裝한 優伶을 쓰며 雷雨와 死屍 가튼 것을 써서 觀衆의 眼睛을 擾亂케 하며『薔薇의 神』,『時間과 死의 神』,『猩々』과 가튼 希奇한 것을 써서 觀衆을 迷惑케 하고 舞臺上에 잇서서도 錯綜한 顔色과 聲音과 奇特한 服裝을 만히 써서 不調和하고 不自然한 늣김을 줌으로 虛僞와 矯飾으로 된 假藝術이라는 評도 밧는다. 이 點에 잇서서는 또한 그의 作品인『訪雯』도 그런 傾向이 잇다.『訪雯』은『小說月報』를 通하야 鄭重히 紹介되엇섯지만은 劇으로서는 駄作이다.

이에 比하면『琳麗』二百數十頁는 그 力量의 壯大함과 描寫의 美에 잇서서 勝作이다. 女士에게는 이 外에도『打出幽靈塔』이라든지 軍閥을 背景으로 한 薔薇酒 二幕劇 等이 잇서서 모다 顯著한 感傷的 色彩를 보이는 곳에 特色이 잇다.

(十五)

氷女와 同鄕인 福建에서 나서 그와는 正反對의 性格을 가진 悲哀的 傾向을 가진 作家 廬隱女士 黃英이 잇스니 그의 作品『海濱의 故人』,『曼麗』,『靈海潮夕』等이 잇다. 葉紹鈞의 作風을 追襲하는 丁玲女士가 잇서서 그의 作

『黑暗中[47]』四篇으로 天才의 일홈을 휘날니든 것도 昨今의 일이다. 또 現在 中國公學 教授로 잇서서 大膽 露骨하게 肉感的 描寫를 하야 張資平氏에 못지 안는 馮淑蘭(作品은 卷葹[48], 刼灰, 春痕)이 잇스니 그는 號가 만허서 沅君女士, 淦女士, 易安, 大琦라고도 불은다. 또 일즉 北京高師에서 文學 女學生 四大金剛의 第一人者로 꼽든 綠漪女士 蘇梅(蘇雪林)이 잇스니 그의 作品 『綠天』과 『棘心』이 모다 文苑의 珍物이요, 그의 考證書인 『李義山戀愛事跡考』는 氷心의 元曲研究와 林蘭의 徐文長故事集과 함께 女性의 學術界에 破天荒한 事業이다. 그他 小品文으로 일홈 잇기는 陳學昭(作品 倦侶, 煙霞伴侶, 寸草心, 如夢)와 吳曙天이 잇고 翻譯界에 CF 張近芬과 君箴과 林蘭 等이 잇고 學生側에 珍重되는 作家로 衡哲, 叔華 等이 잇다.

新劇運動의 先驅「丁西林」

丁西林氏는 그의 作 『一隻의 馬蜂』으로서 日本에도 紹介되엿다. 氏는 一九二七年 以後 北京大學에서 物理를 가라치고 잇지만은 過去에는 陳大悲, 蒲伯英 諸氏와 함께 新劇運動 初期에 가장 勇敢히 싸워오든 사람이다.

『一隻의 馬蜂』은――『吉先』[49]生이라는 少年이 看護婦 余小姐를 사랑하게 되엿다. 吉先生의 어머님은 그런 줄을 몰으고 余小姐를 自己의 表侄인 醫師에게 結婚식히고저 仲媒를 하여주겟다고 할 적에 余小姐는 對答만은 糢糊하여 두엇다. 余小姐와 밋 그의 父母는 그 醫師와 結婚할 생각은 업섯다. 吉

47 중국어 원제는 '在黑暗中'이다.

48 '卷葹'의 오식이다.

49 겹낫표가 잘못 들어 있다.

先生의 어머니가 나가자 吉先生이 달녀들어 余小姐에게 自己는 다른 곳에 結婚치 안는다 盟誓하고 余小姐도 다른 곳에 結婚치 말나고 要求하는 同時에 小姐의 熱情잇는 사랑의 表示를 求하고 그 證據를 分明히 하고저 힘껏 余小姐를 한 번 抱擁하엿다. 余小姐는 고함을 질으니 吉先生의 어머니가 들어와서 어찌된 일이냐고 물엇다. 새로된 두 夫婦는 다만 한 낫벌이(一隻馬蜂)가 小姐를 쏘앗다고 천연스럽게 말하엿다.』

『親愛的丈夫』(사랑스러운 남편)——女役하고 잇는 男俳優 黃鳳鄕[50]이 任先生의 人格에 감복되여 女子로 扮裝하고 任先生께 出嫁하엿다. 싀집간 후 數月도 同居들 하지 안어 假面이 나타나지 안코 黃氏는 一心으로 任先生을 愛撫하여 주엇다. 마침 어느 大官의 堂會에 黃氏의 出演을 要求되여 할 수 업시 任先生을 離別하게 되여 하는 말이

『당신 이후에 멧 번 장가들어도 저처럼 당신만을 사랑하는 이는 업슬 걸이요?』

任先生은 말하되『나는 다시 結婚치 안코 당신 가신 후 제가 당신 잇든 房을 아츰 저녁 掃除하겟습니다.』

黃氏는『사랑스러운 남편!』이여 하고 불으지젓다. 任先生은 黃氏의 품에 한번 자기를 求하엿다——그는 그의 어머니 以外에는 어느 女性의 품에 안겨서 자본 적이 업섯다.……』[51]

『酒後』는 叔華의 손으로 小說로도 改編되엿다.[52] 梗槪는『엇던 夫婦가 醉해서 엇던 손님과 함끠 한 廳上에서 자고 잇슬 적이엿다. 그 손님은 항상 그

50 '鄕'은 '卿'의 오식이다.

51 겹낫표가 잘못 들어 있다.

52 정보가 잘못되었다. 이는 丁西林이 冷叔華의 동명 소설을 극으로 개작한 것이다.

夫婦의 欽佩하고 信任하엿든 人物임으로 그의 妻는 그 손님과 接吻하고 십흔 생각을 가지고 그 남편의 目擊하는 面前에 그 손님과 『키스』코저 하엿스나 男便이 즐겨하지 아니하엿다. 그 때에 남편이 『키스』를 請하나 그 妻는 許치 아니하야 싸움이 닐어낫다. 엇지된 일인지 알지 못하는 손님은 그만 잠을 깨처 볼 적에 남편은 그 事實을 告白코저 하나 그 妻가 남편의 입을 든든히 막고 놋치 아니한다.

(十六)

『壓迫』──엇떤 男子가 北京에 집을 全稅로 엇고저 하야 大略 主人의 承認을 어덧스나 家族 업는 사람에게 집을 빌니지 안는 北京임으로 그가 짐을 運搬하여 왓슬 적에 집主人이 許치 아니하고 警察에 告訴하려 갓다. 그 사이에 또 엇떤 女子가 한 사람 와서 그 집을 빌니랴고 하엿스나 그도 家族은 업섯다.

두 사람은 서로 말하는 사이에 한 會社에서 일하는 사람인 줄 알고 權道로 夫婦라 하기로 하엿다. 主人 마누라나 巡査들을 불너오니 그에게는 벌서 家族이 잇슴으로 할 수 업시 許하엿다. 主人과 巡査들이 간 후에 이 두 夫婦는 비로소 姓名을 通하기 始作하엿다.

(以上 四種이 모다 獨幕)

氏에게는 그 餘에도 『守護』 獨幕劇이 잇지만은 上述한 몃 가지의 梗槪로 알 수 잇는바와 가티 日常生活에 處한 機智的 部分과 輕한 諷刺와 에로틱한 斷面 가튼 趣味 잇는 瑣事에 지나지 못한다. 그럼으로 游蕩階級의 消遣物에 지나지 못한다는 評을 밧는다. 男女 間에 徹底히 了解하기 前에 숨어잇는 心

理的 神秘와 男女 間 不意의 接吻, 抱擁에 생기는 衝動 가튼 것이 內容의 骨子가 되엿슴으로 全 內容으로 보면 다만 漂亮한 軟話 空談에 지나지 못하나 女性解放의 尖端的 進步에 잇는 中國 過渡期의 恩人이 아니라고 할 수 업다.

陳源은 一隻의 馬蜂을 非常히 結構가 甚히 經濟되여 잇고 一句의 廢話, 一個의 廢字가 업스며 內容의 生命과 思想은 모다 淸新하야 一種의 理想世界에 잇는 사람을 表現하엿다고 말하엿다.

舊劇 改良派의 歐陽予倩과 舊劇 抛棄를 主張하는 劇作家「田漢」

中國에는 宋元에서 發源한 舊劇이 明淸 五百年을 지나서 相當한 發展을 하고 잇스나 그 發展이 歐洲의 喜歌劇과 가티 畸形的으로 發展하여 왓슴으로 相當한 長點도 업는 것은 아니나 長點보담 短點이 만흐다. 그러하야 余上沅 一派의 國劇運動이 猛烈한 바 잇스니 이 舊劇 改良에 가장 熱烈한 사람은 歐陽予倩일 듯하다. 氏는 一九一七年 北京大學의 一學年生으로서 傅斯年 諸友와 함께 舊劇의 各 部門에 나아가 實質的으로 改良하기를 努力하엿다. 그는 舊劇의 長點을 硏究하여 보지도 안이하고 現代의 것에만 沉醉하야 空然히 舊劇을 排斥하는 것을 憤慨하야 舊劇 改良의 理論을 發表하고 스사로 劇本을 써서 實演도 하엿다. 그는 일즉『潑婦』와『回家』의 두 劇本을 쓰고 最近 金甁梅의 改作인『潘金蓮』을 發表하야 特別한『센세―숀』을 惹起하엿스며 金甁梅에 나타나는 西門慶은 한 道樂의 主人公에 지나지 못하나『潘金蓮』劇本에는 勇氣잇고 高潔한 人格의 所有로 나게 되엿스니 이러한 新解釋은 革命中國의 茶飯事이다.

(十七)

中國의 舊劇은 『써카스』와 『노래의 展覽會』에 지나지 못한다고 罵倒하고 比較的 舊劇 改良에는 誠意가 업시 徹頭徹尾로 西洋劇을 그대로 模倣하야 完全히 새로운 戱劇을 建設하자는 創造社의 鬪將 『田漢』이 잇다. 氏는 南京政府의 映畵 宣傳部長으로도 잇섯스나 數年來로 左翼作家聯盟에 加擔하야 政府當局의 彈壓에 못익이여 方今 東京에 망명하여 잇다.

그는 일즉 獨幕劇 『珈琲店之一夜』, 『午飯之前』, 『鄉愁』, 『落花時節』, 『獵[53]虎之夜』 等을 發表하고 劇本의 創作界에 最高度를 보이고 잇다. 『珈琲店之一夜』는 田漢의 代表作이며 그는 그의 一篇 속에 그의 努力과 墮落, 忠實과 失敗, 生命의 哀怨과 淺薄한 感傷, 藝術的 描寫와 感情의 侮弄 等 여러 가지를 보여준다. 描寫의 經濟法은 拙劣한 듯하나 技巧와 時代精神의 表現에는 成功한 것이다. 全 劇本의 題材가 戀愛의 悲劇임으로 白秋英의 입뿐 니약이와 입뿐 行動과 그가 李乾卿이가 그에게 준 鈔票와 李가 임이 바덧든 情書를 찌저버리는 段落 가튼 것은 藝術的 立場으로 보아 만흔 缺陷을 가지고 잇스며 全劇의 構造가 沉靜하고 幽默한 空氣에 짜혀 잇는 것도 確實히 缺點이다. 이 劇의 價値는 教訓이나 悲壯한 故事에 잇지 안코 戀愛의 失望과 醒覺에도 잇지 안코 다만 巧妙하게 簡潔한 筆致로 世紀末에 빠저 世紀初를 企望하는 精神을 表現하엿다. 두 主人公인 林澤奇와 白秋英은 頹廢 感傷으로 自己를 憐惜하고 스사로 暴棄하며 灰沙 가튼 生活 속에 孤寂을 늣겨 가면서도 항상 『生』에 헤메이고 反抗을 하려 한다. 頹廢한 生活의 裏面에 眞正한 人生과 黎明期 以前의 醒覺하려 하는 精神을 볼 수 잇다.

---

53 '獲'의 오식이다. 아래도 마찬가지다.

『午飯之前』一劇은 더욱 教訓的이며 作者는 힘을 다하야 基督教와 資本家의 罪惡을 暴露코저 하엿다. 一個 牧師가 凶殘한 本來의 面目을 나타내는 것이며 資本家가 劇中의 主人公을 처죽이는 것이며 恩怨업는 두 娣妹가 自己의 娣妹의 打殺됨으로 因하야 갑작히 큰 怨讐가 되며 그리로 因하야 그 어머님의 病드는 것 가튼 것은——反基督教大同盟의 『판푸렛드』라고 하여도 過言이 아니다.

『鄕愁』一劇은 一種 對話에 긋처서 劇的 情調가 적다. 伊靜言의 男子를 教訓하는 部分과 孫梅의 懺悔를 식히는 部分은 일부러 創造한 人物을 惡化하여 버려서 全劇으로 보아서 苦心 經營한 痕跡은 보이나 劇으로는 論할 價値가 적다.

『獵虎之夜』獨幕劇도 作者는 家庭의 專制에 反對하며 主人公『黃大傻』의 可憐 絶望한 戀愛를 그림에 이섯다. 黃大傻가 荒山 속에서 魏家의 燈불을 보고 지은 長篇詩는 대개 作者의 自叙的 述作이겟지만 成功할 希望이 잇서 보인다.

『落花時節』獨幕劇은 前三者에 比하면 相當한 勝作이나『咖啡店之一夜』처럼 深刻하고 眞摯한 印象을 주지 안는다. 技巧로서는 進步되엿스나 人道主義的 君子然한 人物을 아뭇 生命도 업게 그려내여슬 뿐이다. 氏는 그 餘에도『湖上의 悲劇』,『蘇州夜話』等이 잇스나 모다 妙하게 니히리스틱한 新興的 氣分을 준다. 以外에도 創作界의 作家가 매우 만치만은 다른 機會를 기다리고 이만하야 둔다.

中國 短篇小說家 魯迅과 그의 作品 ─ 그의 時代는 지냇는가[01]

丁來東

(一)[02]

一. 緖言

中國의 文藝復興이라고 하는 文學革命을 胡適, 陳獨秀 等 諸氏가 提唱하였다고 한다면 文學革命을 實行한 사람은 여긔에 論하려 하는 魯迅(本名은 周樹人)일 것이다. 곳 文學革命의 根本精神을 簡單히 말하자면 白話를 一般으로 쓰자는 것이며 文言으로는 새 思想을 담을 수 없단 것이다. 이 運動이 이러나자 或은 이 運動을 이어서 文學作品 特히 短篇小說을 能爛한 白話로 쓰고 그 小說의 內容이나 形式에 조금도 中國 舊思想을 讃美한다든지 或은 舊小說의 形式을 襲用한다든지 한 것이 없이 처음으로 새 形式과 새 內容과 새 體裁를 創用한 사람은 곳 過去 十數年 間 中國文壇에서 獨步하다싶이한 魯迅일 것이다. 그럼으로 筆者는 이러한 意味에서 魯迅을 中國 文學革命의

---

01 『朝鮮日報』 1931.1.4~1.5, 3면; 1.7~1.11, 1.13, 1.15~1.18, 4면; 1.19, 3면; 1.20, 1.22~1.25, 1.27~1.30, 4면.

02 매회 연재분 표기로서 22회에 걸쳐 연재되었다.

實行者라고 불으고 싶다.

그는 그의 短篇小說集『吶喊』에 收集한 短篇小說 十六篇을『新青年』及 其他 新聞 文藝欄 等에 發表하자 新思想을 가진 一般學者, 青年 及 新思想을 憧憬하야 알려고 하는 青年들에게 熱狂的 歡迎과 同情을 받었엇다.

그의 作品이 一般青年에게 歡迎을 받엇다고 그의 作品은 決코 男女의 달큼한 戀愛故事에 關한 것을 쓴 것이 아니요, 말하자면 乾燥 無味한 鄉村의 回憶을 쓴 데 不過하였다. 그러나 그의 意圖는 다못 鄉村의 描寫에 근첫다든지 또는 感傷的 追憶을 하자는 겄도 아니요, 冷靜한 筆鋒으로써 中國人民의 普遍性格을 暴露하야 一般 革命的 青年에게 自省할『힌트』를 주는 것과 深刻, 潑溂, 諷刺로써 讀者의 印象을 더 깊이 하자는 데 있엇다. 그의 小說은 어느 한 篇을 치고 諷刺가 없는 篇이 없다. 그러나 그 諷刺는 어름 갈이 冷情한 것도 아니요, 칼날이 銳毒이 흐르는 것도 아니요, 그 文章의 뒤에는 따듯한 溫情이 흝어서 더욱 讀者로 하여금 魅力을 늦기게 하며 感服하게 할 뿐이다. 이와 같이 하야 全 中國 文學青年의 視線을 一身에 받고 있든 魯迅이 近二三年에 와서는 一部 青年 間에 그 前『吶喊』時代와 같이 歡迎을 받지 못하고 또한 時代의 精神에 앞슨 무슨 創作을 發表치 안코 거의 沈滯 狀態에 있다. 이것을 一面으로 察한다면 발서 中國青年이 世界思潮의 變遷과 中國의 變革에 影響을 받어서『吶喊』에 있는 情緖 及 思想에는 滿足할 수가 없게 된 것과 一面으로는 魯迅 自身이 中國의 現在 及 將來에 對하야서나 世界 人類의 將來에 及其 行程에 對하야 確實한 主見 及 把握이 없는 까닭인가 한다. 그럼으로 이 大作家의 一 變遷期 或은 沈滯 狀態에 있는 時機를 當하야 거진 評價가 된 過去의 作品을 評論 及 紹介하는 것은 全혀 無意味한 일은 아니라고 생각한다.

그의 作品이 六七 國語로 飜譯된 것은 筆者가 中國文壇을 紹介할 때 거의 말하엿지마는 우리 文壇에 飜譯된 것만 하드래도 발서『狂人日記』,『頭髮의 故事』,『阿Q正傳』,『傷逝』等 四篇을 들 수 있다. 이와 갈이 그 作品이 世界的으로 傳播된 것은 如實하게 世界의 순키잡기로 되여 있는 中國의 事情을 如實하게 描寫 表現한 것과 또한 歐洲大戰을 前後하야 東方의 文明이 世界의 硏究거리가 된 것과 그의 作品에 藝術的 價値가 있는 까닭으로 볼 수 있다. 그의 作品의 內容의 大部分은 清末 民初의 中國 農民思想 生活을 作品 속에 縮寫한 것으로 볼 수 있고 그의『吶喊』하는 소리는 全部가 中國 古來의 傳說的 思想과 風俗, 習慣에 痲痺된 中國人에게 警鍾이 되엿으며 醫藥이 되었다. 魯迅의 過去 功績을 一言으로 말하자면 傳統的 封建的 思想에 對하야 挑戰, 戰勝한 것이라 하겠으며 新興中國에게 自省, 自己認識을 하게 한 것으로 볼 수 있다.

中國뿐만 아니라 近來 世界 各國을 勿論하고 自省, 自己認識이 不足함으로써 無爲의 犧牲과 革命 其他 一切 文化에 얼마나 만흔 失敗를 하고 衰頹를 하엿는가. 辛亥革命, 五四運動 當時에는 中國에 있어서 무엇보다도 自省, 自己認識이 必要하였다. 이 일을 當時에 魯迅은 하였엇다. 그러나 魯迅이 只今에 일으러서 思想의 權威이니, 青年의 先驅이니 하게 되지 못한 것은 確實히 辛亥革命 當時와『吶喊』이 처음 出版될 때와 같이 明快하고 透徹하게 中國 現代를 얻어케 認識할 것인가를 指示하지 못하고 있는 까닭이라고 나는 믿는다.

(二)

그의 創作은『吶喊』以後에『彷徨』이란 亦是 短篇小說集이 나고 그 後에

는 『野草』라는 散文詩 等이 실린 小冊이 나고 最近에 『朝華夕拾』이라는 回憶文 十篇이 실인 小冊이 나고 論文으로는 『墳』이 있고 雜感集으로는 『熱風』, 『華蓋集』, 『華蓋續編』, 『而己集』이 있고 其外에 數 많은 飜譯書籍이 있다. 飜譯書 中에는 알쓰파써푸의 『勞動者 세리노푸』도 있고 엘로셍코의 童話劇 『桃色의 雲』도 있고 最近 露西亞의 『文藝政策』도 있고 日本 鶴見祐輔箸 『思想, 山水, 人物』도 있고 厨川白村의 『苦悶의 象徵』, 『象牙의 塔을 나서서』 等이 있고 루날찰스키의 『藝術論』와 同著 『文藝와 批評』 等 論文, 小說, 劇 等으로 多方面이여서 一一히 例擧할 수 없고 그의 編纂한 것으로는 『小說舊聞抄』, 『中國小說史畧』, 『唐宋傳奇集』(上下) 等이 있다. 그의 翻譯은 原文의 差異없이 正確하고 簡明하다고 定評이 있으며 學皆는 日語에서 重譯한 것이 많다 한다. 그는 創作을 하거나 翻譯을 하거나 조금도 疲弊를 늦기지 안코 數 많은 書籍을 出版한 것으로만 보드래도 얼마나 剛毅不拔할 意志와 熱情의 所有者인지를 알 수가 있다.

魯迅이 『吶喊』을 쓸 때에 强敵은 所謂 『之乎者也』를 套語로 쓰든 舊思想家, 舊學者 即 文言派이였고 現今에 와서는 그의 强敵은 所謂 革命文學派(即 맑쓰主義 文學派)일 것이다. 그들 即 革命文學派들은 魯迅의 過去 作品을 小뿔으조아 作品이라고 하며 魯迅의 思想 個人自由主義라고 漫罵한다. 그러나 魯迅은 亦是 泰然하게 『革命革革命革革革命……』 等 文句로써 革命文學者들을 嘲笑 反擊하고 있다. 그 仔細한 顚末은 여긔서 一一히 記述할 수 없지만은 大畧 말하자면 所謂 革命者라고 하는 사람들이 實地에 勞農層의 사람들이 아님으로 勞農者의 利益을 圖謀할 수 없다는 것과 文은 革命과 切實한 關係가 있는 것이 아니요, 距離가 먼 것이여서 實地 革命에 別다른 効果를 낼 수가 없다는 것이다. 中國의 革命文學 即 맑쓰主義 文學이 輸入하여 오자 또한 自己가 小뿔우조아 作家라고 攻擊을 받자 魯迅은 크게 覺悟한 바가 있어서인지 많은 日本, 露西亞의 無產階級文學의 理論을 翻譯하야 中國의 君들이(맑쓰主義 文學者) 主張하는 文學은 即 내가 飜譯한 露西亞, 日本에서 直輸入한 것이지만 實地에 있어서 얼마나 幼稚하고 錯誤가 많은가를 보안듯이 革命文學者에 지지 않게 無產階級文學의 理論을 紹介하고 있다.

自己 創作이 沈滯 狀態에 있는 것을 指摘하야 토로추키가 『文學과 革命』에 말한 바와 같이 맑쓰主義 以外의 作家는 實地 現象을 把握하지 못하고 또는 認識하지 못하고 彷徨하며 沈滯 狀態에 빠진단 것과 恰似한 狀態에 魯迅이 빠젓다고 하면 魯迅은 反駁하기를 사람은 쉬을 때도 있는 것이라고 배를 내밀고 있다. 近日 書籍의 廣告에 보면 『轉變 後의 魯迅』이라는 册이 出版된다 하였는데 그 內容은 아즉 알 수가 없거니와 何如間 이 後의 魯迅의 作品에 對하야는 만흔 注目을 하고 있으며 囑望하는 바가 많다.

魯迅의 作品에 關한 批評, 感想, 印象 等을 彙集한 書籍으로는 『關于魯迅及其著作』이라는 것이 있고 最近에 多少 新材料와 上記 書籍에 揭載된 것을 包含한 『魯迅論』이란 册이 있고 『魯迅在廣州』라고 한 册 等이 있다.

筆者가 此文에서 論하려 한 것은 主로 그의 作品에 關한 것임으로 其他著作 及 論文, 雜感 等은 必要時에 각금 引用하는 데 근치겠다.

(眞寫은 魯迅氏)

(三)

二. 魯迅 自敘傳略

나는 一八八一年 浙江省 紹興府 城內 周氏의 집에 났엇다. 父

親은 선비요, 母親은 魯氏인데 村사람으로 自習을 하야 能히 讀書하게까지 되엿엇다. 사람의 말을 들으면 내가 어렷을 떠에 우리 집에는 四五十畝의 田畓이 있어서 生計에 그리 困難은 하지 안하엿다 한다. 그렛엇는데 내가 十三歲 時에 우리 집에 忽然히 큰 變故가 나서 거의 아무 것도 없게 되야 나는 우리 親戚집에 가서 사는데 어떤 때는 거지라는 말까지 듯게 되엿엇다. 나는 여긔서 집으로 도라 가기를 決心하엿는데 나의 父親은 또한 重病에 걸여서 約 三年이나 된 後에 죽엇다. 나는 漸漸 極히 적은 學費까지도 어찌할 수가 없이 되엿엇다. 나의 母親은 내가 幕友나 或은 商人이 되기 싫어하기 때문에——이것은 우리 시골서 衰落한 선비의 집 사람들의 子弟가 잘하는 두 가지 길이다.——旅費를 조금 準備하여 주면서 學費를 받지 안는 學校를 차저 가라고 하엿다.

그때 나는 十八歲엿엇는데 南京까지 가서 水師學堂에 入學하야 機關科에 있엇다. 大槪 半年 後에 나와서 다시 礦路學堂에 들어가서 礦山을 開掘하는 것을 배우고 卒業한 後에는 日本에 留學을 가라고 派遣되엿엇다. 그러나 내가 東京의 豫備學校를 卒業할 때에 나는 발서 醫學을 배우기로 決心하엿다. 그 原因의 一은 新醫學이 日本 維新에 莫大한 功獻이 있엇는 것을 確實하야 까닭이엿엇다. 나는 그래서 仙臺醫學專門學校에 들어가 二年 間 在學하엿엇다. 正히 그때가 露日戰爭 때인데 偶然히 活動寫眞에서 한 中國人이 偵探을 하다가 被斬된 것을 보고 中國에서는 應當히 몬저 新文藝를 提唱할 것을 늣겟다. 나는 곳 學籍을 떠나서 다시 東京에 와 몃 朋友와 적은 計劃을 하였으나 다 繼續하야 失敗하였었다. 또 獨逸을 가랴다가 亦是 失敗하고 말었다. 우리 母親과 其外 몃 사람이 나의 經濟上 援助를 바래서 맞음내 中國으로 도라왔었다. 이 때 나는 二十九歲이였었다.

나는 回國하자마자 곳 浙江 杭州의 兩級師範學堂에서 化學과 生理學 教員을 하다가 第二年에 나와서 紹興中學堂에 가 教務長을 하다가 第三年 때 또 나왔으나 別로 어대로 갈 곧이 없어서 어느 書店에 가서 編譯員이 되려 하였으나 끝끝내 拒絶을 當하고 말았다. 그러나 革命도 곳 發生을 하야 紹興이 光復한 後에 나는 師範學校 校長이 되였다. 南京에 革命政府가 成立되자 教育部長이 나를 請하야 部員이 되라고 하야서 北京에 移入한 後 只今까지 繼續하였다. 요 멧 해에는 또 北京大學, 師範大學, 女子師範大學의 中文系 講師를 兼任하고 있다.

내가 留學 當時에는 다못 雜誌上에 좋지 못한 멫 篇의 글을 써서 내였었다.

처음 小說을 짓기는 一九一八年이였었는데 그것은 우리 벗 錢同玄의 勸告에 依하야 『新青年』에 發表하였다.

(四)

이 때에 처음 魯迅이라는 筆名을 쓰고 恒常 다른 일홈으로 短論을 지었었다. 現在 印刷하야 出版한 書籍 다못 한 卷 短篇小說集 『吶喊』이 있을 뿐이요, 그 外에 것은 여긔 저긔 數種 雜

誌上에 散在하여 있다. 다른 것은 翻譯外에 出版한 것은 또 한 卷『中國小說史畧』이 있을 뿐이다.

——一九二五年 六月『語絲』所載 筆者 附記

이 自叙畧傳을 지은 後 魯迅은 一九二六年 春 張作霖이 北京에 들어오려다 할 때 五十名 過激敎受와 知識分子를 逮捕하랴고 할 때 亦是 그 中 한 사람이여서 親友의 周旋으로 厦門大學으로 가게 되엿엇다. 거긔서도 오래 잇지 못하게 되여서 다시 廣州로 가게 되여 數卷의 著書를 編輯하고 最近에는 上海에서 專혀 文筆生活을 한다고 한다. 中國文壇에서는 收入이 第一位에 가고 生活도 그 前 北京 있을 때와 같이 簡素하게 하지 안코 多少 뿔으조와的이라고 하는 말을 들었는데 確實 與否는 알 수가 없다.

三.『吶喊』의 內容과 意義

(A) 魯迅과 藝術

우리는 上章『自叙傳畧』에서 魯迅이 어떠한 사람이며 어떠한 經歷을 가진 사람인 것을 大畧 알앗거니와 다시 그의『吶喊』의『自序』를 볼 것 같으면 그의 過去生活을 더 仔細히 알 수가 있으며 또한 그가 文藝를 選擇한 目的과 어떠케 되여서 小說을 쓰게 된 動機 及 原因과 그가 藝術에 對한 態度를 詳細히 알 수가 있다.

우리는 이 作家의 文藝로 進出한 經路를 알기 爲하야 多少 自叙傳과 前後重疊이 되지마는『吶喊』의『自序』를 逐句的으로 볼 必要가 있다.

그『自序』에 보면 그는 어렸을 때 自己 家勢가 衰敗하여짐과 自己 父親의 病으로 因하야 거의 每日 典當舖를 다니면서 衣服, 首飾 等을 典當하야 가지고 自己 父親을 爲하야 거의 每日 藥을 사러 단엿다 한다. 그러다가 自己 父親은 죽고 母親이 八元의 旅費를 변통하여 준 것을 가지고 南京에 가 어는 學堂에 들어가서 『全體新論』, 『化學衛生論』 等을 보고 中醫의 議論이나 劑方하는 것이 意識 中이든 或은 無意識 中이든 欺騙에 지내지 못한 것을 께닷고 또 翻譯한 歷史를 보고 日本의 維新의 太半은 西洋醫學에 發端한 것을 알고 醫學을 배워가지고 中國을 救援하며 中醫에 欺騙 當하고 있는 病人 及 其 家族을 爲하야 努力을 할 决心을 하였는데 그 後 魯迅이 希望하든 醫學은 工夫하게 되였다. 그래서 그는 日本 仙臺에 가서 新醫學을 工夫하다가 自叙傳에 말한 것과 같이 日露戰爭의 實寫 活動寫眞에서 中國人이 密偵을 하다가 日本人에게 被斬된 것을 보고는 그 目的을 變更하였다 한다. 그 理由는 愚弱한 國民을 어떠케 體格을 健全하게 하여도 다뭇 조금도 意義 없는 示衆의 材料만 될 뿐이니 病들어 얼마나 죽들애도 그 不幸한 일 아니다. 그럼으로 우리의 第一 要務는 그들의 精神을 改變하는 데 있고 精神을 改變하는 데는 文藝가 第一 急務인 것을 깨달으기 때문에 文藝運動을 提唱하기로 하였다[03]는 겄이 곳 魯迅이 文藝를 志願한 原因의 大槪이다.

우리는 일로 보아서 魯迅이 다뭇 自己 嗜好에 따라서 或은 自己 天才에 따라서 文藝를 選擇한 겄이 아니요, 中國人民을 救하겟다는 뜻에서 文藝를 提唱한 겄이 겄을 알 수가 있스며 그의 創作의 源泉을 살피어 보면 魯迅이 藝術에 對한 態度를 알 수가 있으며 따라서 吶喊의 由來도 알 수 있을 겄이다. 그는 『吶喊』 『自序』 처음에 이러한 말을 하였다.

---

03 "愚弱한 國民"에서 여기까지는 노신의 「『吶喊』自序」, 『吶喊』, 北京新潮社, 1923년에서 초역된 것이다.

『내가 젊었을 때 많은 꿈을 뀌였엿는데 그 뒤에 太半은 이저 버렸으나 그러나 自身은 그리 可惜하게 녁이지는 안는다. 所謂 回憶이란 것은 사람으로 하여금 欣歡하게 하나 或時는 사람으로 하여금 寂寞하게 하는 수도 있고 精神의 絲緖로써 발서 지내간 寂寞의 時光을 끌어낸들 또 무슨 意味가 있을까. 그러나 나는 全部 이저 버리지 못한 데 한갓 苦痛을 늣긴다. 이 全部 이저 버리지 못한 一部分이 現在에 와서 곳 『吶喊』의 由來가 될 것이다.』

魯迅은 『吶喊』의 由來가 곳 靑春 時의 꿈을 써낸 것이라고 한다. 곳 그의 잊지 못하야 苦痛한 것을 表現하며 납함(吶喊』[04]친 것이 『吶喊』의 由來라고 한다. 이것이 곳 魯迅의 藝術이다.

또 그는 一九二三年 北京女子高等師範學校에서 『노라가 다라난 後에는 어떠케 되엿는가?』하는 題目下에서 講演을 하면서 이 『꿈』에 對하야 더 具體的 說明을 하였다.

『……만약 길을 찾지 못하면 우리의 할 일은 곳 꿈을 꾸는 것이다……그러나 꾸어서는 못쓸 것은 將來의 꿈이다. 알쓰삐세푸가 그의 小說을 빌어서 將來의 黃金世界를 꿈꾸는 理想家에게 이러한 質問을 하였다. 그러한 世界(黃金世界)를 만들기 爲하야는 몬저 많은 사람들을 喚起하야 苦痛을 받게 한다. 그는 말하기를 『너의들은 黃金世 界를 그들의 子孫에게 豫約하

04 응당 ‘)’여야 한다.

여 준다. 그러나 그들 自身에게는 무었을 주겠는가?』

(論文集『墳』에서)

(五)

그는 自己 小說을 잊이 못하야 苦痛하는 靑年 時의 꿈의 一部分이라고 하였고 自己가 처음 小說을 쓰게 된 動機와 原因을 亦是 同序文에 말하였다. 小說을 쓰게 된 原因의 一은 當時 新思潮를 高吹하고 舊思想 及 舊制度를 排斥하든『新靑年』의 編輯人이요, 魯迅의 親友인 錢同玄氏의 勸에 못이기여 썼다고 하면서 自己가 그 때 얼어케 荒凉한 處地에 있엇든 것을 말하며 또한 조흔 比喩를 들어 自己가 小說을 쓰기 始作한 理由를 말하였다.

그가『狂人日記』를 쓰기 即前에는 S會舘의 陰鬱한 三間房에서 차저 온 사람도 없시 孤寂한 生活을 하면서 古碑를 抄하고 있엇다 한다. 그 때 차저 오는 사람이라고는 金心異였난데 각금 와서 이야기를 하는 中 어느 날 저녁에는 魯迅의 抄하여 노흔 古碑를 떠들여 보면서 이러한 問答이 있엇다 한다. 只今 繁雜한 것을 避하지 안코 그 問答을 譯하여 보겠다.

『자네 이런 겄을 抄하여서 무슨 所用이 있는가.』

『아무 所用도 없어.』

『그러면 그겄을 抄하는 겄이 무슨 意味가 있는가?』

『아모 意味도 없어.』

『내 생각에는 자네 글을 지어보게!』

여긔서 魯迅은 스스로 생각하기를 『나는 그의 뜻을 알앗섯다. 그들은 맞이 『新青年』을 하는데 그 때 特別히 와서 贊同하는 사람도 없고 또한 아모도 와서 反對한 사람이 없어서 내가 생각건대 그들은 寂寞을 늦기는지도 몰으겠다.[05] 그러나 말하기를

『萬若 한 間 鐵房이 있어서 門窓도 絕無하야 破壞하기가 퍽 어려운데 그 안에는 만흔 잠든 사람이 들어 있어서 不久에 窒息하야 죽을 것이다. 그러나 昏睡에서 死滅로 드러가면 別로 죽는다는 悲哀를 늣기지 안흘 것이다. 只今 네가 크게 소리를 처서 잠이 설푼한 몇 사람을 깨와서 이 不幸한 少數者로 하여금 挽救할 수 없는 臨終의 苦楚를 밧게 한다면 너는 그 사람들에게 面目이 있을가?』
『그러나 몇 사람은 발서 일어낟다. 너는 조금도 이 鐵屋을 破壞할 希望이 없다고는 할 수가 없을 것이다.』

여긔에 『鐵屋』이니, 『잠든 사람』이니 或은 『녯[06] 사람이 발서 일어낫다』 하는 것은 當時의 中國社會 現狀을 말한 것이요, 『몇 사람』 云云은 『新青年』 하는 사람들을 가르친 것일 것이다.

『그러타. 나는 비록 나의 確信이 있다고는 하지만은 希望에 일으러서는 抹殺할 수가 없다. 그 理由는 希望은 將來에 있는 것

---

05 '』'가 누락되어 있다.

06 '몇'의 오식이다.

임으로 決코 나의 必無하리라는 證明으로 가지고 그의 所謂 있겠다는 것을 折服할 수는 없엇다. 그래서 끗끗내 내가 글을 짓겟다고 應答을 하얏섯다. 이래서 最初의 一篇이 곳 『狂人日記』이다. 이 後로 一發하야 다시 収拾하들 못하고 매양 小說 같은 글을 써서 朋友의 囑託을 敷衍한 것인데 오래 동안 모와 노니 十數篇이 되엿다.』

이와 같이 自己가 小說을 처음 쓰든 原因, 動機를 말하고 그는 또 그의 『吶喊』한 것, 곳 그의 小說의 根本 源泉은 自己의 過去에 잇이 못할 寂寞의 悲哀라고 하였다. 그가 처음 寂寞을 늣긴 것은 勿論 幼年時代에 典當舖와 藥局을 단일 때 붙어이겠지만은 自己의 寂寞한 悲哀를 意味한 것은 文藝運動을 目的하고 仙臺 醫專에서 나와서 東京에 도라와 『新生』이라는 雜誌를 내려다가 여러 가지 理由로 失敗한 後로라고 하였다.

『내가 그 전에 經驗하지 못하여 보본 無耶을 늣긴 것은 이 뒤에 일이다. 當時에는 엇제서 그런지를 몰으겟드니 後에 생각하여 보니 무릇 한 사람의 主張이 贊同을 어드면 그 前進을 促進하고 反對를 받으면 그 奮鬪를 催促하고 다못 生人 中 다 吽喊을 처서 生이 別로 反應도 없고 아무 贊同이 없음으로 亦是 反對로 없어 恰似 몸을 無邊안 荒原에 둔 껏 같아야 없이 할 줄을 몰으게 되면 이 겄은 얼마나 悲哀한 일이겠는가. 나는 여긔서 늣긴 바를 寂寞이라고 한다.』

『──아즉 前日 自己의 寂寞한 悲哀를 있지 못함으로 엇던 때는 亦是 몇 번『吶喊』을 처서 寂寞한 中에서 奔馳한 猛士들을 慰籍하야 그로 하여금 前驅이엿든데 꺼림이 없게 하는 젓을 免치 못한다.』

寂寞이 곳 그로 하여금 小說을 쓰게 한 큰 原因이라고 하엿다. 아니 그는 小說을 쓰지 안코는 그 끄러 올라오는 苦痛의 가슴을 억지할 수가 없어 과암이라도 처야 마음이 시연하여 진다고 한다. 그 과암을 그 자로 써어 노흔 젓이 곳『吶喊』이요, 그의 모든 作品일 젓이다.

우리는 이에서 魯迅의 生涯 及 文藝로 進出한 動機 及 原因 等의 輪郭을 알게 되엿으니 다시 進一步하야 그의 作品에 낱아난 그의 思想과 그 觀察과 그의 態度를 細密하게 硏究하여 볼 必要를 늣긴다.

(六)

『吶喊』[07]

本來 順序로 하면『吶喊』에 對한 評을 할 것이나 讀者의 便宜을 圖謀하야 大綱 要點 或은 特異한 點만일지라도 一一히 그 內容의 梗概를 말한 後에 特히 一般의 定評이 있고 筆者의 마음에 좋은 作品으로 생각되는 作品은 比較的 詳細하게 梗概를 말한 後에 그에 對한 批評 그의 寓意 其他를 討論하려 한다.

---

07 '(B)『吶喊』'이어야 하나 '(B)'가 누락되어 있다.

魯短篇小의說集[08]『吶喊』內에는 合 十五篇의 小說이 실엿으며 普通 그의 自序를 合하야 十六篇이라고 하나 筆者는 이미 上段에서 그 自序의 大部分을 말하엿기에 그 序는 約하고 此等 十五篇의 目次를 列記한 後 內容의 비슷한 者를 包括하야 말하겟다.

『吶喊』의 目次

狂人日記, 孔乙己, 藥, 明天, 一件小事, 頭髮의 故事, 風波, 故鄕, 阿Q正傳, 端午節, 白光, 兎與猫, 鴨明[09]喜劇, 社戲, 不周山.

此等 小說의 內容을 相似한 篇으로 分別하여 본다면『狂人日記』와『阿Q正傳』은 共通點이 잇다고 볼 수 잇다.『狂人日記』는 古來의 惡習에 傳染된 사람들의 本色을 暴露식힌 데 對하야 一般人은 그 사람을『狂人』이라고 하야 그 사람의 意見을 相對로 하지 않고 度外에 置之하며 甚之於 抹殺까지 가려한 것을 그린 것이요,『阿Q正傳』은 當時 中國 所謂 精神文明의 餘孼로 因하야 自滿自足한 思維로써 事實을 曲解하는 것이랄지 또는 中國農民의 矇昧한 것과 勢利하는 智識分子의 虛僞 及 欺騙으로 因하야 發生하는 無識한 農民의 犧牲 等을 表現한 것이여서 淸末 民初의 中國 一般的 思想傾向 及 鄕村의 現實을 描寫한 點으로 보아 魯迅의 作品으로 重大性을 가지게 되며 同時에 共通點을 發見할 수 잇다.

---

08 '魯의 短篇小說集'의 오식이다.

09 '明'은 '的'의 오식이다.

『藥』과 『明天』은 똑같이 中國 舊醫術의 不發達과 醫生의 冷淡한 것으로 發生하는 病者의 悲劇 及 所謂 우리나라에서 鄕村에 盛行하는 單方藥으로 因하야 犧牲된 者를 그린 것이여서 魯迅이 처음 醫學으로 中國을 救하려고 決心한 만큼 深刻하게 그렸으며 『藥』에는 또 다른 意味가 包含된 것을 볼 수 있다.

『頭髮의 故事』는 民國 國慶日인 雙十節(十月 十日)을 當하야 한 先輩가 自己의 頭髮을 끊고 辛苦하든 回憶談을 한 것이요, 『風波』는 辛亥 革命 當時에 鄕村에서 斷髮한 것을 가지고 鄕村의 老少男女가 그 利害得失을 相論한 것으로 그 主材가 되여 있어서 小說 內의 主人公의 思想 及 性格, 智識 程度는 다를 망정 다 같이 斷髮 問題를 取扱한 點이 同一하다고 볼 수 있다.

斷髮 不斷髮 問題는 우리나라에서도 『一進會』 當時붙어 最近까지 或은 鄕村에 있어서는 現今까지 家庭 及 一般 社會에서 問題되였든 만큼 中國의 그것과 共通한 情形을 볼 수 있어서 우리로서는 퍽 興味있는 作品들이다.

『孔乙己』는 鄕村의 『之平[10]者也』를 常語에 쓰는 下流 知識分子의 衰頹하여진 것을 그린 것이요, 『白光』 亦是 舊『訓長』이 縣에서 보는 文官 試驗에 十六回나 落第를 하고는 家內 傳來의 迷信에 精神을 팔아 自己있는 徒祖 傳來의 집안에 金銀이 뭊였단 것을 파다가 失敗하고 또 山속에 金錢이 있는가 하고 밤에 뛰여 가서 파다가 亦是 失敗하고 맞흠내 湖水에 빠저 죽은 것을 그린 것이여서 亦是 知識分子를 取扱한 것이요, 『端午節』은 新式 知識分子가 經濟的 環境에 따라 思想까지라고 할 수 없지만은 日常 事物에 對한 態度가 變한 것을 그리고 社會的 環境으로 因하야 熱烈한 情感은 없어지고 遁避하는 口實을 自己 態度에 求한 것을 그린 것이어서 亦是 智識分子를 取扱

10 '平'은 '乎'의 오식이다.

한 點이 三篇에 共通되야 있다.

『鴨의 喜劇』은 露西亞 盲人 詩人 『엘로생코』가 魯迅의 親弟되는 周作人氏의 집에 있을 때 自然의 音樂을 들으려고 蝌蚪를 사다가 개고리 되기를 기다리고 家畜을 기를 것을 勸하며 따라서 이 盲人 詩人이 오리를 기르다가 急작이 自己 母親이 보고십다고 北京을 떠난 後에 魯迅은 『엘로생코』를 回憶하야 쓴 것이요, 『兎和猫』는 亦是 『엘로생코』의 影響을 바더 動物에 關한 것을 썼다고 하며 一面으로 보면 魯迅은 本來 幼少時부터 『猫』를 싫어한 性質이 있게 되였음으로 이런 것을 題材로 한 것 같다. 이 두 篇은 動物을 題材로 한 點이 같다.

(七)

이 中에 (一件小事)는 그 페지 數도 不過 四頁이였고 그 事件의 發展으로 보아서 小說이라고 하기가 어렵다는 評은 있지만은 퍽 感銘깊은 作品이요, 『阿Q正傳』, 『狂人日記』 等과 같이 魯迅의 一面的 性格을 잘 表現한 作品이다. 그 內容은 이렇다.

어느 날 人力車를 타고 가다가 人力車가 어느 老女人의 옷에 걸여서 女人이 천천이 잡바진다. 그래 人力車 탄 사람 即 作者 自身은 別로 일없는 것을 女人이 『裝腔作勢』하는 줄 알고 人力車夫보고 그만두고 가자고 하였다. 그럼에도 不拘하고 人力車夫는 女人을 데리고 派出所로 간다. 그 때 作者는 그 人力車夫의 뒷模樣이 漸漸 커서 뵈였다. 그러나 巡查가 와서 다른 人力車를 불어 타고 가라고 하여서 한 주먹 銅錢을 집어주고 걸어갔다 한다. 이 일이 恒常 自己의 記憶에 새로와서 苦痛스럽게 하고 그前 幼少 時에 읽은 『子曰

詩云』은 半句를 욀 수가 없었어도 이 『一件小事』는 눈알에 늘 낱아나서 作者로 하여금 慚愧하게 하고 自新하게 하고 自己의 勇氣와 希望을 增長한다는 것이 『一件小事』의 梗概이다. 魯迅은 남을 諷刺하고 社會의 黑暗面을 暴露하도록 冷淡한 것 같애도 그 裡面에는 늘 흘으는 溫情이 낱아난다. 이 作은 正히 魯迅의 가슴에 흘으는 溫情을 그린 作品이여서 亦是 魯迅의 性格을 아는 데 重要한 作品이다.

『故鄕』과 『社戲』는 魯迅의 特長의 한아인 回憶談을 그의 技巧의 全部를 내여 그렸다고 하여도 過言이 아니겠다. 두 篇이 다 幼少 時의 鄕村生活을 後日 長大한 後에 回憶한 것이여서 시골의 兒童生活이랄지, 鄕村의 風景描寫 等이 世界의 어느 作家에게나 빠지지 안흘 作品이다. 後에 詳細히 討論하겠기로 여긔서는 約한다.

『吶喊』의 그 中 끝에 있는 『不周山』 取材를 中國 上古의 神話에 한 것이여서 作者의 意圖가 明確히 낱아나지 안흠으로 理解할 수 없는 作品이라고 하는 評家도 있고 理想을 包含한 作品이라고도 하나 亦是 難解品의 한아이여서 그 意圖를 알 수 없음으로 約하려 한다.

(C) 『阿Q正傳』

魯迅의 特長인 鄕村 農民의 思想 狀態 及 生活 樣式의 描寫 及 鄕村의 風景의 데크산릴라 그의 獨特한 諷刺와 그의 唯一한 回憶과 그의 長點인 社會黑暗面의 暴露와 以上 모든 特點을 流湧식이는 熱情을 包含 作品, 即 『吶喊』에 실린 精神의 全部를 알만한 作品을 筆者는 選擇한 結果 定評있는 『阿Q正傳』과 『故鄕』과 『一件小事』를 가랬으나 『一件小事』는 上段에서 너무 仔細하게 紹介하였음으로 約하고 다못 上記 二篇만의 梗概를 쓰려 한다.

『阿Q正傳』의 梗概

『阿Q正傳』은 分段으로 되여있어서 第一章은 『序』, 第二章은 『優勝記畧』, 第三章은 『續優勝記畧』, 第四章은 『戀愛의 悲劇』, 第五章은 『生計問題』, 第六章은 『從中興到末路』, 第七章은 『革命』, 第八章은 『不準革命』, 第九章은 『大團圓』 等 合 九章으로 『阿Q』라는 사람의 一生을 그린 껏이다.
『阿Q는 姓도 없고 일홈도 不分明하야서 羅馬字 Q를 代用하게 되고 그의 原籍도 未詳하고 집도 없어서 阿Q가 오래 사는 未莊이란 村의 土穀祠에서 살고 一定한 職業도 없어서 다못 그 동안 사람들에게 품을 팔아 겨우 살아간 것이였다.
그러나 그는 사람들의 놀림거리나 되고 사람이 일이나 있으면 그를 일 잘한다고 稱讚이나 하야서 사람 축에도 들지 못하였든 것이다. 그러나 그는 自尊心이 있어서 未莊 人民이 尊敬하는 趙太爺, 錢太爺도 阿Q의 눈에는 없었고 이 두 太爺의 아들들 곳 두 『文童』도 阿Q는 한 푼의 價値도 없이 알았다. 다시 말하자면 阿Q는 『精神上으로는 格別한 崇拜를 하지 안흘 뿐만 아니라 阿Q는 내 아들도 그보다는 훨신 낫다고 생각하였다.』 阿Q는 城안에도 몟 번 가서 그의 見識은 퍽 넓었었다.

(八)

그러나 그에게는 缺點이 있었다. 그것은 곳 머리우에 부럼터가 있는 것이였다. 그래서 사람들이 그것을 우숨거리로 阿Q 自己를 놀리며 阿Q는 對手를 해아려서 或은 辱만 하고 或은 때리기도 하였었다. 그러나 恒時 害를 닙는 것은 阿Q뿐이여서 阿Q는 方針을 꽂이였었다. 辱을 볼 때면 눈만 뚝 부릅뜨기로 하였다.

그렇게 怒目主義를 쓴 後로는 더욱 未莊 사람들에게 놀림거리가 되였었다. 그래서 未莊 사람들은 두어 번 다툼을 하다가는 阿Q의 노란 머리채를 잡어서 壁에다든지 어대든지 대고 대여섯 번 쥐어박은 後에야 말었었다.

그러나 阿Q에게는 精神上 勝利法이 있어서 아들놈한테 마진 셈을 대고 익인 듯이 滿足을 늣기었었다. 또 사람들은 阿Q가 이러케 생각한 것을 알고는 阿Q의 머리채를 축혀잡고는

『阿Q야, 이것은 아들이 애비를 치는 것이냐, 사람이 짐생을 치는 것이냐? 네 입으로 말하여라. 사람이 짐생을 치는 것이라고.』

그러면 阿Q는 이러케 對答하였다.

『버레를 친다고 하면 좋지. 나는 곳 버레다……그래도 놓지 않으냐?』

亦是 사람들은 대여섯 번 쥐어박은 후에야 滿足하고 간다. 阿Q 亦是 十秒도 가기 前에 滿足하게 익인 것 같이 하고 간다. 阿Q의 得勝法은 이러하다. 그는 自己가 能히 『自輕自賤하기로는 第一간 사람이라고 생각한 것이였다. 『自輕自賤』을 除하고도 남은 것은 이 『第一』이란 것 때문이였다.

이러케 當하고 나서 그는 술집에 가서 두서녀 잔 술을 먹고 다

른 사람들과 한바탕 웃음의 소리를 하고 한바탕 입다툼을 하고 나서는 意氣揚揚하게 土穀祠로 가서 자고 或 돈이 있으면 야바위를 하여서 돈은 다 이저버라고 도라가서 자는 것이었다. 阿Q가 未莊 사람들에게 多少 尊敬을 받기는 그 前에 趙太爺가 自己 一家라고 하다가 趙太爺에게 맞은 後로부터이다. 그 理由는 未莊에서 張某 李某를 첫다든지 하면 問題는 되지 않지마는 趙太爺 같이 一般에게 尊敬을 받는 사람이 치면 치는 사람은 勿論 名人이니까 더 말할 것도 없지만은 맞는 사람도 따라서 有名하게 되야서 一般이 尊敬을 하게 된다. 阿Q가 맞일 때 잘못은 勿論 阿Q에게 있다. 그것은 趙太翁는 잘못한 일이 없을 것이니까. 그와 같이 잘못이 阿Q에게 있으면 웨 格別히 阿Q를 尊重하게 되는가? 이것은 解决하기가 어렵지마는 캐여보면 阿Q가 趙太爺의 一家라고 하야서 맞기는 맞앗지마는 未莊 사람은 그 말에 或 참이 있을가 하고 何如間 그를 尊敬하느니만치 穩當한 일이 없다고 한데서 나온 것이였다. 이러는 판에 어느 봄날 王鬍라고 하는 사람이 양지쪽에서 이를 잡아서 똑똑 깸으는 것을 보고 阿Q도 몸이 근질어서 옷을 벘어 이를 잡기 始作하였으나 王鬍 같이 많이 잡을 수가 없고 두서너 마리 잡아서 깸을고 춤을 뱉은 後에 王鬍 같이 똑 소리도 크게 나지 안한 것을 보고는 화가 나서 王鬍를 보고 辱을 하았다. 이러케 쌈이 되야서 平日에 輕視하든 王鬍에게 맞게 되야 阿Q는 『君子는 입을 움직일지언정 손을 움직이지 안는다.』라고 말하얏다. 이 번 맞은 것이 阿Q에게는 平生 第一 屈辱이였다. 本來 王鬍라는 사람은 自己가 놀여 보았을지언정 决코 놀임을 받은 적은 없엇는데 더구나 只今까지 와서 그러한 王鬍에게 『動手』까지 當하였으니 阿Q에게는 屈辱이엿었다. 世上이 이렇게 된 것은 아마 皇帝가 科擧를 廢한 後로는 秀才, 擧人이 必要가 없음으로 趙家가 威風이 減하야저서 그들이 自己를 蔑視하는 것이나 아닌가 하얏다.

그렇게 當하고 있는 판에 저 판에서 阿Q의 가장 싫여하는 錢太爺의 큰아들이 온다. 그 사람은 城안에 가서 洋學堂을 다니다가 또 日本으로 가서 半年 後에 도라왓는데 다리도 꼿꼿하여지고 머리채도 없어젓었다.

그래서 自己 母親은 十餘次나 울고 그 妻는 三次나 움물에를 빠젓었다. 그 母親은 到處에 다니면서 自己 아들이 머리를 깎은 것은 곁의 사람들이 꾀여가지고 술을 먹인 後에 깎인 것이라 하고 本來 大官을 할 것인데 머리를 길은 後 보아야 안다.』고 하얏다.

(九)

그러나 阿Q는 믿지 안하였엇다. 그러고 그들 『假洋鬼子』 或은 『裡通外國的人』이라고 불으고 그 사람을 맞나기만 하면 속으로 辱을 하였다. 阿Q가 甚히 미워한 것은 그의 『假머리채』였엇다. 阿Q는 생각하기를 머리채가 假자면 사람될 資格이 없고 그의 妻가 第四次 움물에 빠지지 안한 것은 亦是 조흔 女子가 아닌 것이라고 하였다. 그러한 『假洋鬼子』가 갓가히 왔었다.

『번데머리 노새』라고 本來 阿Q는 배ㅅ속으로 辱을 하였엇는데 이번에는 화가 난 판이라 그럼인지 그 辱이 조금 입으로 나왔엇다. 그 『假洋鬼子』는 黃漆한 작댁이를 집고 단였는데 阿Q는 이 겄을 喪制 막댁이라고 하였다. 阿Q는 이 작대기로 팍팍 대가리를 후두들겨 마젓다. 이것이 第二의 屈辱이였다. 그러나 『忘却』으로 조흔 武器가 사람에게 있어서 阿Q는 이저버리고 술집 門 앞까지 가서는 퍽 깃벗었다. 거긔는 씬중이 한아 와서 씬중을 놀여대고 손으로 씬중 머리를 만지며 辱을 하면서 퍽 勝利를 늣기고 方今 當한 第一의 屈辱, 第二의 屈辱을 다 報讐한 것 같이 몸이 것븐하였었다.

어떤 사람은 敵이 强하면 强할스록 勝利의 歡喜를 늣기고 그와 反對로 弱하면 弱할스록 滋味가 없다고 하며 어떤 사람은 一切를 勝利한 後에 돌이어 悲哀를 늣긴다 하는데 阿Q에 일으러서는 그렇게 疲困을 늣기지 안흘뿐만 아니라 도리어 永遠히 得意揚揚하였다. 이것이 或 中國精神文明이 全世界에 第一인 證據인지도 알 수 없는 일이다.

阿Q가 씬중을 건드린 後로는 女子를 생각하게 되였다. 그래서 하로는 趙太爺의 집에 가서 쌀을 찟다가 쉬여서 담배를 먹을 때 吳媽라는 趙太爺의 女僕도 설거지를 다하고 阿Q와 閑談을 하였다. 阿Q는 女子 생각이 나서 吳媽보고 『나하고 자지』하고 그의 앞에 가서 무릅을 꿀었다. 그러니까 吳媽는 밖으로 뛰여 나가서 왼 집안이 騷動이 낮었다.

그 집 秀才는 대작닥이를 가지고 阿Q의 머리를 치면서 『忘八蛋』이란 官話의 辱까지 하야 阿Q는 쌀찟는 곳으로 다라가서 쌀을 찟는데 官話의 『忘八蛋』이란 辱이 퍽 印象깁었다. 그러는 中에 밖같에서 시끄러운 소리가 나자 阿Q는 本來 시끄러운 것을 좋아하는 사람이라 뛰여가 보니 왼 뜰에 사람이 가득하고 그 中에 少奶奶가 吳媽더러
『너 밖으로 나오너라. 自己 房에 가 避할 것이 없다.』하고 鄒七嫂는 겉에서 이렇게 말하였다.
『누가 자네의 옳은지를 몰으는가. 短見을 내서는 못써.』
阿Q는 참 滋味가 있었다. 『이 젊은 寡婦가 무슨 질알을 하는가 보자.』하며 趙司晨의 곁으로 가서 스니 趙太爺가 달아 들어서 대막대기로 친다. 阿Q는 다라나서 土穀祠로 가서 있는데 밤에 地保가 들어와서
[11]阿Q, 제길할 녀석. 네가 敢히 趙家의 下人까지 作亂을 하여. 이것 참 불한당이다. 오늘 전역 내 잠도 못자게 제길할 녀석.』
이러케 教訓하는데 阿Q는 別말이 없고 그날 전역에는 特別히 地保에게 四百文의 술값을 더 줄것인데 現金이 없서서 帽子를 抵當하고 또한 趙府에 가서 謝罪할 다섯 까지 條件을 다 承認하였었다.
이 일이 있은 後로는 未莊의 女子는 老少를 勿論하고 阿Q를 避하고 이 後로는 아무도 일오라고 하는 사람도 없어지고 술집에서 외상도 주지 않고 阿Q가 일하든 일은 小D라고 하는 사람이 들어서는데 이 小D로 말하연 阿Q가 王鬍보다도 더 下示하는 사람이다. 그런데 어느 때 길에서 맞나서 싸홈을 한 結果

11 '『'가 누락되어 있다.

아모 勝負도 없이 말아버렸다. 그 後에 먹을 것이 없어서 있는 옷 等屬을 다 典當잽혀 버리고 끗끗내 씬중의 집에 가서 무우를 훔치다가 들켜서 씬중에게 욕을 얻어먹고 개에게 쫓기여서 거의 물릴번 하였다. 그 훔처온 무우를 먹고는 城안으로 들어가기로 決定하였다.

城안을 갓다가 온 때는 中秋가 조금 지난 後였는데 떠날 때 阿Q와는 判然히 달았었다. 本來 未莊에서 城안에 가면은 問題되는 사람이란 趙太爺나 錢太爺나 秀才大爺나 되고 假洋鬼子만 가도 그리 말거리가 되지 안는데 阿Q는 이번에 城안에를 갓다 온 後로 큰 問題거리가 되였다. 이번에 阿Q는 새겹옷을 닙고 술집에 가서 銀錢을 한 주먹 내며 現金이니 술을 내라고 한 것이였다.

(十)

그래서 阿Q가 돈 모았다는 消息이 未莊에 돌았었고 婦女들까지 阿Q에게서 헌 옷을 싸게 사입는 맛으로 크게 말이 되였었다. 그래서 趙太爺의 집에서도 阿Q에게 헌 物件을 살량으로 鄒七嫂를 보내서 데려다가 보고 趙太爺도 말을 하고 趙太太도 말을 하고 趙秀才도 慇懃하게 말을 하았다. 그러나 헌 物件이 없어서 그날 저녁은 그렇게 갈이고 말았다. 처음 왔을 때는 城안 擧人의 집에서 일을 하였다고 하야 많은 尊敬을 받고 이렇게 得意하게 이야기를 할 때 王鬍와 그가서 긴 목을 빼서 듯는 것을 阿Q가 손으로 뒤꼭지를 백였으나 別로 對抗하지 않을 뿐만 아니라 다시는 王鬍는 阿Q에게 달여 들지 않었다. 그래서 阿Q가 未莊 사람의 눈에 趙太爺보다 낫다고 할 수는 없지마는 別로 差가 있다고는 할 수 없었다. 阿Q가 돈이 있게 되니 男子는 勿論이요, 봄에 趙太爺의 女僕과 風波가 있은 後로 그렇게 避하든 女人들도 接近하게 되였다. 그렇게 尊敬을 받어오다가 阿Q의 가지고 온 物件이 어듸서 훔처 온 것이란 것을 알게 되자 未莊 사람들은『敬而遠之』하는 態度를 取하였었다.

宣統 三年 九月 十四 夜三更에 큰 배 한 隻이 趙府의 河埠頭에 쉬였었는데 村中 사람들은 자느라고 알지 못하고 낮이 되자 革命黨이 城에 들어온다고 하야 擧人 長篇의 편지를 써서 그前에 새이가 좋지 못한 趙秀才에게 보내서 和解를 하고 物件을 좀 保存하여 달란 것이라고 소문이 났었다.

阿Q는 用道도 좋지 못한 판에 未莊 男女가 무서워하는 革命을 한다니까 內心 퍽 깃벘었다. 그래서 낮에 술을 두어 잔 먹고 마음이 飄飄하야저서 自己가 革命黨인 것 같고 未莊 사람은 自己의 浮[12]虜 같었다. 得意한 끝에『反했다, 反했다』하고 소리를 처서 未莊 사람들은 阿Q가 前에 보지 못한 놀랜 눈으로 보고들 있었다. 阿Q는 六月에 어름이나 먹는 것 같이 속이 시원하였다. 이 때에 趙太爺가 겁이 난 목소리로 前에 않든『Q

12 '俘'의 오식이다.

老』라고 『老』字의 尊敬詞를 붙여서 부르고 그의 親戚 趙向[13] 眼이 『Q哥』라고 兄님이란 字를 붙여서 불으면서

(一一)

革命黨의 內幕을 알랴고 하였었다. 阿Q는 더욱 意氣가 揚揚하게 도라와서 革命이 된 後에는 누구누구 미운 놈을 죽이고 뉘 집 物件을 갖다 쓰고 어떤 女子를 데리고 살 것을 다 생각하여 노았었다. 그 이튼 날 늦게 일어나서 무슨 뜻이 잇는 것같이 靜修菴이란 씬중이 사는 절에를 가서 門을 두다리고 늙은 씬중이 나오니 阿Q는 『革命하였는데 자네 아는가?』하고 물었다. 씬중은 이 말을 듯고는 『革命 革命 革 한번 命하였는데……』라고 對하였다. 阿Q는 씬중과 談話한 結果, 趙秀才와 假洋鬼子가 同心合力하야 維新할 때라고 하야서 靜修菴에 와서 『皇帝萬歲萬萬歲』라는 龍牌子를 滿淸政府로 녁이고 부수어 버렷다. 이 말을 듯고 阿Q는 自己가 늦게 일어난 것을 後悔하는 同時, 그들이 自己를 請하지 않은 것을 怪異하게 녁이다가 退一步하야 이렇게 생각하였다.

『그들이 아즉까지 내가 革命黨에 投降한 것을 몰을까?』

그 後에 革命黨이 城안에 들어오기는 하였으나 모든 官史는 다 그 前사람이요, 擧人 老爺도 무슨 벼슬을 하고 軍兵 거늘은

13 '向'은 '白'의 오식이다.

사람도 그 前『把總』이여서 未莊 사람이 다못 不安을 늣긴 것은『[14]좋지 못한 革命黨이 그 새이에 들어서 亂을 꿈인 것이요, 城안에서는 맞난대로 머리를 깍는 것이데 그 일만은 未莊 사람이 城안만 가지 않으면 第一 관계치 안하였다. 未莊 사람들도 머리채를 끄집어 올여서 끝어 맨 사람아 만하여졌다. 阿Q도 그 中 한사람이였는데 다른 革命黨人과 같이 尊敬들도 하지 않고 阿Q가 蔑視하는 小D까지 그렇게 하야서 阿Q에게 퍽 不快하였었다. 그런 中에 趙秀才는 편지를 써서 洋鬼子에게 보내서 自由黨에 들어가지고『銀頂子』를 얻어 왔는데 그『銀頂子』로 말할 것 같으면 그 前 翰林이나 比等한 것이라 하였다.
阿Q도 생각하기를 革命黨이 되려면 그저 投降만 하여서나 머리채를 끄집어 올여서는 안되고 革命黨과 結托을 하여야 되는 줄을 알고 그도 그리하리라고 決心을 하였다. 그런데 阿Q의 아는 革命黨人이라고는 全部 二人 밖게 없는데 그 中 一人은 발서 목이 다라나고 그 中 一人은 假洋鬼子이였다. 그래서 그를 차저가니 衆人들과 革命談을 하고 있는 中이여서 阿Q를 注意도 하지 안하야 阿Q는 왓다는 意思를 傳하여야 하겠는데 어떠게 불을 것을 몰았었다.『洋人』이라고 불어서 좋을지,『革命黨』이라고 불어서 좋을지. 그래도『洋先生』이라고 부르는 것이 그 中 낫다고 생각하였다. 그러나 부르지 못하고 뒤에 가서 잇는 中 거긔ㅅ 사람들에게 알리게 되야 마츰내 쫏겨나고 말앗다.

14 겹낫표가 잘못 기입되어 있다.

이 後로 革命黨은 斷念하고 머리도 그 前 같이 나리려 하였으나 끗끗내 하지 못하였다. 어느 날 저녁에 밖갓이 싯그러워지자 本來 싯그러운 것을 좋아하는 阿Q라 나가서 보려다가 맞음 小D를 맞나 물으니 趙府가 强盜에게 떨리는 中이라고 하야 內心에 어찌 그들이 自己들 찾지 안한 것을 忿思하고 假洋鬼子가 自己의 投降하는 것을 듯지 안한 것을 더욱 不快하게 녁었다.
趙家가 떨닌 後에 未莊 사람들도 快하게 녁인 同時, 恐怖를 늣가고 阿Q도 亦是 그리하였었다. 그러다가 四日 後에 阿Q는 잽이여서 城안으로 끌여 가서 獄에 갓이였으나 阿Q는 그리 苦悶을 늣기지 안하였었다. 그 理由는 그 前 있든 土穀祠라고 獄보다 나흔 것이 없는 까닭이엿다. 그날 下午에 阿Q는 審問을 바들어 들어갓는데 머리를 뻰적 깍근 늙은이와 또 그 겥에는 十餘人이 亦是 머리를 깎은 사람도 있고 머리를 푸러서 억깨에다 드린 사람도 있었고 앞에 兵丁이 주루루 섯었다.
阿Q는 그 사람이 來歷이 있는 사람이라고 自然 물을읍 꿀었었다. 긴 옷을 입은 사람은 『이러나라. 꿀치말고.』라고 웨첫었으나 阿Q는 알면서 엇지할 수가 없어 도로 꿀코 말랏다. 그러니 그 긴 옷을 입은 사람이 『奴隸性』이라고 下示한 後에 別로 일어나라고 말도 하지 안하였다. 그러면서 말을 이어서
『네가 참으로 말만 하면 苦生할 것도 없다. 나는 발서 다 알고 있다. 말만 하면 노와주마.』
『내가 本來 와서, 와서 投………』
이것은 阿Q의 말.
『그러면 웨 오지 안하얏서.』

『假洋鬼子가 못오게 하야서.』
『거짓말이다. 발서 느젓다. 只今 네의 同黨은 더 어데 있냐』
『무엇이요?』
『그날 전역에 趙家를 떤 사람들은』
『그 사람들이 나를 찻지 안하얐어요. 즈그낄이 가지고 갔어요.』
『어듸로 다 갓늬. 말하면 노와주마.』
『저는 몰음니다. 그들이 저를 불으지 안하야서.』
그 다음 날 또 불러내가서
『너 더 할말이 없냐』하고 늙은이가 물었다. 阿Q가 생각하여 보니 別로 할말이 없어서
『없오.』하고 對答하얐다.
그래서 긴 옷 입은 사람이 한 張 조희를 가지고 와서 붓과 같이. 阿Q는 魂飛魄散하였다. 그 겄은 阿Q가 손에 붓을 만저 보기는 처음인 緣故였었다. 그래 阿Q다려 싸인을 하라니까 阿Q는『글자를 몰은다』고 하니 그 사람은 동구랭이를 치라고 한다. 阿Q는 될 수 있는대로 동굴게 치려고 하였으나 외 같이 되고 말아서 퍽 後悔하였었다. 그날 밤에 擧人 老爺와 把總은 一大 言爭을 하야 擧人 老爺가 終夜토록 잠을 자지 못하였다. 그 言爭의 內容은 이러하다. 擧人 老爺는 贓을 차저내자는 겄이요, 把總은 自己가 革命黨이 된 後 二十日이 못되야서 搶案이 十餘件이나 낫는데 한아도 잡지 못하얐으니『懲一儆百』을 하자고 固執한 겄이였다.
第三次로 阿Q는 불여 내갔었다. 그 늙은이가 뭍기를

『네 더 할 말이 없니?』 阿Q생각에는 別로 할 말이 없어서 『없소.』하고 對答하얐다.

그러자 곳 힌 저고리를 잎히고 두 손을 묵금으로 阿Q는 喪服 입은 것 같애서 不快를 늣기면서 우 없는 馬車를 탔다. 그 앞에는 羊銃 멘 兵丁이 스고 길가에는 사람들이 가득하였었다. 阿Q는 突然히 이 겄이 목 베힌 겄이란 겄을 깨달앗다.

그러나 끝끝내 이러케 생각하였다. 人生이 天地 間에 어느 때는 목 베인 겄도 免치 못하 겄이다. 그는 法場에 가는 길을 알앗다.

그래 죽을긔를 알고 노래나 한 마듸 할려다가 그것도 맛것찬해서 그만두고 精神이 混迷한 中에 過去의 일이 생각키다가 눈이 캉캄하여지고 귀가 웽하더니 全身이 微塵이 迸散한 것 같이 목숨이 끈어지고 말았다. 그 後 輿論은 더 말할 것 없이 自然히 阿Q가 낫부다고 하였었다. 그 理由는 銃殺을 當한 겄이 곳 阿Q의 잘못한 證據요, 萬若 잘하았다면 銃殺까지 當하지 안하였으리란 겄이였다. 城內의 輿論은 퍽 좋이 못하였다. 그들의 太半의 不滿足은 銃殺이 머리 벤 것만 보기 좃치 못하고 또 한 가지 우스운 겄은 그 死刑囚가 그러케 오래 遊街를 하면서 노래 한 마듸도 부르지 안하야서 그저 따라단였단 겄이였다.』

槪梗이 너무나 길어졌다. 그러나 作品이 한 重心을 두고 其外에 附屬된 겄 같이 되지 안코 그의 目的은 些少한 事件에까지도 作者의 뜻에는 同一한 重要性을 띄고 있음으로 一一히 約하지도 못하고 縷縷 數千字가 되고 말았다. 勿論 阿Q를 辛亥革命 當時의 糢糊한 農民을 그리려 한 것도 事實이지만 은 一方으로 當時 中國農村의 狀態가 어떠한 것과 革命의 實地란 어느 程度에 밧기 影響이 업단 것과 阿Q와 갈이 精神的 勝利를 한 것은 곳 中國 古來의 精神文明의 그 弊害가 일어타는 것을 表視한 것 等임으로 筆者는 어느 것을 重視하고 어느 것을 輕忽히 할 수가 업엇다.

(一二)

中國文壇 『阿Q正傳』이 낱아 나자 議論은 자못 紛紛하얏고 『阿Q正傳』을 模倣한 作品도 數를 헤알일 수가 업섯고 外國語로 飜譯이 되는 同時에 世界의 文學者들이 評論, 感想을 쓰게 되고 現今에 일으기까지 阿Q時代가 지내 갓느니 或은 아즉도 멀엇다는 둥, 이 阿Q로 因하야 文壇의 波瀾과 그의 影響은 아즉까지 測量할 수 업단 것이 事實일것 이다.

그러면 엇이하야서 『阿Q』가 일이 問題가 되며 重大視를 하게 된는가? 이것을 簡單히 몇 가지 그 理由의 重要한 點을 들어 一般의 評과 筆者의 意見을 闡明히 하고 其外에 表現의 技術 問題랄지 그 用語에 通한 것이랄지 等 問題는 『吶喊』을 통트러서 論하려 한다.

魯迅은 톨쓰토이와 갈이 理想이 있어가지고 그 後에 作品을 自己 理想에 集中식히는 作家는 아니다. 그럼으로 『阿Q正傳』도 中國사람에게 이러케 하여야 한다고 直接 敎訓을 한다던지 自己가 中國에 對한 理想은 이러이러하다 하고 自己 理想을 作品化하지 안코 어듸까지던지 中國의 當時 現象을 그대로 表現하야 自己가 即 中國사람의 自體가 이러하다는 것을 暴露함에 不過하얏다. 그럼으로 魯迅은 『阿Q正傳』에서 阿Q가 남에게 마즈면서도 精神

的으로 自己가 勝利한 것 같이 생각한 것을 그려냇다. 當時의 中國사람들은 列强에게 百戰百敗를 하면서도 恒常 自己가 勝利하얏다는 觀念을 놓이 안 하엿다. 이러한 思索은 어듸로붙어 나온 겄인가? 魯迅의 究明할여 한 겄은 곳 이 겄이엿다.

『阿Q正傳』에서도 말한 겄과 가티 『이 겄이 或 中國 精神文明이 全世界에 第一간다는 한 證據인갑다.』라고 魯迅은 精神文明이 어떠한 겄이니 物質文明이 어떠한느니 하고 理論을 한 겄도 아니요, 그의 優劣을 論한 겄도 아니요, 다 精神文明의 一端이란 겄이 이러한 겄이다 하고 解剖하고 그와 같이 觀察하는 데 긋첫다. 또한 革命을 하는 것이 엇저고 엇저니 하고 革命의 理論과 革命의 目的과 革命의 理想을 쓰지 안코 革命할 때의 一般 農民의 思想狀態는 어떠하고 社會的으로 變遷된 겄은 무엀 무엀이고 革命 時에 土豪劣紳인 趙太爺, 趙秀才는 어떠케 投機的 事業을 하고 無辜한 阿Q는 어떠케 에매하게 犧牲이 된 겄을 暴露할 뿐이엿다.

『阿Q正傳』에 낱아난 魯迅의 功勞는 科學的 態度로써 中國 辛亥革命 當時의 社會를 觀察하얏으며 解剖하얏으며 指摘하야 當時 中國 國民性의 一面을 잘 表現하엿다. 곳 文藝上 術語를 쓴다면 中國文壇에 自然主義를 輸入한 겄이엿다. 이 겄은 成仿吾氏가 『吶喊의 評論』에서 말한 것과 같이 魯迅이 日本에 留學할 當時에 日本文壇에서 盛行하든 自然主義의 影響을 바닸을 겄은 事實이다. 그럼으로 魯迅은 革命 當時의 偉人들을 그리지 안코 農村에 平凡한 사람 即 阿Q 같은 사람을 그리고 또한 自己 理想한 社會나 事實을 그리지 안코 中國 어듸나 있는 農村 即 未莊 같은 곳을 背景으로 하며 人間 大事를 쓰지 안코 人間 些事인 阿Q의 戰勝, 斷髮 不斷髮 等 日常事實을 쓰는 겄이 다 自然主義의 特色을 낱아낸 것일 겄이다. 그러나 魯迅은 다른 自然主義者들이 犯한 것과 같이 病的 心理, 病的 人物을 그리게 된다. 골키의 二狂人

같이 狂人日記를 쓰고 이 阿Q正傳도 多少 病的 要素가 없다고 할 수는 없다.

만흔 評者들을 魯迅을 『社會 暗黑面의 暴露者』라고 한다. 어느 作品 作家들 치고 다 그러치만은 魯迅이 唯獨이 甚한 것은 모든 社會現象을 科學的 態度로 보는 故로 될 수 있는 대로 現實에 忠實하자니까 自然 그러케 될 것이요, 萬若 社會 그대로를 그린다고 하면 中國社會라고 長點이 없을 배가 아닌데 魯迅은 그 短處만 그리게 된가 한 疑問이다. 이것은 筆者의 意見으로서는 魯迅은 本來 文藝를 志願할 때 中國을 救하자는 데 잇엇을 것임으로 自然 그 短處를 만히 들어서 中國人으로 하여금 自省하게 하고 鼓勵하는 뜻에서 故意로 그러한 것 갓다.

또 魯迅이 만흔 諷刺와 諧謔을 쓴 것도 讀者로 하야금 그 印象을 깊게 하자는 데 있을 것이여서 作品의 効果를 助長하는 한 技術로 볼 수 있고 一方面으로는 魯迅의 性格의 이러한 素質이 濃厚한 까닭일 것이다.

以上을 結論하야 말하자면 魯迅은 創作的 態度가 科學的이란 것이 그 中 重要한 特質일 것이며 그 態度에 따라서 中國 辛亥革命 當時의 社會相을 如實히 描寫하였고 當時 國民性을 잘 그렸다는 것일 것이다.

끝으로 添付하여 둘 것은 最近 新進 評家인 錢杏邙[15]氏의 말과 같이 魯迅의 作品은 特히 『阿Q正傳』은 時代性을 떠날 수 없다고 한 말이다. 魯迅은 우에 말한 바와 같이 遠大한 思想을 가진 것이 아니요, 辛亥革命 當時의 社會相을 그림에 不過함으로 大意에 있어서 이 觀察이 바른 觀察이라고 하셌으나 어느 作家, 作品을 勿論하고 時代性을 떠날 수가 없는 것이 事實이며 다못 다른 것은 그 時代性이 藝術作品에 낱아난 度에 濃薄의 差가 있을 따름일 겄이다.

(續 此項 完)

---

15 '錢杏邨'의 오식이다.

(一三)

(D)『故鄕』

『故鄕』의 梗概

『내가 二十여년이나 리별한 고향을 二千리나 되는 거리에서 도라가게 되얏다. 이 번에 도라가는 걸음은 금의환향하는 거름이 아니라 녯날 자긔가 살든 집을 팔아서 비여줄 날이 갓가와졌음으로 자긔가 벌이를 하는 곧으로 이사를 하려 가는 것이었다. 지금 자긔가 생각하는 고향이라고는 그 전 녯날 자긔가 어렸을 때 천진란만한 회억뿐인데 가면서 고향 근처를 보니까 자긔가 생각하든 고향과는 딴판이였엇다.

그 이튼 날 집에를 일으니 자긔 모친과 홍아라는 족하가 문으로 영접을 나온다. 홍아는 여덟살 먹은 애여서 그 전에 자긔가 고향에 있을 때에는 없든 아이였다. 집에 들어가서 자긔 어머니와 지금 갈 곧에 집을 다 잡어 노코 다소 목긔 등을 팔아 가야 하겠단 것을 말하고 모친은 일나[16]와 친척을 차저 볼 것을 주의식히고는 윤토(閏土)라는 그 전 내의 친고의 이야기를 한다.『윤토가 올 때마다 네 이야기를 하고 보고싶다고 하야서 너 온다는 것을 통지하였으니 곧 올 것』이라고 하였다.

16 '일가(一家)'의 오식이다.

여기서 나는(主人公) 녯날의 꿈으로 도라가게 된다. 공중에 금 같은 달은 뚜렷하게 달여있고 밑에는 해변인데 그 새이에 十二三세 먹은 소년이 목에는 은고리를 채우고 손에는 쇠갈고리를 들고 한 마리 猹라는 짐승을 보고는 찔으니까 그 猹는 도리어 少年의 가랭이 속으로 빠저가 버린다. 그 소년이 곧 윤토다. 내가 그 애를 알게 된 것은 十여살 쩍인데 지금부터 헤아리면 三十年 전이나 되여서 그 때는 우리 집 형편도 좋고 아버지도 살아 게서서 나는 정말 도령님일 때다. 어느 해 정월에 자조 오지 안는 제사를 당하야 제긔를 관할할 사람이 없어서 내가 부친에게 윤토를 천거한 것인데[17] 부친도 허락을 하엿었다.
그래 기달리고 기달리든 정월은 당하여서 윤토는 오고야 말았다. 그런데 그 얼골은 자색의 동근 낯이요, 머리에는 조그만한 전모자를 쓰고 목에 반짝반짝하는 은고리를 채엿는데 이것은 자긔 부친이 넘우 사랑한 결과 혹시 죽을까 하고 부[18]에게 불공을 하고는 목에다 걸어준 것을 알 수가 있었다. 그 애가 다른 사람은 다 끄리면서도 나에게는 따르게 되고 사람이 없으면 나에게 이야기도 하엿다. 여긔서 천진란만한 두 소년의 사괴임은 시작되고 두 소년의 소원과 경험을 서로 속살거리게 되얐다. 윤토는 성안에 와서 그 전에 못보든 겄을 만히 보왔다고 하고 나는 돌을 놓고 새를 잡고 싶어서 그것을 할 줄 아는 윤토에게 말하니 큰 눈이 와야 할 수가 있다고 하며 그 잡는

17 소설에서는 윤토의 아버지가 윤토를 추천한 것으로서 여기서는 잘못되었다.

18 '부처'로서 '처'자가 누락되어 있다.

광경을 설명한다.
윤토는 자긔더러 여름에 놀러오라고 하면서 여름에 오면은 해변가에는 오색의 조개가 있고 밤에는 수박밭을 직히려 가자고 말한다. 비교적 번화한 곳에서 큰 나로서는 그러한 것을 상상할 수도 없으며 또한 전역에 보려가는 것은 도적을 지키려 가는 것이냐고 물으니까 윤토는 시골은 별로 도적이 없다는 것을 말하고 지키는 것은 짐생들이라고 하면서 그 정형을 자세히 말한다. 나는 윤토의 무궁무진한 해변의 이야기에 흥이 낫었다.
그러나 정월은 다 가버리고 윤토도 도라가게 되야 나는 대성통곡을 하고 윤토도 가지 안하려고 하얐으나 두 소년은 갈리게 되얐다. 그 뒤에 서로 푸레센트를 몇 번하고는 다시 三十年 동안이나 정다운 이 두 소년 친고는 서로 보지를 못하였다.
지금 와서 이 같이 알게 되고 자미있든 과거를 긔억하게 하는 윤토를 말하게 되니까 그 전에 아름답든 고향이 전과 같이 머리에 나타나며 모친더러 그 형편을 물으니 역시 좋지 못하다고 한다.
그래 윤토가 와서 맞나 보니 그 전 얼골은 다 어대가고 손은 터서 소나무 껍질 같고 얼골에는 주름살이 잡히고 몸에는 엷은 핫옷을 입고 눈은 해풍을 맞여싸서 벍엏게 된 것이 그 전에 긔억하고 있든 윤토와는 딴판이였다.
윤토는 그 전의 정분을 다 이저버리고 자긔더러 『나리님』이라고 불은다. 여긔서 나는 놀라지 안흘 수 없었다. 벌서 우리 사이에는 이와 같이 높은 담이 가로 막았는가 하고 한편으로 슲으며 한편으로는 어색하야 말이 안 나왔었다.

윤토가 다섯재 아들이라고 데리고 왔는데 그 애가 그런 윤토와 흡사하고 자긔 족하 홍아가 그 전 자긔와 흡사하였었다. 그래서 한담을 한 결과 그 정형이 말이 아닌 것을 알게 되였다.

이 사이에 楊二嫂라고 하는 두부 파는 女子 곳 보통 두부서시(豆腐西施)의 회견한 이야기가 있어서 향촌의 정형을 더 농후하게 한 것이었다.

그럭저럭하다가 내가 떠나는 날이 왔다. 윤토도 다시 와서 가지고 갈 물건을 가지러 왔으나 틈이 없서 이야기도 못하고 나의 일행은 녯날 고향을 떠나 배를 타고 간다. 그러나 나에게는 아모 유연 없도었다[19].

(一四)

배ㅅ 속에서 모친과 족하는 자고 나는 배 밑에서 찰찰하는 물소리를 들으면서 나갈 곧으로 가는 것을 알았다. 그 때 나에게는 소원이 있었다. 이 다음 代 사람들은 나같이 생활하지 말고 윤토와 같이 마목된 생활도 하지 말고 새로운 생활이 있어서 우리의 살아보지 못한 생활을 하였으면 하였다.

그러나 희망이라고 하게 되니까 무서운 긔가 한다. 윤토는 물건을 가저 갈 때 향로와 초ㅅ대를 가지고 간 것이 우상을 숭배

19 '유연도 없었다'의 오식이다.

하는 것이였다. 그러면 내가 지금 말하는 희망도 역시 내 자수로 만들어 논 우상이 아니겠는가?
희망이란 본래 있는 것도 아니요, 없는 것도 아니로되 따우에 길과 같이 실지에 본래 길이 없으나 단이는 사람이 많으면 길이 되는 것과 같다.』

나는 이 作品을 回憶의 作品 中 代表作이라고 하고 십다. 이 作品 안에 『迅哥兒』 即 『나』라고 第一稱으로 불으는 것은 魯迅 自己일 것이다. 이 作品에 있어서는 自然의 描寫랄지 農村 人民의 性格 及 生活을 가장 아름답게 自然스럽게 그러냈다. 한 叙事詩라고 하여도 조흘만콤 리듬이 움직이고 그 背景이나 事件의 發展에 있어서 詩的 要素를 充分히 있다고 볼 수 있다. 이 作品을 一方面으로만 보면 한 回憶文에 不過하다고 하겠으나 다른 一方面으로 觀察하여 본다면 近代 資本主義 文明이 中國에 輸入되자 農村의 有產階級은 沒落을 하고 都市로 集中되는 中國 當時 現象도 볼 수 있으며 經濟組織의 一大 缺陷인 資本의 集中과 中國의 兵匪의 患 等으로 因하야 農村의 疲廢하여진 것이나 따라서 人心의 惡化하여진 것을 다 表現하였다고 보겠다. 이 點은 近來 無產階級文學 批者들이 指摘한 바이지마는 魯迅은 事實을 事實대로 表現하자는 데서 自然 이러한 背景과 合意가 包括된 것이요, 그가 意識的으로 有產階級의 沒落을 指示하고 農村의 衰敗를 表現하려 한 것은 아닐 것이다. 그럼으로 階級文學者들이 指摘하는 이 點은 魯迅의 作品에 있어서는 附帶的 條件일 것이요, 그의 重要 用意와 作品의 動機는 亦是 魯迅의 特點의 한아인 回憶에 加味를 한 것이라고 하겠다. 只今에 있어서 中國 農民의 思想이 이 程度를 벗어나았으며 生活에 이보다 더 많은 變動이 있을가는 筆者로서는 疑問으로 생각한다.

魯迅의 態度와 思想을 批評하는 데 其中 많이 引用되고 또 攻擊을 받게 된 것은 이 『故鄕』의 끝에 있는 몇 行이다. 그것은 곳 『希望은 있다고 할 수도 없고 없다고 할 수도 없다. 이것은 다맛 地上의 길과 같이 其實은 本來 길(路)이 없는 것이나 다니는 사람이 만하면 길이 된다.』라는 節이다. 이것을 評할 때 魯迅은 無思想이라느니 虛無的이니 하고 或은 個人自重主義의 表現이니 하나 魯迅은 純全한 客觀的 態度에서 人類를 觀察함으로 希望에 對하야 이러한 結論을 짓게 된 것 같다. 우에 말한 바와 같이 魯迅은 遠大한 希望 即 人類의 大目的을 鼓吹하는 것이 아니요, 다못 中國의 現實, 中國人의 性格을 端的으로 表現하는 것으로써 唯一한 目的을 삼음으로 中國은 어듸로 나아 가야겟다 하는 것을 指示하는 作家가 아니요, 中國 及 中國人은 이러하다 하는 것을 나타냄에 不過할 것이요, 또한 그의 文藝上主義로는 大部分이 自然主義에 屬함으로 이러한 것도 勿論 自然主義의 한 特長이요, 同時에 缺點으로 헤일 수 있을 것이다.

『故鄕』은 成仿吾氏가 말한 것과 같이 短篇小說로서 그 表現이나 構造로 보아 傑作으로 볼 수 있다.

四. 『彷徨』

『吶喊』의 뒤에 短篇小說集으로 發表된 것은 『彷徨』인데 이 亦是 新聞 雜誌에 已往 發表한 것을 彙集한 것이다. 創作의 年月을 보면 一九二四──一九二五 間 即 一年 間의 作品인대 全部 十一篇이요, 그 目錄은 이러하다.

祝福, 在酒樓上, 幸福의 家庭, 비누, 長明燈, 示衆, 高老夫子, 孤獨者, 傷逝, 弟兄, 『離婚』.

이 目次 中에는 한 篇도 『彷徨』이란 小說이 없을 뿐만 아니라 『吶喊』에서와 같이 長篇의 序文아 없음으로 무슨 意味에서 이 『彷徨』이란 題目을 붗이게 되엿는가가 疑問되지 아니할 수 없다. 그러나 書頭에는 屈原의 離騷를 引用하여다 놓은 것으로써 作者가 무엇을 求하리라고 彷徨한다는 뜻을 알 수가 있다. 筆者는 그 引用句를 그대로 再錄하야 『彷徨』의 意味를 더 闡明히 하겟다.

朝發軔於蒼梧兮, 夕余至乎縣圃,
欲少留此靈瑣兮, 日忽忽其將暮.
吾令羲和弭節兮, 望崦嵫而勿迫,
路漫漫其修遠兮, 吾將上下而求索.

——屈原, 離騷——

(一三)[20]

이 겄을 보면 魯迅은 思想上에 確實히 沈滯를 늣기고 그 나갈 길에 對하야 彷徨한 것을 意味한다. 우에 『故鄉』이란 作에서 우리는 魯迅의 希望에 對한 意見을 보앖음과 맞이 한가지로 그에게 自己 獨特한 希望이 없고 그리 客觀的 態度에서 『다니는 사람이 만으면 길(希望)이 되고 만다.』고 하였다. 그럼으로 彷徨에 살린 것도 冷靜하게 觀察한다면 『吶喊』의 續篇으로 볼 수 있고 그 思想에 特別한 進展이 없음을 알게 된다.

---

20 응당 '一五'여야 하며, 이에 따라 뒷부분 연재 번호도 잘못 표기되었다.

그래서 近來 階級文學者들은 魯迅의 創作은 時代性을 代表할 수가 없고 그는 希望 即 前途에 對한 目的이 없음으로 그저 吶喊하고 그저 岐路에서 彷徨한다고 評한다. 여긔서 新進 階級文學 評家 錢杏邨氏의 『吶喊』과 『彷徨』의 評을 보는 것도 多少 그 點相을 캐여 보는 데 無味한 일은 아닐 것이다.

『魯迅』의 二部 創作集의 名稱──『吶喊』與『彷徨』──은 참으로 그 自身을 說明하는 것이다. 우리는 그의 兩部 創作과 『野草』를 合하야 본 結果 늣기는 것은 그가 終始 一條의 出路를 찾이 못하고 終始 吶喊하고 終始 彷徨하고 終始 一束 叢生의 野草가 一棟 喬木으로 變할 수 없는 것 같다. 참으로 우리가 魯迅의 創作에서 얻어 볼 수 잇는 것은 다못 過去가 있을 뿐이요, 量대로 채여 본대야 긔끗 現在를 말한 데 긏이고 將來가 없다……』

(現代中國文學家 第一輯)

魯迅의 全 創作이 다 이러한 것은 아니요, 魯迅의 創作에는 確實히 이러한 一面이 있는 것이 事實이다. 魯迅 自己도 그의 論文集 『墳』의 後面에 『寫在『墳』後面』이란 題目下에 自己의 思想 及 態度를 明白하게 말하였다.

『……그러나 나는 決코 噴泉같은 思想이나 偉大하고 華美한 文章이 없다. 이미 宣傳할 主義가 있음으로 亦是 一種 무슨 運動을 發起하고 싶지도 않다.』

昨年 春 間의 消息에 依하면 魯迅이 『中國左翼作家聯盟』에 參加하였다

는데 이와 같이 無思想하얏음으로 結局 階級文學派에게 投降을 하였는지 疑訝는 하지마는 또한 그 後로 譯品 外에는 아모 創作도 없음으로 그가 어떻게 變하였는지는 알 수 없다. 그러나 이것은 이 篇의 範圍에 屬하지 안흔 것임으로 亦是『彷徨』으로 도라가서 더 記述하여 보겠다.

筆者는 우에서『彷徨』이『吶喊』의 續篇이나 다름 없서 그 思上[21]이나 그 表現에 別다른 것이 없다고 하였다. 그러나 여긔서 말하는『續篇』이라 함은 特別히 指摘할만한 差異가 없다고 한 것이요, 决코『吶喊』과 同一하다는 意味는 아니다. 나는 細密하게『吶喊』,『彷徨』의 差異點을 研究하기 前에 몬저 그 各篇의 表現한 것이 무엇인가를 大畧 써보려 한다.

第一篇의『祝福』은 農村의 中流以下의 女子 祥林嫂의 半生을 그린 것이다. 祥林嫂라는 寡婦가 魯四老爺의 집에서 안일을 보고 있는데 얼마 後에 그의 전 싀모(媤母)가 强制로 데려다가 改嫁를 보내고 돈을 多少 얻어서 일은 落着이 되었는데 그 後에 그 男便이 또 죽고 그 한아인 兒孩는 어느 날 아츰에 門 압에서 콩을 까다가 狼에게 물여가 버렸다. 그 後 祥林嫂는 다시 魯四老爺 집으로 와서 일을 보나 그 前과 같이 誠實 堅着하게를 하고 恒常 그 아들을 回憶하고 그러는 中에 그 집에서 쫓겨나 乞人이 되였었는데 年末에 내(作品上의 나)가 魯鎭을 갔을 때 사람이 죽으면 靈魂이 있느냐고 물어본 일이 있은 後 그날 밤으로 自殺을 한 것이 全篇의 梗概이다.

第二篇『在酒樓上』은 亦是 故鄕 近處에 가서 그 전 술집에 가 술을 먹다가 舊友를 맞나서 이야기를 한 結果 그 벗이 人情과 舊制度 習慣에 도로 順應된 것을 쓴 것이요.

第三篇『幸福의 家庭』은 理想的 幸福의 家庭을 小說로 쓰다가 恒時 現實

21 '思想'의 잘못이다.

의 幸福아닌 家庭의 環境에 支配되야 그 『幸福의 家庭』을 쓰지 못한 것을 그린 것이요.

第四篇 『肥早[22]』는 舊式 家庭의 狀況을 그린 同時, 新敎育을 盲目的으로 排斥하는 一端을 그린 것이요.

第五篇 『長明燈』은 어떤 農村의 靑年이 屢代 꺼저 본 적이 없는 한 절(寺)의 長明燈을 끄려고 하다가 一般 村民에게 排斥 攻擊을 當하고 그 結果 그 절의 一室에 被封되고 만 宗敎 及 迷信에 反抗한 것을 그린 것이요.

第六篇 『示衆』은 巡査가 한 罪人을 끝고 示衆하는데 그 觀覽人들의 멋도 모르고 아무 感激도 없이 모여드는 것을 쓴 것이요.

(一四)

第七篇 『高老夫子』는 舊思想家로서 新敎育을 하면서의 醜態를 그리고 敎育者의 無資格, 無責任한 것을 말 것이요.

第八篇 『孤獨者』는 第九篇의 『傷逝』와 같이 이 小說集의 傑作으로 評이 있는 것인데 前者는 新思想을 가지고 奮鬪하다가 目前 팡의[23] 問題로 舊軍閥의 顧問이 된 것 即 舊制度 勢力에 降服한 것을 그린 것이요.

後者(即 『傷逝』……此篇은 筆者가 昨年에 中外日報 上에 記載한 것임)는 魯迅 作品에 希貴한 戀愛를 그린 것인데 結局 經濟的 打擊으로 因하야 男子가 사랑이 없다고 갈리자고 하니 女子 또 別 異議가 없이 갈였으나 갈였다는 것보다 女

---

22 '早'는 '皁'의 오식이다.

23 소설 원작을 보면 생계문제로 군벌의 고문이 된다.

子의 親戚이 데려 갔는데 結局은 죽어버린 것이었다.

다음 篇의 『兄弟』는 兄弟 間의 利害를 不計하도록 親睦한 것을 그린 것이요.

마즈막 篇 『離婚』은 新式 夫婦의 離婚이 아니요, 亦是 村鄕의 勢力家와 無勢力家 사이에 일어난 離婚 事件을 그린 것이다.

五. 『彷徨』과 『吶喊』

『彷徨』 中에서 『孤獨者』와 『傷逝』와 『長明燈』은 더 詳細하게 梗槪를 쓰고 討論, 硏究를 하려 하얏으나 『吶喊』의 『阿Q正傳』 及 『故鄕』에서 梗槪로 너무 張皇하야젔으며 筆者의 本來 計劃은 簡單한 紹介 及 評論에 긏이려 한 것인데 長篇의 硏究 비슷하게 되야서 이 後에는 間略하고 明瞭한 것으로 爲主를 하겠기에 詳細한 梗槪만은 略하기로 하고 또 『彷徨』의 特色을 쓴 後에 『吶喊』과 『彷徨』을 比較할 것이로되 『吶喊』과 『彷徨』을 比較하는 데에서 『彷徨』의 特色이 낱아 나겠기에 두 項을 合하야 一項으로 쓰려 한 것이다.

우리가 『吶喊』과 『彷徨』을 比較하야 볼 때 그의 思想과 그 表現方法에 있어서는 그리 큰 變化가 없으나 그 外에 社會的 變遷으로 일어난 取材의 方面에 差異라든지 表現方法에도 多少 差異가 없지 않다는 것은 우에 말한 바어니와 筆者는 여긔서 이 두 小說集의 差異있는 點을 指摘하야 보고 다음에 『彷徨』의 特色을 多少 써보려 한다.

『吶喊』에 낱아난 社會的 環境을 觀察하여 본다면 그 때는 正히 辛亥革命 前後임으로 農村에도 大變動이 일어나서 그 前에 없든 混亂狀態를 일우었었다. 그럼으로 阿Q와 같은 農夫가 革命한다고 드리고 단이든 머리채를 끄집어 올리고 『頭髮의 故事』랄지 『風波』에 있는 것 같이 머리를 깎은 것이 利益이니 아니 깎은 것이 上手이니 하고 議論이 나고 싸흠이 나고 또 한 便에서는 머리를 깎고 한 便에서는 그저 그저 敷衍하야 나가고 하는 等 極히 混亂에 있었든 것이 나는 新舊思想, 新舊制度, 新舊 習慣 風俗의 衝突, 混淆를 그린 것이 『吶喊』의 時代性이라면 『彷徨』에 이르러서는 그러한 社會的 環境을 볼 수가 없다. 『彷徨』에서는 新舊의 衝突이랄지 그러한 混亂을 볼 수 없는 反面에 社會의 一般的 傾向은 平穩하면서 新思想家가 舊思想, 舊習慣, 舊道德에 沈淪되며 緩和되며 甚至於 屈服되는 것까지 낱아 난다. 假令 『在酒樓上』에 낱아 난 呂緯甫와 같이 처음에는 新學問을 한다고 한 것이 社會의 舊習에 시달여서 結局은 『子曰詩云』하는 舊學을 갈으치게 되도록 淪落하게 되고 『孤獨者』의 主人公 魏連殳와 같이 처음에는 新學問을 한 村落에서 혼자 하야가지고 異端이라고까지 一般이 認定하도록 舊習慣, 道德, 風俗과 奮鬪하얏으나 結局은 亦是 社會的 環境과 經濟的 困難을 當하야 舊勢力分子의 顧問이 되여가지고는 自己는 墮落하고 舊勢力에 屈服하야 無用之物이 되고 마랏다고 自白하는 편지까지 쓰게 된 것이랄지가 모도 다 平穩한 外的 環境 內에서 일어나는 新改革家의 慘敗를 記錄한 것이였다. 그럼으로 발서 『彷徨』時代에 이르러서는 新舊思想의 正面 衝突은 없어지고 內部的으로 裏面에서 暗鬪한 것이 나타난 것이 『吶喊』과 社會的 環境이 달아진 것을 表示한 것이다.

다음에 注意되는 點은 이 두 小說集에 나타난 反抗思想이다. 魯迅의 作品은 어느 것을 勿論하고 이 反抗의 思想이 充溢하지마는 特別히 이러한 方面의 作品을 가린다면 『吶喊』에서는 『狂人 日記』를 들 수 있고 『彷徨』에서는 『長明燈』을 들 수 있을 것이다.

이 두 作品이 다 反抗的 思想을 表現한 것이면서도 前者는 特히 舊習慣, 舊思想 及 傳統的임에 痲痺되야 非人間性인 것을 覺悟하지 못하고 平凡하게 녁이는 것을 啓蒙하는 反抗을 그린 것이요, 後者는 그 中에서도 獨特하게

宗教 及 宗教로 이러나는 迷信에 對하야 反抗한 것을 그린 것이다. 이와 같이 같은 反抗思想을 表現하면서도 前者는 朦朧하게 陳腐한 舊思想에 反抗한 것이요, 『彷徨』에 나타난 反抗思想은 宗教 及 迷信에 對한 反抗을 表現한 것이 그의 差異라면 差異라고 하겟다.

(一五)

그 다음에 이 두 小說에 差異點은 知識分子에 關한 것이다. 『吶喊』에 있는 知識分子는 孔乙己와 같이 그 前 漢字를 잘 쓴다든지 或은 『之乎者也』를 常套語로 쓰는 等 舊式 知識分子요, 또 白光에 있는 縣試에 落第한 그 前 漢文學의 知識分子가 많음에 反하야 『彷徨』에 나타난 知識分子는 多少 다른 方面의 知識分子이다. 다시 말하자면 新知識分子라고나 할까. 假令 例를 들면 『彷徨』의 第二篇에 있는 『在酒樓上』에 나타난 呂緯甫라든지 『高老夫子』에 있는 高爾礎(이 高爾礎라는 일흠은 中國에서 로서아 골키를 高爾基라고 飜譯하는데 그 일흠에 模倣하야 『基』字를 그와 같은 意味인 『礎』字로 곧인 等 諧謔이 들어 있다.)와 같이 教育者의 材格이 없음에도 不拘하고 一篇 『論 中華國民皆有整理國史之義務』란 論文을 發表한 女學校의 教員이라든지 또는 『孤獨者』의 主人公 連殳와 같은 新知識分子들인 것이다. 이것은 社會的 變遷으로 舊知識分子가 그 동안에 新知識分子로 變한 것은 아니겠지마는 多少 그러한 變遷이 있는 것도 事實이요, 또한 魯迅 自身이 都會에서 接觸하는 分子들이 그러한 人物도 있었을 것임으로 並一하야 論할 바 아니지만 그만치 取扱하는 知識分子가 달라진 것은 事實이다.

그 다음 筆者의 注意되는 點은 그 表現에 關하여서다. 『吶喊』을 볼 때에는 그 表現이 深刻하야 이저버릴 수 없는 印象을 얻게 되였는데 『彷徨』을 볼 때에는 그리 深刻味를 늣기게 되지 안는다. 이것에 對하야는 筆者의 經驗도 그러하거니와 또한 다른 評家들이나 或은 다른 사람들의 讀後感 等을 들어 보와도 다 같은 意味의 말을 듯게 된다. 여긔서 筆者는 두 가지 方面의 觀察로써 自然 그러하리라고 믿는다. 그 一은 作家가 表現하는 데 疏忽히 한 것과 또 한가지는 讀者가 그러한 表現에 習慣된 것이라고 하겠다. 事實에 있어서 『吶喊』과 『彷徨』을 比較하여 본다면 『吶喊』의 表現은 말할 수 없는 深刻味를 늣기게 되고 또한 그러하고 『彷徨』은 그 深刻味가 적고 表現이 平凡한 것이다. 或 그러함이 없다고 하드래도 내가 우에 말한 第二方面에 原因이 더 많은 効力을 내는 結果인지도 몰으겠다. 곳 다시 말하자면 『吶喊』을 처음 讀者가 接할 때는 그러한 作品을 그 前에 보지 못하얐음으로 印象이 깊고 深刻하였지마는 발서 그러한 『吶喊』을 읽은 讀者는 이미 그러한 思想, 그러한 表現, 그러한 諷刺에 어느 程度까지 익었음으로 그와 同等한 表現과 思想과 諷刺를 볼 때 그다지 印象이 깊지 안흘 것이요, 그다지 深刻味를 늣기게 되지 안흘 것이다. 『彷徨』을 볼 때 讀者의 心境은 『또 魯迅이 잘 쓰는 魯鎭이 나왔고나.』 『아아! 또 魯迅의 新發明한 農民, 農村이로구나.』하고 미리 作品의 印象, 評價를 斷定하고나서 作品을 읽게 된 故로 自然 그 印象은 深刻하지 못할 것이 事實일 것이다.

大概 『吶喊』과 『彷徨』의 差異된 點은 이만한 데 쫓이고 『彷徨』의 特色 곳 『吶喊』에서 보지 못한 點을 멫 가지 들어보겟다.

우리가 『吶喊』을 通讀할 때는 戀愛에 關한 것을 조금도 볼 수가 없다. 있다고 强辯한다면 『阿Q正傳』에서 阿Q가 씬중을 건드리고 나서 그 씬중 머리를 만진 손구락이 밋근 밋근한 것 같은 後로 趙太爺의 집에 가서 쌀을 찧다가 그 집 女僕 吳媽를 건드리다가 창피를 當한 것 뿐일 것이다. 이것은 別로 戀愛라고 誇張할만한 大事件은 아니다. 그런데 『彷徨』 中에 『傷逝』篇은 一篇이 全部

戀愛로부터 共同生活까지 또 그 後의 離緣까지가 다 있는 戀愛事實이다.

이 一篇은 魯迅이 親히 經驗한 것인 것 같고 그의 親近한 사람에게 들은 일이 있지마는 이것은 別問題로 하고 何如間 魯迅의 全 創作을 다 쓰러놓고도 戀愛 問題를 쓴 것으로는 이 一篇을 들 수 있다. 이 篇의 戀愛는 무슨 모든 뽀이 모든 껄들이 朝華夕落으로 輕浮하게 땐쓰홀이나 新婚旅行이나 『모—터카』로 단이는 戀愛를 그린 것이 아니고 生活은 極度로 貧困하고 女子로 말하드래도 모던 女學生이 아니요, 그 男子도 讀書子 文學靑年으로 볼 수는 있으나 時髦한 文學靑年이 아니요, 말하자면 時代로 본다면 모도가 벌서 지내간 過去式의 戀愛이다.

戀愛와 關聯하야 또 한 가지 興味있는 問題는 現代에 流行하는 離婚 問題이다. 이러케 말하고 보면 魯迅의 取扱한 離婚도 퍽 新式의 離婚 即 新式의 男女가 意見이 不合하다든지 經濟條件이 不副하야 한다든지 或은 新式 男子가 舊式 女子와 살 수가 없어서 한 것이 아니요, 저 農村의 舊式에도 舊式인 勢力家와 無勢力家 새이에 일어 난 離婚 事件이다. 男子는 無論 舊智識分子이요, 또 資格과 多少 勢力이 있음으로 그 近方에서는 豪行하는 者들이요, 女子 便은 한 農民의 딸로서 無勢力하고 無資産함으로 男子가 무슨 妓女屬을 드려세우고는 全家가 나서서 그 糟糠之妻를 八九十元 돈을 주고 쫓으려 한 離婚 事件이다.

結局 가서는 某 勢力家를 拘結하여다가 그 女子便을 威力으로 壓倒식혀 가지고 女子便으로 하야금 九十元인가 八十元을 받고 婚書紙와 바꾸고 離婚을 한 것이다.[24]

(此項 完, 續)

---

24 위의 두 단락은 魯迅의 소설 「離婚」의 줄거리이다.

(一六)

六. 『野草』

『野草』에 關하야는 언젠가 筆者가 『中國文壇槪觀』[25]과 『中國新詩槪觀』에서 多少 言及한 바 있었거니와 特別이 注意되는 것은 그 內容이나 形式이 그 前 魯迅의 作品과는 判然히 다른 點이다. 그 形式으로 볼 것 같으면 그 中에는 『내의 失戀』이라 한 新詩體의 글이 있고——그 註에 『擬古한 새로 기름 친 詩』라고 하였고 또 한 편은 『過客』이라는 戱曲體의 글이 있고 『野草』의 廣告를 보면 『可以說是魯迅的一部散文詩集』이라고 하야서 이것을 詩로 볼 것인가, 小說로 볼 것인가 또는 普通 感想文으로 볼 것인가 그렇지 안하면 그 짧은 편으로 보아서 콩트로 볼 것인가가 자못 間題되지 안한 바가 아니다.

그러나 現今에 와서는 小說은 더욱 짧어지고 詩는 더욱 길어가는 傾向이 있음으로 形式에 있어서 小說과 詩를 區別하기가 어렵게 될 것도 멀지 안한 將來에 있을지 몰을 것이다. 이 『野草』를 小說로 보기는 넘우나 그 플롯이 單純하고 캐릭터—가 없고 詩로 보자면 넘우나 理智的 要素가 濃厚하고 또 한 가지는 그의 諷刺를 띈 便, 곳 『狗의 駁詰』이라든지 『立論』, 『聰明人과 愚者와 奴僕』等은 恰似 『에숲·페뿔』과 같이 比喩的이고 諷刺的인 것이다. 그러나 『秋夜』, 『雪』, 『好的故事』, 『風箏』 等 몇 篇은 詩라고 하야서 別로 험 잡을 곧이 없기도 하다. 或 小說이라고 한다면 現代 女流作家 버—지니야·울푸의 "Monday or Juesday[26]" 에 있는 純心理小說 即 心理의 進行을 描寫하는

25 '中國現文壇槪觀'(『조선일보』 1929.7.6~8.10)의 잘못이다.

26 'Tuesday'의 오식이다.

小說 等과 形式에 있어 仿佛한 點이 없지 안하나 버—지니아·울푸의 小說은 重要한 事件을 그리기 爲하야 附屬事件을 뫼여 들이지 않고 마음에 생각나는 順序를 그대로 그림으로 서로 不相關한 일이 突出하기도 하고 그 言語에 있어 完結하지 안한 部分이 많은 데 反하야 魯迅의 『野草』는 한 完整한 생각을 表現하기 爲하야 모든 것을 集中식히는 點이 다르다 하겠다.

나는 이 『野草』가 詩集이거나 小說集이거나 或은 感想文集이거나를 더 問題삼지 않고 다못 이 『野草』가 魯迅의 創作의 經路에 있어 어떠한 地位를 가지고 있으며 이 『野草』에 나타난 魯迅의 思想은 어떠한 傾向과 어떠한 狀態에 있으며 그의 人生에 對한 態度, 그의 『野草』에 對한 企待 等을 多少 研究하여 볼 必要가 있다. 『野草』는 魯迅 全藝術의 結晶品이요, 그 思想의 總決算으로 볼 수 있으며 가장 真摯한 態度로 人生을 觀察하얐으며 가장 正確하게 人類 社會를 批判하얐으며 가장 잘 魯迅의 隱退的 溫情을 나타냈으며 가장 잘 魯迅의 希望과 藝術的 態度를 闡明히하얐다. 一言으로 말하자면 魯迅이 그 獨特한 表現의 老練한 맛을 다 낱아 내였으며 自己의 一切 思想을 透澈하게 말한 作品이라 하겠다.

그러나 이 一卷에 始終껏 흩어 있는 것을 그의 苦悶이다. 곳 그를 藝術上으로 衝動식히는 重要한 原動力의 苦悶이 이 一卷의 어느 한 줄에나 [27]어 있지 않은 곧이 없다. 事實에 있어서 太陽같은 希望이 있는 作家도 그의 作品을 偉大하게 하는 것은 곳 이 苦悶이요, 또한 人生의 一切에 暗黑의 絕望을 가진 作家도 그 作品을 무겁게 하고 그 觀察을 深刻히 하고 그의 絕望을 끝없는 絕望으로 끝고 가는 것도 또한 이 苦悶일 것이다. 魯迅은 徹頭徹尾의 絕望家는 決코 아니다. 다못 그의 缺點이라고 헤인다면 헤일 수 있는 것은

---

27 '들'자가 누락되어 있다.

그에게 明確하고 遠大한 希望이 없다고는 할지언정 人類 社會에 對하야 絕對悲觀論者라고는 할 수 없을 것이다. 그러나 그는 『明暗의 中間에서 彷徨』하기를 싫여하고 徹底한 무엇을 求하려 한 苦悶이 늘 그의 腦에서 떠나지 않은 것을 볼 수 있다. 나는 이 魯迅의 苦悶이 魯迅으로 하여금 오늘과 같은 貢獻이 있게 하얐으며 以後에도 또한 많은 希望과 企待를 가지고 魯迅에게 바라는 것도 亦是 이 苦悶이 있기 때문이라고 하겠다.

다시 우리는 魯迅 自身의 『野草』에 對한 意見 及 企待를 볼 必要가 있다. 그는 『野草』의 題辭에서 自己의 作品에 對한 態度를 이와 같이 闡明하얐다.

> 『내가 沈默하고 있을 때는 充實한 것 같다가도 입을 열게 되는 同時에 空虛를 늣기게 된다. 過去의 生命은 발서 死亡하얐다. 나는 이 死亡에 對하야 큰 歡喜가 있다. 그 理由는 이 걸로써 그것이 그 전에 있었는 것을 알게 된 까닭이다.
> 死亡한 生命은 발서 朽腐하여 버렸다. 나는 이 朽腐에 對하야 큰 歡喜를 가지게 된다. 웨 그런고 하니 이것 때문에 그것이 아즉 空虛하지 않은 것을 알게 된 까닭이다. 生命의 진흙을 地面우에다 버렸더니 喬木이 나지 않고 다못 野草가 난다. 이것이 나의 罪過이다.』

(一七)

이것이 곳 自己의 過去의 生命은 발서 썩어젔다는 것을 表明하며 그 生命의 뿌리가 다시 이 『野草』가 낫다는 것을 말함이 아니겠는가. 魯迅은 自己

藝術에 對하야 퍽 謙遜한 態度를 取한다. 恒時 自己의 作品이 偉大하거니 하고 自慢하지 않고 어대까지든지 喬木이 되지 못하고 野草에 不過하다고 하얐다. 그러고 그는 또 『野草』도 速히 過去의 것으로 썩어버리고 무엇이나 새 것이 나기를 希望하는 것을 暗示한 句節이 있다.

『……나는 이 野草의 死亡과 朽腐가 불 같이 速히 오기를 바란다. 萬若 그렇지 않다면 生存하지 않은 것임으로 이것은 참으로 死亡과 朽腐에 比하면 더군다나 不幸한 일이다.』

그는 恒常 한때 한때의 任務를 다하고 死亡하여 버리고 새 것이 또 誕生하는 것을 바라는 것을 알 수가 있으며 아모 生存한 痕跡이 없이 산 듯 만듯한 無活氣한 生命이나 作品을 바라지 않은 것을 알 수가 있다.

여긔서 그 作品의 一篇 一篇을 硏究하여 볼 餘裕가 없거니와 特別히 注意되는 것은 哲理라고나 할까, 魯迅의 人生觀을 包含하는 作品이 많은 것이다. 例를 들자면 『過客』, 『影의 告別』, 『復讐』(一), (二), 『死火』, 『墓碣銘』, 『死後』, 『頹敗線의 顫動』, 『이저버린 好地獄』 等이다. 이 等 作品은 그 文章이 너무나 難澁하고 너무나 簡畧하고 넘우나 省畧이 많아서 實로 作者의 含意를 理解하기가 어려운 點이 많타.

나는 여긔서 『野草』의 作品을 一一히 分類을 하야 檢討하여 가는 것이 좋으리라고 생각하나 假令 例를 들자면 (一)『回憶類』, [28]『諷刺類』, (三)『希望類』, (四)描寫類, (五)思想類 이와 같이 分析을 하야서 어느 作品은 어느 類에 屬하게 되고 어떠어떠하니까 그의 思想은 어떠하고 그의 回憶文은 어떠한 點이

---

28 '(二)'자가 누락되었다.

그 特長이고 하는 等으로 研究를 하려 하나 이 亦是 張皇과 紙面 關係로 그 中에 모든 魯迅의 多方面을 잘 表現한 作品 即『過客』 하나를 들어서 說明하려 한다.

『過客』은 몬저도 말하였거니와 그 形式은 戲曲로 되여있는데 그 時日은 어느 날 黃昏이요, 地點은 다못 어느 곧이라 하였고 人物은 老翁, 女兒, 過客 三人이다. 勿論 戲曲으로 볼 때 이것이 잘되였는가 長點이 어듸인가 하는 討論을 하려고 하는 것은 아니요, 다못 그의 思想, 그의 人生觀, 그의 過去, 그의 立場 等을 아라 보자는 데 不過함으로 直接 그 作品의 內容을 말하야 보겠다.

『어느 날 黃昏에 老翁과 女兒가 있는데 東에서 어떠한 사람이 온다. 그 模樣은 퍽 疲困하여 뵈이고 그 態度는 意氣가 喪失하야서 形便이 없는 사람이다. 老翁더러 물을 한 盞 달래서 小女가 떠다주니 感謝하다고 먹고 老翁이 일음이 무어냐 하야도 모른다고 한다. 어듸서 오느냐고 하야도 어듸인지 몰은다 하고 어듸로 가느냐고 하야도 어대로 가는지도 몰은다고 한다. 그저 前面을 가르치며 그 곧으로만 간다고 한다. 그래서 물을 마시고 元氣를 恢復하야 가지고는 또 간다고 하면서 老翁더러 당신은 여긔서 오랫동안 살았으니까 이 앞으로 가면 어듸로 가느냐고 물어본다.

翁: 앞 말이요 앞? 그 곧은 무덤(墳)이요.

過客: (이상한 듯이) 무덤이여요?

小女: 아니, 아니, 아니여요. 긔는 많흔 百合花, 들장미가 있는데 나는 향상 가서 놀며서 그것을 보는데요.

그 다음에 過容은 老翁다려 그 墓를 다 지내가면 어듸입니까 하고 물으니 老翁도 몰으겠다고 한다. 小女 亦是 몰으겠다고 한다. 老翁은 말하기를 나 아는 곧은 당[29] 온 곳 뿐이요, 아마 그 곧이 당신에게는 第一 좋은 곧일것이니 或 失禮될지는 몰으지만 다시 도라가는 것이 좋겟다고 한다. 또한 그 곧을 끝까지 갈 수가 있는가도 疑問이라고 한다. 그 다음 過客의 말은 이렇다.
客: 다 갈지 못 갈지 몰라?(沈思 忽然히 놀래면서) 그것은 안되겟소. 가야만 하겟소. 어듸로 가겟읍니까. 한 곧도 名目 없는 곧은 없고 한 곧도 地主 업는 곧은 없고 한 곧도 驅逐과 牢寵 없는 곧은 없고 한 곧도 皮面의 笑容 없는 곧은 없고 한 곧도 眶外에 眼淚 없는 곧은 없는데요. 나는 그것들을 미워하오. 나는 도라가지는 않게소!
다음에 老翁은 自己 같이 太陽도 넘어가고 하얐으니까 쉬여서 가라고 한다. 過客은 前面에서 소리 있어 나를 催促한다고 하니 老翁은 自己도 그러한 소리를 그 전에 들은 일이 있다고 하면서 萬若 酬應을 하지 안하면 關係찬다고 한다.
그러나 客은 간다고 그러자 少女가 조각 헝겁을 주며 그 傷한 곧을 싸고 가라고 하니 感謝하다고 하면서 안저서 싸보다가 不足하다고 도로 돌여주면서 말하기를 내가 만약 누구의 布施를 바드면 兀鷹이 死屍를 본 것 같이 四方으로 徘徊하며 그의 滅亡을 바라며 或은 그것 外의 一切 물건이 다 滅亡하기를 咀呪하며 나 自身까지도 하기를 바란다. 그것은 나도 應當 咀呪

29 '당신'으로서 '신'자가 누락되어 있다.

> 를 받아야 할 것이니까. 그러나 나에게 이러한 力量이 없고 設使 이러한 力量이 있다고 하드래도 그는 그가 이러한 境遇가 있는 것을 願치 안하며 그들도 이러한 境遇를 바라지 안는다고 하며 이런 것이 가장 穩當하다고한다. 그 布片을 少女는 안 받으려 하고 過客은 가지고 가지 안하려 하니까 老翁이 그러면 野百合, 野장미에다 걸어놓고 가라고 하니 少女도 좋다고 떠나간다.

이것이 그의 梗槪이다. 過客이나 老翁이나 少女가 各各 見地가 다르며 各各 이 世相의 觀察이 다르며 各各의 希望이 다르며 各各의 前望이 다른 것을 잘 나타냇다. 이 中의 過客은 魯迅 自己의 立場, 態度, 人生觀, 藝術觀을 잘 表現한 것이 아니겠는가? 筆者는 더 呶呶한 說明을 試하려 하지 안는다.

(一八)

七. 魯迅의 用語

나는 이 論文 처음에 魯迅은 『文學革命』의 實行者라고 하얏다. 그 理由는 白話로 實地 創作을 試驗하얏고 또한 成功한 까닭이요, 그 精神이 『文學革命』의 精神과 相符한 까닭이라 하얏다. 그러나 여긔서 내가 多少 말할려 한 것은 魯迅의 쓰는 『白話文』에 關한 것이다. 本來 白話文을 主張하기는 言文一致를 實行하자는 主張해서 나온 것인데 事實에 있었서 이것은 問題가 되지 안한 바가 아니다. 筆者는 이 點에 關하야 그 前에도 多少 言及한 바가 있었고 近日의 郭沫若의 言論을 보드래도 胡適의 白話運動을 批判하면서 實

地에 言文一致란 것은 不可能하다는 意思를 말하얏다. 筆者는 남의 意見 或은 主張을 反對하려 한 것이 아니라 다못 客觀的 觀察에서 이러한 疑問을 품게 되얏다. 假令 例를 들면 朝鮮語의 小說이나 日本語의 小說이나 또는 中國白話文의 小說이나를 볼 때 日常 通用語와 及 그 語法만을 가지고는 優秀한 創作을 할 수가 없으며 自然 말할 수 없는 差異를 言文 間에 늣기게 되는 수가 만타.

近日 中國 白話文의 種類를 보면 같은 白話文이면서도 數種의 相異한 白話文을 볼 수가 있다. 言文一致의 主張을 한 胡適의 白話를 보면 그가 言文一致를 主張한 만콤 容易하게 쓰고 日常語와 別로 差異가 없게 쓰는 것이요, 또 한 種類는 그 前 創造社의 一派 郭沫若, 郁達夫, 張資平 等의 쓰는 白話文이다. 이 亦是 容易한 白話를 쓰기는 쓰나 胡適의 白話보다는 多少 日常語와 다른 種類의 白話를 쓰며 魯迅의 白話는 같은 白話이면서 도리혀 容易한 文言보다 了解하기가 어려운 白話文이다. 그러나 그 文體의 讀者에게 준 印象으로 말한다면 魯迅의 白話가 第一일 것이다. 그는 가장 適切한 言語를 擇用하며 文章이 簡潔하며 明瞭하야서 그 小說은 그 言語를 알기만 알면 鷄肋과 같이 진진한 맞이 끈어지지를 안는다.

그럼으로 魯迅의 白話文은 白話 中에서도 가장 어려운 白話를 쓰는데 그의 用語의 獨特點을 들자면 西洋語의 語法을 中語에 適用한 것과 白語의 聯關語와 虛字를 만히 쓰지 안는 것과 또 한가지는 本來 文言의 長點인 簡畧을 白話文에 適用한 等일 것이다. 그가 西洋 語法을 中語에다 適用한다는 것은 곳 形容詞의 疊用, 英語의 뚜쓰 센텐쓰와 같이 句讀點을 省畧하고 數句를 聯關한 것이요, 白話의 聯關語와 虛字를 만히 쓰지 안한다는 것은 이야기와 이야기 새이에 『그러니까』, 『그러고』 等 語를 極히 少用하는 것과 『呵』, 『罷』, 『哪』, 『呢』, 『着』 等 虛字를 만히 쓰지 안는 것이다. 이 것은 修辭學에 있어

勿論 多用하는 것이 조흔 文章을 쓸 수 없기는 하다고 하는 것이치만 그러나 너무 쓰지 안하면 그 關聯을 알 수 없는 수가 만흔 境遇가 있다. 本來 漢文이 어렵다고 하는 것은 語와 語 새이에 省畧이 만흔 緣故가 原因의 한아일 것이다. 그럼으로 『聊齋誌異』 같은 것은 三四行 되는 文章이라도 中國 이야기꾼들은(說書) 三四日 式 繼續하야 가며 이야기하는 수가 있다.

(一九)

이러한 것은 勿論 이야기꾼의 無駄를 만히 말할 것이 큰 理由도 되겠지만 文의 簡潔한 理由도 그 한아일 것이다.

魯迅의 白話는 中國 中學 卒業生도 그 一篇 一篇의 大意는 斟酌할 수 있게 볼지 몰으되 一句 一句를 다 料解하는 學生은 거진 없다고 하야도 過言이 아닐 것이다. 그의 表現은 比喩가 만코 意圖가 浩瀚함으로 勿論 文學에 造詣가 깊흔 사람도 了解 못할 篇이 만켓지만 第一은 그의 文章이 難澁한 까닭으로 了解하지 못할 篇이 적지 안흘 것이다. 一般으로볼 때 中國의 白話文 使用을 言文一致를 施行하였음으로 言文이 純全히 一致된 것 같게 뵈이지만은 事實에 있었서 이와 같이 만흔 差異가 있으며 所謂 言論機關에서 쓰는 用言은 清末의 文言派의 文言 即 梁啓超, 章士釗 等의 文言이나 別로 差異 없는 文體를 쓰고 있다. 魯迅의 쓴 文體는 白話는 白話이지만 그 語句의 構造나 簡畧한 것으로 보아서 難解하기가 實로 文言에 지지 안흘 것이요, 魯迅의文體는 白話文 中에서도 實로 一派의 文體를 構成하고 있다고 볼 수 있다.

八. 結論

나는 不完全하나마 일로써 魯迅의 半生의 作品에 關한 紹介를 다하얏다.

個人의 忽忙과 頭腦의 繁雜으로 因하야 體系가 宛然하게 스지 못하고 粗亂하게 된 것만이 遺感이다. 그러나 그의 作品에 對한 考察은 오히려 넘우 張皇하고 지리하게 되엿슬 망정 別로 遺漏된 것이 업슴에 對하야 多少 滿足을 늣기지 아니한 바도 아니다. 나는 結論에 잇어서 다시 우에 말한 것을 短縮하야 再述하는 것을 避하고 그의 特長을 簡單히 말한 後에 우에서 말치 안흔 點을 몃 가지 써볼려 한다.

筆者의 見地에서 볼 때에 그의 第一 큰 特長으로 세일 것은 『農村』, 『農民』을 創作의 主材로 하는 點이라고 하겟다. 魯迅의 農村, 農民의 觀察에 農民의 全體性을 把握하지 못하고 農民의 將來 光明을 確指하지 못하고 農民의 團結로써 모든 權力을 反抗할 수 잇는 力量을 發明하지 못함은 遺憾이지만은 何如間 農村, 農民을 一般 文壇人, 社會人에게 住民식히고 農民의 將來를 爲하야 一般人에게 啓蒙식히게 한 것은 魯迅의 큰 功績이요, 農業國인 中國에서 應當 把握할 點일 것이다.

第二, 그의 特長은 反抗精神을 鼓吹한 點이다. 그는 現代文明을 中國에 注入하기 爲하야 第一步로 舊道德, 舊習慣, 舊思想 其他 一切 陳腐한 古董에 對하야 反抗한 것이엿다. 흔히 積極的으로 進出하지 안흔 作家로서는 그저 自己 耽美, 自己 隱遁과 回顧 咏歎에 끗나기가 쉬운 것인데 魯迅은 百折不屈하는 反抗精神을 어느 때나 發揮하고 잇엇다.

第三은 그의 長處라고 할 수는 업스나 그의 特色으로 볼 수 잇는 點인데 그 것은 곳 女性에 關한 作品을 그리 쓰지 안는 것이다. 勿論 全部 업는 것은 아니나 흔히 副人物로서 그의 小說에 낱아나는 例가 만코 한 小說을 女子主人公으로 한 作品은 『傷逝』나 『祝福』 外에는 다시 차즐 수가 없고 그러한

女性도 農村 中下流의 女子거나 或은 舊式에 각까운 女子요, 知識分子의 女子나 또는 모—던·껄 같은 것은 차즐 수가 없다. 이 것은 作家의 性格에도 關係있겠지만은 作家의 年齡에도 關係가 만흘 것이다.

第四는 그가 自己의 經驗과 回憶으로써 創作하는 것이다. 그의 作品에 낱아난 것은 『魯鎭』이거나 『S鎭』이라 고하는 그의 幼少 時의 故鄉이 大部分을 차지하고 있고 또는 그가 오래 동안 있든 北京도 相當히 作品에 낱아나며 그는 過去를 回憶하는 事實과 文體로써 小說을 쓰는데 小說의 內容이 곳 經驗이요, 回憶인만치 作品의 印象은 퍽이나 깊다.

第五는 그의 諷刺的인 것이다. 本來 中國文學에는 諷刺的인 것이 만타. 그러나 魯迅의 諷刺는 過去의 諷刺를 爲한 諷刺도 아니요, 有閑階級의 消日하기 爲한 諷刺도 아니요, 讀者에게 喝采를 어드려 하는 諷刺도 아니요, 다못 그의 同情과 熱情에서 울어나는 諷刺이다. 그의 特點에 關하야는 이만한데 근치고 다음은 그의 다른 點을 좀 말하여 보겠다.

魯迅의 『文學』과 『革命』에 關한 理論은 筆者가 中國文壇을 紹介할 때 多少 言及한 일이 있음으로 여긔서는 略하지만 魯迅은 徹頭徹尾 文藝는 革命에 因緣이 가장 먼 것임으로 암만 文學者가 革命, 革命하고 떠들여도 第三線의 戰士에 不過하다고 主張하여 왔었다.

(完)

다음에는 魯迅의 中國觀이라고나 할가!

魯迅을 米國人 알·엠·빳틀렛이란 사람과 問答한 것이 一九二七年 十月의 『커—렌트·히스토리』에 실엿엇고 最近 『魯迅論』이란 冊에 그 飜譯이 실엿는데 魯迅의 中國에 對한 希望을 잘 表現하였다고 하겠기에 여긔에 摘譯할 려 한다.

『……孔教와 佛教는 다 발서 死亡하여 뿌려서 永遠히 다시 復活할 수가 없을 겄이다. 나는 上帝를 믿지 안코 다못 科學과 道德을 믿는다. 中國人은 宗教와 因緣이 없고 또한 그를 信仰할지를 몰은다. 中國人의 今日 最大한 病根은 『懶怠』이다. 그들이 그러나 努力만 할 겄 같으면 內戰은 곳 停止할 수가 있을 겄이고 그 때에 中國은 强盛하여 질 것이다. 工作과 科學 二者는 곳 中國의 救星이다.』

그러고 어느 講演稿에 보면 이러한 말을 한 때가 있다.

『可惜한 일은 中國은 改變하기가 어렵다. 곳 한 개 棹子를 옴기기나 한 개 火爐를 改裝하는데도 거위 피(血)를 要하게 된다. 그러고 피가 있는 後라고 꼭 움직여 놓코 改裝하였다고는 斷定할 수가 없다. 큰 鞭撻이 背上을 때리기 前에는 中國 自己로서는 動彈을 할여고 하지 안는다. 내 생각에는 이 鞭撻이 一定코 올 겄이다. 그의 好不好는 別問題이여니와 와서 때리기는 꼭 할 겄이다. 그러나 어듸로서 오고 얻어케 올 겄이란 겄은 나도 確定히 알 수가 없다.』[30]

---

30 1923년 12월 26일, 노신이 北京女子高等師範學校 文藝會에서의 연설문인 "娜拉走後怎樣(가출한 노라는 어찌 되었을까?)"에서 인용한 것이다.

이 겄으로 보면 中國 國民性은 變遷을 실허한 겄으로 보았으며 中國의 以後 救援의 길은 다못 奮鬪와 科學 二者라고 한 겄을 알 수가 있다.

다음에는 魯迅이 어느 作家의 影響을 만히 받닸으며 얻어한 作家와 共通點이 만한가를 硏究하야 보는 겄이다. 이 比較 硏究에 對하야는 다른 만흔 材料가 만켓지만은 筆者의 모든 材料 中에는 世界文壇 消息을 獨占하다싶이 紹介하고 있는 趙景深의 『魯迅과 쳅호』라는 講演이다. 이 講演은 上海 復旦大學에서 한 겄인데 文學硏究會에서 編輯하는 『文學周報』 第八卷 第十九號에 실닌 겄이요, 또 한아는 우에 말한 『빳트렛트』의 魯迅會見記이다. 『빳트렛트』는 처음에 魯迅이 醫學을 버리고 文學을 하는 겄이 『첵홉』, 『슈닛스러』, 『올리버』, 『웬델』, 『홀스』 等과 彷彿하다 하였고 魯迅의 小說은 또쓰토엡후스키와 골키—의 作品과 같이 同情心과 熱烈한 情緖가 豊富하다고 하였다.

趙景深이 『魯迅과 쳅호』論에 引用한 同氏와의 談話에 보드래도 魯迅은 確實히 露西亞의 作家에 만흔 影響을 받은 겄은 事實이다.

> 『쳅호는 나의 가장 歡喜하는 作家이요, 이 바에 고—골, 쓰루게네후, 또쓰토렙후쓰키, 골키, 톨스토이, 안드렙후, 센크윗치, 니체, 실라 等도 나는 特別히 滋味가 있다.』

여긔서 나는 趙氏의 講演稿를 細論할려 하지 안코 다맛 『魯迅과 쳅호』의 異同點과 그 講演 結論만을 參考하기 爲하야 摘記할여 한다.

> 『쳅호의 描寫한 宗敎生活과 戀愛生活은 特히 前者는 魯迅은 그리 出力하야 描寫하지 안한 겄이 같지 안한 곳이요, 兒童生活은 魯迅의 겄은 비록 比較的 詩意가 있고 쳅호의 겄은 比較

的 質朴하나마 結局 兩人이 다 描寫한 바요, 鄕村生活 描寫는 魯迅과 쳅호의 特長으로서 이 것은 相同한 곳이다.』

趙氏의 魯迅과 쳅호를 比較한 結果, 이러한 結論을 얻게 되였다.

(一) 生活에 있었서 魯迅과 쳅호는 다 醫學을 버리고 文學을 배운 것.
(二) 題材에 있었서 魯迅과 쳅호는 다 鄕村을 描寫하는 能手인 것.
(三) 思想上에 있었서 魯迅과 쳅호는 다 將來에 無窮한 希望을 가지고 있으나 質로 보면 悲觀的인 것.
(四) 作風上에 魯迅과 쳅호는 다 휘머―的이고 또한 諷刺的인 것이다.

다음에 考察하여 볼 것은 그의 左翼作家聯盟에 參加한 後에 그의 態度인데 이 것에 對하야는 아모런 材料를 얻지 못하고 다맛 日文의 『滿蒙』이란 月刊誌에 그 經過를 쓴 것(昨年 十一月號(?)에 詳細히 실닌 것)을 볼 뿐이다. 또한 푸로作家의 機關紙가 聯하야 廢刊이 되며 또한 筆者가 北方에 있는 關係上 上海의 刊物을 短速한 期間에 볼 수가 없음으로 그의 眞相을 더 探知하지 못한 것만은 遺憾이요, 또한 맑쓰主義化를 하였는가 그러치 안하면 다못 硏究의 態度로 加盟을 하였는지, 그 聯盟의 自體가 얻어한 內容을 가지고 있는 것인지, 茫然함으로 重言複言할 必要가 없거니와 萬若 그가 참으로 맑쓰主義者化하였다면 自由와 解放을 불으짓든 그로써 얻어케 黨 或 團體의 命令에 服從하며 最大權力, 最大勢力의 集中을 要求하는 그 主義로서 自由와 解放을 얻어케 聯結하며 그들의 國家自然消滅說 等을 잘 信奉하고 있는지가 疑問이며 그렇이 안흐면 目前에 그저 그럭헤 하여야 하겠다는 見地에서 參加하게 되엿는가 等이 다 疑問에 걸여있는 問題들이다.

또 한 가지는 그의 『朝華夕拾』이란 十篇의 回憶 文集에 關한 겄이다. 여긔에서 別로 新奇한 겄을 發見할 겄은 없지마는 그의 學問의 範圍의 廣浩한 겄을 늣기게 된 겄이 그 冊의 特點이다. 그가 醫學을 배운 만큼 動物에 關한 知識이 豊富한 겄을 늣기게 된다. 그는 本來 『貓』을 실허하는데 그 中 第一篇 『狗, 貓, 鼠』라는 滋味 있는 글 中에서 動物에 對한 만흔 文獻과 科學 書籍을 引用한 겄이라던지 其下 『二十四孝圖』, 『阿長과 山海經』 等 篇에서는 거의 考證에 갓까울 만큼 彥[31]博한 識見을 낱아 내나 그런만치 別로 興趣를 늣기게 되지 안는다. 何如問 이 十篇은 創作으로 헤일 수가 없고 그의 特長인 回憶文의 露骨化라고 보는 겄이 바른 觀察일 겄이다. 그럼으로 筆者의 이 『朝華夕拾』을 專論하지 안흔 理由도 實로 여긔에 있다.

以下는 魯迅의 後半의 創作的 努力을 기달여서 다시 紹介하기로 約束을 하고 일로써 이 粗論의 끗을 맷는다.

(完了)

筆者 附記: 너무 張皇하고 重復된 곳이 없지 안할 겄이여서 編輯하신 이 及 讀者 諸位에게 未安하게 되얏으며 文章에 熟練이 없어시 知友에게 만흔 篤勵를 밧게 되야 이것은 以後 努力하기로 約束하고 또 한 가지는 文壇 新進 諸氏로붙어 中國文學에나 만흔 硏究있는 겄같이 過讚을 받아서 實은 一二篇의 紹介文을 씀에 不通하였음으로 慚愧를 禁치 못하며 따라서 今後의 硏覈를 不倦할 겄을 約束하고 擱筆한다.

---

31 '該'의 오식이다.

中國의 붉은 讀書界 — 書肆 陳列의 七〇%[01]

기자

中國에 共産主義 思想이 流行하는 原因에 對하야 佛蘭西의 『코메듸아』紙는 政治的 宣傳 以外에 文學的 心醉에 依한 바가 매우 만타고 論하얏다. 現今 中國의 讀書界에는 現代 露西亞 作品이 風靡하는 觀이 잇스니 外他 엇더한 나라의 作家를 모라 오드라도 到底히 進及치 못할 만큼 壓倒的 大多數의 讀者를 가지고 잇다 한다.

上海의 書肆 店頭에 陳列된 書籍의 七〇『퍼—센트』는 쏘비에트 著述의 翻譯이요, 北平에서도 이 傾向은 亦然하다 한다. 그런데 이러한 出版은 純然한 宣傳 目的이 아니라 需要에 應키 爲한 出版業者의 營利的 動機에서 나온 것이라 한다. 가령 코론타이의 『붉은 사랑』이라든지 『오그뇨—프』의 『코스차·리아뿌체프의 日記』 等은 數種의 翻譯이 同時 出版되엇다.

이와 가티 쏘비에트 露西亞는 知的으로 젊은 中國을 征服하야 간다고 論

---

01 『朝鮮日報』 1931.1.19, 3면.

하얏다. 그러나 或是 이것은 『짜—널리스트』의 一觀察에 지나지 안흘지도 모르는 바이다.

中國映畵의 新傾向[01]

丁來東

(上)[02]

(一)

昨年 여름에 『舊都春夢[03]』이란 中國 寫眞이 北平에 왓슬 때 北平의 日刊에 거진 날마다 『조타, 조타』하고 떠들어서 얼마나 조흔가 하고 豫定 時間보다 約 한 시간 반이나 일즉 갓더니 발서 滿員이 되엿섯다. 이와 가티 이 空行을 하고 나서는 別로 다시 갈 勇氣도 나지 안코 또 一便으로 생각하기를 그저 中國 寫眞이 좃태야 그게 그거지 하고 못 본대로 이러케 혼저 위안을 하고 오든 중 요지음에 또 新聞 電車 等에 大字 特字로 『野草閑花』라는 『國産影片』이 到平하얏다고 떠들고 나는 생각하기를 그것도 그저 그런니 하고 보지도 안코 또 한편으로는 生活이 恒常 餘裕 업게 되야서 어느 사이에 寫眞볼 情況도 업고 하야 또 밀우워 왓더니 日前에 어느 親友들이 그 寫眞을 보

01 『朝鮮日報』 1931.2.8, 2.10, 4면.

02 매회 연재분 표기로서 2회에 걸쳐 연재되었다.

03 '故都春夢'의 잘못이다. 아래도 마찬가지다.

고 와서는 如干한 西洋 寫眞보다 낫다고 稱讚을 하여 쌋코 갑싼 눈물까지 흘엿다고 하야서 期於니 이번에는 보려니 하고 하로 이틀 밀우고 온 것이 발서 二週日이 다 지내가고 北平서는 오늘이 最後日이요, 北平의 『眞光』, 『中央』 兩 活動寫眞館에서 每場 滿員의 盛況을 일우워서 合 二萬名이 觀覽을 하엿다 하고 또 映畵欄에 記事가 낫기에 이번에는 전녁을 일즉 먹고 約 두 時間 前에 나가더니 果然 자리가 잇서서 지갑을 다 훌터가지고 들어가 조금 잇자니까 또 果然 滿員이 되얏섯다. 只今부터 이 『野草閑花』라는 映畵를 본 感想 비슷한 것을 써보겟다.

(二)

中國映畵는 過去까지 그 技術이나 演員의 鍛錬이 퍽 不足하야서 幼稚하엿다고 할 수 밧게 업다. 昨年에 連쇄극으로는 『火燒紅蓮寺』라는 西遊記에서 取題한 神秘劇(?)이 잇섯고 『新西遊記』라고 鄭小秋가 演한 說敎式 長篇이 數集을 거듭하야 나왓섯다. 그러나 그들의 大部分은 縮地法한다고 사람이 팔락팔락 나라간 것이나 박아 내고 칼을 훠던저서 먼 距離에 不凶한 일이나 개한 것, 生佛이 나와서 禍福을 決定하는 것 等 神秘 不可測의 神話를 撮映化한 것이엿고 또한 種類는 新進 俳優 鄭小秋가 主演한 것인데 그의 大部分은 中國新劇이 처음 勃興할 때 新劇을 上演한 것이 아니라 革命黨人들이 壇上에 올나가서 演說을 하엿다더니 똑 그와 맛치 한가지로 亦是 三民主義를 演說하며 惡風惡俗을 打破하여야 하겟다는 敎訓的인 것이엿섯다. 그리하야 過去의 中國映畵는 조금도 中國의 現代味가 업고 現代情調, 現代意識을 볼 수 업섯든 것이엿다. 勿論 多少 例外는 잇지만은 觀客들은 그러한 中國映畵에 倦怠를 늣기고 잇다가 조곰 色다른 中國映畵 即 『舊都春夢』과 『野

草閑花』等을 보고는 一便으로는 中國 現代情調를 맛볼 兼 一便으로는 놀라웁게 進步하여 가는 中國의 物質文明을 鑑賞 驚歎하기 爲하야 衰頹하여 가는 中國 故都의 北平에서까지 이와 가티 二萬名이나 너도 나도 하고 動員이 된 것이다. 그러면 이 새傾向을 띄엿다는 『舊都春夢』과 『野草閑花』의 內容은 어떠한 것인가?

(三)

처음에 女主人公 麗蓮의 來歷을 말하기 爲하야 中國 西北部의 大旱과 兵災의 慘鬪이 나온다. 이것은 勿論 긴 場面이 아니요, 다못 그 罹災民들이 草根木皮를 서로 다투운 것이 一面 나오고 다음에는 한 女人이 幼兒를 안고 나가다가 어러서 어름우에서 우러쌋는 아들 보듬고 너머저 죽은 一面이 나오고 木匠 爸爸가 지내다가 아이의 우는 소리를 듯고 차저서 보듬고 도라가 길운 것이엿다. 이 場面은 푸로록그로서 잠간 나오고 외나 本場面인 上海가 繼續하야 나오게 된다.

처음에 나오는 上海의 場面은 東洋의 뉴욕이라고 할만한 그 繁華한 埠頭, 物質文明의 象徵인 宏大한 建築, 複雜한 市街가 나온다. 다음에는 麗蓮의 貧困한 家庭과 黃雲이라는 富豪의 家庭과의 콘트랏쓰트가 나온다.

더 問題의 發端은 黃雲의 婚姻問題로 일어나는 것인데 黃雲은 自己 父親이 定하여 노흔 女子에게 『사랑이 업서』 結婚을 못하겟다는 것이다. 黃雲은 歌劇 編作家요, 音樂 愛好者이다. 그래 집을 쫓게 나서는 一望無涯한 上海에 갈 곳이 업서 거리에서 『바요린』과 『트랑크』를 들고서 이리저리 彷徨하는 中이엿섯다. 그리다가 『꼿장사』를 하는 麗蓮과 서로 接近하게 되엿는데 麗蓮이 忽地에 卒倒한 것을 보고 黃雲은 麗蓮을 보듬고 小妹妹(木匠의 딸)의 집이엿다. 그래서 黃雲은 그 집에서 房을 한 간 빌려가지고 잇스며 小妹妹는 딴쓰를 하고 麗蓮은 歌曲을 하고 黃雲은 바요린을 끌른다. 滋味잇는 家庭이 되엿다. 그래 黃雲과 麗蓮의 사이에 사랑의 싹이 길어가고 그 一面으로는 黃雲이 編한 劇이 某劇場에서 上演하게 되는데 黃雲, 麗蓮, 小妹妹가 다 俳優가 된다. 그러자니 劇中의 劇이 된다. 그 劇은 大歡迎을 밧게 되고 어느 날 黃雲과 麗蓮은 뽀트를 타고 兩岸에 숩풀이 자욱한 곳으로 저어 올라가며 約婚을 하고 來日에 結婚한다는 報道가 新聞에 나자 黃雲의 父親은 麗蓮의 집을 차저서 一金 三千元을 주고 破婚을 식힐려고 한다.

(下)

돈은 밧지 안코 破婚은 된다. 그러자니 黃雲과 麗蓮 사이는 誤解가 생기여 麗蓮은 歡樂의 파라다이스인 땐씽홀로 가서 술 담배를 막 피우고 거의 墮落의 빗치 뵈인다. 뒤를 좃차온 黃雲은 自己 父親이 그와 가티 단여갓 것은 보고 麗蓮보고 참으로 『野草閑花』로고나 하고 一場의 風波가 잇슨 後 自己 집으로 돌아간다.

麗蓮은 다시 黃雲과 하든 劇을 하다가 過去의 追憶에 너무 激忿되여 참으로 卒倒를 하야 다시는 歌劇을 하지 못하게 목에 病이 낫다. 이 劇을 보고간 黃雲의 家族은 집에 도라가서 서로 떠드는 판에 그 집 下人 阿呆가 그 事由를 黃雲 귀에 귀띄움을 하여 준다. 黃雲은 그 길로 麗蓮을 病床에 차저가 過去를 懺悔하고 黃雲과 麗蓮 사이에 破鏡은 重圓이 되는 것이 『野草閑花』 이야기다.

(四)

이 映畵의 特色을 들자면 全部가 歐米化한 것일 것이다. 이 映畵에서 움직이는 사람은 中國사람이 아니요, 이 映畵의 背景은 中國 아닌 上海이다. 上海의 움직이는 것은 中國人이 움직이는 것이 아니요, 中國의 機械가 도라가는 것이 아니요, 映畵幕에서 움직이는 俳優의 動作의 動作이며 表情이다. 이 映畵가 歡迎밧은 것도 中國의 歐米化를 讃美한 것에 不過하다. 銀幕에서는 上海의 層집이 움직인다. 모터카가 다라난다. 빠이시클이 굴러간다. 앨렉트릭라이트가 번적인다. 스트릿카가 밀어간다. 사람은 거러 간 것이 아니라 다러 단인다. 다름질하는 俳優의 손을 내젓는 것은 조금도 中國人의 맛이 업고 웃는 女子의 눈은 西洋人의 表情이다. 이 映畵가 成功하엿다는 第一 特色을 들자면 곳 中國人의 歐米化한 것일 것이다. 나는 여긔서 歐米化하는 是非를 가리려 하지 안는다. 그러나 映畵만은 西洋사람과 가티 軀幹이 크고 活潑하고 男性的이고 어느 點까지 野獸的 蠻行이 잇서야 볼 맛이 나고 滋味스럽고 觀客의 興을 일으키는 것이 事實이다.

이 映畵의 또 한 가지 特色은 中國映畵가 토키一化하는 傾向을 뵈인 것이다. 아즉 幼稚하기는 하지만은 小兒의 哭聲이랄지 歌曲, 音樂 等은 다 發聲으로 하게 된다. 토키一에 關하야는 아즉까지 問題되는 바가 만치만은 내의 意見으로 하야서는 早晩 間에 完全히 成功을 하고야 말 것이다.

映畵에 門外漢인 筆者로 注意되는 것은 그 意圖가 充分하게 表現은 되엿다고 하드래도 모든 社會相을 콘트라스트하야 보는 點이다. 富家와 貧家, 機械工業과 手工業, 歡榮과 苦痛 等을 곳곳이 나타내는 것이 相當히 이 方面에 素養잇는 사람이 經營한 것인 것을 알겟다.

(五)

『野草閑花』의 女主人公으로 나선 阮玲玉은 銀幕에 나온 얼골은 그리 꼭 집어내여서 곱다고 할 수는 업지만은 그 안개 긴 것 가튼 눈이라든지 神經質로 뵈이는 그 곱고도 패릿한 볼이라던지가 天品으로 特色을 가젓다고 하겟스나 本來 그 眞面目은 곰보상이라고 한다. 銀幕에서 그 狀態를 보다가 그가『곰보』라고 하면 失望할 사람이 만켓지만은 이 亦是 映畫에는 本來의 美不美가 그리 相關업는 것을 證明하는 것일 것이다. 그러나 이 女主公의 貧家生活을 하는 데에 조금도 貧家의 子女가튼 印象이 업다. 全部가 貧家의 家庭이면서 室內의 裝飾이랄지 그 家具 等이 조금도 貧家를 想像하게 하지 안코 寫眞館가튼 感이 업지 안하며 全篇의 連絡이 現著하지 못한 것이 成功 中의 失敗라고 하겟다.

全篇의 스토리는 언잰가 朝鮮서 攝影한 崔南柱의 主演한『꼿장사』(나는 實地 寫眞은 보지 못하고 말만 들엇지만은)와 비슷한 點이 만타.

(六)

이 映畫가 비록 中國 情調는 不足하다고 하겟지마는 俳優의 行動이나 그 背景의 機械化한 것이나 社會相에 注目한 것이나 토-키-化한 點으로 보와서 中國映畫界에 에포크를 맨드는 것이 事實다.

中國은 政治制度, 思想, 文學 藝術 모든 것이 美國을 배울 것인가? 로서아를 배울 것인가? 하고 當路者들은 勞心을 하며 傍觀者로서 注目되는 바이지만은 特히 映畫에 限하야서는 美國化하는 것이 事實이요, 또한 美國映畫가 만히 輸入되는 만큼 그 影響을 만히 바들 것은 定하여 노흔 일일 것이다.

(끗)

그 後의 魯迅 — 丁君의 魯迅論을 보고[01]

上海에서 李慶孫

【上】[02]

丁來東君이 魯迅을 紹介함에 그 作家의 思想 及 工作을 餘地업시 說破하엿슴을 나는 感嘆한다. 如干의 硏究가 아니고야 하며 內心 中國과 조선의 文壇을 爲하야 그의 將來를 祝福하다. 그런데 君 自身도 말한 바와 가티 北方에 留함과 手中에 參考書가 文藝講座와 魯迅論集 等인 연고로 정작 魯迅의 生涯의 크라이막스인 一九二九年 以來 最近의 魯迅이 未分明한 채 紹介文이 斷切되엿슴은 君과 또한 讀者와 아울러 遺感히 역여지는 바이다. 그럼으로 나는 魯迅을 보든지 조선 文學青年들을 생각든지 그 보다 더 丁君의 硏究材料를 提供키 爲하여서라도 이 글을 草케 된다. 將次 이 글 중에 慌唐히 넘어감이 적지 안흘 것이니 그것은 나의 生活이 밧분 탓이다. 그러나 또한 書店名, 價格 等까지 一一히 摘記함은 全혀 丁君을 爲한 老姿[03]心이라 역이기 바란다. 나는 君을 아즉 對面치 못하엿스나 가튼 『文藝公論』의 同人인 듯십다.

---

01 『朝鮮日報』 1931.2.27~2.28, 4면.

02 매회 연재분 표기로서 2회에 걸쳐 연재되었다.

03 '姿'는 '婆'의 오식이다.

(君아, 한 번 上海에 놀러 오라.)

中國文壇이 左와 右로 動搖키 始作한 것은 一九二七, 一九二八年이다. 그런데 魯迅은 一九二七부터 動搖키 始作하엿스며 一九二八年까지 彷徨에 머무럿다고들 한다.(文藝講座 一三九頁) 이 判斷은 中國서 아모나 다 아느니만치 郭沫若의 論도 틀림업다.(이 講義錄은 國民政府가 一九三〇年度 左派物 發行 禁止의 第一着이엿든 點으로 有名하다.)

一九二九年도 中國文壇은 搖亂하엿섯다. 『奔流』가 第四期에 停頓되고 『創造月刊』은 第一期에 被禁되고 『海風週報』의 被停, 『新流月報』 被禁, 『太陽月刊』의 右로 向한 反轉 等이 그것이다.(現代書局 刊 文藝評倫集, 一元)

이 中에 魯迅은 創作이 업섯다. 엇지하야 創作品이 업섯느냐 又는 郭君의 말한 바 一九二八年의 延長인지도 알 수 업다.

그러나 一九二九의 年末과 一九三〇年 年頭서부터 魯迅은 左派에 土臺하야 高喊첫다. 이 時節은 政治的으로 現 國民黨이 危機어이엿스니만치 魯迅은 機會도 妙하게 잡어스나 또한 이것은 生命을 내노코 나선 일이다.

이해 十二月 三日 南京의 防衛가 가장 薄弱하엿슬 臨時, 南京 바로 近傍에서 灰色軍 石友三이 兵變을 이르켯다. 이 때에 反蔣輩의 形勢는 絕頂에 達하엿고 消極的이나마 閻錫山도 改造派를 支持하엿스며 舊軍閥 全部가 들띄어 擾亂하게 되니 一時는 南京, 上海의 鐵道가 不通하엿스며 世間의 傳하는 바는 二三日, 二三日! 하엿슬 때이다.

이 臨時에 魯迅은 『自由同盟』을 組織하엿스며 勿論 그가 大將格이엿다. (지금은 모다 監獄에 혹은 死刑을 밧덧거니와) 누구나 그를 半政客으로 認定하느니만치 그의 決心이 엇더하엿기에 이 가티 惡이난 怒□ 압헤 이 烽火를 드럿스랴.

이를 第一聲으로 하야 左翼文人의 同盟, 左翼演劇의 同盟, 左翼美術의 同盟 等이 나온 것이며 그것이 全部 一九三〇年의 事實이고 이를 꼬드긴 사람은 魯迅 그이라고도 할 수 잇는 것이다.

(左作家 誕生宣言, 一九三〇年 二月 十六日. 雜誌 大衆文藝 第二卷 第四期, 現代書局),
(左劇 誕生宣言, 一九三〇年 三月 十九日. 雜誌 大衆文藝 新興文學專號 上卷. 以上 七角),
(左美 誕生宣言, 一九三〇年 二月. 雜誌 拓荒者 三期, 現代書局. 三角 五分).

左翼作家聯盟에도 그는 三人 主席 中에 第一人者엿섯다. 그 후 지금까지 滿一年 그는 용하게 잡히지 안헛다. 그러나 魯迅은 只今 내가 이 글을 쓰는 一週日 前 二月 三日에 共同租界 秘密宿所가 發見되여 被逮되엿다.

그러나 左에 슨 후 일년 동안에도 그는 創作이 업섯다. 前日 그는 巨大한 作品으로 封建을 反逆하야 高喊치엿스나 이제는 다시 第四階級을 爲한 代辯을 工夫하엿다. 實際 事業도 그로 하야금 創作을 식히지 안헛겟지만 時間이 잇는대로 그는 工夫하엿다. 그 사이 隨筆은 만헛섯다.

(光華書局 發行, 雜誌 萌芽 合本. 二冊 二元.)

【下】

그러나 일 년 동안 外國의 左翼作家들의 表篇 創作을 飜譯도 하고 잇섯스니 이는 確實히 工夫하엿다고 일흠 부처 줌이 조타.(萠芽 第一卷서부터 『潰滅』)

一二年까지도 左翼 銳兵들에게 反感이 깁헛드니만치 作家聯盟에서 조흔 鬪士라고 미덧는지 左右間 『老將老將』하고 조와들 하엿슴은 事實인 듯하며 또한 北京서의 實際 運動의 歷史가 一般에게 記憶 잇스니만치 그의 五十年

生日에는 文壇 全體가 宴席에 느러 안저 주엇다.

그에게는 四五萬의 財產이 잇슬 것이며 傳하는 바에 依하면 某書局의 版權 裁判과에도 몃 萬元 바드리라 하엿다. 그는 文藝青年을 指導하고 사랑함이 有名하야 無名人의 原稿는 그에게 몰리며 또한 『담배갑 업거든 魯迅을 차저가라. 돈 十圓은 주리라』는 말이 流行된다고들 한다. 單語의 日語가 能하고 一九三〇年度 편지 受函이 日本書店 『內山』에 질려 잇섯다 한다.

前妻와는 定確한 離婚을 하엿스며 새 안해는 門下生이든 某인데 졂다. 魯迅의 秘書와 筆記의 役은 그의 안해가 하며 그러나 前妻에게도 年에 五百元 假令은 生活費로 시골에 보내니 이는 版稅에서 나오는 돈임은 勿論이다.

그는 붓으로 버는 額이 原稿 一枚에 八九 或은 十元 假令이요, 一九二〇年 後半期부터 米國 뉴욕에서 米婦人 新聞記者 某와 某 中國留學生의 合力으로 그의 隨筆까지 一一히 飜譯되여 米 天地에 퍼진다.

그가 左翼을 爲하야 일함이 滿一年. 그 간(一九三〇年 十月) 政府는 그의 목에 三千元을 걸고 잡기를 힘썻다는 所聞까지 잇섯스나 共同租界의 繁華함은 그를 隱身식혀 일년을 無事히 넘겨 주엇다. 드대여 一九三一年 二月 三日에 創作家 『柔石』과 함께 그의 집에서 被捉되니 그는 自由大同盟을 宣言한 날자를 손곱아 보아 感慨無量한 바이 잇섯스리라. 그는 지금 軍司令部 監獄에 들게 된지 一週日이다.

그에게 새로운 創作이 업섯지만 一九三〇年 一年에 中國 藝術界에는 每日이다십히 會가 잇섯스니만치 그의 實際行動이 그로 하여금 붓들 사이 업게 함으로 認定할 수도 잇는 것이다. 雜誌 『萠芽』는 一九三〇年 夏節까지 그의 主幹코 잇든 바이다. 그 中에 壯觀이 五月號임은 勿論이다. 그의 寫眞과 그의 來歷은 『魯迅論集』에 잇다.

한 三週日 前에는 書店 네 곳에서 주인이 檢束 되엿다고 新聞에 報道되엿스니만치 우에 列擧한 雜誌들을 파는지 엇전지 몰으며 또한 그 中에는 郵便局이 押收하는――(中國은 文藝誌도 그러한 모양이다)――것도 잇겟지만 이 글 中에 나오는 書店은 全部 上海 英租界 四馬路라 하면 틀림업다. 모든 書店이 그 곳에 잇는 까닭이다. 그리고 冊 注文에 參考삼아 말하거니와 時勢는 日貨의 切半이다. 六半이면 三十錢이다. 끗흐로 兼하야 말할 것은 前의 白華君이 張資平, 郁達夫, 沫若 等의 創造派 三人 時節을 들어서 現中國 文藝界을 指導하느니 云云하고 東亞日報에 發表하엿스나 그것은 큰 失手임을 말하여 둔다.

資平, 達夫, 沫若, 魯迅 等은 옛사람들이요, 그 中 沫若, 魯迅만이 再生하엿스나 그보다도 新人으로 文壇을 움직이고 잇는 이가 더 만흠을 一般 中國文學 硏究人께 일러둔다.

(끗)

上海映畵『楊[01]子江』이와[02]

기자

今月 二十五日 京城에 上映.

상해서 도라온 양자강(楊子江)을 촬영한 캐메라맨 한창섭(韓昌燮)씨가 본사를 방문하엿는데 씨의 말을 드르면 금월 이십오일에 양자강(楊子江)이 서울에 도착되리라는데 중국에서도 호평이엿다 한다.

---

01 '揚'의 오식이다. 아래도 마찬가지다.

02 朝鮮日報』 1931.3.12, 5면.

現代 中國 戱劇[01]

丁來東

(一)[02]

一. 머리말

現代 中國 戱劇은 東洋 其他 各國과 가티 新舊 兩派로 난우워저 잇고 新劇은 舊劇에 比하면 아즉도 微弱하기 짝이 업다. 中國의 舊劇이라면 昨年 末에 米國에서 大歡迎을 밧고 도라온 梅蘭芳이랄지 其他 辛艶秋, 荀慧生, 徐碧雲 等이 演唱하는 劇 即 다시 말하자면 元明淸 歷代를 거처서 傳하야 온 劇이오, 新劇이라면 우리나라 新派 演劇과 가티 數十年 來 歐洲, 日本의 影響을 바다 發生한 劇을 말한 것이다. 이 兩派의 民衆과 接觸하는 機會랄지 程度를 본다면 아즉까지도 舊劇이 優勢를 占하고 잇다. 舊劇은 한 都市에 數十座의 劇場을 가지고 잇스나 新劇은 아즉까지 全 中國을 처노코 常設舘 한 개도 변변한 것이 업고 各 劇社나 或은 學校劇團體가 間或 演出하는 데 不過하다.

그러나 數年來에 文壇에 劇이 한 流行거리가 되어서 專門 戱曲을 실는

---

01 『東亞日報』 1931.3.31~4.1, 4.3~4.5, 4.7~4.12, 4.14, 4면.

02 매회 연재분 표기로서 12회에 걸쳐 연재되었다.

月刋 雜誌도 數種이 出版되게 되고 劇作家도 叢出하게 되엇스며 南北 日刋紙 上에도 戱劇欄을 두게 되고 最近에 江蘇省 黨部 宣傳部에서는『江蘇民衆劇社』를 組織하야 劇으로 民衆을 覺醒할려 하고 山東 泰安에는『大同劇社』(後에 實驗劇場으로 改名)가 생기게 되고 今夏부터 北京에는『戱劇專修學校』가 設立되게 되는 等 그 發展은 말할 수 업시 迅速하야지는 中이다.

筆者가 여긔서 쓰려 하는 現代 中國 戱劇은 이와 가티 새로 發展하야 가는 戱劇만이다. 中國 新劇은 우에 말함과 가티 歐洲, 日本의 影響을 바든 만큼 至今까지의 成績으로만 본다면 입센의 影響이 大部分이오, 그 外에 쇠—랄거, 안데렙후의 及 其他 劇家의 影響도 적다고 볼 수는 업다. 그럼으로 中國 新劇이 初創 時代에 不過하기는 하나 그 內容의 各異 各色인 것으로 보면 决코 單純한 한 思想의 影響이라든지 一個 名家의 影響이라고 볼 수는 업다. 이 新劇을 主張하면서도 中國 舊劇과 調和를 하야서 獨特한 中國 國劇을 세우자는 派도 잇고 營利를 主眼으로 하는 舊劇團에서는『新劇 舊唱』이라고 畸形的 戱劇을 演出하는 劇團도 나게 되엇다. 全中國 新劇의 歷史로 본다면 日本보다 훨신 短縮하나 그 複雜한 것으로 보아서는 조금도 遜色이 업고 그 技術이나 戱曲의 內容으로 본다면 아즉 萌芽期에 잇다고 아니할 수 업다.

歌舞劇 即 오페라는 學校의 遊藝會 時에 小學生들이 簡單한 歌舞를 하는 外에는 오페라를 볼 수가 업섯는데 數月 前에 南方에서 온 歌劇家 黎錦暉의 領導한『明月歌劇社』가 北京에서는 大歡迎을 밧고 今明日 間에 開明戱院을 빌어서 該氏의 作『葡萄仙子』,『月明之夜』,『最後的勝利』,『百花仙子』,『新婚之夜』 等을 表演한다 한다.

이러한 모든 現象으로 보아서 中國 新劇은 一步一步 發展할 뿐이오, 조금도 衰頹의 兆는 보이지 안는다. 或 不遠한 將來에는 新舊劇의 地位가 박구일지도 알 수 업슬 것이다.

劇의 內容으로 본다면 即 그 思想을 본다면 中國의 社會現狀을 如實하게 暴露, 解剖하야서 正當한 社會를 建設하자는 意圖가 現著히 나타난다. 곳 다시 말하자면 男女平等의 問題, 女子의 無職業으로 因하야 發生하는 罪惡, 不合理한 家庭制度로 因하야 發生하는 慘狀 即 姦淫, 亂婚 等의 問題가 大部分의 劇材가 되고 一部分의 劇은 中國革命의 失敗 及 革命의 慘狀을 主材로 하고 一部는 民衆의 强權에 對한 反抗運動을 그 內容으로 하야 中國의 나갈 길을 指示하고 잇다.

以上 모든 點으로 보아서 中國 新劇이 歷代의 舊劇과 가티 特殊하게 發展을 할지도 아즉은 알 수 업는 일이다. 一般的으로 中國人을 觀察하여 본다면 劇에 對하야 特別한 趣味를 가지고 잇스며 劇에 對한 技術이 一般的으로 顯著하게 잇는 것을 發見할 수 잇다. 何如間 中國 新劇은 前途가 洋洋하야 發展性이 만타.

(二)

二.『文明新戱』의 起原

『文明新戱』 或은 『文明戱』라고 하면 舊劇과 新劇의 中間期에서 新劇의 役割을 한 것으로 볼 수 잇다. 우리나라로 말하자면 過去 十年 前後에 戱劇의 意义를 잘 理解치 못한 사람들이 『이것은 新派 演劇이올시다』하고 開幕前에 一篇 說明을 하고 그 新派 演劇이라는 것은 日本의 新劇을 複寫한 『리수일과 심순애』 等의 種類와 가티 中國의 『文明戱』라는 것도 그러한 것으로 볼 수 잇다. 滿淸 末에 中國의 革命的 氣分은 漸漸 濃厚하야지고 一般 覺悟한 民衆은 새 것을 要求할 때에 日本에 在留하든 靑年志士들이 『春柳社』라는 劇社를 日本서 組織하야 가지고 上海로 건너왓다 한다. 이것이 『文明戲』의 起原인데 그 當時에는 藝術을 理解하지 못한 사람들의 모음이엇스나 그들의 目的은 顯然하게 잇섯섯다. 곳 이 『文明戲』란 것을 빌려 가지고는 移風易俗을 하려고 한 것이라 한다. 그럼으로 當時 革命黨人들이 舞臺에 올라가서 戲劇式 演說을 한 일이 만타고 한다. 當時에 이 春柳社가 퍽 만흔 努力을 하엿스나 元來 戲劇의 根本意义를 알지 못하엿습으로 그 努力이 別로 効果를 엇지 못하고 漸漸 墮落을 하여서 只今은 上海 等地의 戲園子 內의 新戲로 變하야 娼妓, 蕩妾의 노름거리로 밧게 되지 안하엿다 한다.

『文明戲』의 劇本은 現在의 劇本과 가티 完全한 것이 아니엿고 『幕表制』라고 하여서 劇內容의 大綱만 쓰고 幕만 區分을 하고 甚至於 幕도 區分을 하지 안하야서 演할 때마다 다시 만들고 劇의 對話랄지 態度는 一定한 것이 업고 大概만 알아 가지고는 舞臺 우에서 自己로서 만들어서 한 것이 적지 안하엿다 한다.

『文明戲』의 目的이 風俗을 改良하고 民衆을 警醒함에 잇는 만큼 그의 劇本의 取材도 이러한 種類의 것임은 더 말할 것도 업다. 例를 二三 들면 如左하다.

『社會鍾』, 『安重根』, 『英雄南[03]美人』, 『亡國恨』, 『明末遺恨』(民族革命을 宣傳한 것).

『新茶花』(愛國心을 鼓吹한 것).

『黑藉寃魂』(阿片의 罪惡을 暴露한 것).

이와 가티 社會를 改良하고 民衆을 喚醒하는 것이 그의 公同 趨勢이나 그러나 이것은 업센과 뻐나드·쇠 等의 影響을 밧기 前이라 하며 社會問題劇이

---

03 陳大悲의 작품(1920)으로서 '南'은 '與'의 오기다.

中國에 紹介된 것은 『文明戲』 發源期의 훨석 뒤의 일이라 한다.

現在 新劇의 立場으로 보면 『文明戲』는 戲劇의 本意를 몰으는 運動이엿고 다못 感覺을 刺戟하고 宣傳의 意味를 띈 教訓에 不過하고 趣味의 創造에 不過하다고 하겟스나 現在 新劇의 基礎는 確實히 이 文明戲에서부터 잡힌 것으로 보지 안할 수 업다. 新劇壇에서 初創者로 屈指할만하고 文壇에서 新文學을 提唱한 胡適과 가티 劇壇에서 新劇을 提唱하고 舊劇에 反抗을 한 陳大悲도 『文明戲』 中 한 分子이엿섯든 것도 記憶하여야 할 일이다.

말하자면 『文明戲』는 新劇과 舊劇 새이에 過渡의 橋梁과 가티 볼 수가 잇다. 그와 가튼 重大한 任務를 實行하고도 今日에 와서는 舊劇보다 더 甚한 墮落을 하고 만 것은 中國 新劇의 發展上 一大 恨事로 보지 안할 수 업다.

(三)

三. 新劇의 勃興

中國에 戲劇이 輸入된 것은 三十餘年이 되고 最初에 劇本을 翻譯하야 中國에 紹介하기는 梁啓超와 馬君武라 하는데 그 譯本이 文言일 뿐만 아니라 大概 此等 劇本은 一般의 注意를 끌지 못하얏다 한다. 그 後 民國 十年을 前后하야 雜誌 『新靑年』의 諸人과 陳大悲 等 諸人이 猛烈히 舊劇을 攻擊하고 新劇을 提唱하얏스며 陳大悲의 大功績은 當時에 各 新聞 雜誌社에 文字를 發表한 外, 主로 晨報 學藝欄을 利用한 것이엇다. 當時의 鬪士로는 陳獨秀, 錢同玄[04], 周作人 等이엇섯다. 이와 同時에 新中華戲劇協社에서는 『戲劇』이라

04 '錢玄同'의 잘못이다.

는 月刊誌를 發刊하얏스나 不過 二卷을 내고는 停刊이 되엇다. 그러나 그들의 態度는 퍽 勇敢하야 妥協하는 것을 깃거하지 안코 決然히 나어갓스나 結局 그 根據가 薄弱하고 觀察이 銳敏하지 못하야서 失敗로 돌아가고 말엇다.

民國 十一年 十二年 間에 北京에 『人藝戱劇專門學校』가 『世界語專門學校』와 가티 當時 異彩를 띄고 設立되엇섯다. 이 學校는 陳大悲와 蒲伯英이 設立하얏스나 內部의 紛亂으로 因하야 分裂되고 말엇섯다.

이 外에 當時 『新靑年』誌에 입센의 劇本을 紹介한 것은 胡適, 熊佛西, 侯曜 等 諸氏엿다. 그들 中에 熊佛西, 侯曜는 至今까지 戱劇에 獻身을 하고 잇지마는 胡適은 그 后 別로 戱劇에 關하야는 參與하지 안하얏다. 熊佛西氏는 後面에 言及할 機會가 잇겟기에 詳細한 것은 約하나 侯曜氏는 或 機會가 업슬지도 알지 못하야 數言으로 紹介하려 한다. 입센劇을 紹介한 諸氏는 擧皆 社會問題劇 作家로 볼 수 잇다. 그 中 一人으로 侯曜氏는 우리나라 三一運動을 題材로 한 『山河淚』라는 劇本을 짓고 南方에서 上演까지 하야 一般 民衆에게 大歡迎을 바덧다 한다. 朝鮮問題를 題材로 한 것만 보드라도 그가 어느 方面에 趣味를 가지고 잇는지를 알 수가 잇다.

新劇이 勃興할 때에는 以上과 如한 情況이엇섯고 그 後 五六年 間은 別로 大發展이 업섯스나 最近 二三年 間은 劇壇이 一時의 文壇中心이 되다십히 大盛況을 일우고 잇다.

民國 十年 左右로부터 五六年 間에는 나른 傾向을 가진 作家들도 나고 딸하서 만흔 派別이 생기게 되엇다. 郭沫若은 創造社의 健將으로 詩, 小說, 劇을 다 짓는데 郭氏는 本來 浪漫的 傾向이 濃厚하야서 至今에 와서 맑쓰主義者라고 하고 프로文學을 主張하기는 하나 그 作品은 小說, 詩, 劇을 말할 것 업시 感傷的이다. 더욱이 劇 方面에 잇서서는 感傷的이요, 敎訓的이다. 이 種類의 劇作家로는 郁達夫, 田漢, 白薇女士를 들 수가 잇스나 近來에 와

서는 郁達夫는 全然히 劇을 쓰지 안코 田漢과 白薇女士는 多少 作風이 달라젓다고 볼 수 잇다.

新劇作家로 比較的 成功을 한 사람은 丁西林인데 그 劇本은 時代의 最尖端을 表現하고 比較的 才幹이 나타나나 卑劣한 趣味로 흘러가는 傾向이 잇다고 한다. 그의 作品『一隻馬蜂』은 日本서 發行하는 世界戱曲全集에 日譯되어 잇다. 이 勃興期에 新進으로는 余上沅, 趙太侔엿섯는데 이 二人은 劇作家로서보다 評家로서 學究的 態度엿섯스며 話劇과 社會問題劇을 攻擊하고 中國 固有한 舊劇을 崇尙하야 現在에 와서는 余上沅은 大學 敎師로서 純全한 學者的 立場에서 研究를 하며 趙太侔는 泰安에서 만흔 資本을 가지고 活動한다 한다. 이 舊劇運動을 所謂『國劇運動』이라 한다.

이에 反하야 完全히 舊劇을 否認하고 일어슨 一派가 잇다. 이것은 筆者가 此稿를 起草하면서 만흔 參考의 便宜를 준『中國戱劇概評』의 作者 向培良 一派이다. 그는 舊劇을 評하면서『舊劇 이러한 物件은 性을 侮弄하고 殘酷을 賞玩하고 卑劣, 淺薄, 誇張의 趣味를 創造하는 데 不過하야서……民族의 卑劣한 精神의 表現이다.』[05] 이와 가티 舊劇을 全部 不承認하고 中國의 戱劇은 新劇으로 새 出發을 하여야겟다고 主張하며 努力하고 잇다.

民國 十年 左右하야 勃興한 中國 新劇은 過去 七八年 間 即 民國 十六七年까지에 以上 略述한 情形으로 發展을 하야왓고 그 各 作家의 傾向도 大概는 以上과 갓거니와 最近 二三年 間에는 中國의 社會環境이 變함에 따라 劇方面에도 大變動이 일어낫다고 볼 수 잇다.

---

05 向培良,『中國戱劇概評』, 上海泰東圖書局, 1929, 7~15면.

(四)

四. 中國 現代社會的 變遷과 中國 現代戲劇의 關係

中國은 阿片戰爭 以後로 屢次의 戰爭에 失敗를 한 後, 國際的 地位에 大變動이 생기고 漢族이 世界의 主人公이라는 偏狹한 自尊心에 大打擊을 바닷슬 뿐만 아니라 歐洲 文明이 現代에 잇서서 確實히 中國의 그것보다 낫다는 것을 自覺하게 되엿다. 더군다나 刺戟을 바든 것은 一 島國이라고 蔑視하든 日本이 急速히 西洋의 文明을 注入하야 一 强國으로 突進한 것이엿다.

이에 中國에서도 歐洲의 文明을 輸入하기 爲하야 留學生이 多數히 歐米日 等으로 가게 되고 그러는 中에 中國內에서도 政治上 革命이 일어나고 一般 社會의 道德, 習慣, 風俗에 만흔 變遷이 일어나게 되엿다. 딸하서 一般의 注重하는 觀念에 變動이 생기고 모든 觀察하는 方法이 달라지고 思考하는 方式이 變하야젓다. 곳 다시 말하자면 文學, 哲學, 敎育, 政治, 經濟 等 모든 思潮가 一變하야젓다.

風俗, 習慣, 道德의 觀念이 變하면서 일어나는 問題는 家庭問題, 性의 問題 等이오, 政治, 經濟의 組織과 思潮가 變하면서 일어나는 問題는 國家, 社會에 對한 觀念의 變遷問題이면서 結局은 革命問題까지 일으키게 되엇다. 中國 二三十年 間의 過去를 回顧하야 본다면 外部로는 列强의 帝國主義, 資本主義의 壓迫과 侵略으로 因하야 民衆이 밧는 苦痛, 煩悶, 憤怒, 侮辱 等이오, 內部로 일어나는 問題는 新思想의 注入으로 因하야 일어나는 家族 間의 親疎 變遷, 夫婦 間의 問題, 父子 兄弟 間에 關하야 觀念의 變遷, 男女平等問題로 일어나는 葛藤 等이여서 一一히 列擧할 수 업다.

戲劇이 人間의 生活을 指示하며 人生의 鬪爭을 表現한 것이라면 中國 現代에 잇서서 가장 偉大한 戲劇이 나타날 것이다. 中國 現社會의 日常 目接한 것은 生活의 變遷이요, 對內 對外로 不斷한 鬪爭을 하는 現象이요, 各地 各方에서 일어나는 것은 戰爭과 革命과 土匪와 馬賊이니까.

中國의 戱劇을 分類하야 볼 때에 여러 가지 派別이 만치마는 그 한 가지를 치고 中國의 現象에 떠러저서 表現되는 戱劇을 볼 수가 업다. 그들이(戱劇作家)이 取扱하는 問題는 女子解放問題, 男女平等問題, 家庭問題, 性問題, 革命問題, 國家 社會에 關한 思想問題, 土匪 馬賊에 關한 問題, 戰爭의 慘狀, 英雄偉人問題, 平民問題, 貧富의 問題 等等이다. 이런 것이 다 中國의 現狀이 아니고 무엇인가?

以下에 項을 달리하야 戱劇上의 問題된 問題를 紹介 討論하고 筆者의 觀點에 依하야 新劇의 諸 傾向 或은 派別을 말하고 最後에 中國劇壇의 一般的 趨勢를 쓸려 한다.

(五)

五. 國劇運動

『國劇運動』이라면 戱劇 內部의 問題일 뿐만 아니라 新劇을 承認하지 안차는 사람, 中國 舊劇 改良論者 及 新劇 承認論者들의 問題임으로 中國에 新劇運動史上에 한 重大한 問題로 볼 수 잇다.

『國劇運動』이 처음 일어나기는 國立藝術專門學校에서 戱劇科를 設하면서부터이라고 한다. 그 科의 처음 主任은 趙太侔氏인데 該氏가 中國 舊劇을 改良하야 中國 固有한 戱劇을 만들잔데서 이 所謂 『國劇運動』이란 것이 始作되엇다. 趙太侔氏는 當時에 該系의 主任으로 잇고 一方으로 余上沅氏 等 敎授들이 北平 『晨報』(日刊新聞) 副刊에 『劇刊』을 編輯하야 『國劇運動』을 宣

傳하고 討論하얏든 것이다. 至今 筆者의 手中에 잇는 것은 該『劇刊』에 發表하얏든 것을 余上沅氏가 編輯하야 單行本으로 만든 것이다. 그 討論에 參加한 사람을 본다면 徐志靡, 趙太侔, 梁實秋, 熊佛西, 聞一多, 余上沅, 鄧以蟄, 楊振聲, 西瀅 等 다 大學 講師들이다.

이 運動은 新劇이 不振함으로 戲劇을 振興시키자는 理由와 그 反面으로 新劇이 勃興하면서 舊劇을 餘地업시 攻擊한 反動으로 볼 수 잇다. 恰似 우리나라에서 新詩가 不振할 때에 固有한 詩形을 찻는다고 詩調를 復興하려는 것과 마찬가지로.

一面으로 內部의 理由를 본다면 中國 것은 西洋 것에 지지 안는다는 自尊心에서도 난 것이엿다. 東洋의 文明은 精神文明이요, 西洋文明은 物質文明이다. 딸하서 西洋藝術은『寫實을』主重하고 東洋藝術은『寫意』를 主重한다. 그런데 結局 말하자면 東洋藝術이 西洋藝術에 조금도 遜色이 업다. 곳 中國藝術이 世界의 어는 나라 藝術보다 낫슬지언정 못하든 안타는 觀念에서 나온 것임으로 舊劇 反對論者 向培良氏는 이 派의 論者를 國家主義者라고 한다.

이 運動에 問題되는 것은 趙太侔氏의『國劇』[06]이라는 題下의 論文인대 그 論文의 大意는 이러하다.

『藝術에는 民族性과 同時에 世界性이 잇다. 人類가 個性이 잇는 同時에 通性이 잇는 것과 가티』. 이『民族性』과『世界性』이 잇다는데서 中國 舊劇이 中國 民族性을 代表한다는 것을 暗示하면서 東西方의 藝術을 比較하야

([07]……西方의 藝術은 寫實을 偏重하야 人生을 直描함으로 容

---

06 趙太侔·余上沅,『國劇』, 新月書店, 1927.

07 ‘『’의 잘못이다.

易하게 隨時로 變化하나 超脫한 格調를 엇기가 어렵다. 그의 極弊는 現實이 잇고 藝術이 업는 것이다. 東方의 藝術은 形意를 注重하야서 義法이 甚嚴함으로 容易하게 前規를 泥守하고 因襲不變하기가 쉽다. 그러나 藝術의 成分은 도리혀 顯著하다. 그러나 模擬가 오래되면 그 結果 生活을 脫却하야 藝術의 死殼만 남게 된다. 中國 現在의 戲劇은 이러한 곳에 일으럿다. 現在 藝術의 世界는 反寫實運動이 瀰漫한 때다. 西方의 藝術家는 正히 自然의 桎梏을 解脫할려 致死 努力 中이여서 四面八方으로 救兵을 求한다. 中國의 繪畵는 確實히 그들에게 한 힘을 주엇다. 戲劇 方面에도 그들은 눈을 씻고 東方을 바라본 後에는 얼마나한 助力을 엇지 못하고 퍽 失望하엿다.
一方面으로는 了解上 困難으로 因함이요, 一方面으로 中國 戲劇의 暗示가 中國 繪畵의 地位에 達하지 못한 까닭이엿다. 또 한 가지는 戲劇의 反自然運動은 比較的 어는 藝術보다 困難하다. 그의 內容은 人生이요, 表現하는 媒介는 人體요, 言語 動作은 사람의 動作임으로 人生과 너무 直接이여서 超脫하기가 퍽 困難하다.』

이것이 이 論文의 要點이요, 이 後에는 中國 舊劇의 改良할 곳을 몃 들고 最後에 가서는 舊劇을 保存한다고 話劇을 拒絕하지 안한단 말을 하얏스며 國際上 相通하는 技術은 最高의 것을 採할 것이며 輸入할 것이나 만흔 것은 獨創하지 안하면 안될 것이요, 또한 獨創的인 것이 곳 最基本이라고 하고 이 論文을 매젓다. 舊劇 中에 改良할 것이란 것은 音樂, 劇本, 動作의 程式化(Convention aliZation) 等이라고 하얏다. 이 運動을 極力 反對한 사람으로는 筆

者의 아는 限에서는 上記한 向培良이라고 볼 수 잇다. 그의 反對 理由를 詳細히 記述할 수는 업스나 그의 『中國戱劇槪評』 中 『論國劇運動』이라는 項에 보면 舊劇은 조금도 改良할 餘地가 업고 舊劇은 本來 貴族에게서 產生하고 貴族에게서 完成한 것이요, 舊劇 成立의 根據는 卑劣한 慾望의 刺激과 性의 侮弄을 引起한 것이며 傷害 殘酷의 侮弄이라고 攻擊하고 特히 性의 侮弄이란 것을 力說하엿다. 中國 舊劇은 女俳優가 업고 男子가 代身함으로 淸末 民初 或은 現在까지도 朝鮮의 『남사당』과 相似點이 만타. 培良의 性의 侮弄이란 것도 正히 이것을 말한 것 갓다.

이 『國劇運動』者로는 擧皆 論客이 만코 實地에 劇本을 짓는 사람은 곳 國家主義者로서는 前의 顧一樵氏를 除하고는 퍽 적다. 그 中에도 趙太侔氏, 余上沅氏를 劇作家로 보겟는데 余氏는 近來 와서는 北京大學 及 藝術學院 等에서 劇을 敎授한데 不過하고 最近에 劇本으로 發表된 것은 現北平國立藝術學院 戱劇系 主任이[08] 熊佛西氏가 編輯한 『戱劇과 文藝』誌에 發表하든 飜譯品 『可嘉的克來[09]敦』(“The Admirable Crichton” Barrie) 뿐이요, 今番에 梅蘭芳이 美國에 가서 舊劇을 上演할 때에는 此派의 사람과 何等의 關係가 업는 것 갓다. 熊佛西의 『一片愛國心』이란 劇도 말하자면 이 類에 屬하겟다. 이 運動은 一時의 討論, 論戰에 긋첫슬 뿐이오, 實地에 잇서서는 何等의 成績을 볼 수가 업다. 이 一派로 看做하는 熊佛西氏는 劇本은 짓고 또한 藝術學院에 각금 自作을 그 學生들에게 實演은 하나 多少 傾向이 다르다고 볼 수 잇다. 佛西氏는 다음에 論할 機會가 잇겟기에 此項 內에서는 約한다.

---

08 ‘이’는 ‘인’의 오기다.

09 ‘來’는 ‘萊’의 오식이다.

(六)

六. 『愛美的戱劇』運動

『愛美的戱劇』이라면 異常한 늣김이 나나 『愛美的』 三字가 무슨 意味가 잇는 것이 아니요, 佛文의 amateur를 翻譯한 것이라 한다. 곳 다시 말하자면 職業的으로 하는 戱劇이 아니오, 戱劇을 사랑하야서 한다는 것이다. 日本서 普通 쓰는 『素人劇』과 同義라고 한다.

이 運動을 意識的으로 提唱하기는 『文明新戱』가 本來는 『愛美的戱劇』이엿섯는데 舊社會의 種種 惡勢力의 壓迫으로 因하야 漸漸 職業的으로 變한 以後로부터다. 『文明新戱』의 墮落은 職業的으 되면서부터 始作되엿다. 여긔서 陳大悲氏 等 諸人이 이 『愛美的戱劇』을 提唱하얏스며 또한 各學校 學生 中에 戱劇을 사랑하는 分子가 自發的으로 劇社를 組織하야 機會 잇는대로 劇을 演하게 되어서 自然이 『愛美的戱劇』은 發展을 하야 왓다. 北京서는 民國 十年, 十一年, 十二年이 이 運動의 全盛 時期엿섯다. 至今의 現狀으로 보아서는 新劇은(文明新戱를 除하고) 全 中國을 치고 常設舘이 업스며 專혀 이 『愛美的戱劇』에 依하야 繼續되어 왓고 또한 發達하야 왓다.

이 運動은 一人 一派의 主張으로 發展되엿다는 것보다 自然히 今日과 가티 進展되엇다고 보는 것이 妥當하겟다. 現在 北平藝術學院 戱劇系 學生으로 組織된 劇社랄지, 上海에서 田漢이 主幹하는 『南國社』랄지, 高長虹, 向培良이 하는 『狂飈[10]社』의 劇團이랄지 廣東에 歐陽豫[11]倩, 胡春氷 等이 하는 『廣東戱劇研究所』 等 各學校의 劇團은 一般的 意味로 보아서 『愛美的戱劇』

---

10 '飈'는 '飇'의 오식이다.

11 '豫'는 '予'의 잘못이다.

이다. 現今 筆者의 手中에 잇는 書籍으로는 陳大悲가 編한 『愛美的戲劇』[12]인데 이 冊은 一般社會, 學校 學生들의 愛劇家의 請으로 編輯한 것이라 한다.

이 書籍 即 『愛美的戲劇』 中의 『愛美的戲劇研究의 必要』에서 數絕를 譯述하야 民國 十年 左右의 中國 戲劇界의 大槪를 窺知케 하며 中國에 잇서서 何故로 더군다나 『愛美的戲劇』을 研究할 必要를 늣기는가를 究明한 것으로써 此章을 매질려 한다. 勿論 이 冊은 民國 十一年의 出版된 것이요, 『國劇運動』은 民國 十五年에 開始된 것임으로 時日의 順序로 본다면 『愛美的戲劇』 運動이 먼저인 것을 말하여 둔다.

그는 『愛美的戲劇』이 歐米에서 存在 發達을 말하면서

> 『最近 歐米의 戲劇運動은 大槪 職業的 戲劇과 愛美的 戲劇이 同時에 並行한다. 그네들의 職業的 戲劇과 愛美的 戲劇은 가티 다 文學上 價値 잇는 劇本을 表演하며 가티 다 舞臺上의 藝術을 注重하고 다 가티 사람의 精神을 安慰하고 精神을 向上시키는 作用을 가지고 잇서서 根本上 別 무슨 區別이 업다. 그 不同한 것은 組織分子에 근칠 뿐이요, 戲劇을 職業으로 하는 것과 하지 안한 것 뿐이다.』

이와 가티 歐米의 職業的 戲劇과 愛美的 戲劇을 말하고 中國의 情形은 이와 가티 말하엿다.

> 「……『現代 戲劇의 意味』로 본다면 中國 一切 種種 職業의 戲

12 陳大悲, 『愛美的戲劇』, 上海書店, 1922.

劇은 다 『非戲劇』이라고 할 수 잇고 또한 中國에는 戲劇이 업다고 할 수도 잇다.」

「歐米 各國은 퍽 發達 進步한 職業的 戲劇이 잇서도 그들은 오히려 愛美的 戲劇을 提唱할 必要를 承認하는데 中國 現在와 가티 非戲劇, 無戲劇의 狀態에 빠지고 職業的 戲劇은 絕對로 進化할 希望이 업는데 야[13] 愛美的 戲劇이 다른 사람들보다 더 緊急한 것은 더욱 明白한 일이다. 나는 決코 將來 改良進步한 後에도 職業的 戲劇이 잇서서 못쓰겟다는 것을 主張하지 안하며 亦是 何時에든지 一切 職業的 戲劇이 조치 못하다고 하지 안는다. 그러나 目前으로 말할 것 가트면 非戲劇의 狀態에 挽救하야 『現代戲劇』의 길로 나어가게 할 責任과 希望은 愛美的 戲劇 身上에 지으지 안하면 안되겟다는 것이다.──現在 中國 職業的 戲劇은(新舊를 勿論하고) 根本上으로 斷言하면 『無知識한 사람이 無意識한 劇을 演하고』잇고 그 쓰는 劇本은 完全히 『現代意識』이 업다.[14]

『今日로 볼 것 가트면 中國은 아즉 愛美的 戲劇이 發生하지를 못하얏다……』

이것은 벌서 七八年 前의 狀態요, 現今에 와서는 所謂 『愛美的戲劇』이

---

13 '이'의 오식이다.

14 '」'가 누락되어 있다.

大發展, 大進步를 하엿고 新劇이 現今과 가티 發展한 것도 『愛美的戱劇』의 貢獻이요, 이 後로도 中國 新劇을 發展시킬 主人公은 亦是 이 『愛美的戱劇』일 것이다.

(七)

七. 主義宣傳의 戱劇

主義宣傳의 戱劇이라면 좀 異常하게 들리나 여긔에 말한 主義란 것은 文藝圈內의 主義 即 寫實主義니, 自然主義니 하는 主義가 아니오, 一般 社會主義에 屬한 것을 말한 것이다. 中國에 新劇이 輸入될 때에도 敎民易俗의 目的으로 創始된 것가티 各 主義者들은 自己의 主義를 民衆에게 宣傳하기 爲하야 戱劇의 形式을 取한 例가 만타. 勿論 戱劇은 人間의 生活할 길을 指示한 것으로 보든지 人類의 行爲로 보든지 間에 主義者가 主義를 宣傳하는 데 戱劇을 쓰는 것이 極히 妥當할 일일 것이다. 그러나 戱劇으로서의 條件을 俱備하여야 할 것은 蛇足을 添加할 必要도 업다.

中國에 主義宣傳의 戱劇이 처음 紹介된 것은 波蘭 文學博士 『료칸후』 作 『夜未央』 或은 『東方未明』으로 嚆矢되엇스며 翻譯者는 그 前 無政府主義者이든 李石曾氏다. 그 初版은 一九〇八年이니까 約 二十餘年 前이오, 中國이 民國으로 되기 前 淸末 時代엇섯다. 全 三幕劇인데 翻譯語는 純全한 白話가 아니고 多少 文言의 내음새가 잇스나 그러타고 難澁하거나 不通한 곳은 업다. 無政府主義 宣傳인 만큼 內容은 全部 革命工作과 사랑으로 째어잇다. 向培良의 評에는 內容에 包含된 것이 主義인 故로 戱劇의 本身과는 別한 關係가 업다고 하얏스나 이 劇本 더군다나 演劇을 본 사람은 피가 끌을 것이오,

普通 革命과 사랑이 並立하지 못할 것가티 생각하나 이 劇本에 나타난 것으로 보면 熱烈한 革命家는 熱烈한 戀愛者로 볼 수 잇다. 革命이나 戀愛는 사람 生活에 表裏 內外의 差는 잇슬망정 가슴에 타올으는 熱은 갓다는 것을 배울 수 잇다.

다음에 이 種類의 戱劇이 中國에 紹介된 것은 露國 盲人詩人 엘로센코가 日語로 지흔 것을 魯迅이 飜譯한 것이다. 이것은 童話劇으로 著者의 聰明한 頭腦가 顯著히 뵈이도록 잘 整理된 戱劇이다. 그 內部의 이야기는 宇宙 自然의 諸物을 들어 이 不平等, 不自由한 社會에 比喩한 作品이다. 日本語로는 出版이 되엇는지 筆者는 알지 못하거니와 日本 秋田雨雀이 『童話劇 桃色의 雲을 읽고』의 一文의 一節을 써보겟다.

> 『그대의 所謂 『桃色의 雲』은 決코 우리들의 世界를 떠난 空想의 世界는 아니오, 그대의 가지고 잇는 一切 『觀念의 火』는 亦是 이 童話劇 안에서 타고 잇다.』

이 『觀念의 火』란 것은 곳 에로센코의 無政府主義思想을 가르친 것 갓다.

이 外에 안도레푸의 戱曲이랄지 여러 가지 社會主義的 傾向을 낀 作品이 적지 안케 紹介되엇고 싱클레아의 戱曲도 그의 小說과 가티 雜誌上에 飜譯을 볼 수가 잇스며 그 外에는 世界名作은 擧皆 다 紹介되엇다고 볼 수 잇다.

近 二三年에 이르러서는 맑쓰主義 文藝家들에게 依하야 世界 中國以外國의 맑쓰主義的 色彩를 낀 戱曲도 만히 紹介되나 一一히 들 수 업고 그 中에는 日本 맑쓰主義 文學者들의 作品도 뒤를 이어서 飜譯된다. 이 種類의 劇에 努力한 者로는 陶晶孫氏를 들 수 잇스며 그의 飜譯이 만흔 中 日本 村

山知義가 지흔 『鴉片戰爭』과 藤森成吉이가 지흔 『特別列車[15]』 等이 잇스며 『木人戱社』를 두고 『運貨便車』(웃드·미라 作), 『畢竟是奴隸罷了』(村山知義)을 公演을 하는 등 大活躍 中에 잇다. 여긔에 『木人戱』란 것은 日本의 『人生芝居』와 가트며 陶晶孫氏는 日本의 作家의 것과 윗트포겔의 飜譯으로써 中國에서 『木人戱』을 提唱하고 잇다. 이 『木人戱』를 提唱한 理由도 主義宣傳의 武器로 쓰자는 데 不過하다.

(八)

近來 中國 戱劇 提唱者로서는 少數의 例外는 잇슬망정 大部分은 무슨 主義의 色彩를 띄 作品을 紹介도 하며 表演도 하며 또한 그러한 種類의 作品을 著作하고 잇다. 勿論 社會主義 中 어느 主義者라고 標榜하면서 作品을 쓰는 사람도 잇지마는 비록 그러한 表示는 업다고 하더래도 汎社會主義的 傾向을 띄지 안은 作家는 別로 업다.

南國社의 田漢이랄지 廣東戱劇硏究所의 歐陽豫[16]倩이랄지 다 가티 戱劇이 民衆化하여야 할 것을 提唱 宣傳하고 잇다. 現代中國의 學者, 軍閥, 學生, 文藝家를 莫論하고 各各 中國 自體의 問題에 全力을 傾注하야 硏究하며 自己의 所信을 實行하고 잇다. 그리하야 劇壇에도 한 가지 共通되는 傾向을 볼 수가 잇스니 그것은 곳 中國은 어떠케 하여야 幸福스러운 中國을 만들 수 잇슬가? 이러한 問題가 劇壇에도 一個 主潮를 짓고 잇다.

---

15 중국어로는 '特別快車'로 번역되었다.

16 '豫'는 '予'의 잘못이다.

筆者의 本來 計劃은 中國戱劇을 歷史的으로 紹介하고 重要한 運動을 記述한 外에 적어도 劇界에 努力한 사람을 全部 들어서 專論 紹介를 할 作定이엿스나 中國戱劇의 發展한 過去를 쓰는 데 이와 가티 만흔 紙面을 차지하게 되엇고 玉石을 並論하는 늣김도 업지 안하야 이 後에는 戱劇이 漸漸 民衆化함에 딸하 一般劇이 어느 方面을 注重하는가를 大略 記錄하여 볼까 한다.

八. 最近 戱劇의 趨勢(上)

上章 末에서 筆者는 中國劇界에서도 中國 問題에 關하야 相當한 注意를 하여오고 民衆과 接觸할 것을 努力하며 積極的으로 外來 資本主義 勢力을 反抗하는 氣勢가 뵈인다는 것을 大略 말하엿다. 이 章에 잇서서는 專혀 이러한 種類의 劇佯[17]家와 戱曲을 論하려 한다.

中國革命觀에 關하야는 中國 內部의 새이에도 數派가 잇는 것을 볼 수 잇스니 첫재로 全中國의 權柄을 잡고 잇는 新軍閥 蔣介石氏 一派 國民黨의 老少 偉人들을 들 수 잇다. 世界 各國의 民族主義者, 國家主義者, 帝國主義者及 그 宣傳機關들은 이 一派의 成績을 極히 讚揚하며 中國이 新興할 唯一의 길로 밋고들 잇다.

또 한 派는 筆者는 『學者派』라고 命名하고 십다. 여긔에 學者派라고 하는 一派는 곳 胡適氏, 梁漱溟氏 等 몃 學者를 가르처 말한 것이다. 胡適氏는 昨今(民國 十八九年)에 『新月』이란 雜誌에다 國民黨을 多少 學理的 立場에서 反對하는 論文을 썻다. 그리하야 國民政府에서 警告까지 바든 일이 잇고 最近에는 『人權論集』이라 하야 此等 論文을 彙進한 것까지 出版되엿스며 梁漱

---

17 '佯'는 '作'의 오식이다.

溟氏는 獨學으로 哲學을 硏究하야 大學 敎授까지 하엿스며 一時 東西文化批評家로 이름이 노핏스며 最近 幾年 間은 專혀 『村治』에 全力을 다하야 中國의 革命은 『村治』 即 『鄕治』로써야 할 수 잇다고 한 等이다. 이 派에 對하야 有數한 學者들의 批判이 잇섯고 現今에 와서는 相當히 一般의 耳目을 끄으는 中이다. (이 一派에 對하야는 後日에 專論을 하겟기에 여기서는 이만에 끄친다.)

(九)

八.[18] 最近 戱劇의 趨勢(下)

이 外에는 內地 新聞에도 頻繁히 報道되는 바가티 突擊, 焚毁, 掠奪 等으로써 革命의 唯一의 길로 일삼는 共産黨이 잇다. 共産主義者는 一面으로 文藝運動에도 猛烈한 進展을 하야서 말하자면 一體兩面으로 볼 수 잇슴으로 一派로 볼 수 잇다.

또 이 外에는 四川 等地 及 南中國 一帶에서 民衆 속에서 民衆과 가티 民衆의 利益, 幸福을 圖謀하고 文藝思想 方面에도 만흔 同行者를 가지고 잇는 無政府主義者의 一派가 잇다.

여기서 筆者의 論할 範圍는 以上 어느 派의 思想에 屬하건 屬하지 안컨 何如間 戱曲으로 보아서 中國革命에 關係잇는 것만을 論하겟다. 곳 다시 말하자면 現下와 가튼 中國社會의 環境下에서 中國의 戱曲家들은 그들의 作品을 通하야 中國을 어떠케 認識하며 어떠한 見解를 가지고 잇스며 中國의 革命에 對하야는 어떠한 主張을 가지고 잇는가를 究明하자는 데 不過하겟다.

---

18 '九'이어야 한다.

『國劇』運動者들이 中國 舊劇을 提唱하는 것은 國家主義的 自尊心에서 나온 運動이여서 中國의 固有한 戱劇을 保存 發展하야 中國의 文化를 世界 各國에 빗나게 하자는 데 不過하지마는 最近 中國戱劇上에 나타난 趨勢 及 傾向은 『戱劇을 民衆化하자』, 『民衆의 戱劇을 짓자』, 『現在 中國 民衆의 要求는 무엇인가』, 『中國은 어대로 나아가야 할 것인가』 等 問題를 取扱하는 데 잇다고 보겟다. 그럼으로 『國劇運動』과 最近의 趨勢가 다 가티 戱劇上의 運動이오, 主流지마는 그 本質上으로 보아서 前者는 中國歷史의 過去를 重要視하고 主眼으로 하는 데서 出發한 것이요, 後者는 中國歷史의 現在 及 將來를 爲하야 일어난 것임으로 그 出發點이 다른 同時에 그의 主張이 다르고 그의 觀點이 다른 것은 더 말할 것이 업다.

中國 新劇에도 狂飇社의 高長虹과 가티 神秘劇 或은 詩劇의 갓가운 作品이라든지 北平藝術學院 戱劇系 主任으로 잇는 熊佛西의 近作 等과 가티 迷信的 神秘的 傾向의 作品이 업는 것은 아니다. 그러나 이러한 傾向의 作品을 만히 지흔 作家도 近來에 와서 『民衆의 戱劇』이니 『戱劇의 民衆化』를 부르짓지 안한 派, 안한 사람이 업스며 進一步하야 社會問題劇 더 一步를 나아가서 革命戱를 짓고 革命劇을 實演하고들 잇다.

그러면 이 種類의 劇을 짓는 사람은 꼭 무슨 主義者라고 推測이 가게 된다. 事實에 잇서서 中國文壇의 文士들을 主義別로 본다면 虛無主義의 傾向者, 共産主義者, 無政府主義者 及 그 傾向者, 中産階級에 屬한 作家로 大分하여 볼 수 잇다. 그러나 筆者의 보는 바에 依하면 作家 自身이 무슨 主義者라고 自稱하드래도 그 作品을 볼 때에는 자긔가 自稱하는 主義에 屬한 作品으로 보지 못할 것이 太半이다. 或 筆者의 誤測인지는 모르겟스나 事實에 잇서서 그러하리라고 밋는다. 왜 그러냐하면 現今 『無產階級文學』者의 作品의 例를 들어서 말을 하면 알기가 쉬울 것이다. 『無產階級文學』作家라면 擧皆

맑쓰主義로 세일 수 잇다. 그러나 그들의 作品의 大部分을 볼 때에는 그 主義의 特色인 『中央集權』의 原則이랄지 그러한 事實이랄지 또한 그 主義의 特色의 하나인 『階級鬪爭』의 다른 主義와 다른 理論이랄지 그러한 事實(勿論 作品上의) 等을 볼 수가 업다. 곳 社會主義의 各派와 特異한 點은 볼 수가 업고 各 社會主義의 共同點만을 흔히 發見할 수 뿐이다. 이것은 現社會의 解剖 及 現社會 組織의 缺陷으로 일어나는 不合理, 不平等을 그리게만 되니까 自然 그러케 될 수 밧게 업슬 것이다. 곳 資本主義의 解剖에 잇서서는 各 主義者가 大同少異한 까닭인 것 갓다.

그럼으로 作品을 通하야 볼 때에는 이것이 共產主義者가 쓴 作品인지 『뿌르조아·리알리쓰트』가 쓴 作品인지 區別하기가 어려우며 또한 다른 主義者가 쓴 것인지 알 수가 업게 된다. 그럼으로 作品을 通하야 볼 때에는 汎社會主義的 傾向으로 볼 수 잇지마는 꼭 무슨 主義者의 쓴 것이라고는 推測하기가 어렵게 된다.

以下에 筆者는 中國에 關한 戲劇, 中國革命에 關한 戲劇, 中國 現社會의 解剖 에 關한 戲劇 等을 選擇하야 通히 同類로 論함으로써 이 章을 매질려 한다.

(十)

(a[19]) 黑暗中의 紅光 ― 向培良 作

이 戲曲은 『小說月報』 昨年 二月號에 실렷든 것인데 그의 獨幕劇集 『光

19 ‘A’야 한다.

明의 戲劇』에 들어 잇다. 培良은 劇作家로서 不過 四五年이여서 『中國戲劇概評』을 짓기 前後하야서부터다. 그는 短篇小說에서 銳穎한 才能을 나타내고 『中國戲劇概評』에서 戲劇에 關한 自己의 立場을 闡明히 하고 上海에 잇스면서부터는 戲劇에 專力을 傾注하야 間或 狂飈社 演劇部에서 그 作品을 上演도 하엿다. 『光明의 戲劇』에는 『淡淡한 黃昏』, 『從人間來』, 『黑暗中의 紅光』, 『生의 完成』 等 全四篇인데 『生의 完成』은 聖經에서 取材를 한 것이요, 『從人間來』는 本來 著者가 『안드레프』 愛讀者인 關係인지 『안드레프』의 作風이 濃厚하고 여긔서 論하려 한 『黑暗中의 紅光』은 中國 農村의 實情을 描寫하면서 民衆의 反抗力, 民衆의 正當한 進路를 指示한 것 곳 中國革命의 唯一의 길을 闡明히 한 作品으로 볼 수 잇다.

『黑暗中의 紅光』의 概梗: 事件의 發生은 兵匪에게 蹂躪을 當한 北方村落中 文大哥의 家內이다. 어느 겨울 치운 날 저녁에 祖母와 小妮가 小妮의 父親을 기달리면서 小妮는 祖母의 慰安과 溫誘에도 듯지 안코 늘 父親의 오지 안한 것을 念慮하며 잇다. 그러는 中에 文德子라는 小妮의 옵바가 들어오면서 自己 父親이 오지 안하엿는가를 물으면서 三時間이나 葦抗 속에서 軍人의 暗號를 알아내엿다 한다. 그래 自己 父親이 올 때가 되여도 오지를 안하니까 自己가 마즈려 가겟다고 祖母다려 自己 父親이 두고 간 총을 내여달란다. 이 때에 祖母는 精神업시 『하나 둘 셋이다. 하나씩 간다. 하나씩 다 가버려…』, 『再昨年에 네의 兄이 역시 너가튼 나이에 나다려 총을 달래서 나가드니 도라오지 안코 그 뒤에 네 祖父가 그들에게 총살당하야 압 절문에 다러매고 네 아버지가 그들과 對敵이 되여서 쪼처가고 지금 너까지 또 가겟서……』, 『하나씩 다 간단 말이냐? 네 나히 아즉 적어…』라고 歎息하고 말엇스나 文德子는 듯지 안코 銃을 가지고 나갓다.

그러자 그날 저녁에 文大哥(文德子의 父親)의 消息을 듯고 軍兵을 襲擊할려든 農軍들은 憤怒와 勇氣가 衝天하여 가지고 文大哥의 집으로 모여서 文大哥가 왓는가를 물어보고 기달리고 잇다. 늘 밧게 夜警보는 軍人이 오는가를 警戒하며 그들이 모여서 여러가지 憤난 말을 한다. 黑髯子란 者가

黑髯子: 그러타. 일이 이러케 되엇스니 내기를 할 무슨 조흔 수가 잇나? 이 낫세에 안해도 죽고 헷자 죽는 것 밧게 더 잇나? 내기를 한바탕 하고 말세.

그러는 中에 文大哥가 氣盡脈盡하야 들어오니 柳老爺[20]라는 老人이 일을 언제할 것이냐고 하고 물으니 오늘 저녁이라고 대답하면서 自己 아들 方今 나간 文德子가 가티 오다가 軍人의 총에 마저 죽엇다는 消息을 말한다.

그날 저녁에 軍兵을 襲擊하야 모든 農民들의 復仇를 하자는 暗號는 징을 치는 것이엇다. 그러자 祖母는 아들이 오니까 먹을 것을 작만하는 中인데 軍官이 二人의 下卒을 더리고 와서 文大哥를 찻는다. 祖母는 업다고 발악을 하고 차저도 업든 中에 다 軍人에게 묵기여서 들어온다. 그 때 軍官은 文大哥를 꾀여서 農民反抗運動의 秘密을 알려고 하나 一言半辭도 안타가 하도 무러싸니 以後에 自然 알게 될 것이라고 할 뿐이엿다. 그러고 軍官은 祖母다려 물엇스나 아모 要領을 엇지 못하고 銃殺을 하겟다고 威嚇 嘲笑하며 나간다. 그러자 징소리 울리기 始作하엿다. 紅光은 衝天하엿다. 祖母는 손을 벌리고 『小德子야, 小德子!』하는 것으로 幕은 나리게 된다.

처음에서 끗까지 緊張, 憤怒, 怨恨으로 一貫하게 된다. 獨幕의 것이니 觀客이 견댈 수가 잇지 한 幕만 더 이러한 場面이 繼續된다면 舞臺의 効果를 엇지 못할 것이다. 筆者의 보기에는 上演하는 劇으로 比較的 完全하다고 볼 수 잇스나 此文에서는 舞臺 表演에 關하야는 論할 수가 업슴으로 略하고 그 思想的 方面만 써보겟다.

---

20 '柳老爹'의 잘못이다.

中國 農村이 軍閥의 戰爭으로 因하야 掠奪, 虐殺, 蹂躪한 것은 一一히 記述하지 안하도 推測할 수가 잇으며 羊가티 順良하다는 農民도 죽게 되는 판에는 힘이 나고 反抗心이 湧出하고 團結하고 生死를 同一하게 된다. 이러한 場面을 捕捉한 것은 이 劇을 成功하는 主着點으로 보지 안할 수 업다. 軍閥은 新舊를 莫論하고 革命 革命하면서 起兵은 하지마는 實地에 잇서서는 强盜, 土匪보다 더 甚한 蹂躪을 하게 된다. 여긔서 作家는 軍閥的 革命을 否認하고 들어가며 一方에 잇서서 農民이 生死를 가티하도록 互助의 精神이 濃厚하고 그러한 힘으로 革命을 하여야 참다운 革命을 할 수 잇다는 것을 表示한다.

(十一)

(B)『孫中山의 死』 — 田漢 作

이 劇은 社會相의 尖端을 巧妙하게 捕捉하야 一般 靑年의 歡心을 잘 사기로 有名한 田漢의 作이다. 그는 이것을 사흘 저녁에 쓰고 南京에서 演할려다가 上演의 禁止를 當한 劇本이라 한다.

나는 이 劇本에 別로 讚意를 가지지 못한다. 그 理由는 內容이 넘우 淺薄하고 單調하고 平凡하야서 恰似 三民主義 教科書나 떠드는 늣김이 난다. 먼저 向培良은 田漢을 評하면서 技術이 넘우 熟暗하고 넘우 教訓에 흐르고 流行의 感傷的 趣味에 빠진다고 하엿다. 이 劇도 短時日에 쓴 結果인 까닭인지 內容이 整理되지 못하고 新聞 三面記事 中 政客 訪問記 가튼 늣김이 잇다. 그러나 著者는 『咖啡店의 一夜』 時부터 가지고 잇는 社會主義的 傾向은 只今까지 일치 안한 것을 알 수 잇다. 培良은 그의 『中國劇戲概評』에서 田漢을

評한 中에 이러한 一絕이 잇다.

> 『田漢과 郭沫若의 戱劇作品은 어대인지 人道主義者와 社會主義者 가튼 이름이 나타난다. 仔細히 볼 것 가트면 그들의 劇本은 내가 비록 社會問題劇 等의 글자를 부치지마는 西洋의 所謂 問題劇과는 갓지 안타. 精深 博大한 것이 업고 또한 精確하게 考究도 하여보지 못하고 다못 人道的으로 그런 말을 하야서 이 氣分은 武者小路實篤과 菊池寬 等人과 恰似 갓다.』

이 『孫中山의 死』에서도 이러한 讀後感이 업지 안타. 이 劇은 孫中山이 죽을 때에 그 夫人과 黨員과 工人, 農人, 民衆에게 하는 談話, 遺言 等을 그려낸 것이다. 現在 中國과 가티 어대를 가나 어느 壁을 보나 『三民主義』, 『總理遺囑』 보고 듯는 것과 가티 中國을 一時 震動하게 한 代表人物을 붓잡아 가지고 劇化하려 한 것이 作家가 現 中國의 流行을 잘 理解하며 藝術化하려는 努力을 알 수가 잇다. 그는 『咖啡店의 一夜』에서 時代末과 時代初를 잘 그렷섯다. 現今에 와서 三民主義化할려는 中國을 붓드러서 一般에게 啓示하려는 企圖는 훌륭하지마는 劇의 內容이 多少 工人, 農人을 重視하는 點은 잇다 할지언정 넘우나 그 內容이 機械的이요, 自己의 批判이 缺乏한 것을 늣기게 된다. 내(筆者)가 여긔에 들게 된 것은 中國 新興權力에 着眼하얏다는 것만 取하고 그 內容은 넘우나 乾枯하야 梗概까지 들 것이 업서 略한다. 끄트로 田漢의 『戱劇과 民衆』의 關係를 말한 것을 例引하야 보겟다.

> 『近代의 戱劇은 모도 다 墮落하엿다. 우리는 回復하야 오지 안하면 안되겟다. 資本家의 手中에서 民衆에게로 歸還하는 唯

一의 方法은 種種의 阻隔을 打破하고 社會와 戲劇을 混成一片으로 하여야 하겟다.』

(『戲劇과 民衆』이라는 講演에서)

(C) 其他의 作家와 作品

其他에 勿論 적지 안치마는 一一히 記錄할 수 업고 陳大悲의 作品은 만히 中國革命을 그린 것들이다. 그의 傑作이라고 하는 『英雄과 美人』(單行本으로 『張四太太』라는 表題)도 辛亥革命을 그린 것이다. 곳 張四太太란 것은 革命 當時의 張漢光이라는 革命偉人의 妻요, 이 劇의 內容은 舊勢力과 革命勢力이 交換되는 時期와 事實을 그린 것이다. 勿論 只今의 眼光으로 본다면 張漢光이라는 革命家의 思想이 넘우나 固陋하고 舊習慣을 脫出치 못한 點이 만치마는 清의 勢力을 反抗하고 일어나든 當時로 보아서는 훌륭한 革命家이엿슬 것은 말할 것도 업거니 張四太太라는 女性도 大膽하고 舊習慣의 殼을 버서난 女性으로 볼 수 잇다. 이와 비슷한 作品으로 同氏의 作 『虎去狼來』라는 戲曲이 잇다. 陳大悲의 作品은 淺薄하고 粗陋하다는 評이 잇기는 잇지마는 大體로 보와서 事件을 發展시키는 데 奇智가 잇다고 보겟다. 그럼으로 劇本을 볼 때나 演劇을 볼 때에도 比較的 倦怠를 늣기지 안하게 된다.

近來 『無產階級文學』 作家로 陶晶孫, 鄭伯奇, 馮乃超, 葉沈, 沈起予, 許幸之 가튼 사람이 잇서 劇에 關한 論文으로 劇으로 만흔 活動은 하지마는 別로 이러타는 것이라고 特記할 것은 업고 戲劇 發展上 派 다른 傾向을 지는 것만은 事實이다.

(十二)

이 外에는 飜譯品으로 中國에 關한 것을 들어보겟다. 첫재로 들 것은 露國人 『토릿커』가 지흔 『怒吼吧! 中國』이다. 이것은 日本譯도 잇서서(吼へゐ支那) 東京 築地小劇塲에서도 一年 前에 演한 일이 잇고 中語로는 陳勺水, 葉沈의 두 飜譯書가 잇고 廣東戱劇硏究所에서 上演한 일까지 잇다.

이 劇의 內容은 中國 어느 南部 港口에서 일어난 일이엿다. 米國의 船主와 英國商人이 中國 苦力과 勞働者를 侮辱하고 蔑視한 것으로 開端이 되여서 배꾼의 잘못으로 米國 船主가 바다에 빠저 죽은 것으로 原因하야서 英米의 艦長이 無理하게 中國 當局에게 要求를 請한 것이다. 第一二三의 要求 條件은 葬時에 中國 高等官憲이 隨行할 遺族을 撫恤할 것 等이엿스나 第四條件에 가서는 明日 上午 九時에 犯人을 死刑할 것이엿다. 그리하야 不得己 이 第四條件도 履行하게 되엿다. 그 死刑을 當할 苦力 中 한 사람이 米國 船主의 墓前에서 死刑을 當하기 前에 이러한 말을 한다.

『나는 물이 먹고시퍼……나는 목숨을 안앳기고 일을 한데…그들은 꼭 나를 죽이려고 해……나는 벌서 배가 주렷섯는데…그들은 또 내의 목숨까지 달래……그들은 웨 나를 죽일려고 해？』

이러케 말하니 只今까지 通譯하면서 憤慨하든 大學生이 말하기를

『너는 中國사람이기 때문이다.』

이와 가티 한 後에 軍艦은 떠나게 되고 大學生은 이러한 말을 하엿다.

『全世界! 全世界 被壓迫 民族아 일어나거라! 부르지저라! 우리는 反抗하자!』

이것은 퍽 悲慘하고 憤激하여지는 劇이요.

實地 中國은 이러한 經驗을 만히 하여왓다. 近來 中國에 關한 劇으로는

이와 가티 成功한 劇이 업다고 하여도 過言이 아니겟스며 이러한 劇이 中國作家에서 나지 안코 中國 以外國 作家에서 난 것만은 遺憾이다.

다음에는 日本作家 村山知義의 『鴉片戰爭』이 잇다. 이 劇은 內容으로 보아서 『怒吼吧! 中國』이라는 劇과 비슷하나 質에 잇어서 差가 만타.

이 劇은 鴉片戰爭의 原因으로 戰爭에까지 일은 것 까지와 實戰 狀況까지도 잇다. 모도가 當時 英國人 中國人을 非洲 土人과 가티 여긴 記錄이며 侮辱하든 事實이다. 이 劇은 陶晶孫이 飜譯하야 『大衆文藝』誌에 실린 것이다. 또 例를 들자면 적지 안켓지마는 紙面과 材料 選擇에 制限이 잇슴으로 이에서 그치고 中國戱劇이 大發展期에 들엇스며 戱劇上 新傾向 中에 特히 中國問題, 中國革命問題에 눈뜨기 始作한 것을 指出함으로써 此章을 맷겟다.

十. 結論

여기까지 쓰고 나니 豫想과 틀려서 不完全하게 되고 多少 遺漏가 잇스나 大概 中國戱劇의 大略은 論한 세음이다. 本來는 中國劇壇에 나서서 努力하는 劇作家는 全部를 專論, 批評하고 舞臺의 發達에 對하야도 多少 論하려 하얏스나 事情은 모든 이러한 方面의 일을 許하지 안하야 이러케 되엇다. 나의 論하려든 劇作家는 陳大悲, 丁西林, 熊佛西, 田漢, 歐陽予倩, 白薇女士, 陶晶孫, 向培良, 高長虹, 佷工 等이 잇섯고 舞臺에 關하야는 北方에 잇는만큼 南國社, 廣東戱劇研究所, 泰安의 實驗劇場, 狂飇社 等 것은 論할 수가 업지마는 北平의 藝術學院 及 其他學校의 劇團의 舞臺를 論하려 한 것이엇다. 一般的으로 보아서 北方의 舞臺는 大進步를 하얏다. 近年까지도 大概는 그저 舞臺 全面을 黑布 等으로 가리고 簡約하게 椅子 二三脚, 테불 한 두어 개로 滿足하얏지마는 至今 와서 簡易하기는 하나 背景도 퍽 劇本의 것과 가티하고

光의 使用을 그 前보다 잘 하나 한 가지 缺點은 音樂이 너무 單調한 것이며 音樂과 劇이 背反되는 때가 적지 안타.

또 한 가지 中國劇壇에서 注意할 點은 南北方의 어느 評家를 勿論하고 民衆, 民衆 부르지즌 것이다. 田漢도 그러하고 廣東에 잇는 歐陽予倩도 그러하고 北平에 잇는 熊佛西도 그러하고 其他에도 다 『民衆』, 『民衆』하고 부르짓고 잇다. 劇은 다른 것보다 直接으로 民衆과 接觸하는 것이니까 그러하지마는 一般 劇壇人이 事實에 잇서서 民衆과 接近하려 한 것은 이 또한 劇壇의 顯著한 事實이다.

(完)

附記: 本篇의 『文明新戲』와 『新劇의 勃興』 兩章은 東亞日報에 發表된 天台山人의 中國文藝觀의 新劇部와(彼此 向培良의 『中國戲劇概評』에 材料를 取함임으로) 相似하나 多少 論點이 다를 뿐만 아니라 그 글을 볼 때에는 벌서 이 章은 完寫되엇슴으로 改作할 必要도 업고 그것은 歷史的 發展을 말한 것임으로 同一하야도 無關하기로 그대로 둔다.

中國舊劇에 보인 朝鮮趣味[01]

天台山人

中國의 新劇運動에 朝鮮問題를 取扱한 것으로 侯曜의 幕表制「安重根」 같은 것이 잇는 것도 奇異한 일이라 하지만 우리는 中國의 舊劇에 잇어서도 많은 朝鮮趣味를 發見하엿다.

일즉 元曲에 잇어서 張國賓의 지은 「薛仁貴」 一劇은 唐將 薛仁貴가 天山地方에 잇는 高句麗를 征伐하든 이야기며 그 후 明清 時代에 이르러도 「數三種」의 「薛仁貴」劇이 잇으나 모다 그러하다. 더욱 明末에는 이를 南曲으로 翻改하야 「定天山」傳奇를 지엇다(이에 傳奇라 함은 戲曲이란 意味). 이와 같이 中國의 一般 作家까지도 高句麗를 西藏, 蒙古의 疆域에 잇는 天山과 混同한 데는 噴飯捧腹하여 웃지 않을 수 없다. 이 말이 낫으니 말이지 내가 昨年 北京에 잇을 적에 어느 中國 大學生이 내가 조선에서 왓다는 말을 듣고 조선에 「깐디」가 잇는 것처럼 「깐디」(甘地)의 消息을 아느냐고 묻든 일이 생각난다.

다음은 張鳳翼의 「紅拂記」와 凌初成의 「虬髥客」 諸 傳奇가 모다 唐人小說 虬翁傳에 依據하야 지은 것으로 虬髥客이 李世民이가 장차 中國 大唐 天

---

01 『新生』 제30호(4권 4호), 1931.4.

子 될 줄 알고 조선에 나와서 扶餘 國王이 되엿다는 말에 글하엿다. 篇末에 扶餘 百官이 胡服을 하고 나타나는 것도 奇特하다. 그러나 이 唐太宗 때에 扶餘라고 한 것은 百濟(扶餘에 □都) 末期를 말한 것일 것이며 百濟가 아무리 湮滅되엇다 할지라도 虬髯翁이 조선에 나와서 百濟王이 되엇다는 말은 얼토당토 않은 乖說이다。

淤泥河 속에 잇는 「綴白裘」 三種은 또한 唐太宗이 高句麗를 치려고 왓을 적에 唐將 羅成이 活躍하다가 寃枉히 죽은 이야이를 기록한 것이며 「鐵弓緣」 傳奇에는 宋末에 高麗公主가 大軍을 引率하고 中原을 휩쓸든 이아기로 貫徹하엿으며 「立命說」, 「淸平樂」(其他 數鍾이 잇지만 原本을 紛失하고 쓰지 못함)은 모다 明末 淸初의 作品인 듯한데 日本 關白 平秀吉이 朝鮮에 侵入하엿을 적에 明人 將士들 사이에 생긴 嫉妬와 「로맨스」를 劇化한 것으로 煩瑣한 嫌은 잇으나 가장 劇的 要素를 具備하고 잇다. 中國의 舊劇에는 薛仁貴의 征東 事實과 明神宗의 壬辰亂 援助가 가장 큰 交涉을 가젓든 것을 알겟으며 또 이로써 單調한 舊劇에 異國的인 情緖와 趣味를 添加코저 한 努力인 줄도 알겟다.

그러나 그들은 記錄 方法이 너무 疎濶하고 事實과는 너무 乖戾하는 바가 많어서 「朝鮮」이라는 國號는 집어 썻지마는 아무 것도 朝鮮的 風物과 思想을 보여주는 것이 없다. 그러므로 이 論稿가 生命이 없다. 다만 그런 것이 잇다는 紹介나 될가 하고……

(讀曲餘墨)

陳獨秀의「文學革命論」要旨[01]

저자 미상

一. 貴族文學을 너머 트리고 悍情的 平民文學을 建設하자.

二, 古典文學을 너머 트리고 新鮮하고 眞實한 寫實文學을 建設하자.

三. 晦澁한 山林文學을 너머 트리고 明快하면세 通俗的인 社會文學을 建設하자.

— 一九二七[02] 二月號 新靑年에서

---

01 『三千里』 제16호, 1931.6.

02 1917년 2월 『신청년』 제2권 제6호에 발표된 글로서 여기서는 연도가 잘못 표기되었다.

中國文壇 現狀[01]

吳可秋

中國의 文化運動 中心은 數年 前부터 北平에서 上海로 올머왓다. 文壇의 中心도 上海에 왓다. 中國文壇의 現狀에 對하야 一覽하여 보면 푸로文壇은 벌서 聯盟을 結成하야 가튼 陣營에 集結하엿다. 그리고 뿌지부르라 하든 魯迅까지 푸로文壇에 올머왓다. 그러나 이것은 表面的의 現象이다. 內容을 檢討하면 푸로文壇 속에는 新浪漫主義, 自然主義, 廢頹主義, 肉慾文學, 歡樂文學, 逃避文學 等 各 作家의 個性과 生活의 復雜에 依한 各派가 그대로 내어 보인다.이 混迷가 中國 今日의 現狀이라면 不避한 일이리라. 이 밧게 國民文學 便에는 小說月報, 金星月刊, 眞善美, 東方雜誌 等의 諸機關, 諸雜誌를 擁한 作家 及 理論家가 多數하나 文藝의 主潮를 닛그는 者는 亦是 푸로文學이라 할 것이다.

그런데 푸로文學은 國民政府 當局의 强壓下에 잇서 自由로 活躍하지 못하고 잇스나 그 指導的 理論에서 生하는 思想이 讀者層에 浸潤되고 잇는 事

---

01 『三千里』 제16호, 1931.6. 목차에는 ‘吳可秋의 「中國文壇現狀」, 55쪽’으로 표기되어 있으나 실제로는 잡지 54쪽에 있으며 저자 이름이 밝혀지지 않은 채 「文壇의 現狀」이라는 표제로 되어 있다. 여기서는 목차에 밝혀진 저자명과 작품명을 사용한다.

實은 놀나운 바가 잇다.

中國의 푸로文學은 多少 幼稚하고 評價할 것이 別般 업슴은 푸로派, 作家, 理論家들도 모다 承認하는 바이나 그 將來가 期待되는 터이다. 엇재 그러냐하면 中國의 現狀은 諸般의 社會相에 잇서 呻吟狀態에 잇다. 여기에 偉大한 素材가 가르노여 잇는 것이다. 그러타, 中國이 現在 體驗하고 잇는 것이 實로 偉大한 中國 푸로文學을 나을 素材가 아니고 무엇일가.

中國當代의 代表人物(발췌)[01]

朱耀翰

四億萬 人口를 包含한 中國이니 人物도 하도 만흐다. 그 어느 것을 標準해서 選擇할 수도 업스니 人物은 크던 적던 내 눈으로 멀리서라도 한 번 보앗다는 것을 標準으로 해서 멧 사람 紹介함으로 三千里社에 對한 責을 하련다.

(중략 — 엮은이)

胡適

新文學 提唱家로 이름이 노픈 胡適도 인제는 빗치 낡엇다. 急進 青年에게는 自由主義者의 烙印을 바드게 되고 國民黨으로는 三民主義 反對者로 追放 命令까지 바드고 잇다.

그는 最近에 「我們走那條路」라는 論文을 發表하야 自己의 思想을 表明햇다. 曰 中國이 打倒해야 할 敵이 다섯 가지가 잇다. 卽 貧窮, 疾病, 愚昧, 貪汚, 擾亂이다. 이것을 打倒함에는 입으로 革命만을 떠들어도 所用이 업다.

01 『三千里』 제16호, 1931.6.

自覺的 改革으로 不斷 努力하는 것 박게 업다 하는 것이다.

이런 思想이 現在 政治運動에 熱中한 國民黨, 共產黨, 中國青年黨의 各派 青年에게 嫌忌를 살 것은 勿論이다. 그러나 그 嫌忌를 不顧하고 自己의 所信을 堂々히 發表하는 데 그의 眞面目이 잇는 것이다. 이 大膽한 思想家는 風采로 보아서 汽車食堂 뽀이만도 못하다. 短軀 細身에 强度의 近視眼鏡을 쓰고 中國服을 입은 것이 今年 四十一歲의 壯年이 겨우 二十四五歲의 어린이로 보인다. 그러나 그의 말 한 마듸 한 마듸는 學者的 正確이 잇다.

上海 出生으로 米國에 留學하야 코넬大學에서는 「부라우닝」에 關한 論文에 一等賞을 탓고 컬넘비아에서 哲學博士가 되엇다. 歸國 後, 文學革命을 主唱하야 白話詩를 처음 썻고 北京國立大學 敎授로 잇다가 上海 光華大學으로 옴겻다. 「中國哲學大綱」 其他의 著書가 잇다.

談談 中國映畫[01]

天台山人

筆者는 中國映畫의 門外漢이면사도 一時의 好奇心으로 이 題目을 揀擇하였으니 造詣 責任 아무도 없는 文字임에 讀者 諸賢의 많은 諒解를 바렌다.

—中華民國 二十年 五月 稿

中國에 映畫가 始作되기는 民國 二年에 上海에 創立된 亞細亞影片公司에서 出發한다(明星影片公司의 前身이다). 文學革命運動이 닐기보담 빨으기 四五年 前이되 오날 와서는 文藝運動의 어느 部門보담도 뒤떠러지고 잇다. 그 후 民國 七年에 畵家「但杜宇」가 上海影片公司를 設立하였더니 五四運動 直後에 際會하야 映畫熱이 급잡히 勃興되여 映畫會社가 一時에 六十餘 所가 建設되여섯다. 그러나 그 景氣도 一場虛夢이였으며「政府檢閱의 苛酷」,「市場不況, 財政難」으로 因하야 基礎가 比較的 튼튼한 數個의 會社 以外에는 모다 潛跡 或은 經營難에 빠지고 잇다. 現在 그 가장 重要한 映畫會

01 『新興』 제5호, 1931.7.

社를 列擧하면——

(A) 明星影片公司. 民國 十二年 創立에 係한 것인데 그가 産出한 作品의 數量과 質에 있어서 가장 高位를 占하며 名實이 相副한 一流 會社이다. 總支配人 張石川, 監督 鄭正秋.

(B) 大中華百合影片公司. 民國 十五年에 創設되엿는대 優秀한 作品을 많이 내여 明星과 爭覇하고 잇다. 總支配人 朱瘦菊, 監督 王元龍.

(C) 天一影片公司. 民國 十六年에 創設되였는데 支配人 邵醉翁, 監督 史東山이 잇다. 가장 古裝劇을 主로 한 國産映畵에 熱中하고 있으며 南洋方面에 販路를 두고 究進하고 잇다.

(D) 長城影片公司. 優秀한 作品을 많이 내여 일홈이 높으며 最近 北中, 滿洲 方面을 向하여 飛躍하고 잇다.

(E) 民新」, 「華劇」, 「友聯」, 「神州」, 「上海」, 「大中國」 等의 映畵會社는 모다 著名한 것이며 其他 群小 會社는 相當히 많으나 이에 煩擧하기를 避한다. 創作家로 新劇運動家로 著名한 田漢이가 南國劇社를 經營함도 這間의 일이다.

그리하야 各 公司는 競爭하야 國産 映畵의 製作에 熱中하고 있으나 「明星公司」에서 約 三十種의 製作이 있은 것을 筆頭로 하고 「大中華百合公司」 約 二十種, 「天一公司」가 約 十種씩의 製作이 있고 그他 各 公司도 모다 數種의 製作이 잇다. 그럼으로 常設舘에도 中國産 映畵를 專門으로 하는 곳과 外國映畵를 專門으로 取扱하는 곧이 各各 따로 있어서 中國産 映畵는 國産映畵中央公司에 提供하야 그 直營인 戱院(活動寫眞舘이라는 말, 一名 電影院)에서 封切한 후 各處에 있는 國産映畵 電影院으로 보내나니 國産映畵 電影院도 現今 上海에만 말하더라도 相當한 數에 達하며 外國映畵 專門의 電影院은 上海에 캅틀, 칼톤 等을 爲始하야 또한 大端히 많이 있는 것인데 더구나

「캅틀」 같은 戱院은 間接 照明과 場內 換氣 等 近代的 裝置에 있어서 東洋에서는 다시 區[02]敵할 것이 없으며 이와 같은 戱院은 恒常 上流階級의 娛樂室이 아니면 避暑所로 變하여 오는 늣김이 잇다.

映畵의 普及됨을 딸아 인제는 여간한 個人의 屋上에는 公園 附近에서도 臨時로 興行하게 되엿다. 勿論 이와 같은 곳에서는 商業廣告의 目的인 만큼 材料같은 것은 擇하지도 아니하며 劍劇, 古裝劇, 三國誌, 水滸傳, 西遊記 같은 것을 切取하야 映畵化한 것 等——을上映한다.

大抵 中國映畵의 傾向을 一瞥하건더 民國 十二年 十三年 頃에는 戀愛, 家庭悲劇, 家族制의 崩壞 等을 取扱한 映畵가 歡迎되엿으며 그 후 民國 十三年, 十四年 以後로는 上海의 大同盟罷業의 當時인만큼 「휴맨·하—드」의 發現을 보게 되여 「勞工의 愛情」, 「小廠主」 같은 것이 歡迎되엿다. 이도 一時의 일이라 그의 反動으로 그 다음부터는 劍劇, 古裝劇 가튼 舊劇映畵의 歡迎되는 一面에 革命氣分이 濃厚한 新進靑年도 黑旋風이나 孫悟空이나 關雲長가티 誇張된 英雄에 欺瞞을 바들 수 없고 西洋化, 武俠化한 「다그라스」類가 歡迎되엿지만은 아즉도 荒唐無稽한 活劇이 몹시 流行되여 亂調子를 일우고 舞臺藝術이니 移動劇場이니 하는 것은 그들의 아는 바가 아니다. 近來에는 中國人 觀賞眼이 一般으로 向上되여 國産映畵보담 外國映畵를 좋와하야 「嵐의 孤兒」, 「앙클·놈스·케빈」 等이 歡迎되며 「세실·비·티·밀」의 名作인 「뽈가」가 「黨人魂」이라는 名稱으로 上映되여 그 熱烈한 被壓迫民族의 反抗心理에 合符하야 國民革命軍이 破竹之勢로 廣東에서 楊子江 沿岸까지 長驅 北進하여 올 적에 一個月 以上을 連映하엿다고 한다.

---

02 '匹'의 오식이다.

그러나 映畵 自體는 아즉도 技術에 잇서서 매우 幼稚하다는 늣김을 나와 같은 初心者에게도 보여준다. 이에 對한 批評을 綜合하면

(イ) 名監督,「씨나리오 라이타」,「캬메라 맨」의 技術不足,

(ロ) 셋드의 不完全, 라이트의 不充分,

(ハ) 畵面에 陰影과 濃淡 起伏이 적어서 純白하고 平面的이고 魅力이 적다.

(ニ) 映畵會社의 無資力으로 雄篇 製作의 困難 等에 歸着한다.

그처럼 劇場 戱院이 많으며 施設이 宏壯하고 作品이 많은 데 比하면 比較的 名監督, 名俳優가 적다. 舊劇 新劇에는 相當히 大家가 잇으면서도 이 方面만은 寥寥한 늣김이 있으며 映畵에 相當한 修養을 가진 이도 二三人 있으나 大部分은 造詣가 없이 道樂으로 經營코저 하는 分子이다.

監督으로는 張石川이가 斯界의 元老級이며 다음은 鄭正秋, 陸潔, 陳壽蔭, 史東山, 鄭醉翁[03], 但杜宇 等이 著名하고 俳優로는 丁子明,「안나·메·윈」(黃柳霜), 胡蝶, 楊耐梅, 林芝芝[04] 等이 가장 名聲이 錚錚한 者 아닌가 한다. 그리고 外國 倍優의 일홈도 中國의 映畵雜誌「銀星」,「電影」,「明星」,「電影月報」 等의 紙面에 많이 轉載되여 있음을 보나니

챨스·짭푸린(卓別麟), 하롤드·로이드(羅克), 쫀·바리모어(約翰·擺里摩亞), 쫀·낄바—드(約翰·吉爾勃), 론챠니(郞却納)(以上 男優).

코린·무—어(柯玲·摩亞), 크라라·보—(克拉拉波), 메리픽·포—드(曼麗畢克福), 비—부·다니엘스(琶伹·伹妮兒[05]) 等이다. 日本 映畵俳優도 田中絹代의 寫眞 가

---

03 '邵醉翁'의 잘못이다.

04 확인되지 않는 이름이다.

05 흔히 '琵琵·伹妮兒'로 표기되었다.

튼 것은 여간한 映畵雜誌나 女學生들의 雜誌帳 속에 흔이 發見되는 것이다.

그리고 外國映畵가 中國名으로 翻譯되여 그 內容을 보지 아니하면 그가 무슨 原作 或은 무슨 朝鮮名인지 알 수 없다. 이제 一例를 들면

原作名	朝鮮名	中國名
The Cossdcks[06]	코삭크	奇薩克軍
Annd Karenind[07]	안나·카레니나	安娜·克累妮娜
Merr Widow	메리·위―도	風流寡婦
The Widding[08] March	結婚行進曲	婚禮行進曲
Sins of the father	父와 子	父親底罪惡
The Seventh Heaven	第七天國	第七重天
Uolgn's Ronts'nal[09]	볼가	黨人魂
The Iron Mask	鐵假面	續三釼俠
The Murder Case[10]	카나리아 殺人事件	白燕女殺案
Four devils	四人의 惡魔	四魔
The Lucky star	幸運의 星	幸運之星
Tesr of the Country[11]	嵐의 孤兒	亂世孤雛
The thief of Bagdad	바크다트의 盜	月宮寶匣

06 'The Cossacks'의 오식이다.

07 'Anna Karenina'의 오식이다.

08 'Wedding'의 오식이다.

09 영화 원제는 'The Volga Boatman'로서 여기서는 잘못 표기되어 있다.

10 영화 원제는 'The Canary Murder Case'이다.

11 영화 원제는 'Orphans of the Storm'으로서 여기서는 정보가 잘못 되었다.

이제는 一年 前에 古談이 되엿다. 내가 大連에서 白河를 遡航하야 天津에 到着하엿을 적에 나의 처음 中國映畵를 보든 첫 印象을 알니기 爲하야 六月 十五日 天津의 光明電影院에 가서 國産映畵 「木蘭從軍」을 보든 日記를 轉載하기로 하자!

六月 十五日 晴.
『어제 저녁 疲勞를 恢復하기 爲하야 일부러 아침 밥도 먹지 아니하고 胡床에 눕어잇다가 닐어나니 午前 열한 時이엿다. 德興號 主人 H氏와 金剛公司 主人 K氏가 와서 기다린다. 寒暖計는 벌서 百度에 갓가운 高熱을 가라치고 있으며 때마침 H氏가 한턱 내여 汽水, 酸味湯, 氷琪淩으로 洗熱을 하고 勸業場으로 向하엿다……세 사람은 電車로 光明影院에 向하였다. 이 戱院은 外國映畵와 國産映畵를 互映하는 곧이여서 羅列한 椅子, 照明, 換氣扇風機 等의 施設이 相當한 모양이다. 定刻 前에 觀客이 모여들어 立錐의 餘地가 없으며 그의 八割 以上은 靑年男女들이다. 電燈이 끈처지더니 木蘭從軍이라는 題目이 스크린 우에 나타난다. 「木蘭從軍」은 저 有名한 木蘭詩를 映畵化한 것으로 일즉 明代에 徐渭의 손에 脚色한 바도 잇다. 女將軍 木蘭이가 그의 父親 花弧를 代身하야 出征해서 匈奴를 擊退한 니약이니 說話로서도 매우 滋味잇다. 이리한다면 李适亂에 參加한 江界 「夫娘」의 傳記도 劇으로서의 興味가 津津할 것이다. 解說은 寫眞 엽에 中國 現代文(白話)와 英語의 두 가지로 쓰여있기 때문에 華語를 聽取치 못하는 나도 能히 그 眞味三昧를 알엇다. 「템포」가 빨으고 俳優들의 表現에 不自然

한 点이 많으며 寫眞面에 色彩 變化가 적은 것은 中國映畵의 缺点인 듯하다. 그러나 山 달으고 물 달은 中國에 와서 服色과 風俗이 全혀 달은 그네들의 活動을 畵幅으로 볼 적에 異國的 風調에 가슴이 쓸쓸하여 진다. 滿場의 喝采는 때々의 拍掌으로써 알 수 잇다. 解說도 英語는 너무 簡略된 늣김을 주기로 中國에 「토—키」가 들어왓는가 하고 물은즉 君의 對答이 「現在有聲電影(토—키라는 말)은 全혀 外國의 것이요, 中國의 것은 없다. 이는 各地方에 言語가 달으기 때문에 製作하기가 困難한 까닭이라」라고 한다. 國語統一의 必要가 잇다. 부질없이 文字 많은 나라 이 얼마나 큰 不便이냐! 明星影院에서 가장 人氣를 博한 映畵인 「孤星[12]救祖記」, 「好哥哥」 等을 토—키로 映畵化해서 中國言語 統一에 資助코저 한다는 議論이 잇다고 한다. 寫眞이 끝낫다. 하로 한 作品씩 上映하니까 나! 오다가[13] 거울을 보니 입살이 컴컴하게 되엿다——한참 동안 수박씨를 까고 잇은 까닭이다……』

中國의 映畵運動은 갈스록 沈滯하고 進展이 銳敏치 못하다. 近來에 思想界가 混沌에서 急進코저 함으로 國民政府는 左傾思想과 風紀紊亂의 防止, 反革命 宣傳의 取締라는 意味로 檢閱과 輸入을 嚴密히 하고 高壓手段을 取하고 있다. 이것이 映畵業者의 큰 痛棒인 듯하다. 最近에는 中國의 三面記事的 事實을 가지고 製作한 映畵도 그 數가 붙어가며 若干의 日米 留學生들이

---

12 '星'은 '兒'의 잘못이다.

13 '上映하니까! 나오다가'의 오식이다.

「푸로藝」術, 푸로映畵를 標榜하여 오는 것도 가장 注視할만한 現象이니 우리는 많은 期待를 가지고 그들의 鬪進하는 過程을 보지 아니할 수 없다.

現代 中國思想家 列傳【其三】
— 實驗主義의 哲學家 胡適(발췌)[01]

申彦俊

胡適氏는 陳獨秀氏와 같이 安徽의 二大 思想家로 近代中國의 歷史우에 爀爀한 人物이다. 安徽省은 歷史的으로 보아 古來 漢民族 百戰의 地로 그 地勢의 關係上 黃河文明과 長江文明의 影響을 受하야 文化가 早開하고 古來 幾多의 英傑, 大文豪, 大學者가 輩出하얏다. 學者 文人으로 보면 南宋의 大儒 朱熹, 大詩人 梅堯臣, 淸代의 一大學派를 成한 戴震 等의 桐城學派가 注目에 値한다.

胡適氏는 一九二七年 秋 上海 同文書院에서 「中國近三百年來의 四個思想家」란 題로 戴震을 그 中 一人으로 擧하고 近 三百年來의 中國思想界가 反理學 時期라고 述하얏다. 戴震은 宋明의 理學을 排擊하고 唯物論을 根據한 「樸學」을 提唱하야 一世를 風靡하얏다. 「樸學」이란 것은 「實事是求」를 標榜하고 中國 古文化에 對하야 새롭은 硏究를 加하는 一種의 史學的 運動으로 此로써 近世 中國 文藝復興 時期를 展開한 것이다.

---

01 『東光』 제24호, 1931.8. 여기서는 호적의 삶 및 문학과 관련된 부분만 발췌한다.

戴震과 故鄕을 같이 한 胡適氏의 「푸랙마티즘」(Pragmatism) 即 實驗主義(日本學者들은 實際主義 或 實利主義 等 여러 가지 譯名이 잇다. 實驗主義는 胡適氏의 譯名이다.)는 戴震 等의 桐城學派가 標榜하는 「樸學」과 깊은 因緣이 잇을 것을 짐작할 수 잇다.

胡適氏의 父親은 臺灣에서 官職을 가지고 잇엇으며 五歲 時에 永別하게 되어 氏의 家庭은 極히 貧困하얏다. 그러나 氏의 母親은 勤儉 節用의 賢母로 氏의 讀書를 督促하얏다고 氏는 「先母行述」 中에 自叙하얏다. 十三歲부터 上海에 와서 新學問 배우기를 始作하얏는데 當時 氏의 思想에 가장 深刻한 影響을 준 것은 上海의 「時報」엿다고 氏는 自述하얏다. 그 自述에 依하면 當時 「時報」는 愛國思想의 鼓吹와 古文體를 버리고 創新한 文體를 쓰는 두 가지 特色으로 言論界의 重鎭이 되고 一般 靑年學生의 愛讀하는 新聞이 되엇다. 「時報」는 愛國思想의 鼓吹로써 爾後의 思想革命의 種子를 심으고 創新한 文體로써 文學革命의 先鋒을 養成하얏다. 胡適氏의 白話文 研究에 對한 興味는 實로 時報에서 비롯한 것이다.

胡適氏는 上海 震旦學院에서 新學問의 基礎를 修得하고 官費 留學生으로 米國 「컬럼비아」 大學에 入學하얏다. 最初는 農科에 在學하다가 哲學研究에 趣味를 두어 哲學科에 轉學하야 哲學博士의 學位를 得하얏다. 氏의 自叙傳에 依하면 「컬럼비아」 在學 時에 氏의 學課의 三分之一은 政治 經濟엿고 또 一面으로는 中國政治와 世界政治에 注意를 가지고 잇엇다. 一九一六年부터야 中國哲學史의 研究로써 氏의 終身事業을 삼고 文學으로 娛樂을 삼기로 決心하얏다고 하얏다. 一九一七年 七月에 歸國함에 張勳의 復辟運動이 이러나고 또 上海에서 出版界와 敎育界의 沉寂한 것을 보고 思想과 文藝方面에서 中國을 爲하야 새롭은 基礎를 세우기로 盟誓하얏노라고 하얏다.

> 惡政治의 祖宗 父母는 곳 二千年來의 思想 文藝다. 懶惰한 마음, 淺薄한 思想, 傍觀態度, 宿命觀——이 모든 것이 우리의 仇敵이다.

이러한 見地에서 氏는 政論을 避하고 思想 文藝 討究에 潛心하얏다.

(중략 — 엮은이)

文學革命

「一時代는 一時代의 文學이 잇다」하고 文學革命의 烽火를 擧한 胡適氏, 陳獨秀 兩氏는 難兄難弟의 二猛將으로 當時 頑固者들과 論戰을 試하야 白話文 文學의 新時代를 産出케 하얏다. 胡陳 二氏의 文學革命에 在한 功績을 比較한다면 陳은 破壞的이고 胡는 建設的이다.

文學改革의 精神은

一. 古人을 模倣치 말 것, 二. 文法을 講究할 것, 三. 無病呻吟하지 말 것, 四. 思想과 情感을 가지게 할 것(須言之有物), 五. 묵은 套語(例하면 玉樓, 芳草, 斜陽, 春閨 等)를 쓰지 말 것, 六. 典(古人이 만든 譬喩, 例하면 退避三舍, 舊雨 等, 문자 쓰는 것)을 쓰지 말 것, 七. 對 놓지 말 것, 八. 俗語와 俗字를 避하지 말 것 等이다. 實驗主義에 徹底한 氏는 氏가 著作한 白話文集을 「嘗試集」이라 稱하얏다. 「嘗試集」은

> 友人으로 더부러 文學을 討論하다가 友人은 白話文學이 不可能하다고 主張하야 余는 一時 크게 憤하야 三年 內에는 白話詩만 짓기로 盟誓하고 그것으로써 白話文이 韻文과 小說의

利器가 될까 안될까를 實地 試驗하는 것이다.

(陳獨秀氏에게 보낸 편지의 一段)

實驗主義로 본 氏의 文學觀은 「歷史的文學觀念論」을 主張하게 되엇다.

古人은 古人의 文學이 잇나니 今人은 今人의 文學이 잇을 것이다. 우리가 古文家를 攻擊하는 것은 우리는 「歷史的文學觀念」을 主張하나 古文學家는 이 觀念에 反對하는 까닭이다.

文學革命의 眞意는 무엇인가? 氏는 「建設的文學革命論」에 아래와 같이 그 主張을 述하얏다.

余는 白話文으로 지은 글이 모다 價値와 生命이 잇다고 하는 것이 아니다. 내가 말하는 바는 죽은 글로는 산 文學를 만들어 내지 못한다는 말이다. 水滸傳, 西遊記, 紅樓夢, 儒林外史 같은 近世文學이 모두 活文學인 것은 그것이 모두 活文字(白話)로 지은 글인 까닭이다.
死文字가 어찌해서 活文學을 産生치 못할가. 이것은 文學의 性質이 그러한 까닭이다. 모든 言語文字의 作用은 意와 情을 表示하는 것으로 意와 情을 巧妙하게 잘 表現한 것이 곳 文學이다. 死文字를 쓰는 者는 그의 意思와 感情을 몇 千年 前의 古典으로 翻譯해 놓으니 活文學이 될 수 없다. 「文學的 國語, 國語的 文學」, 이것이 文學革命의 目標다.

또 文學에 關하야 氏는 「무엇이 文學인가」한 一篇 中에 文學의 三條件이 一. 明白淸楚, 二. 人을 感動하는 힘, 三. 美라 하얏다. 「文學的國語」로 白話文을 提唱한 氏는 白話를 아래와 같이 定義하얏다.

一. 淸白한 것, 即 粉飾이 없는 것.

二. 明白한 것.

三. 드를 수 잇고 말할 수 잇는 것.

(중략 — 엮은이)

國民黨 治下에 胡氏는 容身할 곳이 없게 되어 上海의 外人 租界地에서 隱遁生活을 하고 잇엇다. 現 國民黨 政治의 專制主義에 憤慨하야 胡氏는 佛蘭西革命의 人權宣言과 비슷한 人權擁護論을 提唱하야 國民黨의 個性自由 壓迫을 非難하얏다. 氏의 反國民黨 言論은 國民黨部의 反感을 買하야 大學 敎授의 生活도 못하게 되어 그만 昨年 冬 北平으로 移居하얏다. 氏는 目下 中國哲學史 下卷을 著作 中이라 한다. 氏는 政治人은 아니다. 政治的으로는 過去의 功績과 將來의 期待가 없다 할지나 中國의 學術界, 思想界에 잇어 氏가 生産한 文化財는 中國民族 萬代의 보배가 될 것이다.

(完)

中國 푸로文藝 — 運動의 過去와 現在[01]

金光洲

(一)[02]

中國의 푸로文藝運動은 過去 三年이란 짤지 안흔 歷史를 가젓스나 現在에 이르러는 工作이 完全히 停頓되엿다 하야도 過言이 아니니 이는 客觀的環境의 高壓이 重要한 原因이라 할 수 잇스나 理論의 徹底치 못함도 原因中의 하나이라고 할 수 잇다.

그러나 이 運動은 中國 五四 白話文學運動 以後의 重要한 現像이며 中國文壇 上에 끼친 바 影響도 적지 안헛고 一般 靑年 群衆에게 준 作用도 相當한 力量을 가지엇섯슴은 否認할 수 업는 事實이다. 이에 筆者는 簡單한 紹介를 本位로 客觀的 立場에서 本文을 草하야 參考에 供하랴 한다.

中國 푸로文藝運動을 말함에 가장 重要한 것은 中國 五四 新文藝運動과 革命文學運動과 푸로文藝運動의 關係이다. 그러나 이는 筆者의 拙譯『中國新文藝運動槪論』에서 그 變化 階段 等의 大畧을 紹介하엿기로 이에 畧하며

01 『朝鮮日報』 1931.8.4~8.7, 4면.

02 매회 연재분 표기로서 4회에 걸쳐 연재되었다.

文學上의 『文言白話』의 對立關係를 解決한 이 中國 五四 新文藝運動은 兩個 不同한 陣營을 產生하엿스니 곳 『文學硏究會』와 『創造社』가 그것이다. 그러고 이 두 不同한 陣營은 彼此의 衝突이 업지 안헛스나 다 가티 革命文學의 立場에서 工作을 하여왓슴이 事實이라는 것을 또다시 말하야 둔다.

그러나 마츰내 時代의 進展을 따라 一九二六年 春期에 郭沫若이 『革命과 文學』을 『創造月刋』에 發表하야 中國文壇의 相當한 注意를 이르키엇스니 이는 『沫若』의 過去 『詩人의 꿈』에서 覺醒한 大膽한 부르지즘이엇고 또한 中國 革命文學運動의 導火線이 되엿다고 해도 過言이 아니다. 이에 비로소 革命文學運動은 全中國文壇을 震盪케 되엿고 仿悟[03]가 오래 동안 직히고 잇든 『藝術塔』을 버서버리고 『革命文學과 그 永遠性』을 吼出하엿스며 뒤를 이여서 光慈 外에 多數한 文人들이 다 가티 이 文藝運動에 熱中하게 되엿고 적지 안흔 革命文藝 作品이 出現하엿스나 運動의 初期인만큼 浪漫的 反抗熱과 激憤안 情緒 外에는 作品의 內容이나 形式에 잇서서 特異한 變化를 表現치 못하엿지만 이 一期의 運動은 文學革命에서 革命文學으로 이르른 한 階段이엇고 또한 中國 푸로文藝運動의 前期라고도 할 수 잇다.

其後 共黨의 叛亂으로 因하야 中國革命이 分化를 이르키게 된 一九二七年에 이르레 中國文壇 上에는 空前의 大混戰이 이러낫섯스니 이는 곳 老作家 『魯迅』의 一派와 郭沫若, 成仿俉[04], 李初梨, 馮乃超를 中心으로 한 革命文學 旗幟下의 『創造社』와의 對立 混戰이엇스며 또한 中國 푸로文藝運動의

03 '仿吾'의 잘못이다.

04 '成仿吾'의 잘못이다.

初期的 鬪爭이엇스니 이 한 混戰으로 因하야 客觀的으로는 아모러한 收穫도 업섯스나 事實上으로 中國 푸로文藝運動은 한 文藝運動으로서의 地位를 獲得한 세음이다.

當時의 푸로文藝 刋物로는 『創造月刋』, 『文化批判』, 『文藝生活』, 『大陽月刋』, 『海風週報』, 『新流月報』 等을 其中 主要한 것이라고 할 수 잇스며 이 刋物은 一九二九年 末까지 持續되엇섯고 이는 革命文學에서 푸로文學으로 이르른 한 階段이며 또한 푸로文藝運動이 中國文壇上에 그 作用을 始作한 初期라 할 수 잇다.

一九三〇年 春期에 드러와 中國 푸로文藝運動은 가장 큰 活躍을 開始하엿섯스니 또다시 魯迅의 編輯으로 『萌芽月刋』, 田漢의 編輯인 『南國月刋』 外에 『拓荒者』, 『大衆文藝』 等의 刋物이 繼續 發刋되엇고 이해 三月 二日에 이르러 中國 푸로文藝運動의 唯一한 統一體이든 『左翼作家聯盟』이 正式으로 組織되엇다. 이 聯盟의 組織 當日에는 馮乃超, 華漢, 龔冰廬, 孟超, 莞爾, 邱韻鐸, 沈端先, 潘漢年, 周全平, 洪靈菲, 戴平萬, 錢杏邨, 魯迅, 畫室, 黃素, 鄭伯奇, 田漢, 蔣光慈, 郁達夫, 陶晶孫, 李初梨, 彭康, 徐殷夫, 朱鏡如, 柔石, 林伯修, 王一榴, 沈葉沉, 馮憲章, 許幸之의 五十餘人의 文人들이 出席하엿섯고 魯迅, 彭康, 錢杏邨 等 三人이 主席團에 推定되엿스며 常務委員으로 沈端先, 馮乃超, 錢杏邨, 魯迅, 田漢, 鄭伯奇, 洪靈菲 等 七人을 選擧하엿섯고 當時 그들의 組織 綱領의 主要點은

一. 우리는 新興階級의 眞正한 解放에서 文學運動의 目的을 救함.

二. 우리는 우리 運動의 壓迫을 反對함.

等이며 또는 다음 가튼 工作 方針도 決定한 바이 잇섯다.

一. 國外 新興文學의 經驗을 吸收하야 우리 文藝運動의 도음이 되게 하며 各種 硏究的 組織體를 組織할 것.

二. 新進作家에게 文學的 訓錬을 줄 것.

三. 맑스主義的 藝術理論과 批評理論을 確立시킬 것.

四. 機關紙 及 業書 等올 出版할 것.

五. 新與階級 文藝作品을 產生하기에 努力할 것.

이 外에 다음과 가튼 意味下의 長文 綱領도 通過되엿섯다.

> 『無產階級의 ××[05]鬪爭戰線上에 서서 一切 反動的이며 保守的인 要素를 攻破하고 被壓迫 群衆의 進步的 要素를 發展시키랴 함이 우리의 結論이다.』

> 『우리의 藝術은 勝利를 엇지 못하면 죽엄을 어들 것을 覺悟하고 血戰치 안흐면 안된다. 藝術은 人類의 喜悲哀樂을 그 內容으로 할 것이나 우리의 藝術은 無產階級이 暗黑한 階級社會에 處한 그 裡面의 感覺과 感情을 內容으로 하지 안흐면 안된다. 이러함으로 우리는 資產, 小資產, 封建 等의 各 階級에 反對하며 無產階級藝術의 產出을 極力 援助하여야 한다.』

> 『우리의 理論은 恒常 運動의 正確한 進路를 指出하고 아울러 이 運動의 發展을 期하게 하며 具體的 作品의 批評과 學術的 研究에 努力하야 過去藝術의 批判工作과 國際 無產階級藝術

05 중국어 원문에 의하면 '解放'이다.

의 紹介 等으로 確正的 藝術理論의 建設을 期함.』

等.

(二)

이리하야 『左翼作家聯盟』이 中國 푸로文藝動動의 完全한 統一的 社團이 되엿고 이 外에도 『藝術劇社』의 公演, 『時代美術社』(中國 最初의 푸로美術運動의 集團, 一九三〇年 二月 創立)의 創立 等으로 一九二九年으로 一九三〇年 春期까지 中國 푸로藝術運動은 文藝뿐 아니라 各 部門에 亘하야 從前이나 現在에도 보기 드문 活躍을 하엿스니 이 한 時期를 中國 푸로文藝運動의 黃金期라고도 할 수 잇다.

다음으로 過去 三年 間 그들의 푸로文藝 作品을 簡單히 紹介하랴 한다. 이 三年 間에 中國 푸로文藝 作品은 擧出할만한 名作은 업섯스나 量的으로 보면 決코 적은 것이 아니엿다. 翻譯 方面으로 보아도 一時에는 푸로文學 作家의 重要한 工作의 中의 하나인 듯한 感이 잇슬만치 各國의 作品을 다투어 翻譯 紹介하엿다. 右翼作家들에게 中國 푸로文藝는 外國作品의 偷來 移植品이라고 猛烈한 攻擊을 바듬도 一理가 업는 일은 아니다.

長編으로는 『쏘비에트』의 最初의 名作이라는 『리베팅스키ー』의 『一週間』, 『아개녜ー푸』의 『十月』, 『中學生日記』, 『大學生日記』, 『꼴키ー』의 『奸細』, 『母親』과 『씽크레ー어』의 『石炭王』, 『屠場』, 『煤油』 等이 翻譯되어엇고 短篇으로 蔣光慈의 譯인 『쏘비에트』短篇小說集 『冬天의 春笑』, 劉穆 譯인 『蔚

藍的城』 等 外에 日本 新興短篇集으로『初春的風』이 沈端先의 譯으로 出版되엿다. 이 外에 『푸리한노―푸』, 『루나찰스키―』 等의 文藝理論이 中文翻譯으로 紹介되엿슴은 前에 『中國文壇의 回顧』에서 紹介한 바와 갓다.

이러한 外國文藝 作品의 翻譯은 그들이 中國 푸로文藝 推進에 큰 도움이 되엿다고 함도 無理한 말은 아니나 右翼作家들에게 『이러한 翻譯作品은 그대들의 對立 階級的 殘忍性과 醜惡性을 暴露함이며 우리는 决코 健全한 文藝作品이라고 볼 수 업다』고 적지 안흔 攻擊을 바든 것도 事實인 만큼 一時에는 盲目的이랄 만치 翻譯에 熱中하스니 日本作品도 藤森成吉을 爲始로 푸로作家의 作品이 翻譯 紹介됨도 적지 안헛다.

그들의 創作小說 方面을 보면 郭沫若의 『我的幼年』, 『反正前後』, 蔣光慈의 『麗莎的哀怨』, 『衝出雲團的月亮』 等이 푸로文藝 作品으로는 가장 만흔 注意를 끌은 作品이며 一時는 偶像 崇拜라고 攻擊을 바든 만큼 多數의 讀者를 가젓섯다.

그러나 郭沫若의 『我的幼年』과 『反正前後』는 이를 純客觀的 立場에서 보면 크다지 큰 効果를 어든 作品이 못된다. 作品 中 眞正한 階級意識을 表顯치 못햇슬 뿐 아니라 形式이나 다 가티 初期의 革命文學 時代에 比하야 아모런 進展도 보이지 못햇스며 英雄主義의 色彩의 發露로 적지 안은 攻擊을 바덧다. 蔣光慈의 『麗莎의 哀怨』, 作品의 題目과 가티 露西亞 貴族階級의 代表女性인 麗莎의 沒落 過程을 描寫하야 露西亞 貴族階級의 沒落과 따라서 新興階級의 振起를 暗示하랴 하엿스나 넘어나 宣傳이며 口號的인 데서 健全한 文藝作品으로서의 價値를 차즐 수 업는 作品이다. 『衝出雲團的月亮』은 『八一』事件 失敗 以後 三種 傾向을 表現하랴 한 作品이니 作品의 主人公으

로 하야금 虛無主義의 盲動主義的 傾向을 代表케 하엿고 또한 投機的 靈魂賣買의 傾向, 正確한 革命黨人의 思想 等을 代表 顯示하랴 한 作品이다. 그러나 이 作品도 政治的 評價上으로는 이 한 時代를 健全히 表現하엿고 特別한 性格描寫와 心理描寫로 作者 個人的의 長足의 進捗를 보이엿다고 하지만 客觀的으로 十分 滿意할 作品은 못된다. 다음으로 右翼作家 張季平의 이 두 作品에 對한 評을 引用 紹介하야 둔다.

(三)

> 06『麗莎的哀怨』의 效果는 讀者로 하여금 露西亞 貴族階級의 沒落에 對한 同情을 激動케 하엿슬 뿐이다. 이로 因하야 讀者에게 憤感을 發生케 하지 못하고 도리혀 階級鬪爭이 帶來하는 무서운 災害로 말미암아 發生하는 虛無主義的 信念을 주엇슬 뿐이다. 一個 無産階級 文藝戰士의 作品은 그들이 絶對 愛護하는 無産階級에게 助益하는 바이 잇서야 한다 함이 그들의 理論의 要點인 以上 이에 反하야 讀者로 하여금 同情을 갓게 하지 못하고 反感과 敵意를 사게 하엿스니 光慈의 『麗莎의 哀怨』은 第一 그들의 理論에 反하는 失敗한 作品이다.』

> 『衝出雲圍的月亮 가운데서 『光慈』는 作品의 主人公 『曼英으로 하여금 全 作品의 十分之八 以上의 描寫나 되는 浪漫的 行

06 ‘『’가 누락되어 있다.

動을 表示하엿다. 조금도 階級에 對한 敵視的 態度를 發見할 수 업스며 讀者로 하여금 마치 『茅盾』의 『追求』를 對함과 가튼 感을 이르킬 뿐이다. 光慈의 階級觀點(이 作品에 나타난[07] 茅盾의 그것과 무슨 差別이 잇는가? 結局 나는 作者 光慈의 觀點은 이 한 時代의 小資產階級의 轉變 分折된 것이며 無產階級의 觀點이라고는 할 수 업다.』

(月刊誌 現代文學評論 創刊號(一九三一 四月 發刊)에서)

이 外에 프로文藝 長篇으로는 프로文藝 鬪爭精神을 가장 充分히 顯示하엿다는 蔣光慈의 作品 『短褲黨』이 잇스며 其外에는 推擧할만 한 것이 업슬 것이며 短篇 方面으로 이 三年 間에 出版된 프로文藝 作品으로는 이 亦是 蔣光慈의 編輯인 中國新興文學短篇創作選 『失業以後』와 『兩種不同的人類』이다. 이 두 冊子는 二十餘篇의 短篇으로 編成된 것이니 』[08]의 中에 『劉一夢』의 『失業以後』, 『華漢』의 『馬間[09]』, 『馮憲章』 『一月十三日』, 『戴平萬』의 『村中的早晨』과 『保保[10]』의 『種兩子同的人類[11]』 等의 몟 篇이 其中 重視될 만한 作品이라 한다. 그러나 이 『劉一夢』의 『失業以後』와 『森保』의 『兩種不

---

07 ‘)’가 누락되어 있다.

08 오식이다.

09 ‘馬桶間’의 잘못이다.

10 ‘森保’의 잘못이다.

11 ‘兩種不同的人類’의 오식이다.

同人類[12]』는 出版된지 不久에 發禁을 當한 바이 되여 求讀키이 어려움으로 作品의 內容이나 技巧 等을 紹介치 못함을 遺憾으로 生覺하며 『失業以後』는 工人의 生活을 題材로 한 作品이며 『魯迅』은 이 作品을 二年 間 푸로文藝 作品 中에 가장 優秀한 것이라고 말하얏다고 한다.

『華漢』의 『馬桶間』도 亦是 工人의 生活狀態를 描寫한 作品이나 表現된 意識에 넘어나 幼稚하고 貧弱한 點이 만타고 右翼作家들의 攻擊을 밧는 作品이며 馮憲章의 『一月十三日』은 罷工事件을 取材로 한 作品이나 이도 또한 一種 新聞의 概便的으로 씨워진 失敗한 作品이라 한다.

이러한 點으로 보면 戴平萬의 『村中的早晨』이 比較的 効果를 어든 作品이라 할 수 잇스니 이는 農民의 鬪爭을 描寫한 作品으로 農民의 性格과 革命觀念의 展開 等을 相當히 表現하엿다고 할 수 잇스나 農民의 最後의 自覺的 意識이 朦朧함이 缺點이라고 할 수 잇다. 다음으도 森堡의 『兩種不同的人類』에 대한 張季平의 評文 中의 一節을 引用 紹介하야 둔다.

> 『『兩種不同的人類』는 人間生活에는 國籍의 分別은 업고 階級의 不同함으로 因하야 各種의 生存競爭이 이러난다는 것을 說明하랴 한 作品이다. 그러나 叙述이 넘어나 故意的이엿고 迂曲的이엿스며 叙述한 事件도 讀者로서 그 主意를 알기 [13]렵게 되엿스니 푸로文藝 作品으로서의 完全히 失敗한 作品이다.』
>
> (現代文學評論 創刊號에서)

---

12 '兩種不同的人類'의 오식이다.

13 '어'자가 누락되어 있다.

(完)

過去 三年 間의 그들의 푸로文藝 創作品을 또다시 總括하야 말하면 長編으로는 郭沫若의 『反正前後』, 『我的幼年』, 蔣光慈의 『麗莎의 哀怨』, 『衝出雲圍的月亮』, 『短褲黨』 等이 推擧할만 한 作品이며 短篇으로는 압헤서 말한 中國新興文學短篇選인 『失業以後』와 『兩種同不的人類』 外에 戴平萬의 短篇集 『都市之夜』가 잇스나 長編, 短篇의 一般을 通하야 別로 큰 効果를 거두지 못하엿다고 할 수 잇다. 詩壇에 잇서서도 『拓荒者』, 『萌芽月刋』 等에 發表된 것이 一二篇이 아니 잇스나 蔣光慈의 『從古鄕帶來的消息』과 龔氷廬의 『我們重新來開始』[14] 두 篇을 除하고는 넘우나 標語, 口號的인 데서 注意할만한 價値잇는 作品을 發見할 수 업섯스며 戱劇 方面으로 보면 王獨淸의 『貂蟬』과 傅克興의 『巨彈』 外에 田漢의 戱劇運動을 말할 수 잇스나 一九三〇年 春期(『左翼作家聯盟』 宣言이 發表된 前인지 後인지 時日을 記億치 못한다.)에 田漢의 主幹인 中國 唯一한 新劇團體이든 『南國社』가 公演한 『칼멘』(田漢의 脚色과 演出)을 보면 푸로文藝와는 何等 關係가 업는 이 『칼멘』에 억지로 『打到帝國主義』의 意識을 집어너으랴고 애쓴 것은 田漢뿐 아니라 『南國社』 全體의 큰 失手라고 아니 할 수 업다.

그러면 以上의 몃 篇 不健全한 作品을 내노코 『左翼作家同盟』이 組織된 後 中國 푸로文壇은 現在에 이르러서 工作上으로 如何한 進展을 顯示하고 잇는가?

簡單히 말하면 中國 푸로文藝運動은 『左翼作家聯盟』이 組織되여 幾個月間 그들의 工作을 繼續하엿스나 一九三〇年 中間으로부터 現在에 이르러서는 完全히 그들의 工作이 停頓되엿다고 밧게 할 수 업다.

---

14 이는 시가 아니라 4막 근본이다.

『左翼作家聯盟』의 組織을 宣言한지 滿 一年이 되는 一九三一年 二月 三日에 主席의 一人이든 『魯迅』이 創作家 『柔石』과 함께 被捕되엿슬 뿐 아니라 當 聯盟組織에 出席하엿든 五十餘人의 文人 中에 消極的 方面으로 나아가 工作을 繼續하는 몃몃 作家들을 除하고는 大部分이 被捉 或은 避身하엿고 現在에 이르러는 當時에 組織된 『左翼演劇同盟』, 『左翼美術同盟』 等은 形跡도 차즐 수 업게 되엿다.

徹底히 푸로藝術의 意識을 把握한 演劇團體는 아니엿스나 唯一한 中國의 新劇運動團體이든 『南國社』도 자최를 이른지 오라며 『田漢』도 現在에는 避身 中이니 行跡도 차즐 수 업게 되엿다.

處處에서 微弱한 工作이나마 繼續하고 잇는 作家가 업지도 안흘 것이나 三年의 歷史를 가진 中國 푸로文藝運動은 完全 停滯되엿스니 이 原因은 一二章으로는 容易히 말하기 어려우며 第一로는 客觀的 環境의 高壓이라 할 수 잇스나 『푸로文學은 階級의 武器』라는 一個 莫然한 觀念(이는 中國文壇뿐 아니라 누구나 깁히 생각할 問題이지만) 外에 徹底한 理論의 根據가 업섯고 獨特한 作品의 內容 形式의 建設이 업섯슴도 가장 重大한 原因이라고 할 수 잇다.

一九三〇年 末로 一九三一年 現在에 이르기까지 中國文壇에는 過去 푸로文學의 全盛期와 對立的으로 民族主義 文藝運動이 猛烈히 일어나서 『現代文藝』, 『文藝月刋』, 『前鋒月刋』, 『長風』[15] 等의 月刋物이 刋行 中이며 그들은 이 푸로文藝運動의 停滯를 完全한 最後 沒落期라고 하나 『中國 푸로文藝運動』이 또다시 新局面을 打開하야 進展을 보일는지, 現狀대로 永遠히 沒落되고 말 것인지는 現在에 잇서서 決定的으로 斷言을 내리기는 어려운 바이다.

【完】

(一九三一·六·一五 於 吉林)

15 『長風』은 반월간 잡지였다.

中國文人의 受難과 榮譽 — 一九三一年 上半期 文壇 秘錄[01]

경손

(上)[02]

米國의 新雜誌『새로운 무리』가 이 번 六月 初에『에이렛터—투터월드』題目으로 世界에 公布하니 이제는 秘密이 못되고 마럿거니와 지나간 一月 十七日 六大 作家를 失踪식힌 中國의 文壇은 그들 消息을 아는 者로도 입을 열지 못하게 政府는 一切의 報道를 禁하엿섯다. 그들 六名은 上海의 不夜城 大世界 東方호텔에서 密議 中에 被捕되여 直決 銃殺을 當하엿스나 是非를 論하는 곳은 업섯다. 獨單 某 小報가 겨오『一封書來信探聽他們蹤跡』이란 新聞式 題目으로 이 事實의 暗示를 주엇슬 따름이요, 그 후 政府의 御用 文藝誌『現代文學評論』이 아레와 가튼 報告를 실엇다.

『어느 벗에게 드르니 그들은 東方호텔에서 會議 中에 被捕됨이라 한다.

---

01 『朝鮮日報』1931.8.26, 8.28, 8.29, 4면.

02 매회 연재분 표기로서 3회에 걸쳐 연재되었다.

翌朝에 法의 判決을 바덧다. 北新書店에 갓다가 이 消息을 드른 丁玲女史는 두 발을 구르며 痛哭하엿다.』

(丁玲은 죽은 胡也頻의 愛人이요, 最近 著『一九三〇 봄의 上海』等 名作을 지닌 女流作家이다.)

이 六名의 有爲한 作家를 直決 銃殺에 處한 事實에 다시금 이 번 巴里 新刊인 某 新聞은 世界에 奇異한 일로 公布되엿거니와 이러한 受難쯤은 上海文壇에서는 非一非再인 모양이다.

政府는 作家를 업새임으로 完全치 못함인지 이 번 三月 四日 未明 上海文化의 根源地인 四番路를 襲하야 大書店이요, 意義한 作品을 刊出하는 書店 八處를 封하고 壞하엿스니 前日 冬節에 三處 이러히 處分함에 合하야 十餘 書棟이 업서진 것이다. 假設 書店이 法에 照하야 正이던 不正이던 이는 確實히『입』을 막은 中國을 만듬이엿다. 이제 雜誌『新學生』第三期 所載인 著作家 權利에서 이에 關한 消息을 보면 이 지음 政府의 手段은 如左하다.『過去 刊出의 全部를 押收하야 불에 사른다.』『印刷機를 빼앗는다.』『主人을 잡아가고 書店을 封한다.』『檢閱을 始作하야 原稿 押收 或은 半을 찌저 준다.』『作家의 목에 懸賞을 걸고 잡는다.』等等이엿다.

政府가 如斯한 態度에 出할 徵兆는 임의 昨年 冬節부터 보이엿스니 敏感인 作家들은 自己 목에 幾 千圓 賞이 걸녀 잇슴과 언제쯤 自己 家宅이 襲擊될 것도 占치엿던 것이다. 當時 政府는 所謂 六一社 等을 組織하야 文藝作品과 印刷機로써 意識 對立을 식히여 効를 奏하랴 드럿다. 政府는 上海에 東洋一이라 할 大書店을 開業하고 온 文人의 意識을 稿料로 買收하랴 드럿스나 連하야 끈칠 새 업다. 國內 出兵이 그러한 文化事業을 이르킬 機會를 지금것

주지 안코 잇다. 그러한 裡面 策事는 某 小報에 如左히 記錄되여 잇다.(A는 某 御用 文藝大家요, B가 記者이다.)

B:『近日 書店이 被封됨에 엇더한 感이 잇습니까.』

A:『글세 法令의 處分이요, 法院의 執行이니 나야 알 수 잇소.』

B:『이 지음은 原稿 審査가 甚하다니 무슨 一定한 規定에서 審査함인가요?』

A:『三民主義 以外면 禁함이지요.』

B:『書店을 封하다니 文化事業 上 損失이나 아닌지 先生은 文藝家의 立場에서 엇더십니까.』

A:『글세 한편으로 말하면 反動을 除함이니까요.』

B:『六一社들을 組織한다 함이 確實한가요?』

A:『글세, 六月 一日에 우리들이 會를 여러서 그러케 名하여 보앗소이다.』

(A란 中國에 有名한 朱應鵬氏이다.)

上海에 新書店을 合株 組織하야 大規模로 意識 買收를 策하던 政府는 戰爭통에 成功치 못하고 爲先 文藝中心地 上海에서 左翼의 文藝誌『拓荒』, 『小說』, 『大衆』, 『南國』, 『芽』 等을 一朝에 封케 하며 그 代身 爲先 威脅當한 書店主들을 勸하야 『前鋒』, 『現代文學評論』, 『現代文藝』, 『新生活』 等을 刊出케 하엿다. 이 통에 업든 所謂 南京의 文壇이란 別世界가 投機的으로 나섯

스니 一稱 首都文壇의 『中央文藝[03]』, 『展開文熱[04]』, 『流露』, 『線畧[05]』 等이 그것이다. 그런데 이들의 政府 補助金이란 것이 某紙에 調査되엿스니 列擧한다.

中國文藝, 每月 補助金, 一千二百圓.
開展文藝, 同, 一百二十圓.
流露, 同, 千圓.
線畧, 同, 六十圓.

이러한 逆轉 바로 前에는 勿論 左翼刋物이 全盛이엿다.

(中)

雜誌 『拓荒者』 等은 不過 出版 三期에 千六百頁인 大雜誌로써 넉넉히 取支가 마젓스며 書店輩들도 左字가 안 부튼 文藝品은 上棟치 안흐랴 하엿스니 이 原因이 어듸 잇느냐. 余는 中國의 歷史나 中國의 現實 云云을 함보다 最近 某紙가 一般 中國少年들에게 讀書意見을 問하야 計한 一覽表가 잇스니 紹介하랴 한다.

---

03 '中國文藝'의 잘못이다.

04 '開展文藝'의 오식이다.

05 '線路'의 잘못이다. 이하도 마찬가지다.

中國少年 讀書 傾向

姓名/傾向	我歡喜的件[06]	不歡喜的作	我的生活程度	我的將來
周康靖	是革命的	性愛的	最低	服務文藝
溫××	革命的	千篇一律的 中國戀愛品	中產	爲人羣合作
王澤民	勞工描寫品	汪靜之的詩 梁實秋的偏見	極窘迫	生存鬪爭
張爾美	『七個絞死人』之類品	戀愛品	缺債不容易 淸債	農民合作
木梗	革命的	頹廢的 享樂的	工場	不做資本家

以下 亦是 異口同音格이니 그만 둔다. 그들은 勿論 都是 十六七歲로 지금까지 愛讀한 書籍이 『第四十一』, 『세멘트』, 『石油』等이엿다.

이러한 大勢를 壓하야 對方을 거두는 政府는 그들의 部下로 하야금 엇더한 글을 쓰게 함인지 우리는 以下의 目次로써 알 수가 잇다.

一九三一年 七月 刊出 雜誌 『文藝月刊』의 目次

一. 테니슨 時代의 英國文學 韋叢蕪

一. 日本 小泉八雲의 쎅스피어論 馬彦詳[07]

一. 田園詩情 吉田絃[08]二郎

06 '件'은 '作'의 오식이다.

07 '詳'은 '祥'의 오식이다.

08 '絃'은 '弦'의 오식이다.

一. 장긔(創作) 繆崇羣

一. 酒後(創作) 高植

一. 七重으로 封한 꿈(創作) 陳夢家

全國 各 書店 賣 定價 六十錢.

이것이 中央政府의 權威 文藝誌인 『中國文藝社』의 最近號이다. 술이 잇고 장긔가 잇고 田園의 꼿밧이 잇고 『로미오』와 『줄렛』의 사랑이 잇스니 現實과 對照할 때 實로 七重 八重으로 封한 夢인 것도 갓다.

이 轉換期에 形形色色의 喜劇이 또는 悲劇이 文人들 間에 잇섯다. 애인을 기로친에 일코 발을 구른 丁玲女士의 悲劇은 말할 바도 아니지만 捕□되엿다고 假宣傳하야 노코 東京으로 亡命하면서 汽船 甲板에서 某處에 편지하기를 『藉知滬上之謠, 已達日本. 我之害則甚大. 老母飮泣, 摯友驚心, 無疾而死. 生丁今世, 正不知來日如何耳.』[09]란 魯迅 老人의 悲劇은 悲劇이 아니라 은근히 喜劇이요. 例에 依하야 『余는 靑島에 漫遊함』의 廣告를 하고 上海에 숨은 左聯의 猛將 蔣光赤도 죽지 안헛스니 喜劇이다. 용하게 避한 中國의 『메이홀드』 田漢은 亡命德에 讀書를 만히 하엿다고 發表되엿스니 그도 悲劇은 아니다. 그러나 文人 一般이 可憎히 역임은 『西部戰線設[10]有異常』 及 『其後에 오는 바』의 譯者인 洪某와 創作 『最後의 勝利』의 大刋 三部作으로 有名한 鄭某의 일이다. 한 번 구데타가 이러나자 洪은 怯하야 南京이니 政府니 軍司令部로 돌아단니며 所謂 歸還을 하엿스며 鄭도 亦是 그리하야 新聞에 自家宣言 及 寫眞 等을 내엿섯다. 누구나 洪의 來歷을 듯거나 鄭의 三部

---

09 魯迅, 「至李秉中」, 1931.3.6.

10 '設'은 '沒'의 오식이다.

作을 읽으면 알겟지만 그야말로 喜劇이요, 有名한 好參考를 提起하엿다. 過去 民國 十九年에 閻錫山이 自己 區內의 淸黨運動을 이리키자 爲先 女學生界에서 나도 나도하야 新聞上 廣告로 自己 목을 保護하던 喜劇이 大學 敎授이요, 當代의 名士 洪君에게도 잇섯다. 그는 지금 米國에 놀러갓스며 某處에 편지하기를 『그간 안녕하십니까. 저는 지금 점점 얼골이 여워 갈 따름입니다.』의 一句뿐이엿다 하니 어인 일인지. (以外에 中國 白話文 開拓의 先驅者 胡適의 孫文 建國論 『生命財產의 保護』條에 依한 人權運動의 喜劇이 잇스나 後日로 미룬다.)

(下)

上論는 지금 無虎洞 中에 고양이 作亂格이다. 비록 左派뿐 아니라 右派의 巨頭라는 群들도 世相이 世上 갓지 안타하야 上海를 떠남이 만타. 周作人이 北京大學 秘書로 다라나고 郁達夫마저 北京으로 日本文學을 敎授함네 하야 업서젓스며 하나 남은 張資平은 가튼 右派 卒兵들에게 人心을 일허 市外 大學 事務室에 파무처 잇다. 革命 完成을 자랑하는 中國이 袁學易君 作 『印度××運動史』[11]의 結論 一章을 빼앗고 아니준다는 時節이니 그들에게 붓들興도 업슬 것이다.

『그러나 붓을 아니 논다.』 이는 죽은 六名의 魂이 말한다고 胡君의 애인 丁玲은 前次 五月 二十八日 『靑白文藝社』 講演 때에 群衆에게 怒呼하엿다. 지금까지 中國의 人氣를 身에 실고 잇던 軟派 女流文士 黃白微도 이 번에 病床에서 이러한 편지를 公布하엿다. 『저는 病이 甚하야 入院하엿습니다.

11 정확히는 『印度獨立運動史略』(神州國光社, 1931.2)이다.

生活의 苦生도 밥 대신 죽이나 이여갈 地境입니다. 한 가지 希望은 더 사러서 지금까지의 過失 만흔 筆致를 淸算하고 죽엄에 다닷도록 일하고십흠입니다.』하엿다. 애인을 일흔 丁玲도 다시 『婦女文藝』를 創刊하야 夫君의 밟던 길을 더듬으랴 한다.

五月 三日 아참 十時 數만흔 靑年들이 四番路 書店 압을 示威하며 『너히덜 文藝運動이란 것을 어서 치어라!』 絶叫하며 傳單을 뿌렷다 한다. 이러한 列擧로 새 氣力을 證할 수 업스니 最近 中國의 新文藝作品이 國外 歐米로 엇데케 進出하며 엇더한 榮譽를 밧는지나 調査하여 보자.

魯迅의 中篇 農民題材小說 『阿Q傳』이 日本에 譯遷되여 注目된지는 오랜 事實이다. 그것이 이제 米國서도 有名히 되엿다. 그뿐 아니라 魯迅은 지금 國際革命作家聯盟의 一委員으로 짝·런돈, 씽그레 等과 協力하야 中國 新文藝 紹介에 努力 中이며 最近 英國의 『콘테포라리레뷰—』誌는 中國의 新人某某를 紹介하야 新中國의 關한 注意를 이르키며 잇다. 또한 米國의 東西文學叢書인 最近 大刊行은 中國部의 『나의 幼年』, 沈雁氷 『무지개』, 丁玲女史의 『韋護』, 林疑今君의 『旗빨』, 巴金君의 『滅亡』을 飜譯 出版하엿다. 海陸豊赤軍戰爭에 參戰하엿던 女子 赤兵 謝泳瑩의 小說 『從軍記[12]』는 그간 美國 『뉴—매쎄스』의 出版으로 譯되더니 지금 다시 『파헴킨』君의 손으로 佛譯이 되는 中이다.

이러한 飜譯 及 硏究次로 와 잇는 外國人은 美國의 新興作家로 『鬪爭中』의 作者인 『따무류·뻰넷트』孃이 第一 熱心이오, 其他 여러 나라 사람이 잇슬 것이다.

---

12 중국어 원제는 '從軍日記'이다.

끗흐로 『에이·렛터—투떠월드』에 發表된 죽은 여섯 文人의 일흠이나 紹介한다.

一. 柔石(浙江人).

一. 殷夫(一名 白莽), (萌芽 同人).

一. 嶺梅(廣東), 女流士, 作家 許峨君의 애인.

一. 胡也頻(福建人), 女流作家 丁玲의 애인.

一. 李偉森(拓荒者 同人)

一. 宗暉(南京), 新興俳優.

東京에 留學하는 林莽君이 보낸 吊文[13] 中에 이러한 一節이 잇다.

悵望着中華大陸的天野, 這些死者用血濺了的土地, 是在放映着光[14], 我寄去我的企願, 隨着東海[15]洶濤, 這紙片, 地[16]不能被煙殆於渺茫呵[17]!

(끗)

---

13 林莽, 「用自己的血寫成這偉大的詩篇」, 『文藝新聞』, 1931.5.25, 2면.

14 중국어 원문은 '光明'으로서 '明'자가 누락되어 있다.

15 중국어 원문은 '東海的洶濤'로서 '的'자가 누락되어 있다.

16 '他'의 오식이다.

17 중국어 원문은 '呵'가 아니라 '啊'이다.

孔子와 戱劇 — 陳子展 著『孔子與戱劇』을 읽고[01]

天台山人

極東에 잇서서 數千年 동안이나 唯一無二한 崇拜와 讚仰을 밧어 오든 孔子의 生涯는 다시 累累히 말할 必要도 업슬 것이다. 西曆 紀元前 五百五十一年에 中國이 當時에 여러 나라로 난호아 잇슬 적에 魯나라(오날 날의 山東省 曲阜)에서 나서 仁義 王道로써 列國에 遊說하다가 容納되지 못하야 三千 弟子로 더부러 道德 六藝를 講磨하다가 西紀 紀元前 四百七十九年에 七十三歲를 一期로 하고 돌아가신 어룬이다. 그의 政治思想이 舊式 國家의 制度에 迎合함으로써 無條件으로 帝王의 信護를 밧어 그 후 數千年 동안은 實際 以上의 評價를 加하야 偶像 가티 崇拜하게 되어 왓다. 우리 조선에까지 郡縣마다 大成殿 업는 곳이 업고 尺童도 孔子 모르는 이가 업스니 驚嘆할 바 아니냐? 그러나 예전 날의 眞理도 반드시 오날의 眞理가 아니며 東西洋의 最高 最靈하든 偉人의 偶像的 存在인 孔子와 基督도 銳利한 科學의 實驗미테 分析과 批判을 밧게 되엇다. 民國 革命 當時부터 만흔 孔子의 罵倒가 일어난 것도 이 結果에서 出發하여섯다. 더욱 最近 中國의 消息을 들으면 日本 字野哲人

01 『東亞日報』 1931.10.19, 4면.

博士의 著『孔子』가 陳彬龢氏의 손에 飜譯되고 孔子一貫哲學論[02]이 蘭自我氏의 손에 著作된 것은 그 思想에 對한 批判이며 이와 좀 色彩를 달리한 것으로는 陳獨秀氏의 著『孔子之道, 不合現代生活論[03]』, 『孔子與基督[04]』이 잇다. 그리고 內容은 貧弱하지만은 題目이 新奇한 것으로는『孔子與戱劇』——陳子展 著——가 잇다.

陳氏는 그 卷首에『寄愁天上, 埋憂地下, 叛散五經, 滅棄風雅』라는 열여섯字의 仲長統의 詩句로써 序에 代한 것을 보아도 그 著書의 趣旨를 알 수 잇다. 그 目次를 빌려보면

一. 孔子與優人女樂——齊景公과 함께 夾谷에 모여슬 적에 본 優倡侏儒와 季桓子가 齊에서 밧은 女樂을 말하엿스며

二.『子見南子』의 一場 官司에 關하야——山東省立第二師範學校에서『子見南子』라는 劇本을(이 劇本은 林語堂이 奔流月刊 第一卷 第六號에 發表한 것이엇다) 表演하야 孔氏一族이 先聖 侮辱이라고 國民政府에 呼訴 歎願하엿으나 돌이어 譴責만 보고 말엇다. 이에 關한 顚末을 相當히 길게 말하엿다.

三.『子見南子』劇本을 讀함

四. 聖人과 偶像

五. 孔子와 孫中山

六. 無可, 無不可主義

七.『丑未脚本[05]』과『喪家之狗』

---

02 중국어 원제는『孔門一貫哲學概論』(商務印書館, 1930)이다.

03 중국어 원제는「孔子之道與現代生活」(『新青年』, 제2권 제6호, 1916.12)이다.

04 陳獨秀의 글로는 이러한 문장이 없다.

05 '丑末脚色'의 잘못이다.

八. 八股文과 宋雜劇에 나타나는 孔子

九. 孔子에 關한 神話와 傳說

十. 喝本과 鼓詞 中에 나타나는 孔子──『在陳絕糧』, 『孔子去齊』의 例가 들어잇다.

十一. 擬狂言인 『石盤』──子路의 石盤殺師 故事로써 日本의 狂言 十番에 擬하야 지은 孔子劇

十二. 孔門弟子──岳珂의 程[06]史에 나타나는 閔子騫, 周密의 齊東野語에 나오는 宰予와 顏回, 留青日札에 나오는 公冶長 等

十三. 孔子와 女人

A. 文宣王은 婦人也라는 滑稽 李可及의 對答(太平廣記 二五二)

B. 阿谷之隧에서 맛난 婦人(韓詩外傳 一)

C. 二女采桑과 九曲珠께 든 이야기(繹史, 孔子類記 一)

D. 孔子가 顏淵을 시켜 路婦의 象牙櫛을 엇든 이야기(唐 無名氏의 琱玉集)

十四. 孔子時代의 『蜡』과 『儺』

十五. 谷崎潤一郎의 著 『麒麟』, 田漢의 譯──孔子가 南子를 보든 場面을 가지고 지은 劇이니 日本뿐 아니라 일즉 契丹에서도 優人이 文宣王으로써 『戲』를 하든 이야기가 孔道輔傳에 올라잇고 그보다 오래기는 唐文宗 紀에 『雜戲人이 弄孔子』라는 것이 다 그것이다.

附錄으로서 『矮奴, 侏儒, 小丑之類』와 『文人과 俳優[07]와 湖南 民間에 傳하는 閔子騫의 打蘆花 劇本까지도 登載되어 잇다. 모든 것을 革新하지 안흐면

---

06 '桯'의 오식이다.

07 '』'가 누락되어 있다.

말지 안는 中國靑年들의 用意를 알 수 잇스며 孔子思想의 內的 批判이 儒林團의 問題가 되는 朝鮮과는 距離가 하도 멀다.

움직이는 中國文壇의 最近相[01]

丁來東

(一)[02]

筆者의말

筆者는 今年 劈頭에 『魯迅과 그의 作品』을 朝鮮日報에 發表한 後로 中國 最近 文壇을 注意할 餘暇를 가지지 못하엿섯다. 그 後 上海에 잇는 文友 李慶孫君의 『그 後의 魯迅』이란 一文을 朝鮮日報에서 읽고 그의 好意를 回答하기 爲하야서라도 現 中國文壇에 關한 것을 써볼가 하면서 於焉間 찬바람이 나고 벌서 겨울이 되야 今年도 決算을 할 날이 멀지 안케 되엿다. 그 동안에 亦是 上海의 同路者 金光洲氏의 『中國文壇의 回顧』, 『中國 푸로文藝의 運動의 過去와 現在』와 李慶孫君의 『中國文人의 受難과 榮譽』 等 文이 繼續 發表되야 中國文壇의 動相이 恰似 掌上에 노힌 것 가티 仔細하게 紹介되얏다. 筆者는 以上 兩君의 努力에 敬意와 感謝를 表하며 中國의 文學이 中國의 政治社會의 動向과 가티 迅速하게 紹介됨에 內心의 깃거움을 禁치 못하는

---

01 『朝鮮日報』 1931.11.8, 11.10, 11.12, 11.17, 11.19~11.22, 11.25, 11.27, 11.29, 5면; 12.1, 4면.

02 매회 연재분 표기로서 12회에 걸쳐 연재되었다.

바이다.

이 原稿를 거진 맛칠 때 上海에 잇는 金光洲氏 等 諸氏가 文藝雜誌『新興文壇』을 刊行한다는 消息을 新聞紙上으로 알게 되엿다. 그 同人의 氏名으로 보면 中國에서 多年 中國을 經驗하든 분과 그러치 안흐면 中國을 遊歷이라도 한 분들로 組織된 것으로 보아서 間接 直接 中國文學에 影響된 바 만흐리라고 推測된다. 또『푸로레타리아』立場이란 表題下에서 立場을 闡明히 한 것을 보니 蛇足이나마 一言을 進供하고자 하는 마음이 懇切하다. 곳『푸로레타리아의 名儀下에서 푸로레타리아를 壓迫하지 안는 푸로레타리아의 立場에서』그 刊物을 成長식히기를 切望한다는 一言이다.

一. 前言

中國은 움직이고 잇다. 어듸를 向하고 움직이고 잇는가? 中國의 民衆은 무엇을 要求하는가? 이것은 우리로서도 等閑히 할 問題가 아니다. 最近 中國의 變相은 말할 수 업는 스피―드를 내고 잇다. 이러한 中國의 文學은 엇더한가? 엇더케 變遷하고 잇는가? 이 亦是 中國 變遷의 全體를 알기 爲하야서라도 重要한 問題일 것이요, 文學만을 떼여서 觀察하는 데도 至要한 問題일 것이다. 勿論 筆者와 갓흔 菲才로서 이 重要한 問題를 正確하게 觀察할 自信이 업꺼니와 表面에 나타난 事實만을 記錄하야서라도 그 任務의 一部分이라도 達하고자 하는 바이다. 筆者는 文壇內部의 觀察만으로서 滿足을 늣기지 못하고 文壇에 關聯된 全的 場面을 記錄하야 文壇의 輪廓을 彷彿하게 하려는 企圖를 가지고 此稿를 草하려 한다.

(二)

文學은 社會의 反映이요, 人類의 表現이라는 말은 一面의 眞理를 가지고 잇다. 그러면 中國社會는 엇더한 狀態에 잇는가? 文學의 眞相은 엇더한 形容을 가지고 잇는가? 中國政治의 變動이라든가 經濟의 變遷에 關하야서는 每日 新聞과 雜誌 上에 發表되는 바이니 여긔서 記錄할 必要가 업거니와 그러면 一般 社會人心의 變遷은 엇더한가?

中國의 最近 變遷은 참으로 奈形怪相을 나타아내며 近 二三年 間에도 隔世의 感이 잇스며 어듸로부터 말을 始作하야 조흘지를 알지 못하겟다. 中國은 本來 現代文明에 落伍된 나라로 보아서 틀님 업슬 것이다. 幾個의 都會를 除하고는 아즉까지 封建的 社會 그대로 잇다고 해도 過言이 안일 것이다. 中國의 各層 社會現象을 縮少하야 노앗다고 하는 北平의 變遷은 참으로 全中國의 變遷을 一目之下에 보는 것 갓흔 感이 잇다. 여긔서 北平의 變遷相을 쓰는 것으로써 中國社會 變遷을 窺知하는 關鍵으로 삼자.

中國은 種油燈을 버리고 電燈을 쓴 것은 벌서 오래 前의 일이다. 그러나 電燈의 普及은 極히 遲遲하야 只今도 北平에는 石油燈으 쓰는 집이 全北平의 三分之一이 될 것이다.

그러면 北平의 道路는 엇더한가? 그 前과 가티 몬지가 數寸식 되는 길도 잇스며 아스팔트로 믹근하게 다저논 길도 잇다. 交通機關은 엇더한가? 人力車도 잇고 舊式 馬車도 잇고 나귀를 타고 단이는 사람도 잇고 가마가 잇고 自動事, 馬車, 電車가 잇다. 또 娛樂機關은 엇더한가? 映畵常設舘이 잇고 舊劇 劇場이 잇고 明清의 쎅쓰피어 時代式 劇場도 남어잇고 딴쓰홀이 잇다. 女

子의 衣服은 엇더한가? 滿族의 舊裝도 남어잇고 西洋服 입은 女子도 잇서서 中國 女服 가티 多樣인 나라도 世界에서 드물 것이다. 이와 가티 封建社會의 遺物은 그대로 남어잇고 現代文明은 洪水 가티 밀러 드러오니 或은 新舊文明이 交替된 것도 잇스며 或은 서로 調和되야 新舊式을 兼한 것도 잇고 或은 서로 對立된 것도 잇다. 그럼으로 中國의 社會는 그 表面부터 多樣이요, 各色인 것을 알 수가 잇다. 그러면 그러한 社會에서 生活하는 그들은 무엇을 생각하며 무엇을 行動하고 잇는가? 爲先 學生生活을 보자. 그들은 白日에는 學校에 가서 男女 靑年이 억개를 겨누고 아담 스·[03]미스의 國富論을 듯고 맑쓰의 資本論을 배우고 三民主義를 論하고 共産主義를 駁하며 無政府主義를 討論한다. 저녁에는 무엇을 하는가? 或은 劇場에 가서 梅蘭芳을 듯고 或은 圖書를 보고 或은 토—키를 들으며 『러부파라데』가 엇더하고 클라라보를 貶하고 막도날도를 讚揚하며 或은 딴쓰홀에 가서 紅燈綠光 下에 妙齡의 舞女와 손을 마조잡고 『뽁쓰』니 『뿔으쓰』니 『찰쓰튼』이니 하고 밤이 깁허 가는 것을 잇고 잇다.

이런 것은 勿論 學生 全般이 그러타는 것은 아니다. 그러나 最近의 모던을 발버나가는 靑年은 적어도 이러한 生活들을 하고 잇다. 或時는 社會革命을 高唱하고 다음 瞬間에는 放蕩者의 豪遊한 享樂을 하고 잇는 것이다. 이 얼마나 서로 矛盾된 일인가? 그러나 現在 復雜한 中國에서는 이와 가티 서로 矛盾된 思潮가 交流되며 서로 矛盾된 生活을 生活하며 잇다.

이와 가티 複雜한 社會現象과 混亂한 生活狀態는 自然 文學에 表現될 것이다. 그러나 現代 中國文學에 얼마나 이 複雜한 現象이 낫타나는가 하면 참

---

03 '아담·스미스'로서 가운뎃점의 위치가 잘못 되었다.

으로 大海中의 一杯水, 一粒水의 感이 잇다. 文學者는 이 刻刻으로 變遷하여 가는 社會相을 捕捉할 時間이 업스며 觀察할 餘裕가 업고 批判할 準備를 가지지 못하고 다못 恍惚하야 붓대를 멈추고 잇슬 뿐이다. 現在에 正確한 批判이 업스니 엇더케 將來에 對한 方針을 預示하며 中國의 曙光을 云謂할 수가 잇겟는가? 一般的으로 보아서 現 中國 文壇은 沈滯를 늣기며 잇다. 이러한 것도 그 重要原因이 上記한 理由로 도라가지 안흘가?

(二)[04]

二. 最近 中國社會 變遷과 文學의 關係

中國은 民國이 成立한 後로 政治, 經濟, 思想, 文學上에 數次의 急激한 變動이 잇섯다. 民國 後로도 封建思想을 가진 軍閥들은 自己의 私利와 權力을 確立하고 擴張하기 爲하야 內亂이 不絶하얏스며 國民黨은 中國政權을 自己네의 手中에 掌握하기 爲하야 或은 共産黨과 一致 行動을 取하기도 하고 或은 自己네 勢力이 鞏固함을 따라 共産黨을 肅淸하기도 하고 全 中國을 統一한 後에는 軍閥을 自己네에게 服從식히기 爲하야 金錢으로 買收하는 것도 謝하지 안하얏스며 三民主義를 樹立하기 爲하야서는 其他 主義, 思想을 高壓手段으로 撲滅하는 것도 不謝하는 中이다. 中國의 政治, 經濟를 硏究하는 데만 中國의 社會 變遷 及 中國國民黨의 最近 歷史를 알 必要가 잇슬 뿐 아니라 中國文學의 變遷을 追求하는 데도 亦是 中國의 社會 變遷과 國民黨의 黨義, 施政 等을 觀察할 必要가 絶對로 잇다.

04 응당 '(三)'이어야 하며, 따라서 이하 연재분 표기도 잘못 되었다.

中國文壇의 過去 二三年 即 一九二七──至 一九三〇年 春까지에 맑쓰主義文學이 全盛한 것도 그 때의 社會的 環境과 連鎖的 關係가 잇스며 一九三〇年 下半期로부터 民族主義文學이 擡頭한 것도 亦是 中國의 社會環境과 切實한 關係가 잇고 또 中國文學上에 無政府主義文學이 不斷하고 繼續되얏스며 最近에 急작이 勃興한 것도 現 中國의 社會的 現實에서 胚胎된 것이며 純文藝派, 뿔조아文學派라고 命名하는 派가 存在한 것도 다 各各 그 社會的 背景이 잇는 것이 事實이다. 우리는 最近 中國文壇의 變遷을 硏究하기 爲하야 먼저 最近 中國社會의 變遷을 簡單히 回顧하야 보자.

中國國民黨이 中國의 政權을 잡지 못하고 아즉 革命黨으로 잇슬 때 그 勢力의 微弱함을 自省하고 當時 革命國家로서 世界의 耳目을 끌든 蘇俄와 聯絡할 必要를 切實히 늣기게 되야 民國 十三年에 國民黨은 聯俄의 政策을 樹立하기 爲하야 中國共産黨을 國民黨에 收容하얏섯다.

國民黨은 그와 가티 共産黨과 合作한 後로 北伐하는 데 共産黨의 만흔 利益을 보앗스며 共産黨도 公公然히 自己네의 主義를 宣傳하며 自己네의 主義를 中國에 實行할 希望을 가젓섯슴으로 意氣가 揚揚하얏섯다. 그리하다가 民國 十六年에 國民黨은 武漢을 占領하자 벌서 國民黨의 勢力은 聯俄容共의 必要를 늣기지 아니하게 되야 共産黨을 國民黨에서 一切 掃淸하고 軍事顧問으로 잇든 『보로딘』을 逐出하야 버렷다. 그 後로 國民黨과 共産黨은 서로 敵對의 立場에 서서 抗爭하게 되얏다.

그 동안의 中國社會 情形을 觀察하야 보면 長江以北에는 軍閥의 勢力이 膨脹하고 各地에는 土匪의 反亂이 尤甚하얏스며 國民黨은 北方의 軍閥과 戰爭하느라고 絶頂의 疲困을 늣기고 그 우에 日本의 濟南出兵이 잇섯스며

共產黨은 그 동안에 地方으로 潛行運動을 始作하야 江西, 湖南, 湖北에 相當한 勢力을 가지게 되얏다.

國民黨은 民國 十七年의 北伐을 成功하고 中國의 南北을 統一하기는 하얏스나 勢力 鞏固와 政治 施設에 奔忙하야 다른 것을 도라 볼 餘暇가 업섯스며 이어서 白崇禧, 李宗仁의 反亂이 繼出하야 文化運動에 注意할 餘暇를 가지지 못하얏섯다.

(三)

中國은 이와 가티 國民黨의 天下가 되자 共產黨의 知識分子는 上海의 租界에 와서 避身을 하며 其外에 一部 青年은 그 때 日本文壇에서 高調로 떠들든 맑쓰主義文學에 激勵되야 文藝運動으로 全力을 傾注하게 되얏다. 그리하야 上海에서는 赤色의 書藉이 아니면 一時 出版하기가 容易치 안토록 맑쓰主義文學 書藉는 多量으로 產出되얏다. 街頭의 書店에는 『루날찰스키』, 『뽀크다놉흐』 等의 文藝理論이 日本에서 重澤[05]되야 나오게 되고 그 外에 로서아의 赤色小說 等이 多量으로 譯出되얏스며 맘심·골키-, 업톤·씽클레아의 小說 等이 大部分 譯出되얏스며 日本의 맑쓰主義 書籍도 不少히 譯出되고 四五種의 月刊 雜誌가 出版되얏다. 當時에 中國을 遊覽한 바 商人들은 中國의 赤化를 盛傳하얏스며 朝鮮의 新聞까지도 屢次의 消息이 傳達되얏고 日本의 評論家 室伏高信은 當時의 中國을 遊覽하고 도라 가서 『中國은 三民主義냐 共產主義냐』하고 그의 長廣舌를 發揮한 일까지도 잇섯다.

---

05 '澤'은 '譯'의 오식이다.

이와 갓티 맑쓰主義文學이 高調된 동안에 國民政府에서는 南方의 大部分을 整理하고 北方에서 汪精衛와 握手하야 擴大會議를 열든 閻錫山을 거진 退滅하엿섯다. 그 때를 前後하야 國民政府의 施設은 더욱 蔣介石의 獨裁政治를 露骨化하엿으며 三民主義 以外의 思想은 一切 强壓的 政策으로 對하얏섯다. 蔣介石의 武力은 上海 租界에서 赤手空拳으로 雜誌 書籍이나 出版하는 맑쓰主義文藝運動家를 撲滅하기에는 너무나 容易한 일이엿다. 그리하야 一九二六, 七年에 發生한 中國 맑쓰主義文藝運動은 一九三〇年 春을 一期로 沒落하고 마랏다. 昨年 二月에 上海에서 左傾 文人들이 會合하야 『自由運動大同盟』을 組織하야써 國民政府의 高壓的 政策을 非難하고 昨年 三月에 『中國左翼作家聯盟』을 組織하야 多少 活躍을 하려 하얏으나 文人의 筆烽은 蔣介石의 銃劒을 當하지 못하고 今年 春間에는 맑쓰主義文學家의 大慘殺까지 잇엇다 한다.(李慶孫 『中國文人의 受難과 榮譽』 朝鮮日報 考照)

이와 同時하야 主義的 色彩를 띄우고 맑쓰主義文藝를 對抗하며 이러난 것은 所謂 國民黨의 御用文學이라고 말 듯는 民族主義文學이다. 中國은 國民黨의 三民主義가 政權을 가지게 되니 그와 敵對方에 슨 赤色主義가 慘敗의 處地에 잇게 될 것은 더 말할 것도 업다. 어느 때 어느 곳을 勿論하고 두 强權이 抗爭하는 데에는 一勝 一敗의 結果를 나게 한 것이 事實이다. 맑쓰主義를 實行한다는 로서아에서 三民主義(其他 主義 思想도 그러치만은)가 勢力을 페지 못한 것은 理의 當然한 일일 것이다.

以上에 말한 것이 粗漏하나마 最近 中國文壇을 動搖케 한 中國 社會環境의 概梗이라고 하겟다.

三. 黨治國의 文化政策에 對하야

筆者는 中國文壇 變遷의 直接 原因의 하나로써 黨治國의 文化政策을 論할 必要를 늣긴다. 東과 西의 接境한 兩大陸 國家가 前後하야 以黨治國의 政治를 하고 잇다. 그것은 곳 로서아와 中國이다. 로서아는 맑쓰主義에 根據한 共產黨의 指導下에서 統治되고 中國은 三民主義, 五權憲法으로 綱領을 한 國民黨의 指導下에서 統治되고 잇다. 前者는 階級鬪爭, 階級獨裁를 불으짓고 잇고 後者는 民生主義, 民權主義, 民族主義를 불으짓고 잇다. 로서아는 푸로레타리아國家의 評을 듯고 잇고 中國은 뿌르조아國家의 評을 밧고 잇다. 그러나 이 두 나라에 共通된 點이 잇스니 그것은 곳 黨으로써 治國을 한다는 것이다. 黨은 國家의 最高指導機關이다. 黨의 命令에는 團體나 個人을 勿論하고 無條件으로 服從하여야 한다. 곳 獨裁政治라는 點에 잇서서 로서아와 中國은 共通點이 잇다.

(四)

나는 여긔서 獨裁政治가 人類 歷史的 進展에 必然的 過程이라는 것을 말하려 하는 것도 아니다. 萬若 그러타면 地球上의 모든 國家는 또 한 번 獨裁政治로 도라가야 할 것이다. 나는 또한 獨裁政治가 人類解放의 最後階段이라는 것도 알지 못한다. 萬若 그러타면 中國도 不遠間에는 自由의 天地가 될 것이요, 뭇소리니 獨裁 下의 伊太利도 亦是 그러케 될 것이요, 로서아도 또한 그러케 될 것이다. 그러나 나는 여긔서 獨裁政治의 可否를 批評하려는 것이 아니요, 다못 獨裁政治 下의 文化運動의 情況만을 말하면 그만이다.

共產黨의 獨裁下에 잇는 로서아에서는 現政府의 施設에 抵觸된 思想은

一切 禁止를 한다. 갓튼 맑쓰主義라도 幹部派의 解釋과 달리하는 때에는 逐出을 當하거나 反革命의 탈을 둘러쓰게 된다. 그럼으로 로서아에 잇서서 一切 文化運動은 現政府의 施設에 讃揚하여야 한다. 勿論 文學方面에 잇서서도 맑쓰主義를 政府派에서 解釋하는대로 解釋하야 描寫하고 表現하여야 한다. 小兒病에만 걸여도 되지 안는다. 그러면 中國에서는 엇더한가? 中國은 孫文의 三民主義를 信奉한다. 三民主義는 무엇 무엇인가? 民生主義요, 民權主義요, 民族主義가 곳 그것이다. 이 三者가 곳 中國 國民政府의 信條다. 이것이 곳 現政府의 綱領이다. 中國에 잇서서 이 三民主義에 버서난 다른 主義와 思想은 反動主義요, 反動思想이라고 한다. 三民主義 以外의 社會運動을 하는 者는 反革命者라고 한다. 이러한 意味에서 朱毛는 反革命者요, 뉘란은 反革命者이다. 中國에 잇서서는 로서아의 共產主義가 反動思想이요, 以外의 思想을 反革命思想이라고 하는 로서아에서와 맛이 한가질 것이다. 여기에 獨裁政治의 眞楴[06]가 파뭇처 잇다. 이것이 곳 以黨治國한 나라 即 로서아와 中國의 神聖不可犯의 天則일 것이다. 이것이 곳 獨裁政治의 特色일 것이다. 獨裁政治는 그 本質이 이와 갓치 極端의 專制를 取하는 것이다. 그 專制는 所謂 뿔루조아國家라고 稱하는 英米佛獨보다 몃 倍나 더 甚하고 몃 倍나 더 酷毒하다.

現在 날마다 새로 나온 國民政府의 命令을 涉覽하는 것으로써 黨治國家 即 獨裁國家의 文化政策을 追求하여 보겟다. 國民政府의 命令에는 이러한 것이 잇다.

『學生은 學校行政에 干涉하지 못할 것.』

---

06 '楴'은 '諦'의 오식이다.

이러한 命令을 發하고는 學校 校長의 資格이 잇는[07] 者를 國民黨의 要人이라고 濫用한다. 學生은 不得不 校長을 反對하고 學校行政에 干涉하게 되는 것이 現在의 專門 以上 學校의 情形이다. 또

『電影(映畵)은 中央政府에서 檢閱을 하고 反革命의 色彩를 띈 것이나 風俗을 絞亂히 하는 것은 一切 禁演한다.』

또

『一切 反革命的 刋物을 取締함.』

以上에 列擧한 것은 勿論 法令의 直譯은 아니요, 또한 만흔 此種 法令 中의 一二를 든 데 不過하다. 現在 中國에서는 이러한 種類의 法令이 數업시 頒布되고 現今 實施되는 中이다.

文學에 잇서서도 亦是 그러하다. 로서아에서는 맑쓰主義文學 以外의 文學은 存在할 수 업고 中國에서는 三民主義文學 即 現 中國文壇에 擡頭한 民族主義文學 以外에는 모도 다 禁止의 處分을 밧게 된다. 그럼으로 現 中國에서는 맑쓰主義文學을 排擊한다. 맑쓰主義文學을 反革命文學이라 하는 것은 더 말할 [08]도 업다. 民族主義文學은 現 中國의 御用文學일 것이요, 맑쓰主義文學은 그와 똑가티 로서아의 御用文學일 것이다.

---

07 '없는'의 잘못이다.

08 '것'이 누락되어 있다.

(四)[09]

맑쓰主義文學과 民族主義文學은 兩 獨裁政治國家 下의 御用文學인 點에 秋毫도 다를 것이 업다. 이와 가티 獨裁國家 內에서는 그와 敵對되는 思想, 文學만을 壓迫할 뿐만 아니라 其他 一切 自由思想을 讚揚하는 文學도 다른 國家에서 가티 蹂躪하고 잇다.

四. 中國 最近文壇의 鳥瞰

中國文壇 變遷의 社會的 背景과 그 當時 露西亞, 日本 等地로부터 輸入하야 온 맑쓰主義思想의 風波에 關한 輪廓만은 大概 上述한 바와 如하고 다음에는 文壇內部에 關한 諸 現象을 約記하야 보겟다.

民國 七, 八年으로부터 일어난 中國 文學革命은 北京을 中心으로 하야 『新潮』, 『新青年』 等 新思潮를 高唱하든 刊物이 出版되얏섯고 그 後를 이어서는 上海에도 文學研究會, 創造社 等 文學團體가 發生하야 北京과 上海가 均衡하게 文藝運動을 하여 왓섯다. 그리다가 民國 十五, 六年 間에 張作霖이 北京에서 大元帥를 하면서부터는 北京의 新思潮에 關한 壓迫이 太甚하야 北京에 잇든 文化機關, 書店, 文人 等은 大部分이 南下하야 뿌렷다. 그러자니 北京은 文藝運動上 荒原과 가티 寂寞하여지고 上海가 自然 文化의 中心地가 되야 最近 三四年 間의 文學書籍, 文藝刊物의 大部分 或은 全部가 上海에서 出版하게 되얏다. 그럼으로 文壇의 中心地는 自然 上海에 잇게 되얏다.

---

09 응당 '(六)'이어야 하나 잘못 표기되었으며 이에 따라 이하 연재분도 잘못 표기되었다.

(五)

나는 여긔서 最近 三四年 間의 出版된 刋誌의 重要한 者를 例擧할 必要를 늣기며 同時에 『小說月報』에 關하야는 特히 몃 마듸를 參加하야 두겟다. 『小說月報』는 中國 文藝誌 中에서 最古의 歷史를 가지고 잇으며 그 동안 文藝의 變遷이 甚하엿지만은 始終이 如一하게 不偏不黨의 態度를 取하야 왓다. 中國 現代文人으로서 『小說月報』의 恩澤을 입지 안한 者가 적을 것이다. 『阿Q正傳』으로 有名하야진 魯迅도 初期의 作品은 『小說月報』에 실엿으며 氷心女士, 葉紹均, 沈從文, 矛盾, 巴金 等 一一히 다 들 수 업도록 만흔 作家를 發見하야 내엿다.

『小說月報』 外에 最近 三四年 間에 出版된 月刋 文藝誌를 들자면 重要한 者는 大槪 如左하다.

『新月』, 徐志摩 編

『奔流』, 魯迅 編

『樂群』, 張資平 編

『紅黑』, 沈從文 編

『眞善美』, 東亞病夫 編

『貢獻』, 孫伏園 編

『春潮』, 張友松

『金屋』, 章克標

『駱駝草』, 周作人, 徐祖正 等

『現代文學』, 此 新書局

『綠』, 芳信 等

『靑春』, 狂飇社 編

以上에 列擧한 雜誌는 大概 社會科學에 屬한 主義의 主張이 업는 刊物들이엿다. 勿論 『新月』가튼 雜誌는 文藝에 關한 것뿐만 아니라 國民黨 施政에 反抗한 文字 等 即 胡適의 人權에 關한 論文 等을 並載하엿지만은 그래도 自己들은 엇더한 派라고 明言하지 안코 圈外者의 評으로는 或 『뿔우조와·데모크라시』의 思想을 가진 구릅이라고 한다. 其中에 『靑春』은 無政府主義 思想을 가진 狂飇社 一派들이 하는 것이요, 『駱駝草』는 周作人 等이 하는 것으로 그 內容에는 亦是 小品, 隨筆 等이 大部分 실리게 된다. 『眞善美』와 『金屋』은 뿔우조아 色彩가 濃厚하다는 評이 잇다.

以上 諸誌는 現今까지 繼續된 者도 大部分 업스며 或 『맑쓰』主義文學에 反對한 文字도 실기는 실은 刋物도 잇섯지만 結局 말하자면 正面으로 서로 對抗하든 刋物은 아니다.

此等 諸 雜誌와 前後하야 文學上 主義로는 『新寫實主義』를 불으짓고 그 內容思想은 『맑쓰』主義를 高吹한 諸誌를 들어보자. 以下에 列擧할 것은 勿論 一九二七年──至一九三〇年 春까지의 것이나 大概는 一九二九年──至一九三〇年 春까지의 것이라 하겟다.

『太陽月刊』

『新流月報』

『創造月刋』

『大衆文藝』

『海風週報』

『現代小說』

『拓荒者』

『萌芽』

『文化批判』

『新文藝』

이 中에서 一九三〇年까지 發行된 것은 『萌芽』, 『拓荒者』, 『現代小說』 等인데 『萌芽』는 本年 魯迅이 編하든 『奔流』의 後身으로 五期를 내고 停刊되고 後에 [10]新地』라 改名하고 나서는 一期를 내고 停刊된 것이요, 그 外의 雜誌도 客觀的 情勢와 內部의 分化로 모조리 後絶되얏다.

(六)

여기서 筆者는 中國 맑쓰主義의 沒落 或은 中斷된 이 때에 그의 理論이라든지 그 作品이라던지 그의 評論 等을 淸算할 必要를 늣기지만은 맑쓰主義理論에 關하야는 中國에서 別로 新天地를 開拓한 것도 업고 다못 『루날찰스키ー』, 日本의 藏原惟人의 理論의 飜譯이요, 複寫이여서 다시 重複할 必要를 늣기지 안흐며 맑쓰主義文學 全盛時代에 그 理論을 直接 가저다가 評家로서 活躍한 者는 錢杏邦[11] 一人을 들 수 잇다. 錢氏는 비록 複寫主義에 틀님업기는 업지만은 『現代中國文學作家』(一), (二)集에 그 銳敏한 頭腦의 所持者인 것을 觀察할 수 잇다.

近 三四年 間 맑쓰主義 文學作品에 關하야 말하기는 퍽 만흔 困難을 늣기게 된다. 왜 그러냐하면 그 동안 刊物은 만히 刊行되고 作家는 몃 되지 아니하니까 作品 濫發[12]이 되야서 거이 조흔 作品은 한아를 들 수가 업고 所謂

---

10 ‘『’가 누락되어 있다.

11 ‘邦’은 ‘邨’의 오식이다.

12 ‘亂發’의 잘못으로 보인다.

맑쓰主義文士들은 大部分이 맑쓰主義를 充分히 理解하지 못하고 맑쓰主義에 마즌 作品을 지흔 經驗이 적음으로 自然 日本 맑쓰主義 作品을 飜案한 것이나 그러치 안흐면 맑쓰主義 解說書 類를 그대로 直寫한 것이 만타. 또 한가지 缺點이 잇는 것은 作品에 技巧를 좀 부리고 創作에 갓까웁게 쓴 作品은 間或 잇기는 잇스나 그러한 作品은 또 擧皆가 맑쓰主義的이 아니게 된다.

그러나 맑쓰主義文學 評家들은 그와 가티 『作品안인 作品』, 『未熟한 作品』, 『外國作品의 飜案』 等을 그리 讃揚하야마지 안흠에야 더욱 絕倒를 할 일이다. 그러나 그 中에서 多少 良作이라고 말하는 것은 郭沫若의 『我的幼年』, 『反正前後』와 蔣光慈의 『麗莎的哀愁』과 短篇으로는 劉一夢의 『失業以後』와 華漢의 『馬桶間』, 馮憲章의 『一圓[13]十三』이다. 此等 作品에 關하야는 金光洲氏의 詳論이 잇섯기에 約한다.

最近의 消息에 依하면 蔣光慈는 『麗莎的哀態[14]』이란 作品에서 露西亞 白系 女人의게 同情한 態度로 쓰고 積極的 活動을 하지 안는다는 口實下에서 該黨의 除名處分을 當하엿다 한다.

맑쓰主義文藝運動 中, 詩는 한 篇의 佳作도 어더 볼 수 업고 或은 口號 羅列 或은 感傷的에 흘러서 朝鮮 맑쓰主義者의 詩歌보다도 遜色이 잇는 便이니 더 말할 것도 업다. 戱曲에 잇서서는 『南國社』의 田漢이 變遷하엿다고 하나 別 成績을 보지 못하고 沈滯되얏으며 藝術劇社라는 劇團에서 라마―ㄹ크의 『西部戰線 無事平穩』을 公演하고 ×××××念日에 『東方×××××아 聯合하야 이러나거라!』한 劇을 하엿다 하나 筆者는 劇本도 보지 못하고 演劇도 보지 못하야서 무어라고 評할 수도 업으나 全體로 보아서 큰 成功을 하

---

13 '圓'은 '月'의 오식이다.

14 '態'은 '愁'의 오식이다.

지 못한 것 갓으며 『木人戱』 等을 떠든 者가 잇섯으나 그 亦 何等의 成績이 업는 模樣이요, 美術, 音樂, 映畵 等에는 아즉 손도 대여보지 못하고 沒落하여 버렷다.

筆者는 맑쓰主義文學에 關하야 더 쓸 必要를 늣기지 안하거니와 最近 三四年 間에 洪水가 지내 가드시 荒廢한 痕跡을 남겨 놋코 沒落한 것은 事實이다. 그 동안(一九二七——一九三〇年 春)에 理論이나 評論이나 創作에 特別한 成績은 업섯지만은 한 가지 功勞라고 할가, 餘痕이라고 할까 何如間 一般 作家의게 勞農層에 注意하도록 한 것만은 큰 効果를 냇다고 할 것이다.

(七)

民族主義文學이라고 命名하고 나오기는 맑쓰主義文學이 終局을 마치고 나면서부터다. 或은 그 前後하야 即 一九三〇年 後半부터 始作되엿다. 그 刋物로는

『前峰[15]周報』

『前峰月刊』

『現代文藝』

『現代文學評論』

『長風』(停刋)

『開展月刋』

等이 잇고 上海 申報 附刋에 『藝術界』와 『青年園地』라는 두 면을 차지

15 '峰'은 '鋒'의 잘못이다. 아래도 마찬가지다.

하고 잇다. 그의 評家로는 徐蔚南, 宋應鵬[16] 等을 치며 作家로는 李贊華, 心因[17], 李翼之 等이 잇고 그의 論文集으로는 『民旅主義文藝論』이 잇다 한다. 그들의 主張을 들어보면 이러하다.

> 『文藝의 最高意義는 民族精神과 意義을 發揮하는 것이다. 即 文藝의 最高意義는 民族主義다.』

> 『民族主義의 充分한 發展은 一方面으로 政治上의 民族意識의 確立에 依賴하여야 하고 一方面으로는 直接으로 政治上의 民族主義 確立에 影響하여야 할 것이다.』[18]

이것으로 보면 民族主義文學은 政治와 分離하야 存在할 수 업는 것을 言明하얏스며 主義로 成立하자니 自然 排他的 傾向이 뵈인다.

> 『藝術과 文藝는 某一 民族에 屬한 것이요, 某一 民族을 爲한 것이요, 某一 民族으로부터 나온 것이다. 그 目的은 所屬한 民族의 民間思想, 民間宗教, 民族의 情趣를 表現할 뿐만 아니라 同時에 一切 民族 進展을 阻礙한 思想을 排除하여야 한다. 民族의 向上發展의 意志를 促進하고 民族이 自己의 光輝의 增長을 表現하는 進展 中의 一切 奮鬪의 歷史다, 그럼으로 民族

---

16 '朱應鵬'의 잘못이다.

17 '心因'은 朱應鵬의 필명이다.

18 「民族主義文學運動宣言」, 『前鋒月刊』 창간호, 1930.

主義의 文藝는 已往 形成된 民族意識을 表現할 뿐만 아니라 同時에 民族의 新生命을 創造한다.』[19]

民族主義는 아즉까지 主義로서 體系가 스지 못하엿다. 그런 만큼 中國의 民族主義는 系統이 업스며 다못 三民主義國家로서 政權을 가지고 잇슬 때까지는 存在할 可望이 잇슬 뿐이다.

이와 가티 맑쓰主義文學과 民族主義는 그 政治的 背景의 如何에 따라 前者는 沒落하고 後者는 發興하는 동안에 조금도 權力에 依據한 바 업시 獨自의 文學的 技術과 時代의 思潮로써 滬寧(上海, 南京)의 紙價를 올리도록 一般의 歡迎 밧는 두 作家가 잇스니 그의 한 사람은 一九二九年에 (小說月報)에 『滅亡』을 處女作으로 낸 無政府主義 文士의 巴金이요, 또 한 사람은 多年間 文壇에서 名聲잇든 沈從文이다.

巴金은 『滅亡』을 發表하기 前에는 보지 못한 作家이다. 『滅亡』은 一九二九年에 全 文壇을 치고도 首位로 가는 收獲이라는 것이 定評이다.

或은 맑쓰主義 評者들이 虛無主義的 作品이라고 低評은 하나 그것은 다못 主議上 差異로 漫罵하는 데 不過하다. 『滅亡』의 스토리는 國民黨 北伐 前의 孫傳芳의 戒嚴司令을 刺殺하는 것이다. 描寫의 深刻한 것으로나 熱情的인 것으로 보아서 革命 前 露西亞의 作品과 彷彿한 點이 잇다.

19 위와 같음.

(八)

巴金은 그 後로 『死去了的太陽[20]』이라는 長篇을 單行本으로 出版하야 또 만흔 好評을 밧고 只今은 滬上文壇의 寵兒가 되야 어느 雜誌나 그의 作品을 실지 안흐면 部數가 나가지 안는다고까지 한다. 今年에도 만흔 短篇을 『小說月報』, 『文藝月刋』 等에 發表하고 上海時報에 長篇을 連載 中이라 한다.

沈從文은 短篇作家로 오랜 作家이다. 그의 著로는 無數히 만흐며 그의 몃 卷을 들면 如左하다.

『不死日記』, 『鴨子』, 『密甘[21]』, 『入伍後』, 『篁君日記』, 『農犬官日記[22]』, 『從文甲集』, 『從文子集』等이 잇고 『文藝月刋』에 每月 그의 作品이 잇스며 最近에는 中國詩人評 等을 執筆하고 잇다. 그 休芸나 璇若 等이 곳 그것 甲辰는 여러 介의 편넴이 잇다 이다.[23]

이 동안에 『小說月報』를 둘러싼 作家들은 亦是 相當한 努力을 하엿스며 만흔 成績을 내엿다.

오래 前부터 文學方面에 努力하든 矛盾[24]은 그의 有名한 三部曲 『追求』, 『動搖』, 『幻滅』을 出版하야 寫實主義의 手 [25]을 發揮하얏스며 老舍는 詼諧가

---

20 중국어 원제는 '死去的太陽'이다.

21 '密柑'의 잘못이다.

22 '呆官日記'의 잘못으로 보인다.

23 '그는 여러 介의 편넴이 잇다. 休芸나 璇若, 甲辰 等이 곳 그것이다.'의 오식으로 보인다.

24 '茅盾'의 잘못이다.

25 '法'자가 누락되어 있다.

豊富하고 流麗한 筆致로 『老張的哲學』, 『趙子曰』, 『二馬』 等 長篇을 小說月報에 連載하엿고 王魯彥도 『黃金』集에 든 創作을 그 동안에 發表하얏스며 丁玲女士, 蘆隱女士도 不斷히 創作을 繼續하얏고 量으로 만히 產出하기는 『故鄕』의 作家 許欽文이엿다. 戰爭을 題材로 하야 相當한 評을 밧는 作品은 葉永蓁의 『小小十年』과 孫席珍의 『戰場上』 等 일 것이다.

『小說月報』에서는 一九二九年으로부터 世界 各國의 最近 文壇의 狀況을 紹介하얏고 歐米文壇 紹介者로는 趙景深의 活躍이 正히 크다고 하겟다.

여기서는 作品의 內容을 討論할 餘裕가 업음으로 大概 이만한 것으로써 一般 文藝의 概約으로 삼겟다.

다음에는 國民政府의 背景을 두고 일어난 所謂 御用文學 『民族主義文學』을 論하야 보자. 中國에 잇서서도 朝鮮文壇에서와 가티 『民族文學』과 『民族主義文學』을 確然하게 分別하야 論한 者는 적다. 또한 『民族主義』라면 文化單位의 『種族主義』를 말함인지 或은 『國家主義』를 말함인지 이것드 아즉 確然한 것이 업으니 足히 論할 것도 업지만은 그래도 文壇의 一潮流를 짓고 잇는 만큼 그의 大約을 쓸 必要를 늣긴다.

巴金을 말하게 되니 自然 無政府主義文學에 言及하게 된다. 中國에 맑쓰主義의 前身이든 革命文學이 臺頭하자 中國 無政府主義 文士들은 一齊히 總攻擊을 하고 革命文學者들이 『革命文學』이란 單行本을 내자 即時로 『非革命文學』이란 單行本을 그들은 내엿다. 近來의 無政府主義 文藝雜志는 如左하다.

『萬人雜誌』

『馬來亞半月刊』

『時代前雜誌』

『新時代』

그의 執筆者로는 梅子, 巴金, 了柳[26], 惠林, 劍波, 仁山[27] 等人이 잇으며 그들의 作品이 一般으로 歡抑밧는 것으로 보아서 中國民衆이 얼마나 新舊 壓迫에 厭症이 난 것을 알 수가 잇다.

中國에서 中篇 長篇 小說家를 든다면 첫재로 張資平일 것이다. 張資平은 그 間에도 그 長技인 三角戀愛, 多角戀情의 小說을 만히 썻스며 近來에『天孫之女』라는 小說이 上海 日文新聞에 譯載되자 日本人의 反感이 如干 아니라 한다. 그는 近來에 鍾流 等 몃 사람과 合하야『絜玩社』[28]를 組織하야 가지고 平民文學을 提唱하며 政黨의 何派 何黨에도 叅加하지 안는다고 宣言을 내엿다 한다.

郁達夫는 舊作의 全集을 낸 外에는 別로 新作品을 볼 수가 업스며 魯迅도 轉變한 後에는 翻譯 外에 創作은 볼 수가 업다. 이 外에 創作에 關하야 後日을 期하고 우선 이만 근치겟다.

中國 最近의 出版界를 보면 文藝 書籍, 月刊보다『學生雜誌』,『讀書雜誌』等을 各 書店에 出版한 傾向이 만코 또한 收獲도 相當한 模樣이다.

中國 現在의 文藝刋物로 主義의 色彩을 떠나서 純文藝를 注重한 것은 亦是『小說月報』와『文藝月刊』을 들 수 잇다. 上記 兩誌는 그 體裁에 잇서도 相似點이 만흐며 雜誌의 大小 編輯의 樣式에 잇서도 共通點이 만타.『文藝月刊』도 御用文學과 同路者라는 評은 듯지만은 主義의 色彩가 濃厚하지 안

26 확인되지 않는 인명이다.

27 확인되지 않는 인명이다.

28 응당 '絜茜社'이다.

한 것만 事實이다.

(九)

五. 詩·戱劇·小說

中國 現文壇에서 詩가 興하는가? 小說이 歡迎을 밧는가? 劇이 發達을 하엿는가? 하고 물으면 對答하기에 퍽 딱한 것을 늣기게 된다. 正말 이와 가티 部門을 난우워 가지고 본다면 別로 어느 것이 特別히 發展하엿다고 할 수가 업스나 그래도 仔細히 觀察하여 본다면 最近 三四年 間에 全盛한 것은 戱劇이요, 小說은 別다른 特記할 것이 업고 詩는 沈滯하엿다고 하겟다.

戱劇에 關하야는 筆者가 數月 前에 東亞日報에서 紹介한 바와 가티 最速度로 發達하엿다 하겟다. 本來 中國에 잇서서 新劇은 一方으로 舊劇에 壓倒되야 왓스며 一方으로 該 方面에 留意한 者가 적은 것이다. 그리다가 最近에 南北을 通하야 上海에서는 狂飈社의 向培良, 南國社의 田漢이 活躍을 하고 北平에서는 熊佛西가 藝術學院의 學生들과 만흔 努力을 하얏고 廣東에서 歐陽予倩, 泰安에서 趙太侔의 熱心은 讚歎할 바이엿섯다.

그러나 발서 戱劇은 衰運을 當하고 잇다. 戱劇 代로 勃興한 것은 映畵다. 中國에 조금 有名한 映畵團體는 南北에 그 製映所를 두고 北平에 學校를 開辦하엿는데 傳한 바에 依하면 數百名의 志願者가 잇다 한다. 一般 靑年들이 얼마나 映畵에 興味를 가지게 된 것을 推測할 수 잇다. 中國의 現今 映畵는 그 發達의 速함에 括目의 感이 업지 못하다.

小說에 잇서서는 어느 나라와 마치 한가지로 長篇이 적고 大部分이 短篇

이다. 中國 新小說의 發達은 遲遲한 感이 업지 안흐나 그래도 近 數年 間에 大進展을 하엿다. 矛盾[29]의 『虹』 等은 그 表現에 잇서서 어는 나라 作品에 遜色이 업슬 것이요, 巴金, 沈從文 等의 短篇은 亦是 一 新面을 開拓하엿다고 하야서 過言이 안일 것이다. 小說을 말할 하자니 自然 中國의 舊小說을 等閑히 할 수가 업다. 여기서 舊小說이라 하는 것은 時代로 보아서 묵은 것이 아니요, 『紅樓夢』이나 『兒女英雄傳』 等과 가튼 舊小說의 樣式에다 現代社會情形을 그려내는 것이다. 恨水의 此等 作品은 大部分이 映畵化하엿다 하며 讀者의 數爻로 보아서는 오히려 此 種類 小說의 耽讀者가 絕對 多數일 것이다. 新文藝를 談論하는 者는 此種 小說을 唾棄하는 바이지만은 야즉 中國社會에 잇서 封建思想이 清算되기 前에는 此等 小說이 歡迎을 바들 것이 事實이다. 水滸傳 種類에 屬하는 『江湖俠客傳』 等이 昨今에 洪水갓티 저나온 것은 아마도 現代 混亂한 中國社會의 엇지 못할 現象일 것이다.

詩는 白話詩가 發生한 後로 最近 數年과 갓티 零星한 일은 업섯슬 것이다. 新詩人이 輩出하는 것은 姑舍하고도 그 전에 詩人들까지 그 踵跡을 감춘 者가 만타. 그리하야 近 二三年 間에 出版된 詩集이라고는 五指로 꼽을 수가 잇을 것이며 新詩人은 더군다나 遼遼하야 數人에 不過하다. 在來의 詩人으로는 徐志摩가 不過 一二年 間에 四五卷의 詩集을을[30] 낸 것이 記錄이겟고 郭洙若은 『瓶』이란 小詩集으로 失敗한 後 別다른 作品을 불 수 업다. 또 詩刊社에서 徐志摩 等 諸氏가 『詩刊』이라는 詩 專門의 雜誌를 刋行한 後로 二期를 내고는 停刊의 狀態에 잇다.

詩壇이 이와 갓티 沈默하는 中에 曹藻華의 『寄詩魂』이란 處女 詩集은 相

---

29 '茅盾'의 잘못이다.

30 오식이다.

當한 收獲이라 하겟고 만흔 好評이 囑望이 만흔 것 갓흐며 南方에서는 邵冠華의 『旅程』이 比較的 나흔 作品이란 詩가 잇고 虞岫雲女士의 詩도 만흔 前途가 잇서 뵈인다.

맑쓰主義文學에 잇서서 朝鮮에서는 『詩는 叙事詩로』하는 口號가 잇는 것 갓튼데 中國에서는 別로 그러한 口號를 들을 수가 업고 郭沫若 等은 勞農層의 現象을 그려낼려고 한 努力이 뵈일 뿐이엿다. 詩에 잇서서는 主義 宣傳의 手段으로 아즉까지 成功하지 못한 模樣이다.

中國詩壇의 一般的 傾向을 본다면 唯心的 傾向이 濃厚하며 幻想的, 個人的, 神秘的 要素가 充溢하다고 할 수 잇다. 詩에 잇서 中國은 참으로 中國 獨特한 過程이 잇는 것 갓고 外來의 思想에 그대지 影響되지 안는 것 갓다는 것은 近日 筆者의 늣기는 感想이다.

(十)

近日에 詩壇에 잇서 注意되는 것는 中國에 萬寶山事件 及 今番 日本 出兵에 刺戟되야 口號式 詩가 各 新聞의 文藝欄에 散見되는 것이다. 勿論 詩다운 詩는 퍽 적지만은 外勢의 環境이 詩心에 影響된 것을 指摘할 수가 잇다. 그의 大部分은 觀照업는 感情이요, 憤怒요, 悲哀요, 憂鬱이지만은 그 속에는 反抗精神이 潛伏하여 잇는 것을 볼 수 잇고 幾分의 愛國心의 發露도 잇다 하겟다.

詩가 이와 가티 沈滯되는 데에는 여러 가지 原因이 잇겟다. 첫재, 中國은 自古로 專門的 詩人이 적고 文人은 다 詩로 出發하얏스며 詩는 生活의 餘裕잇는 사람 外에는 糊口의 道가 되지 못한 까닭에 文의 末技로서 詩를 쓰는 것이요, 專門으로 쓸 것 가티 重大하게 보지 안는 一般 傾向이 잇는 것 갓다.

둘재로는 自由詩의 荒野에서 獨特한 詩形을 發見하고 野卑한 日常話에서 珠玉가튼 詩語를 選擇하는 일은 너무나 어려운 까닭인 것도 그 原因일 것 갓다.

六. 結論 ― 中國文壇의 沈滯에 關하야

中國文壇은 一般的으로 보아서 沈滯狀態에 잇다고 박게 할 수 업다. 詩에 잇서서 上述한 바와 가티 全國을 通하야 詩專門의 雜誌가 한 冊도 업고 詩集의 出版이 不過 幾卷이요, 또다시 劇壇을 본다면 北平의 藝術學院은 閉鎖의 運命에 잇서서 조금도 活動을 하지 못하고 上海의 狂飇社, 南國社는 刋物 한 卷도 내지 못하고 廣東의 戱劇硏究所는 解散의 狀態에 잇서서 有數할 劇團은 한아도 업는 셈이요, 오즉 小說만이 그 運命을 繼續하나 量으로나 質에 잇서서 이러타는 發展이 업다. 그리하야 通트러 말하자면 文壇은 沈滯狀態에 잇다고 할 수 박게 업다.

筆者는 여긔서 中國文壇 沈滯의 原因을 몃 가지 적은 것으로써 本篇의 結論을 삼겟다.

中國은 全土를 通하야 近 二, 三年 間에 戰爭의 災難, 共黨의 慘禍, 水災火災의 慘變, 兵戊의 蹂躪을 當하지 안흔 곳이 업다. 이러한 災難의 餘孼은 다못 經濟의 恐慌과 人民의 疲弊가 잇슬 뿐이여서 生活이 不安定하고 環境을 觀察할 餘暇가 업게 된다. 그럼으로 自然 文藝作品이 産生할 수가 업스며 當面 問題가 急激한 때에는 筆墨의 効力이 날 수가 업는 것이다. 그리하야 文壇 沈滯의 重要原因은 亦是 中國社會의 混亂에 잇게 됨이요, 그 다음의 文壇內部의 原因으로는

一. 文藝理論의 缺乏과 二. 作家修養의 不足을 세일 수 잇슬 것이다.

中國文藝는 戰前 露西亞의 文學에 影響된 바 만하엿다. 그리하야 文學青年은 革命前 露西亞의 文學青年들과 가티 沈鬱하고 無光明한 狀態에 잇섯

다. 그 理由는 壓迫下의 露西亞와 淸皇 下의 中國情形은 恰似點이 만하엿든 까닭이다. 그럼으로 文學作品에는 苦悶이 잇슬 뿐이요, 目前에 暗澹한 現實이 잇슬 뿐이엿다. 그리하야 文學에 渴望하는 바는 우리에게 安慰를 주어다고! 우리의게 光明을 주어다고! 우리에게 自由를 주어다고! 하고 웨침이엿다. 이러한 狀態는 大概 新文學이 中國에 發生한 後 十年 間의 일일 것이다. 그 때의 實社會情形과 新思潮를 맛 본 靑年의 思想 間에는 雲泥의 隔遠이 잇섯다. 그 때에 外國文藝論으로 一般의 歡迎을 바든 것은 亦是 日本 厨村[31] 白村의 『苦悶의 象徵』이엿슬 것이다. 이 때에 文學靑年의 불으지진 것은 漠然한 自由이엿고 漠然한 人類解放이엿섯다. 그리다가 歐洲大戰은 終熄되고 世界 各地에서는 새로운 人類의 社會組織을 더 大膽하게 불으짓게 되엇다. 그리하야 社會革命의 各 主義는 革命家의 專用物이 아니고 文人의 발도 드려놋케 되얏다. 이 때에 비로소 文人들 中에는 무슨 主義, 무슨 主義를 硏究하게 되고 그러치 안흔 文人들도 漸漸 文學은 社會的 反映이니 社會的 表現이니 하고 大體의 意見은 一致하게 社會的 立場에서 文學을 論하게 되얏다. 이것이 近來의 現象일 것이다.

그러나 社會의 現狀을 硏究하는 것도 容易한 일이 아니어든 社會科學을 硏究하는 것은 더욱 難事의 難事일 것이다. 文學을 社會的 立場에서 論하려니까 社會科學에 關한 理論은 熟悉하여야 할 것이다. 그러나 文人으로서 社會理論은 系統실 수가 업는 것이 事實이다. 그러나 文學理論에 업서도 系統이 업슬 것이 事實이다. 中國 맑쓰主義文學의 失敗도 社會의 環境을 첫재 原因으로 들겟지만은 그 다음에는 理論다운 理論이 업섯든 것이요, 두날찰시

31 '村'은 '川'의 잘못이다.

키, 뽀크다놉흐, 고-간의 理論은 中國의 社會에 符合되지 안흔 것이 事實이다. 또 그들의 理論도 學得할 餘暇가 업섯든 것이다. 그럼으로 筆者는 一切 社會科學을 根據로 한 文學에서 失敗한 重要原因은 理論의 不完全과 不合理한 理論에 잇다고 主張하고십다. 中國에 맑쓰主義文學 대로 勃興한 民族主義文學도 亦是 同一한 理論下에서 失敗하리라고 豫言하고 십다.

다음에 文人의 修養不足에 關하야서도 亦是 그럿타. 近來에 文學의 技巧를 等閑視하고 內容을 重要視하는 것은 어느 點으로 보아서 조흔 現象이라고 할 것이다. 文學家는 技巧를 等閑히 할 수는 잇지만 自己의 意思를 讀者의게 印象깁게 表現할 技術은 잇서야 할 것이다. 勿論 文人修養 全般에 關하야는 學材에 關한 것도 重要하겟지만은 表現에 關한 訓練이 더욱 必要하다고 생각한다.

中國에 잇서는 文字를 印刷하는 것이 퍽 容易하다. 다른 나라와 가티 檢閱이 甚하지도 안코 또 經費가 만히 걸리는 것도 아니다. 또 一般 公共한 機關이 퍽으나 만타. 新聞의 數도 만코 雜誌의 數도 만타. 그럼으로 참 價値업는 作品이 너무 만히 印刷되는 感이 잇다. 이러한 社會의 環境은 才格업는 者의 文人으로서 出世를 容易하게 하는 弊가 잇다. 修養 업는 文人이 續出하게 된다.

어느 나라 文壇에서도 理論 缺乏, 作家修養 不足은 恒時 問題되는 바이지만은 中國文壇이 이와 가티 沈滯한 때를 當하니 더욱 이 두 가지를 痛切히 늣기게 된다.

(完了)

此稿 後半은 『現代文學評論』, 『文藝月刊』, 『滿蒙』(日文誌)에 取材한 것이 만흔 것을 말하여 둔다.

中國 新詩壇의 彗星『徐志摩』를 弔함[01]

丁來東

(上)[02]

略歷과 著書

浙江 海甯人──三十六歲.

徐志摩氏는 十二歲부터 詩를 쓰기 始作하엿다 한다. 氏는 中國에서 上海大學, 北洋大學 法預科에 學籍을 둔 일도 잇고 民國 二年(或은 一九一七年)에 北京大學에 入學하야 卒業한 後 米國에 가서 오뻴린·칼레지와 콜롬비야大學에서 修業을 하고(或 云 콜러크大學) 歐洲에 遊覽하엿다 한다. 米國에 가서는 銀行學을 배우다가 興趣가 업서서 政治學을 배웟다고 한다. 倫敦에 가서는 라스키教授에게 政治學을 더 研究하고 엣치·지웰스·빼나드·쇼, 랏셀 等과 交遊가 잇섯스며 그들의 影響을 만히 바덧다고 한다. 그 後로 文學을 研究하고 民國 十三年에 中國에 도라와 北京大學에 教鞭을 잡고 晨報社의 副刊을 編輯하엿다 한다. 그 때의 著書는 如下하다.

---

01 『東亞日報』 1931.12.2, 6면; 12.3, 5면, 12.4, 4면.

02 매회 연재분 표기로서 3회에 걸쳐 연재되었다.

『巴黎鱗瓜』, 『自剖』, 『志摩小說集』, 『渦提孩』, 『瑪麗, 瑪麗』.

民國 十七年에 다시 歐米를 가서 米國 『 』[03]라는 詩社의 同人이 되얏는데 中國 舊詩는 宣統의 師 鄭孝胥氏가 擔當하고 新詩는 氏가 擔任하엿다 한다.

一九二三年에 타고아가 中國에 왓슬 때 講演의 翻譯을 한 것도 氏라고 한다. 歸國한 後에는 上海 光華大學 等에서 教鞭을 잡은 일도 잇스며 그와 同時하야 胡適, 羅隆基, 梁實秋 等 諸氏와 『新月』이란 月刊 雜誌를 發行하고 氏는 專혀 翻譯과 詩 等 文藝品을 擔任하얏섯다. 昨年에 北京大學에 와서 다시 教鞭을 잡게 되야 胡適氏의 집에 그 동안 寄寓하엿다 한다.

上記한 著書 以外에 이러한 著書 等이 잇다.

『志摩的詩』(詩集)

『翡冷翠의 一夜』(詩集)

『만스힐―드 小說集』

『猛虎集』(詩集)

『卞昆岡』(戲戲)

『지금 나는
참으로 참으로 죽겟소.
당신이여, 내가 갈 때까지
내가 다시 눈을 뜨지 안할 때까지
내가 날고 날아서 창공으로 날어가

---

03 원본에는 비어있으나, 1909년 런던에서 설립되어 계간지 『시평(詩評)』을 기반으로 활동하던 '영국시사'를 지칭한다.

흐터저 모래가 되고 흐터저 빛이 되고 흐터저 바람이 될 때까지
이 같이 나를 안어주소서
아——苦痛! 그러나 苦痛은 쩔으고
暫時的이오, 快樂은 永遠한 것이다.
사랑은 죽지 안흔 것이다.
나는 나는 잠을 자야겟소.』

——『愛의 靈感』의 末段(『詩刋』 創刋號에서)

이 詩는 今年 『詩刋』 創刋號에 發表된 것이오, 昨年 十二月 二十五日 早[04] 六時에 쓴 것이다. 그러고 보다 徐志摩氏가 이 詩를 쓴지가 一年이 다 되지 못하야 참으로

『내가 날고 날아서 창공으로 날어가
흐터저 모래가 되고 흐터저 빗치 되고 흐터저 바람이 될 때까
지』

의 實現者가 되리라고 누가 想像이나 하얏슬가? 그러나 詩人 自身은 無意識 中이나마 그 銳敏한 直感으로서 이러한 自己의 將來를 感觸하얏섯는지도 알지 못할 일이다.

氏는 現在 北京大學의 敎授로 잇다. 旬前에 自己 家事를 整理하기 爲하야 顧維鈞과 가티 飛行機를 타고 南京에 갓다가 도라오는 길에 이 慘變을 當하얏다 한다. 一說은 南京政府로 오래 동안 發給하지 안한 敎育費를 催促하기

04 정보가 잘못 되었다. 아침이 아니라 밤 여섯시다.

爲하야 北京大學 校職員 代表로 南京을 갓섯다고도 한다. 南京을 간 原因은 何如間에 氏는 今月(十一月) 十九日 早朝에 南京에서 飛行機 『濟南』號의 단 한 사람의 乘客이 되어 北平을 向하고 나려오다가 濟南을 밋처 다오지 못하야 南黨家 附近에서 大霧를 맛나야[05] 飛行機는 分碎 全燒되고 氏는 飛行士 一名, 機械士 一名과 단 三人이서 幽秋空山의 雲霧之客이 되엇다 한다.

氏는 『愛의 靈感』이란 詩 中에 또 이러한 一節이 잇다.

『죽엄을 나는 발서 바래 보앗다.
『[06]사랑이 내의 마음 속에 얽어매인 날부터
나는 죽엄을 바래 보앗다.
그 아름다운 永遠의 世界 죽엄.
나는 그 압해 무릅을 꿀켓다.
그는 곳 光明과 自由의 誕生이니까.』

氏는 발서 죽엄이라는 것이 어떠한 것이며 또한 죽엄에 對한 覺悟를 準備하고 잇섯든 것이 事實이다. 그러면 氏여! 至今 君의 간 곳은 果然 光明의 世界요, 自由의 世界인가? 다시 그 큰 經驗을 詩로 發表할 수는 업는가! 그대는 참으로 쩔른 苦痛으로써 永遠의 快樂을 探求하는 心願을 達하고야 말앗고나!

開山이라는 山의 山頂에 衝觸하야[07]

---

05 본회 말미의 '開山이라는 山의 山頂에 衝觸하야'가 이곳에 와야 한다.

06 겹낫표가 잘못 기입되어 있다.

07 위치가 잘못 되었다. 응당 위의 각주 5의 위치로 옮겨야 한다.

(中)

(二)

氏는 本來 性質이 豪蕩하다고 한다. 그럼으로 歐洲에 잇슬 때에도 倫敦, 巴里 間을 飛行機로 旅行한 일도 잇다 한다. 그의 性質이 그러한 만큼 그의 詩에 잇서도 空中에 飛翔한 幻象을 그려보며 迷霧와 岩壁에서 생각에 잠긴 自已를 그려내는 때가 만타.

> 『이 가튼 안개 속에서 이 가튼 壁岩미테서 눈물 먹음고 人生과 鮮露를 생각하노라.』
>
> ──朝霧中의 小草花

그의 詩는 大部分이 自然을 읇은 것이 만흐며 外界에서 感興을 어더가지고 자己의 情緖를 짜어내는 詩人이다. 그럼으로 描寫的 部分이 만흔 것이 恰似『빠이론』의 詩를 聯想하게 한다. 그는『빠이론』의 詩를 愛讀할 뿐만 아니라『빠이론』의 自由無羈한 性質과 熱情에 同感되는 點이 만흔 것 갓다. 그럼으로 그의『빠이론』이란 一文 속에는 빠이론이 煩鎖하고 束縛 만흔 故國을 떠나 過去 革命家, 詩人의 舊蹟을 巡禮하는 것을 讚美하고 이러한『코테이쉰』을 끌어다가 讚歎한 것이 아무래도 自已의 感情과의 共通한 것에 滿足한 것을 엿볼 수가 잇다.

> 『"What is life, what is death and what are we. That when the ship sinks, we no longer may be."』

그러나 氏의 詩는 [08]빠이론』과 가튼 反抗과 熱情이 적고 언제나 幽淸하고 微温的인 感이 잇다. 그럼으로 自己로서 나서서 旗빨을 처들고 아프로 猛進하는 勇氣와 反抗力이 적고 나무그늘에 숨어서 파이푸에 불을 부치며 이 自然을 鑑賞하고 人生을 咀呪하고 淡雲을 欣慕하며 或時에는 그 美貌에 微笑를 띄우기도 하고 或時는 感情이 激揚하야 얼골을 붉킬 때도 잇는 것 갓다. 그러나 終時 아우성을 치고 나무그늘에서 튀여나을 勇氣를 볼 수가 업다. 이런 것은 決코 그가 熱情이 적어서 그런 것도 아니요, 다못 그의 氣質이 그리한 까닭일 것이다. 그럼으로 그는『키―즈』의『夜鶯賦』(Ode to Nightingale),『巴黎의 鱗爪』를 解釋한 일도 잇다. 氏의 詩的 態度는 키―즈와 相似點이 업다고는 못할 것이다.

(三)

十九世紀 英文學에 잇서서 佛蘭西革命의 影響은 자못 컷섯다. 우리『양가! 포에쓰』中에 빠이론도 佛蘭西大革命의 影響을 바덧섯고 셸리―도 그 影響을 밧엇지만은 키―즈만은 조금도 그 影響을 밧지 안하엿다 한다. 中國의 現代詩人 中에 로서아革命의 影響과 中國의 內亂에 感觸되지 안는 詩人은 퍽 적을 것이다. 그의 한아로서 나는 郭沫若을 들 수가 잇다. 그러나 徐志摩는 조금도 그러한 影響이 뵈이지 안는다. 키―즈와 徐志摩는 革命의 影響을 밧지 안흔 詩人으로서 共通點이 잇다고 하겟다.

---

08 겹낫표 '『'가 누락되어 있다.

(四)

『빠이론』은 三十六歲에 異域에서 異國의 自由를 爲하야 싸우다가 죽엇다. 徐志摩氏는 亦是 三十六歲를 一期로 하고 自己의 願하는 飛行을 하다가 죽엇다. 이 얼마나 奇異한 일이냐! 本來 熱情에 넘친 詩人은 夭絕을 하는 法인가? 빠이론은 三十六歲에 죽고 셀리—는 三十歲에 죽고 키—즈는 二十六歲에 죽엇다. 아아! 키—즈의 『夜鶯賦』를 지은 倫敦을 보고 感慨無量하든 그대는 過去에 저승으로 간 熱情詩人들과 相逢의 祝杯를 올리는가? 그러치 안흐면 虛無로 도라가 모그로 부서지고 燐火로 變하야 뿌렷는가? 只今 人類의 科學으로는 이 消息까지도 알 길이 업고나!

빠이론은 美貌의 貴公子로 有名한대 徐志摩氏도 美貌로 名聲이 놉다 한다. 빠이론은 白耳義를 갈 때 나폴레온이 타고 단인 馬車와 가튼 莊嚴한 馬車를 만드러 가지고 갓다 한다. 氏는 南京, 北平 間에 汽車도 잇고 汽船도 잇고 한데 何必 希貴한 飛行機를 가려탓든가? 셀리—는 伊太利의 海岸에서 적은 自己 『뽀—트』를 타고 다니다가 溺死하얏다 한다. 熱情의 피끌는 青年詩人들 새이에는 엇지나 이리 共通點이 만흔가!

(五)

勿論 徐志摩氏는 詩人으로서 빠이론, 셀리—, 키—쯔와 比할만한 詩人인가는 아즉 問題에 屬할 것이다. 그러나 그의 中國 新詩壇에 한 貢獻은 참우로 크다고 할 것이다. 그는 中國 文學革命 時에 參加한 詩人은 아니다. 그는 郭沫若과 가티 詩壇上의 活動은 中國 文學革命 後 數年을 經過한 때로부터 始作되엇다.

『女神』을 中國 新詩壇에 던진 郭沫若은 浪漫主義 詩人으로서 遜色이 업

섯다. 그는 太陽을 노래하고 그의 熱情은 太陽의 光燄과 가티 激熱하엿섯다. 그의 反抗精神은 激流와 가티 怒吼되고 그의 詩語는 嚴冬의 枯木이 暖春의 繁綠으로 變한 것 가티 生生하고 活氣가 잇섯다. 이와 同時하야 徐志摩氏는 爛熟한 情緖를 華麗한 新詩語(白話)로 裝飾한 詩歌를 發表하얏섯다. 아마 中國 文學革命 後로 只今에 이르기까지 白話詩를 氏와 가티 익숙하게 쓴 詩人은 아즉 나오지를 안하얏다고 하야서 過言이 아니 것이다.

그는 詩形에 잇서서 一定한 詩形을 쓰지 안코 여러가지 詩形을 創作하엿다. 우리는 그의 詩形을 보기 爲하야 가장 만히 讚揚을 밧는 『去罷』의 第一節을 原文대로 抄하야 보자.

去罷, 人間, 去罷！
　我獨立在高山的峯上！
去罷, 人間, 去罷！
　我面對著無極的穹蒼.

아마 中文 알지 못하고 白話詩를 볼지 모르는 분으로도 이 四行詩를 볼 때에는 注意되는 點이 잇슬 것이다. 그것은 곳 第一行과 第三行이 同一한 句이어서 일거 나려갈 제 音과 意義에 잇어서 反響이 되는 點과 第二行과 第四行의 『我』字는 同一한 字이어서 알리타레쉰(順韻)이 되는 것과 第二行의 末字 『上』字와 第四行의 『蒼』字는 라임(脚韻 或은 押韻)이 되는 것일 것이다. 그리고 第一行과 第三行은 同一하니까 더 말할 것도 업고 第二行과 第四行의 字數가 가튼 것일 것이다. 이런 것은 그저 一目할 때에는 그리 神奇한 것도 업지만은 中國 白話詩가 樹立한 後 十年 內外 間의 時日을 생각할 때에는 感歎하지 안흘 수 업슬 것이다. 朝鮮에 잇어서 自由詩를 더 完全하게 發展하지 못하고 만흔 詩人이 詩調의 舊形으로 遁避한 것과는 同一하게 말할 바가 못된다.

(下)

(六)

그의 詩語를 能爛하게 驅使함에 對하야는 一般의 共許하는 바이니 더 呶呶할 必要가 업거니와 그의 詩想에 關하야는 多少 不能하다는 評이 잇다. 그러나 筆者의 觀察로서는 詩想에 잇서도 그럿타는 不調和를 늣기지 안한다.

왜 그러냐하면 우리의 肉眼으로 自然을 볼 때에 서로 矛盾된 點이 櫛比하거니와 人間社會에 잇서는 더욱 서로 衝突 相反된 것이 만흔 만큼 눈에 뵈이는 대로 마음에 늣기는 대로 쓰는 詩에는 더욱 複雜한 것이 만흘 것이요, 不能한 點이 만흘 것이다. 이러한 專門에 問題는 後日 論하기로 미루고 이에는 略하겟다.

(七)

그는 白話 散文에 잇서서 詩에 지지 안[09] 노픈 이름을 가지고 잇다. 近代 散文家로는 오즉 梁啓超만이 比肩할 수 잇다고 하는 評도 잇다. 그러나 梁氏와는 그의 文이 本質的으로 不同함으로 比較할 바가 못되지만은 何如間 白話 美文으로는 亦是 氏를 第一에 屈指하지 안흘 수가 업다. 詩想에 豊富한

09 '는'자가 누락되어 있다.

그는 散文도 詩와 비슷하게 쓰는 便이다. 그의 散文은 梁啓超의 散文과 가티 靑山流水 모양으로 흘러 나려가는 文體가 아니요, 淡霞 속에 파무친 百合과 가티 幽遠하고 美麗하야서 玩賞 吟味할 文體라고 하면 適合할 것이다.

(八)

一部 評家들은 氏를 뿔으조아 個人主義者라고 酷評하는 者도 잇지마는 只今 慘變을 當한 後 一二日 밧게 되지 안하야 아즉 그 피도 마르지 아니하엿을 터이나 그 作品의 好否는 後日에 評하기로 하고 여기서는 略하기로 하자.

筆者는 原稿를 다 쓰고 나니 너무나 讃揚한 感이 잇다. 그러나 筆者는 아즉까지 氏를 對面도 하지 못하엿는 만콤 或은 私感이라던지 師友關係가 잇서 그리하지 아니한 것마는 明言한다. 그를 最後까지 한 번도 맛나려고 하지 안흔 異常한 動機를 筆者는 가지고 잇다. 발서 五六年 前의 일이다. 氏가 『晨報』副刊을 編輯할 當時의 일인데 吾友 某君이 原稿 事件으로 氏를 訪問한 일이 잇섯다. 吾友 某君이 徐氏를 訪問하고 왓기에 그의 印象을 내가 무르니 첫재로 말하기를 퍽 華麗한 客室을 가지고 잇다는 것이요, 둘재는 貧困한 靑年學子를 그리 歡迎하지 안흔 貌樣이라는 것이 吾友 某君의 對答이엇섯다. 나는 그 말을 들은 後로 氏를 차저 볼 勇氣가 나지 안하엿다. 그리하야 끗끗내 한 번도 보지 못하고 갈니게 되엇다. 只今 와서 吾友 某君도 不幸히 永眠을 하고 氏도 黃泉의 客이 되고보니 엇전지 感慨無量하며 何如間 한번 訪問이나 하야 보앗드라면 하는 생각도 나고 이저가는 吾友 某君도 記憶에 새로와진다.

(끗)

『中國民間文學槪說』[01]

丁來東

中國은 文學革命 後로 外國文學을 輸入하야 드리는데 盡力할 뿐만 아니라 舊文學의 整理와 平民文學을 硏究하는 데 餘力을 남기지 안하고 잇는 中이다. 그리하야 科擧時代에 盛行하든 八股 文章은 一蹴하야 돌아보지를 안코 忠君愛國의 眞髓로 解釋하야 오든 屈原의 楚辭는 詩人의 抒情詩로 奪還하야 오고 古典을 詩文의 生命으로 여기는 古典文學을 死文學이라 排擊하고 現今에 와서는 民間에서 發生하고 民間에서 發展하야 온 文學만이 生命잇는 文學이요, 참文學으로 녀기게 되엇다. 周作人은 三四年 前에 歌謠의 蒐集을 主唱하야 三四集의 歌謠를 모아노코 또 歌謠論集을 發刊하얏으며 今日에 와서는 民間故事도 相當히 討論되는 中이요, 中國 以外의 學者들도 벌서 唐詩나 元曲이나 古代의 詩歌보다도 明淸 以後의 民間文學을 硏究하는 對象으로 하는 傾向이 잇다. 그리하야 日本에서도 明淸의 彈詞, 唱本 等이 論議되는 貌樣이다.

이 小冊은 中國 民間文學을 槪括的으로 論述한 것이어서 明淸 以後로 多

01 『東亞日報』 1931.12.27, 5면.

形 各樣으로 發達하야 온 民間文學을 系統잇게 平易하게 敍述하얏다. 勿論 詳細한 專門硏究는 아니겟지마는 複雜한 中國 民間文學을 一目瞭然하게 하는 點에 成功하얏다 하겟다. 이제 卷頭에 든 表를 抄하야 參考에 供하면 如下하다.

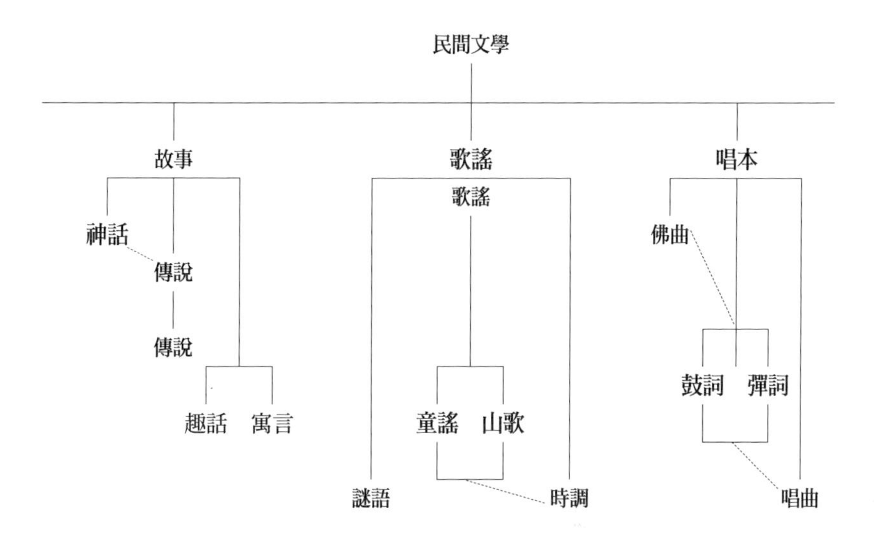

上記의 表와 같이 中國 民間文學이라면 다른 나라와 가티 大部分이 詩歌에 屬하는 것이다. 그 種類의 多樣인 것과 그 種類의 區別하는 데 만흔 困難을 늣기게 된다. 그러나 이 冊은 그러한 繁亂이 없게 잘 分析하여 노코 各類의 一二의 例까지 들어 노앗다.

筆者가 이 分類를 보고 한가지 인스피레쉰을 늣긴 것은 『時調』에 關한 名詞다. 勿論 每日 듯다싶이 『時調』를 듯지마는 그리 注意를 하지 안핫고 近來 朝鮮에 잇어서 時調는 朝鮮 固有의 詩形이라고 再興하는 氣勢를 본 後가 되어 自然 더 注意하게 되엇다. 筆者는 中國의 『時調』 起源을 캐여보려 多

少 參考를 하여 보았으나 아즉 確實한 時代를 엇지 못하고 上記의 表로 보와 山歌에서 發達하여 온 것으로 보면 오래인 歷史를 가진 것만은 事實이다. 그러타면 朝鮮에서 固有하다는 時調도 그 名詞까지가 中國의 것이 아닌가 하고 疑訝하는 中이다. 그리하야 安自山氏의 『朝鮮文學史』를 뒤저보아도 時調 發生의 起源은 차즐 수가 없고 그가 朝鮮日報에 發表한 『時調의 由來』라는 글은 보지를 못하야 參考할 수가 없고 이제 同氏의 『時調의 體格風格』이란 文 中에 이러한 一節이 잇는 것으로 보면 그 調子만은 中國 佛曲에서 나온 것이 事實인 것 같다.

> 『本來 歌曲 二十四法은 明의 佛歌曲을 輸入하야 世宗 時붙어 流行하엿든 바다. 故로 時調도 佛歌의 調子로 된 것인 바 그 文章의 體段도 佛의 三分說을 본바든 것이 아닌지 모른다.』

또 한 가지 異常한 것은 時調가 漢詩를 翻譯하면서 發見된 詩形이 아닌가 하는 點이다. 그것은 亦是 安自山氏 著 『朝鮮文學史』에서 본 例다. 六二頁의 『李奎報의 詩』에

> 『日暖코 風和한데 鳥聲이 喈喈로다. 滿庭落花에 閑暇히 누엇스니. 아마도 山家 今日이 太平인가 하노라.』

이런 것이 잇고 또 同著 六七頁에 『李奎報의 詩』라는 第二行에 右時調의 漢詩가 실렷다.

> 『(訪山寺) 風和日暖鳥聲喧, 垂柳陰中半掩門. 滿地落花僧醉臥,

山家猶帶太平痕.』

勿論 時調가 잇은 後 그 詩形으로 漢詩를 翻譯 못 할 바는 아니지만 이 亦是 確實한 考證이 없는 때에는 어쩌타 말하기가 어렵다. 이 問題에 對하야 만흔 研究가 잇기를 바란다.

讀後感을 쓰면서 너무나 歧路로 드러가 冗長하여젓다. 다시 本題로 돌아가서 讀後感을 써보자. 中國은 本來 詩歌가 퍽 發達한 나라임으로 西歷 紀元前 八七世紀로붙어 今日에 이르기까지 그 詩形의 多樣임에 驚異를 늣기지 않을 수가 없으며 最近에까지 文言의 詩形은 조금도 發展이 없엇는데 反하야 民間의 詩歌는 拘束없이 各形으로 發展함을 보면 近來의 自由詩運動도 民間에서는 벌서 前붙어 實行되엇는지도 모른다. 또 最近 中國學界의 傾向으로 보면 中國 歷代의 優秀한 詩歌는 大部分이 民間에서 發生한 것이라 하고 또 自由詩運動이 일어난 後 沈滯를 늣기면서 民歌를 研究하는 方向으로 나어간 것을 보면 中國詩歌의 先驅는 民歌라고 하야도 過言이 아닐 것 같다. (楊蔭深氏 著)

엮은이 소개

최창륵(崔昌竻)

남경대학교 한국어문학과 교수로서 연변대학교 조선언어문학학부 및 동 대학원 석·박사과정을 졸업했으며, 한국 근현대문학 및 한중비교문학 전공자이다. 연구 저서로는 『리얼리즘과 한국근대문학』(남경대학출판사, 2011), 역서로는 『중국 문학 속의 한국』(소명출판, 2017), 논문으로는 「부나이푸 한국인 서사의 의미-『황야의 사나이』에서 보이는 극지상상과 문화융합을 중심으로」(2017) 등이 있다.

조영추(趙穎秋)

중국 남경대학교 한국어문학과 및 동 대학원 석사과정을 마치고 연세대학교 국어국문학과에서 박사학위를 받았다. 현재 해방기 문학과 한·중 근대문학의 비교연구에 관심을 가지고 공부하고 있다. 주요 논문으로 「언어의 미달과 사회주의 친선 감정의 자기 증식: 한설야의 소련 기행문과 소련인물 관련 소설을 중심으로」(2021), 「집단 언어와 실어 상태: 중국 문인들의 한국전쟁 참전 일기를 중심으로」(2018) 등이 있으며, 공동 역서로 『集體情感的譜系: 東亞的集體情感和文化政治』(2018)가 있다.

'한국근대문학과 중국' 자료총서 ⓫
비평 Ⅱ(1930~1931)

초판 1쇄 인쇄 2021년 9월 17일
초판 1쇄 발행 2021년 9월 27일

지은이 정래동 외
엮은이 최창륵 · 조영추
기 획 『한국근대문학과 중국' 자료총서』 편찬위원회
펴낸이 이대현
편 집 이태곤 문선희 권분옥 임애정 강윤경
디자인 안혜진 최선주 이경진
마케팅 박태훈 안현진
펴낸곳 도서출판 역락
주 소 서울시 서초구 동광로 46길 6-6 문창빌딩 2층
전 화 02-3409-2060(편집), 2058(마케팅)
팩 스 02-3409-2059
등 록 1999년 4월 19일 제303-2002-000014호
전자우편 youkrack@hanmail.net
홈페이지 www.youkrackbooks.com

ISBN 979-11-6742-026-8 04810
979-11-6742-015-2 04810(전16권)

* 책값은 뒤표지에 있습니다.
* 파본은 구입처에서 교환해 드립니다.